Moordlust

MOORDLUST

BUTHLER & ÖHRLUND

De Fontein

Van Buthler & Öhrlund verscheen bij De Fontein:
Moord.net (2010)

© 2008 Dan Buthler & Dag Öhrlund
© 2011 voor deze uitgave: Uitgeverij De Fontein, een imprint van
De Fontein|Tirion, onderdeel van VBK|media, Postbus 13288, 3507 LG Utrecht

Deze vertaling is tot stand gekomen na overeenkomst met Sane Töregård Agency AB.

Oorspronkelijke uitgever: Damm Förlag, Forma Publishing Group AB
Oorspronkelijke titel: *En nästan vanlig man*
Uit het Zweeds vertaald door: Geri de Boer
Omslag: Studio Jan de Boer, Amsterdam
Omslagfoto: Arcangel Images/Eduardo Ripoli
Auteursfoto: Knut Koivisto
Vormgeving binnenwerk: Text & Image, Gieten
ISBN 978 90 261 2832 5
NUR 332

www.defonteintirion.nl

Dit verhaal is fictie. Alle namen – behalve die van Björn Rydh – zijn verzonnen en elke gelijkenis met bestaande personen berust op toeval.

DE AUTEURS

PROLOOG

Hij kijkt om zich heen en kan zijn minachting maar met moeite verbergen.

Snotneuzen alom. En stomme trutten, wannabe's, sommige in behoorlijk smaakvolle jurken, andere eruitziend als de sletten die het zijn.

Aan de ene kant – wat kun je anders verwachten van een nieuwjaarsbal aan het Stureplan, het plein dat het hart van het uitgaans- en zakencentrum van Stockholm is? Aan de andere kant – een béétje kwaliteit had geen kwaad gekund. Hij heeft bijna drieduizend kronen betaald voor het toegangskaartje. Het op afstand houden van het gajes was hem wel tienduizend waard geweest. *Wie heeft die amateurs hier verdomme binnengelaten?* Wat hebben ze wel niet gedaan om kaartjes te verkopen?

Als hij dat had geweten, had hij de laatste uren van het jaar op een heel wat betere manier kunnen besteden. Nu is het te laat, nu is het zaak nog een paar uur te overleven, en het overlevingspakket bestaat uit een paar lijntjes coke. Hij voelt discreet in zijn zak of het kleine plastic zakje nog is waar het hoort te zijn. Dan pakt hij een glas goed gekoelde Bollinger van een zilveren dienblad en zet koers naar het toilet, terwijl hij beleefd glimlachend bekenden groet.

In de damestoiletten stift ze haar lippen wat bij, trekt ze de borstel een paar keer door haar haar en trekt ze de mooie zijden jurk recht, die haar schouders bloot laat en zich als een foedraal om haar lichaam sluit. Ze knipoogt naar zichzelf in de spiegel en loopt naar de deur.

Ze botsen bijna tegen elkaar als ze de deur uit komt en ze hapt naar adem.

In smoking is hij knapper dan ooit.

Zijn smokinghemd is stralend wit. Hij draagt er een vlinderstrik en een cumberband bij in een discrete, zeer donker violette tint. Zijn zwarte, dikke haar ligt glad naar achteren gekamd op zijn hoofd. Zijn intense ogen biologeren haar en een glimlachje, dat glimlachje dat haar al zo vaak zwak heeft gemaakt, speelt om zijn mondhoeken.

Ze werpt snel een blik door de gang naar de feestzaal. Hans is nergens te zien. En trouwens, wat is er nou onschuldiger dan dat zij op oude-jaarsavond wat met zijn beste vriend babbelt?

Hij zet haar vast door aan weerszijden van haar schouders een hand tegen de muur te zetten. Ze laat het gebeuren, leunt tegen de muur, kijkt hem in de ogen en glimlacht.

'Hé, Mr. Cool, hoe gaat het?'

Secondelang monstert hij haar met zijn ogen, zijn blik blijft even hangen bij haar decolleté en gaat dan verder omlaag, over haar buik en haar heupen. *De smeerlap! Hij kleedt me uit met zijn ogen en hij weet donders goed dat ik er niets op tegen heb...*

Zijn ogen ontmoeten de hare weer. Dan knipoogt hij en snuift.

'Je bent bijzonder, Veronica,' fluistert hij. 'Je ruikt heerlijk, en dan bedoel ik niet je parfum...'

Haar hart slaat sneller. Gauw kijkt ze nog een keer de gang door naar het geroezemoes en de champagne.

Leeg.

Hij buigt naar haar toe en beroert met zijn lippen vluchtig de zijkant van haar hals, bij de nek. Haar lichaam reageert op zijn nabijheid, zijn lippen, de geur van zijn aftershave, en ze voelt zich ineens slap in de benen.

Daar is dat glimlachje weer en die blik die haar fixeert.

'Ik voel gewoon dat dit een heel goed jaar gaat worden...,' zegt hij zacht. 'We zouden eens moeten afspreken...'

Als hij zijn handen van de muur haalt, kantelt zijn glas. Naderhand weet ze zeker dat het opzet was. Koude champagne spettert over haar jurk, zo op haar linkerborst.

Ze voelt hoe de vloeistof snel door de dunne stof dringt en haar tepel hard maakt.

Hij kijkt naar beneden, nog steeds glimlachend. Weer fluisterend: 'Oeps, dat moet het beste van twee werelden zijn...'

Ze slaat haar ogen neer en voelt een blos over haar wangen trekken. *Jij rotzak. Je weet precies wat ik voel, wat ik denk, wat ik wil...*

'Ik wens je een heerlijke avond, Veronica. Misschien krijg ik straks nog een dans van je...?'

Ze hoort zijn stem als in een mist. Dan gaat er dichtbij een deur dicht en als ze haar ogen opendoet, is hij weg.

Hoe haar ogen hem ook zoeken, ze ziet hem de hele avond niet meer. Plotseling staat Hans naast haar, hij glimlacht en heft zijn glas. Ze hoort proosten en roepen. De klok slaat middernacht en ze hoort zijn gefluister weer in haar hoofd: *Ik voel gewoon dat dit een heel goed jaar gaat worden...*

1

Hij kijkt in de spiegel en ziet kracht en elegantie.

Zijn handgemaakte schoenen van Brooks Brothers glimmen. De broek van zijn kostuum zit perfect. Hij stelt vergenoegd vast hoe gespierd zijn bovenlichaam is, geen onsje vet.

De pot haargel staat handig binnen bereik. Zijn dikke, zwarte haar heeft er veel van nodig. Zorgvuldig kamt hij het strak naar achteren tot het goed zit.

Alexander de Wahl trekt een keurig gestreken, wit overhemd aan en strikt vlot zijn nieuwe stropdas van Italiaanse zijde. Ten slotte trekt hij zijn colbertje aan en doet het middelste knoopje dicht.

Monstert zichzelf nog één keer. Smetteloos.

De vochtinbrengende crème voelt koel aan aan zijn wangen, de deodorant en de aftershave zijn zo discreet dat je ze alleen maar kunt vermoeden.

Een laatste blik in de spiegel. Zijn bruine ogen zijn vastberaden, vertrouwenwekkend. Tegelijkertijd stralen ze uit dat dit iemand is met wie je niet zomaar ruzie moet maken.

Het is nog maar drie weken geleden dat de koppen in *Dagens Industri* uitschreeuwden dat hij een van de meest begeerde banen aan het Stureplan kreeg. Als uitzonderlijk jonge directeur van de Banque Indochine in Zweden heeft hij een fantastische carrière voor zich. De kansen zijn twee keer zo groot geworden. Hij heeft misschien wel meer vijanden gekregen, maar ook meer mogelijkheden.

Winnaar, fluistert hij naar zijn spiegelbeeld.

Alexander de Wahl zet het koffiezetapparaat uit, werpt een laatste blik op zijn Poggenpohl-keuken en dan even in de woonkamer. Het is laat geworden gisteren, té laat. Maar, denkt hij, het was het waard. De afwas doet hij later wel.

Hij trekt zijn mohairen jas aan zonder hem dicht te knopen, stopt zijn zachte, varkensleren handschoenen in de zak van zijn jas en pakt zijn aktetas.

'Goedemorgen.' Mevrouw Dahlström haalt moeizaam adem, en terwijl hij naar haar glimlacht, vraagt hij zich af wie het eerst een hartaanval zal krijgen tijdens de ochtendwandeling: zij of haar oude poedeltje.

'Goedemorgen.' Hij denkt er één seconde over na hoe het is om oud te worden, maar verjaagt die gedachte meteen weer. Oud klinkt nog ver weg. Poedeltje klinkt ook ver weg. Sterven klinkt ver weg. Hij doet een stapje opzij op de trap om de hond niet op zijn poten te trappen en voelt de adrenaline door zich heen gaan. Lang geleden dat hij op de vechtclub was. Lang geleden dat hij heeft gevochten.

Op straat blijft hij even staan; hij ademt de friskoele herfstlucht in. Het is nevelig. Het is 06.59 uur als hij met rasse schreden de Torstenssonsgata door loopt, naar het zebrapad over de Strandväg. Die zal hij, zoals gewoonlijk, oversteken en dan zal hij langs de kade wandelen waar de schepen voor anker liggen en de geur van het water opsnuiven voordat hij bij het Nybroplan komt en gauw zal doorlopen naar het Stureplan. Het gaat een winnaarsdag worden.

Kom nou toch, verdomme!

Hij jogt ongeduldig heen en weer over het brede middenpad van de Strandväg, dat de bomen al maanden geleden met bladeren hebben bedekt en dat nu in de ochtendnevel in het donker ligt.

De man in de zwarte overjas en met de donkere, gebreide muts op let niet op de doffe kleuren waarin de natuur de ochtend verft en ziet de zilveren dauwdruppels niet die ijs zouden zijn als de temperatuur maar een paar graden lager was geweest.

Zijn horloge geeft 06.58 uur aan. Hij had er nu moeten zijn.

Zijn hart gaat sneller kloppen. Zijn hersens draaien zijn plan voor de honderdste keer, versneld, af. Het heeft geen zwakke plekken. Hij holt heen en weer over het vochtige grind om warm en lenig te blijven.

Er komt maar één kans. Vandaag. Nu.

Een zwak lichtstraaltje van de straatlantaarn dringt door de nevel, die dichter lijkt te worden. 07.00 uur. *Waar blijft hij? Is er iets gebeurd?* Waarom zou deze ochtend anders zijn dan alle andere? Hij heeft geen plan B bedacht; dat was niet nodig. Plan A is snel, effectief en zal alles voorgoed veranderen.

07.02 uur. *Verdomme!*

Het verkeer is drukker geworden. Al files op de Strandväg. Risico-inschatting: meer voortkruipende auto's betekent meer potentiële getuigen. Aan de andere kant: de zon komt pas om 07.35 uur op. Het prille licht is nog te zwak om door de nevel heen te dringen. De mensen moeten naar de auto vóór zich kijken als ze in de file staan. Hij heeft donkere kleren aan. Het zal snel gebeurd zijn. Mensen die achter het stuur zitten kunnen hun auto niet midden in het verkeer achterlaten.

Hij jogt op de plaats, springt wat rond en probeert zijn armen en benen te ontspannen om ze soepel te houden. Hij voelt zweetdruppels op zijn hoofd, de badmuts onder de gebreide muts zit strak en warm.

07.06 uur. *Daar komt hij!*

Als De Wahl opduikt, is hij niet meer dan vijfendertig meter bij hem vandaan. De Wahl steekt de Strandväg over en gaat op de kinderkopjes lopen. Hij snijdt een stukje af naar rechts en wandelt snel in de richting van het Nybroplan.

De man in de zwarte overjas rent tussen de stilstaande auto's door naar de kade langs de Strandväg. De adrenaline stroomt door hem heen. Zijn hersens repeteren het plan nog een keer.

Het is zover.

Behalve De Wahl zijn er geen mensen vóór hem. Hij werpt snel een blik naar links en ziet dat de rijen op de kade geparkeerde auto's hem onttrekken aan het oog van de automobilisten in de file op de Strandväg.

De Wahl wandelt recht op hem af. De afstand is nu zo'n twintig, vijfentwintig meter.

Zal hij me herkennen? Wat zal hij dan zeggen? Zal hij het begrijpen voordat het te laat is?

De jogger scherpt zijn zintuigen. Zijn hart bonkt steeds harder, hij denkt dat hij het zelfs kan horen kloppen.

Het is zover. Hij gaat harder lopen.

Hij is nu nog hooguit vijf meter van de wandelende man vandaan. De Wahl kijkt op als hij de voetstappen van de jogger hoort en kijkt hem even aan.

Plotseling verstijft hij.

Er gebeurt iets in de hersens van Alexander de Wahl. Er start een serie processen. Vragen. Vergelijkingen. Controles.

Zijn hersens hebben in een fractie van een seconde iets bekends ontdekt, iets wat er al heel lang in opgeslagen heeft gelegen.

Een herkenning.

De jogger. Ken ik hem? Een zakenrelatie? Niet erg waarschijnlijk. De mensen met wie ik zakendoe, joggen niet om zeven uur 's morgens langs een natte, winderige kade. Toeval. Hij lijkt misschien op iemand die ik wel eens heb ontmoet.

De hersens van De Wahl sluiten het proces af. Zijn gedachten gaan terug naar de zaken en de plannen voor deze dag. Naar succes.

De man in de overjas jogt De Wahl voorbij. Klootzak! *Je herkende me niet eens!*

Vijf meter verder maakt hij een bocht van honderdtachtig graden, en intussen haalt hij een plastic zak uit zijn jaszak.

De zolen van zijn sportschoenen zijn zacht, en De Wahl hoort hem niet komen. Hij rent tot vlak achter de bankier, tilt zijn rechterarm op en slaat snel toe. De zak met de scherpe, doorgehakte baksteen raakt de rechterslaap van De Wahl hard. Hij kreunt, laat zijn aktetas los, wankelt en zakt op de kinderkopjes in elkaar, zonder dat hij zijn val behoorlijk kan breken.

De jogger werpt een snelle blik op de Strandväg. Ze bevinden zich nu ongeveer ter hoogte van de Grev Magnigata. Zo te zien heeft niemand hen opgemerkt. De plek is perfect, beter kan niet. Meteen links van hen is een open ruimte van vijf, zes meter tussen twee voor anker liggende boten.

Dat is genoeg.

De Wahl ligt op zijn buik, met zijn gezicht naar de stenen, en kreunt. De jogger buigt zich over hem heen, pakt het lichaam beet en begint het om te draaien, verbaasd dat het zo zwaar is. Het gezicht van de bankier wordt langzaam maar zeker zichtbaar. Zijn ogen zijn gesloten en hij bloedt hevig aan de rechterkant van zijn hoofd.

Nog een snelle blik richting Nybroplan. Nog steeds geen mens op de kade. De bar-restaurantboot, een stukje verderop, is nog niet open en de Shell-pomp die vroeger zo'n honderd meter hiervandaan lag, is afgebroken. Bovendien hebben de mensen op maandagochtend kennelijk iets anders te doen dan langs de Nybrokaj wandelen.

'Goedemorgen, klootzak!' Hij slaat De Wahl hard met zijn gehandschoende hand in het gezicht. De Wahl kermt van de pijn en kijkt moeizaam op. Hij spert zijn ogen open. 'J... Jij?' is het enige wat hij kan uitbrengen.

'Ja, ík! Rust zacht, smeerlap!'

De Wahl lijkt zijn laatste krachten te mobiliseren. Het bloed stroomt nu nog harder langs zijn hoofd omlaag en hij ademt met horten en stoten. 'Het... Het spijt me! W... Wacht... Ik kan betalen... Wat wil je...?'

De provinciale alarmcentrale op het eiland Kungsholm in Stockholm krijgt om 07.11 uur een gesprek binnen.

'Hallo, ik sta in de file op de Strandväg bij de Grev Magnigata en er gebeurt iets raars hier op de kade...'

De agent die het gesprek aanneemt zucht. Hoe raar kan het op de kade aan de Strandväg zijn om zeven uur op een ochtend in januari?

'O ja? Wat gebeurt er dan?'

Aarzeling.

'Ik kan het niet goed zien, want er staan geparkeerde auto's voor, maar het lijkt of er een kerel over een andere vent gebogen staat, die op de grond ligt.'

'Ja-aa...?'

Dan, met opwinding in de stem: 'Nu zie ik het: hij slaat die vent op zijn gezicht! Hij slaat die liggende vent! Allemachtig, wat krijgt die een pak slaag! Nu trekt hij aan zijn jas...'

'Oké, blijf aan de telefoon, dan kijk ik of ik daar snel een auto kan krijgen!'

De agent kijkt op de grote, elektronische kaarten op de muur voor zich. Hij trekt een grimas. Het is vroeg en hij heeft nog niet zo veel auto's op de weg als hij wel zou willen. Sommige zijn aan het werk bij een vrij groot verkeersongeluk op de Centralbro, andere zitten vast in hopeloze files. De dichtstbijzijnde vrije wagen lijkt de 1110 te zijn, maar die rijdt helemaal op de Sveaväg. Hij drukt op de zendknop.

'70 voor 1110, over.'

Het antwoord komt onmiddellijk: '1110, Sveaväg hoek Odengata, over.'

De agent in de alarmcentrale glimlacht. Die knaap in 1110 moet een groentje zijn, dat hij zijn positie opgeeft. De alarmcentrale beschikt al heel lang over het nieuwe systeem, dat aangeeft waar alle politiewagens zich bevinden en of ze beschikbaar zijn of niet.

'1110, mishandeling gaande op de kade van de Strandväg ter hoogte van de Grev Magnigata. Er belt iemand uit een auto en hij zegt dat er een man over een liggende man heen staat en die een pak slaag geeft. Rij erheen en ga even kijken, over.'

Het is een paar seconden stil terwijl de agenten in de patrouillewagen een notitie maken. Dan: 'Begrepen, over.'

'1110, over en sluiten.'

En naar de man aan de telefoon: 'Er is een patrouillewagen onderweg naar de Strandväg. Wat ziet u nu?'

Maar de lijn is dood.

De agent in de alarmcentrale constateert zuchtend dat het waarschijnlijk niet uitmaakt. Voordat de patrouillewagen door het drukke verkeer van de Sveaväg naar de Strandväg is geraakt – waar je er in de ochtendspits zelfs niet op kunt vertrouwen dat de busbaan vrij is – zal alles, wat het dan ook was, wel afgelopen zijn.

De man in de zwarte overjas kijkt nog een paar keer snel om zich heen om zich ervan te vergewissen dat er niemand naar hen toe komt.

De Wahl probeert het nog een keer. 'Wacht... Wat wil je... Je kunt geld... krijgen...'

Nu kijkt de jogger hem glimlachend aan, maar het is geen vriendelijk glimlachje. 'Ik wil geen geld hebben! Je gaat eraan, smeerlap!'

De Wahl wil instinctief zijn hand omhooghouden om zich te beschermen, maar hij is al te zwak en het is te laat. De krachtige arm met de baksteen raakt met een krakend geluid zijn linkerslaap. De jogger maakt een snelle werpbeweging en de plastic zak met de baksteen vliegt in een grote boog over de kade. Hij stuitert een keer tegen een touw tussen de aangemeerde boten en verdwijnt dan met een plons onder het zwarte wateroppervlak.

De jogger pakt de overjas van De Wahl stevig vast en sleept de bloedende man de bijna vier meter naar de rand van de kade. Zonder te twijfelen geeft hij nog een laatste ruk aan het lichaam, zodat het een seconde boven de rand blijft hangen, voordat het valt. Hij hoort de plons, kijkt nog een laatste keer om zich heen en rent gauw door. Zijn horloge geeft 07.16 uur aan.

Goed werk.

Een opmerkzame automobilist in de file aan de Strandväg ziet dat de joggende man opeens halt houdt ter hoogte van de Styrmansgata.

Er is iets raars aan hem. Waarom draag je een overjas over je trainings-pak als je gaat hardlopen?

Terwijl hij daar net over nadenkt, ziet hij dat de jogger iets uit zijn zak haalt en op de grond laat vallen. Dan trekt hij snel zijn jas uit, rent naar de rand van de kade en slingert hem tussen twee boten in het water. Vervolgens rent hij verder over de Strandväg.

Raar!

De jogger steekt over op het zebrapad en verdwijnt een ogenblik uit zicht tussen de bomen op het middenpad. De automobilist ziet de man over de tramrails, de vluchtheuvel en het volgende zebrapad hollen, het trottoir aan de andere kant op.

Voordat de jogger doorloopt, langs de verlichte etalages van makelaar Lagerling en de Styrmansgata in, meent hij door de nevel een blauw zwaailicht van de kant van het Nybroplan te zien aankomen. Te laat, jongens, denkt hij.

De nevel trekt op en het ochtendlicht wordt langzaam sterker, maar het vocht en de frisheid zijn er nog. Hij komt bij de Riddargata, slaat rechts af bij de tabakswinkel en jogt verder. Een huizenblok verder gaat hij linksaf de Grev Magnigata in en de heuvel op naar de gele gebouwen waar de Dienst Cultureel Erfgoed en het Nationaal Historische Museum gehuisvest zijn.

Bij de Storgata buigt hij af naar rechts en hij bedenkt tevreden dat hij nu precies het plan volgt dat een paar maanden geleden in hem opkwam. Door over steeds drukker wordende straten van de plaats van het mis-drijf vandaan te zigzaggen, wordt de kans kleiner dat hij iemand zo goed zal opvallen dat die er iets over zou kunnen zeggen tegen de tijd dat ie-mand er eventueel naar zou vragen.

Waarom zou iemand ernaar vragen? Stockholm is een miljoenenstad, vol mensen die wandelen, hun hond uitlaten, joggen. Hij valt niet op in de menigte.

Hij laat het tempo een beetje zakken, jogt rustig een huizenblok ver-der en steekt de Torstenssonsgata over.

Hier woonde je, klootzak. Maar hier kom je nooit meer terug.

Hij loopt door langs Östra Stallet naar het plantsoentje tussen de Ba-nérgata en de Narvaväg.

Daar. Die afvalbak.

Hij blijft staan en komt op adem. Als iemand een beetje zou opletten, zou hij kunnen zien dat de jogger de gebreide muts afdoet en diep in de afvalbak duwt. De oplettende toeschouwer zou ook – vermoedelijk met een zekere verbazing – vaststellen dat de man onder de gebreide muts een plastic badmuts draagt, die hij nu van zijn hoofd trekt en in de zak van zijn joggingbroek stopt.

Maar de vrouw met de hond, vijf meter van hem vandaan, gaat volledig op in het bestuderen van hoe haar schatje aan de rand van het trottoir zijn behoefte doet.

Risicoloos. Hoewel?

Op de Narvaväg staat een file de anders zo frisse ochtendlucht te vergiftigen. Een vrouw in een van de auto's kijkt naar hem wanneer hij zijn badmuts van zijn hoofd trekt. Ze ziet er verbaasd uit.

Een getuige. Hij zou er misschien op af moeten rennen, het portier van haar auto openrukken en haar wurgen.

Hij wendt gauw zijn hoofd af en steekt de Narvaväg over, tussen een paar in de file staande auto's door, holt voorbij de kerk, linksaf de Fredrikshovsgata in. Bij het oranjeroze Garnizoen-complex gaat hij rechtsaf de Linnégata in en verhoogt het tempo. Hij trekt de lucht diep in zijn longen, voelt zich sterk en vrij, en wil een tijdje hard rennen.

Hans Jakobson is moe. Het is bijna tijd om naar huis te gaan na de nachtdienst en zijn elf uur broodnodige rust te krijgen. Was er nou echt geen andere auto voor dit klusje? Zuchtend beseft hij dat de Strandväg om deze tijd alleen maar te omschrijven is als een verkeersramp. Hoewel hij twee keer aan het knopje heeft getrokken, zodat het zwaailicht en de sirene allebei aanstaan, staat de patrouillewagen stil in een rij blik met brandende remlichten. 'Opzij, verdomme!'

Zijn collega Bergh wijst over de rijbaan naar de andere kant. 'Kijk eens of je naar het midden kunt sturen, zodat we de busbaan kunnen nemen, of het middenpad tussen de bomen.'

Jakobson laat het zijraam zakken, steekt een arm uit om de auto's links van hem en achter hem te laten zien waar hij heen wil, en een halve minuut later is het gaatje groot genoeg om de Volvo naar links te kunnen sturen, de busbaan op, tot bij het middenpad. Nog steeds met het zwaailicht en de sirenes aan trapt hij het gaspedaal in zover hij durft, remt voor slingerende fietsers en hoort scheldwoorden van boze voetgangers door het open zijraam.

Twee minuten later slaagt hij erin de patrouillewagen langs de files op de Strandväg de kade ter hoogte van de Grev Magnigata op te rijden. Hij zet de sirenes en de motor uit.

'Ik zie geen mishandeling. Jij wel?'

'Nee, maar wat is dat daar?' Bergh wijst op de kade, voor de wagen. 'Ziet eruit als een aktetas.' Hij doet het portier open en stapt uit.

Jakobson volgt zijn voorbeeld, loopt over de kinderkopjes en stelt rillend vast dat het begint te regenen, terwijl de wind ook aantrekt. Hij loopt zijn collega voorbij, die op zijn hurken bij de aktetas is gaan zitten. Plotseling blijft hij staan. 'Hé, er zit hier bloed aan de kaderand!'

Bergh staat op en komt naar zijn collega toe. Zorgvuldig, om niet in het bloed op de stenen te trappen, lopen ze naar de rand van de kade en kijken.

Een paar meter van de kant zien ze een man op zijn buik in het zwarte water drijven, met licht gespreide benen en gestrekte armen, als in een laatste smeekbede.

'Verdomme!' roept Jakobson uit en hij draait zich snel om. 'Laat die aktetas liggen waar hij ligt, ik roep de alarmcentrale op.'

Bergh knikt. 'Vraag ze meteen de kustwacht te waarschuwen dat ze hier duikers heen sturen. We moeten het lichaam hier weghalen voordat het journaille er lucht van krijgt! Niet de radio gebruiken!'

Jakobson gaat in de politiewagen zitten, start de motor en zet de verwarming hoog. Hij haalt zijn mobieltje uit zijn zak en toetst het nummer van de centrale in.

'Jakobson hier, van de 1110, wil je me snel doorverbinden met de officier van dienst?'

Een paar minuten later verlaat Hans Jakobson de warmte van de Volvo en loopt naar Bergh, die nog naar het drijvende lichaam staat te turen.

'Ik heb de officier van dienst gesproken. De kustwacht is onderweg en er komt ook een commissaris van dienst. Ze willen dat we onmiddellijk een terrein van tien bij tien meter vanaf de kaderand afzetten. Ze zeiden niks over foto's, maar we moeten er voor de zekerheid toch misschien een paar proberen te maken.'

Bergh knikt en de beide agenten maken de kofferbak van de Volvo open, halen er twee rollen blauw-wit afzetlint uit en een tas met een digitale camera.

Een snelle knik rechts-links bij de Berwaldhal en hij is eindelijk op de Dag Hammarskiöldsväg.

Een kwestie van minuten nu.

Hij komt langs de mooie huizen waar de diplomaten wonen, langs de Amerikaanse ambassade en Villa Källhagen, en steekt dan schuin het open veld bij het Scheepvaartmuseum over.

Hij zou bang moeten zijn als een opgejaagd dier, maar hij voelt juist voor het eerst sinds vele jaren een grote innerlijke rust.

Bij het water onder het Scheepvaartmuseum stopt hij en controleert zijn ademhaling een paar minuten. Hij kijkt om zich heen. De vredige promenade langs het water is populair bij flaneurs, hondenbezitters en joggers, maar het is een maandagochtend in januari en de meeste mensen lijken iets anders te doen te hebben dan hier zijn.

Leeg.

Als hij zich ervan vergewist heeft dat niemand hem ziet, haalt hij rustig de zwarte plastic vuilniszak uit zijn linkerzak. Hij wurmt zich uit zijn buitenste trainingspak, wikkelt het om een paar keien die hij bij de waterkant opraapt en stopt het geheel in de plastic zak. Met zijn nagels scheurt hij op verschillende plaatsen gaten in het plastic. Dan perst hij zo veel lucht uit de zak als hij kan en knoopt hem stevig dicht.

Vlak bij de waterkant blijft hij staan.

Concentreer je! Als je niet ver genoeg gooit, kan de zak te ondiep terechtkomen, zodat iemand hem ziet. En het is te verrekte koud om het water in te lopen en hem te gaan halen. Als je hem te ver gooit, kunnen de scherpe stenen door de kracht het plastic van binnenuit kapotscheuren, en dan is het allemaal voor niets.

Eén worp. Die moet perfect zijn!

Hij maakt een grote boog met zijn arm en gooit de zak zo ver weg in het water als hij kan.

Wanneer hij het laatste stukje zwart plastic onder water ziet verdwijnen, valt de spanning van hem af. Hij wordt overspoeld door vermoeidheid en gaat tussen de vochtige bladeren aan de waterrand zitten.

Zijn gedachten gaan terug en zijn lippen beginnen te trillen.

Handen die zijn lichaam omlaag persen. De Wahls gemeen grijnzende gezicht boven zich. Het hoongelach op de achtergrond. De pijn, de walging...

De smaak van schaamte.

Zijn ogen vullen zich met tranen en hij begint te beven.

Het duurt wel een kwartier voordat hij voldoende tot rust is gekomen om door te gaan. Het zweet voelt plotseling koud op zijn lichaam, hij moet weer warm zien te worden. Zijn benen trillen enigszins wanneer hij opstaat en een beetje op de plaats huppelt om weer op gang te komen. Hij begint op zijn gemak terug te joggen langs de promenade en kijkt in het voorbijgaan naar het groen uitgeslagen beeld met de tekst ZIJ GAVEN HUN LEVEN VOOR ONS.

Hij bedenkt vol ironie dat iemand anders zojuist onvrijwillig zijn leven heeft gegeven.

Net goed voor die vuile klootzak!

Via de trappen komt hij aan de voorkant van het museum, en hij rent snel naar de weg. Een blik op zijn horloge zegt hem dat hij de bus terug moet nemen: het duurt te lang om de hele weg naar huis te rennen en hij moet op tijd zijn voor een vergadering. Bij de halte van lijn 69 trekt hij zijn varkensleren handschoenen uit en stopt ze in een vuilnisbak.

De chauffeur knikt kort wanneer de jogger in een eenvoudig, donkerblauw trainingspak instapt. Hinkte hij een beetje? Misschien heeft hij bij het joggen zijn voet verstuikt. Hoe dan ook, het is niet ongewoon dat mensen ver Djurgården op rennen en dan de bus terug nemen.

De bus rijdt de diplomatenbuurt in, langs de Berwaldhal, de bocht om en de Strandväg op.

De jogger leunt met zijn wang tegen het vochtige raam. Van verre ziet hij de blauwe zwaailichten al.

Een paar seconden gaat zijn hartslag omhoog, dan wordt hij weer normaal.

Wanneer de bus de plek voorbijrijdt waar hij zo-even een man heeft vermoord, sluit hij zijn ogen – en hij voelt niets dan rust.

Bij het Nybroplan stapt hij uit, werpt een blik op de goudkleurige standbeelden die de ingang van het Koninklijk Theater sieren en huppelt een paar seconden op de plaats om zijn bloedsomloop weer op gang te krijgen. Dan begint hij langs de Sibyllegata te joggen. Hij passeert het Östermalmstorg, rent nog een blok verder en ziet op het kruispunt met de Linnégata het buitengewoon lelijke bakstenen huis met de witte raamkozijnen en dat wat erkers moeten voorstellen, maar nooit meer is geworden dan het braaksel van een gestreste architect uit de jaren zeventig.

Linnégata 27 moet het enige volkomen onaantrekkelijke huis van heel Östermalm zijn, denkt hij. En het is vast geen toeval dat juist daar een 7-Eleven-winkel op de begane grond zit.

Hij kon zich niets beters veroorloven. Toen.

Maar er komen betere tijden.

Hij blijft voor de toegangsdeur staan, buigt voorover en steunt met zijn handen op zijn bovenbenen terwijl hij op adem komt. De deur gaat open en zijn benedenbuurvrouw, mevrouw Larsson, komt naar buiten. Ze lacht vriendelijk en knikt wanneer hij een 'goedemorgen' uitstoot.

Raar, denkt mevrouw Larsson, terwijl ze langzaam, steunend op haar wandelstok, de straat in loopt. Iedereen moet tegenwoordig rennen en jagen, en als ze dan vrij hebben, gaan ze weer rennen. Waarom zo'n haast?

Hij zet het alarm uit, doet de deur achter zich op slot en blijft er een paar tellen tegenaan geleund staan. Zijn trainingspak belandt, samen met zijn ondergoed, op een hoop op de vloer.

Het douchewater mag bijna pijnlijk heet worden voordat hij de mengkraan een tikje terug draait. Zijn huid kleurt rood van de snelle temperatuurwisseling. Hij wast zijn haar en zijn lichaam zorgvuldig en spoelt zich lang af, terwijl hij alles wat er die ochtend is gebeurd in gedachten nog een keer beleeft.

Geen problemen. Geen fouten. Geen sporen.

Dan schrikt hij en blijft met de handdoek in zijn hand staan, terwijl de druppels van zijn lichaam af op de verwarmde tegelvloer glijden.

De aktetas! Die is op de kade blijven liggen.

Zijn hart bonst. *Wat betekent dat?*

Hij wrijft zichzelf stevig droog met de handdoek, terwijl hij de slaapkamer in gaat naar zijn kledingkast. Krijtwit overhemd, discrete, donkergrijze, zijden stropdas.

Niets. In de aktetas zit niets wat met hem te maken heeft, en het lichaam in het water zal toch snel worden geïdentificeerd. Bovendien kwam de gebreide muts perfect in een plas terecht, een paar meter van de plek waar hij de jas in het water gooide. Die moeten ze vinden. Geen problemen.

De muts. Zo handig dat zijn vriend die een paar weken geleden op de plank boven de kapstok had liggen. Zo praktisch dat de gastheer en -vrouw na het eten zo beschonken waren dat ze niet merkten dat zijn gehandschoende hand stiekem naar de plank reikte en de muts pakte.

Zwart Armani-kostuum en handgemaakte schoenen. Een elegant geurtje. Zijn spiegelbeeld laat een jonge zakenman zien, die klasse heeft en om zijn uiterlijk geeft.

Geen moordenaar.

De herfstlucht voelt vochtig aan. Hij knoopt zijn overjas dicht terwijl hij met gezwinde pas, met zijn aktetas in zijn hand, naar de city loopt. Hij neemt een kop koffie en een ciabatta in een café, en loopt dan door naar kantoor.

Een paar uur later typt hij een paar commando's in op zijn toetsenbord, verzendt een verkoopopdracht en wacht af, terwijl hij gespannen de flikkerende beurskoersen op zijn datascherm in de gaten houdt. Na een paar minuten breekt er een brede glimlach door op zijn gezicht.

Yes!

Twee miljoen.

Niet slecht, zo vóór de lunch.

2

Op de Polhemsgata reed een auto veel te hard door een regenplas, waardoor er zo veel water opspatte dat een klein teckeltje er bijna in verdronk. De vrouw met het teckeltje schudde woedend haar vuist naar de chauffeur, die haar ongetwijfeld niet eens opmerkte.

Rekening houden met anderen, dacht Rydh, is uit de mode geraakt. Triest.

Hij liet zijn hand peinzend over zijn baard glijden. Zijn collega's en zijn baan in Göteborg, zijn echte baan, leken soms heel ver weg. Hij voelde een steek van gemis toen hij dacht aan wat hem het naast aan het hart lag. De bommen. De collega's in Göteborg hadden net een nieuwe auto gekregen en een nieuwe robot om bommen mee op te rapen.

Hij verlangde naar zijn vrouw en zijn vrijstaande huis aan de westkust. Zijn dagen op het politiebureau van Stockholm doorbrengen met het ontwikkelen van Sprong, een nieuw computerprogramma voor in beslag genomen goederen, had heel verleidelijk geleken toen hij ervoor werd gevraagd; vleiend, omdat hij daarvoor als de geschiktste man van heel Zweden werd beschouwd. Maar elke week heen en weer pendelen naar de westkust was vermoeiend, en de eenzame avonden in het ondergehuurde appartement in Huddinge kon hij ook missen als kiespijn. Die ruilde hij steeds vaker in tegen lange overuren op het politiebureau. Hij kon immers beter iets zinnigs doen dan naar de tv of naar een muur te staren. Bovendien gaf het hem de kans een paar vrijdagen te compenseren en vroeger naar huis te gaan.

Naar het leven.

Hoe ouder je wordt, dacht hij, hoe belangrijker het wordt om je naasten in de buurt te hebben.

Het gerinkel van de telefoon onderbrak zijn gedachten. Hij pakte de hoorn van de haak en liet zijn ogen van het computerscherm naar buiten dwalen. Het was gaan regenen.

Een nachtmerrie als je sporen veilig moet stellen.

'Rydh.' Het klonk misschien een beetje kortaangebonden, dacht hij, voor iemand die hem niet kende.

'Goedemorgen, hoe staat het leven ervoor bij de beste technische rechercheur van Zweden?'

Björn Rydh glimlachte toen hij de opgewekte, Zuid-Zweedse tongval van de commissaris hoorde, en hij leunde achterover.

'Voor iemand achter de vijandelijke linies heel redelijk, dank je. Maar ik had liever aan de voorkant van Zweden gezeten, dat weet je.'

Jacob Colt schoot in de lach. '*Shit happens*, Björn, ik bevind me net zo goed in vijandelijk gebied als jij. Het verschil is alleen dat jij de kans hebt weer terug te gaan naar de beschaving.'

'Laten we het hopen,' antwoordde Rydh. 'Ik heb geen idee hoelang dit project zal gaan duren. In het begin zeiden ze twee jaar, en nu zijn er al drie voorbij. Maar aan de andere kant, het werk is best leuk...'

'Goed om te horen dat je het naar je zin hebt! Björn, ik heb je hulp nodig. Heb je zin in een echt politieklusje, voor de verandering?'

'Waar gaat het om?' Rydh ging rechtop zitten. Hij had groot respect voor Jacob Colt en diens collega's. De commissaris had hem, terwijl hij op het politiebureau op Kungsholm werkte, een paar keer te hulp geroepen, maar alleen in heel belangrijke gevallen. Rydh had plezier gehad in de samenwerking en ook in de afwisseling, om het werk aan zijn bureau even los te laten en het veld in te gaan.

'Vanmorgen om een uur of zeven,' zei Colt, 'belde er een getuige vanuit een auto aan de Strandväg. Hij vertelde dat hij zag dat iemand een man mishandelde die op de kade lag. Jammer genoeg werd het gesprek afgebroken voordat de patrouillewagen er was, en de getuige belde kennelijk met een prepaidtelefoon, dus we kunnen hem niet bereiken. De patrouille die ter plaatse kwam, vond eerst geen slachtoffer, maar wel een aktetas, die ongeveer lag waar de mishandeling zou hebben plaatsgehad.'

Björn Rydh pakte een schrijfblok en krabbelde met een potlood een paar aantekeningen neer. 'Ja...?'

'Toen de collega's over de rand van de kade keken, zagen ze een lichaam in het water drijven,' vertelde Colt. 'De alarmcentrale riep duikers van de kustwacht op, en die hebben het lichaam geborgen. De man is geïdentificeerd als Alexander de Wahl...'

Rydh floot. 'Allemachtig!'

'Ken je hem?' Jacob Colt klonk een beetje verbaasd.

'Ik vermaak me graag met de economiepagina's van *Dagens Nyheter*,' antwoordde Rydh. 'Het is altijd leuk om te weten wat die financiële rakkers van plan zijn. Een paar weken geleden las ik dat die knaap een uitzonderlijk hoge baan kreeg voor zijn leeftijd. Bankdirecteur of zoiets, geloof ik. Het viel me op omdat die gast een jaarloon van vijf, zes miljoen zou krijgen, én omdat het een ongewone naam is...'

'Helemaal goed,' zei Colt. 'Ik heb net de voorzitter van de raad van bestuur van de Banque Indochine aan het Stureplan gesproken. De Wahl is nog geen tien dagen coo geweest...'

Jacob Colt zweeg een paar seconden en vervolgde toen: 'Je begrijpt dat ik nu onder druk word gezet. Dat een van de kopstukken van financieel Stockholm wordt doodgeslagen terwijl hij 's morgens naar zijn werk wandelt, blijft niet zomaar onopgemerkt.'

Rydh kauwde op zijn potlood. 'Heb je een theorie?'

'Nog niet. Maar het ziet er in elk geval niet uit als een gewone overval. De Wahl had een portefeuille met een creditcard en meer dan vijfduizend kronen aan contanten in zijn binnenzak. Hij had een Breitling om zijn pols en die zijn peperduur. En in de aktetas zaten usb-sticks en cd's die ongetwijfeld vertrouwelijke informatie bevatten.'

'Hoe zag het lichaam eruit?' vroeg Rydh.

'Ik heb nog maar een kort rapport gekregen,' antwoordde Colt. 'De duikers en de geüniformeerde collega's ter plaatse zeiden dat hij een paar flinke klappen op zijn hoofd leek te hebben gehad, zowel links als rechts. Maar of die zijn ontstaan door slagen of doordat hij iets heeft geraakt toen hij over de rand van de kade viel, weten we nog niet.'

'Laten we dan maar bij het begin beginnen,' antwoordde Rydh. 'Wat wil je dat ik doe?'

Colt twijfelde even en zei toen: 'Björn, ik heb daar gewoon een extra scherp oog nodig. Christer Ehn en Johan Kalding zijn al op de Strandväg bezig met technisch onderzoek, maar ik zou graag willen dat jij er ook een kijkje gaat nemen. Hopelijk zien drie paar ogen meer dan twee, en ik ken niemand die zo goed is als jij.'

Rydh lachte smakelijk. 'Nou overdrijf je, slijmerd!' Hij wierp weer een blik uit het raam. 'Kijk eens naar buiten naar de omstandigheden! Niets kan sporen zo snel uitwissen als regen in combinatie met een beetje wind. En als het lichaam dan ook nog in het water heeft gelegen, kunnen ze bij Forensisch nog heel wat problemen krijgen.'

Jacob Colt zuchtte. 'Ik weet het, Björn. Maar daarom moet ik juist alles doen wat ik kan. Een paar van mijn beste mensen zijn ter plaatse en Henrik Vadh leidt het onderzoek. Wanneer kun je er zijn?'

'We zijn één kleinigheidje vergeten,' antwoordde Rydh. 'Heb je Mård al gesproken?'

'Yep,' zei Colt. 'In zo'n geval moet je op tijd voor rugdekking zorgen. Ik wil niet dat een van ons beiden hier problemen door krijgt. Börje zegt dat het Sprong-project wel één dagje, of misschien zelfs wel twee, zonder jou kan zonder dat de wereld stilvalt.'

'Wat bedoelt hij daar verdomme mee?' grapte Rydh. 'Het project valt stil op het moment waarop ik de deur uit ga. Maar hoe kom ik het makkelijkst op de Strandväg?'

'Politietaxi,' zei Colt opgewekt. 'Ik bel de centrale en vraag ze een auto naar de hoofdingang te sturen. Terug kun je wel een lift krijgen van een van de technici of van Henrik.'

Twintig minuten later stopte er een politiewagen bij het afzetlint op de Strandväg. Björn Rydh bedankte voor de lift, stapte uit, trok de rits van zijn gewatteerde jack op en bekeek het schouwspel. Het regende nog steeds, zij het iets minder dan toen Colt belde. Daarentegen leek het harder te gaan waaien.

Shit, dacht Rydh. Als er hier al iets te halen was, dan is het nu allang weggeblazen of weggeregend.

De grijze Volkswagen-bus van de technische recherche stond vlak voor de afzetting geparkeerd, net als een paar auto's die vermoedelijk van Henrik Vadh en zijn collega's waren.

Er was een gebied van tien meter breed afgezet vanaf de rand van de kade naar de Strandväg. Een geüniformeerde agent stond bij het afzetlint geposteerd. Rydh ging naar hem toe en liet zijn legitimatie zien.

'Hallo. Hebben jullie iets gevonden?'

De geüniformeerde agent haalde zijn schouders op. 'Ik weet niet, ik heb net de ploeg afgelost die hier het eerst was. Zij moesten naar binnen om een rapport te schrijven. Vraag het maar aan de rechercheurs...' Hij knikte met zijn hoofd naar achteren en wees met zijn duim over zijn schouder.

'Oké, dank je.' Rydh tilde het afzetlint met zijn hand op, bukte en stapte eronderdoor.

De geüniformeerde agent knikte naar hem en keek toen weer de andere kant op.

Ambtsovertreding, makker, dacht Rydh zuchtend. Je mag me hier niet toelaten zonder vragen te stellen. Je weet alleen maar dat ik politieman ben, niet dat ik technisch rechercheur ben of het recht heb een plaats delict te betreden.

Henrik Vadh stond aan de rand van de kade, samen met iemand die Rydh niet herkende. Iets verderop lag iets zwarts, wat Björn Rydh maar al te goed herkende.

Een lijkenzak.

Een paar meter daarvandaan zat Christer Ehn op zijn hurken. Hij raapte iets op met een plastic zakje en gaf dat aan zijn collega Johan Kalding. Ze werkten allebei bij de technische recherche en Rydh kende hen goed. Ze waren heel vakkundig. Rydh ging naar hen toe.

'Mogge, mannen. Hoe ziet het eruit?'

Ehn en Kalding knikten bij wijze van groet.

'Dag Björn,' zei Christer Ehn. Hij wees naar de zak. 'We hebben een lichaam. Geen slecht begin. We hebben bloed en een paar kleinigheden van de stenen gehaald. We moeten maar zien wat dat oplevert...'

Rydh knikte. Als we pech hebben en de dader een beetje slim is, is het bloed van het slachtoffer zelf, en wat moeten we daarmee? dacht hij. Hij keerde zich om en liep langzaam naar de rand van de kade, met zijn handen diep in zijn jaszakken. 'Ha, Henrik!'

Vadh draaide zich om en op zijn anders zo ernstige gezicht brak een glimlach door. 'Hé, hallo, Björn. Leuk om je te zien! Wat verschaft ons de eer?'

'Ik kreeg een telefoontje van iemand die Colt heet. Ken je die?' grapte Rydh. 'Hij wilde dat ik hier even een kijkje ging nemen.'

'Verstandig van hem.' Vadh knikte. 'We hebben hier alle hulp nodig die we kunnen krijgen.'

Rydh keek Henrik Vadh aan. Het verbaasde hem dat de man niet al lang geleden tot commissaris was bevorderd. Vadh had tegen het eind van de jaren tachtig zijn baan als majoor in het leger opgegeven toen daar steeds meer inkrimpingen kwamen, en was politieman geworden. Nadat hij bij diverse afdelingen van de Stockholmse politie had gewerkt, had hij bij de recherche gesolliciteerd. Dat beviel hem, en hij bleef. Henrik was nu al bijna tien jaar Jacob Colts rechterhand en het was geen geheim dat Vadh een van de beste rechercheurs van Stockholm was. Hij stond bekend als een volhardende, nieuwsgierige, analytische, bijna pietluttige, zeer bekwame vakman. Hij beschikte over het vermogen om onconventioneel te denken, en dat had meer dan eens een onverwachte doorbraak in een onderzoek opgeleverd. Bovendien was hij in staat aan te voelen wanneer mensen logen en wanneer er iets niet klopte. Maar, dacht Rydh, als chef, als manager, was hij misschien niet geschikt. Sociale vaardigheid was niet zijn sterkste punt.

Henrik Vadh onderbrak Rydhs gepeins. 'Dit is Månsson. Hij is net nieuw bij ons, dus jullie hebben elkaar misschien nog niet ontmoet...'

Rydh gaf Månsson een hand en keek toen Vadh weer aan. 'Ik ga nog even wat met de jongens praten.' Hij wees naar de technische rechercheurs die een meter of twintig verderop bezig waren.

Vadh knikte, en Rydh liep snel naar zijn collega's.

'Hebben jullie iets gevonden?'

'Alleen het lichaam en de aktetas die op de kade lag, tot nu toe.' Rydh zag er bezorgd uit. 'En ik weet niet wat Christer en Johan kunnen maken van wat ze hebben verzameld. Met dit weer...'

De politiemensen hoorden het geluid van een auto en draaiden zich ver genoeg om om een rode Volvo S70 tot bij de afzetting te zien rijden, waar de geüniformeerde agent zijn hand opstak in een stopteken. Een man stapte uit en liep naar het blauw-witte lint.

'Hallo! Ik hoorde op de radio dat hier iets gebeurd is. Ik kwam hier eerder vanmorgen langs en zag iets verdachts. Ik weet niet of het belangrijk is, maar...'

Vadh en Månsson liepen naar de afzetting. De man van de Volvo was een jaar of vijfendertig en zag er rustig uit.

'Dag! Henrik Vadh, recherche Stockholm. Dit is mijn collega Månsson. Wat hebt u gezien?'

De man bekeek hen nieuwsgierig. 'Mag ik vragen wat er –'

'Daar kan ik op dit moment niets over zeggen,' onderbrak Vadh hem. 'Maar we willen graag weten wat u hebt gezien, hoe laat het was en waar u zich bevond.' Hij haalde een blocnote en een pen uit zijn zak. 'Om te beginnen zou ik graag willen weten hoe u heet en waar ik u kan bereiken als ik ergens op terug wil komen.'

De man knikte. 'Anders Svendsen. Ik ben fotograaf, dus ik ben er behoorlijk goed in om dingen waar te nemen die om me heen gebeuren.' Hij pakte zijn portefeuille en viste er een visitekaartje uit, dat hij Vadh gaf. 'Hier hebt u mijn telefoonnummers en mijn e-mailadres, voor als u me nodig hebt.'

Vadh wierp een korte blik op het kaartje. *Anders Svendsen, freelance fotograaf*, las hij.

'Goed. Oké, Anders Svendsen, wat hebt u gezien?'

'Ik was op weg naar een fotoshoot in de Berwaldhal, moest portretten maken van een paar musici daar. Ik stond in de file, ongeveer honderd meter hiervandaan...' De fotograaf draaide zich om en wees.

Vadh onderbrak hem. 'Wacht even. Waar kwam u vandaan?'

Svendsen draaide zich weer om en wees in de lengterichting van de Strandväg. 'Ik kwam van de Birger Jarlsgata en reed daarna door over de Strandväg, die kant op, zodoende.'

Vadh zuchtte inwendig. *Zodoende. Waar moet dat heen met ons taalgebruik en met ons land?* Hij keek naar Svendsen, terwijl hij een notitie maakte. 'Oké. Ga door.'

'Ik zag een knaap over de kade joggen, van deze kant af dus, naar het Nybroplan. Ik vond dat hij er raar uitzag, want hij had een overjas aan en dat hebben joggers toch meestal niet.'

Vadh stak een hand op. 'Viel u nog meer op? Wat had hij verder aan?'

Vadh keek hem aandachtig aan en even vond Anders Svendsen de blik van de politieman onprettig. Hij aarzelde. 'Eh... Nee, daar heb ik niet aan gedacht, en het was ook halfdonker.'

Vadh knikte. 'Oké. En toen?'

De fotograaf ging snel met zijn tong over zijn lippen. 'Ik weet dat dit reteverdacht klinkt, maar daarom ben ik hierheen gekomen toen ik op de radio hoorde dat het afgezet was, zodoende. Die knaap stopte en haalde iets uit zijn zak wat hij op de grond liet vallen. Toen trok hij zijn jas uit, liep naar de rand van de kade en gooide hem in het water. En daarna rende hij gewoon door!'

'Hij had dus een jas aan? Zag u wat hij op de grond gooide?' vroeg Vadh.

De fotograaf schudde zijn hoofd. 'Nee, ik was te ver weg. Maar het kan niets groots zijn geweest, want hij had het in zijn zak.'

'Welke kant rende hij op?' vroeg Månsson, terwijl Vadh iets noteerde.

Terwijl hij op antwoord wachtte, wendde Vadh zich tot Månsson. 'Ik zie de boot van de kustwacht daar nog liggen. Vraag eens aan de duikleider of hij nog een paar man in het water heeft, en of die een stukje verderop kunnen kijken. Misschien is daar een jas op te vissen. Vraag ook of er mensen verblijven op de boten die daar voor anker liggen, en zo ja, of ze iets hebben gezien.'

Janne Månsson draaide zich om en liep met rasse schreden naar de boot.

Anders Svendsen haalde zijn schouders op. 'Ik zag alleen maar dat hij naar het zebrapad over de Strandväg holde. Daarna begonnen ze voor me te rijden en moest ik ook doorrijden, zodoende. Ik keek in mijn achteruitkijkspiegel en ik weet vrij zeker dat hij de Strandväg overstak en daar verder liep, maar helemaal honderd procent zeker ben ik niet. Was het een beroving of zo, omdat hij die kleren weggooide?'

'Zoals ik net al zei: daar kan ik op dit moment niets over vertellen, luister straks maar naar het nieuws,' antwoordde Vadh. 'Kunt u iets meer vertellen over hoe hij eruitzag? Was hij groot of klein? Zag u welke kleur zijn haar had?'

De fotograaf twijfelde weer. 'Hij zag er denk ik zo uit als de meeste mensen... Eh...'

Vadh keek hem aan. *Hoe zien de meeste mensen eruit?*

'Ik weet het eigenlijk niet...' vervolgde Svendsen, 'maar ik geloof dat hij vrij lang was. En zijn haar...'

'Ja?' Vadh keek op van zijn blocnote en weerstond de neiging om er 'zodoende' aan toe te voegen, zomaar, om te kijken of Svendsen erop zou reageren. Waarschijnlijk niet.

Weer ongemakkelijk geschuifel. Hoop dat ik nooit door die vent hoef te worden verhoord voor iets wat ik zelf heb gedaan, dacht Svendsen.

Opeens knipte hij met zijn vingers. 'Nu weet ik waarom ik niks over de kleur van zijn haar kan zeggen: hij had een muts op! En die moet donker zijn geweest, want ik zag geen sterk contrast tussen de muts en zijn jas, zodoende. Ik denk nu fotografisch, snapt u?'

Vadh kreeg gemene gedachten. *Ja ja, je denkt fotografisch, zodoende. Hoop dat het juiste beeld op je netvlies terecht is gekomen, zodoende. Zonde dat je niet een echte camera hebt gepakt.* Hij keek weer naar Svendsens visitekaartje. 'Nieuws, mode, bruiloften,' las hij. *Allemachtig, wat een combinatie! Zodoende.*

Vijftien minuten later knielden Henrik Vadh en Janne Månsson naast Björn Rydh, Christer Ehn en Johan Kalding. Het was opgehouden met regenen, maar het waaide nog steeds behoorlijk. Op de kinderkopjes voor hen lag een zwarte jas, die de duikers in het water hadden gevonden, ongeveer op de plaats waar Svendsen had gezegd dat de jogger hem erin had gegooid. Slechts een paar meter van de kaderand had Björn Rydh in een plas water een gebreide muts gevonden. Hij had hem met een plastic haakje opgetild en in een plastic zak gestopt.

Henrik Vadh had geconstateerd dat de fotograaf niet meer met zekerheid wist dan wat hij al had verteld en dat hij vooral leek te blijven staan praten om interessant te doen, dus hij had de man bedankt en gezegd dat hij later waarschijnlijk met meer vragen terug zou komen.

De fotograaf had nog een keer geprobeerd uit te vissen wat er was gebeurd en toen Vadh hem zonder te antwoorden liet staan, haalde Svendsen een camera uit zijn auto, ging bij de afzetting staan en begon te fotograferen.

Vadh bekeek de doorweekte jas en de plastic zak met de muts die voor hem lagen.

'Waarom zou hij een muts uit zijn zak halen en die op de grond gooien als hij al een muts ophad?' vroeg Vadh zachtjes.

Christer Ehn keek hem aan. 'Wat zei je?'

'Ik dacht gewoon hardop. Die fotograaf die de jogger heeft gezien, zei dat hij een muts op had toen hij verder jogde. Aan de andere kant weet ik niet in hoeverre zijn informatie betrouwbaar is. Het kan ook zijn dat de jogger zijn muts heeft afgedaan. Maar waarom gooide hij die dan niet samen met de jas in het water?'

Björn Rydh glimlachte. 'Henrik, als we wisten waarom mensen doen wat ze doen, hadden we alle moorden in recordtijd opgelost!'

'Daar heb je gelijk in.' Vadh lachte. 'Hij kan zijn muts ook hebben verloren, of zoiets. Misschien spaart hij wel mutsen. Of iemand anders heeft hem verloren. Op een goede dag krijgen we hopelijk antwoord op al die vragen...'

Rydh knikte. 'Laten we het hopen.'

'Jullie beurt, jongens,' zei Henrik Vadh in de richting van de technici. Toen stond hij op en pakte zijn mobiele telefoon.

'Ha, Henrik, hoe gaat het?' Colt had Vadhs naam op het display gezien.

'Nou, ik ben nog op de Strandväg...'

Vadh vertelde Jacob Colt in het kort over de nieuwe getuige, de muts en de uit het water geviste jas.

'Die zaak wordt steeds gekker,' zei Jacob. 'Hebben we het over een jogger in een zwarte overjas, met een gebreide muts op, die ons een paar sporen wil aanbieden?'

'Wie weet, Jacob, misschien is hij slimmer dan wij. We zullen zien.'

'Laten we hopen van niet. Hoelang blijven jullie daar?'

'Niet lang meer, neem ik aan,' antwoordde Vadh. 'De duikers kunnen niets meer vinden, de technici hebben alles opgeveegd waarvan ze denken dat het van waarde kan zijn en nu hebben ze ook nog een muts en een jas gevonden om te bekijken. We kunnen hier over een kwartier, twintig minuten weg, denk ik.'

Colt dacht een paar seconden na. 'Goed. Ik heb Forensisch al gebeld en met Laszlo gesproken. Hij zorgt dat de autopsie voorrang krijgt. Wat is Björn van plan, weet jij dat?'

'Wacht even.' Henrik zei tegen Rydh: 'Jacob heeft geregeld dat de autopsie bij Forensisch voorrang krijgt. Ga jij nu terug naar Kungsholm?'

De technicus schudde zijn hoofd. 'Nee, in dat geval rij ik wel naar het Forensisch Laboratorium. Als ik daar toch bij moet zijn, kan ik maar beter meteen gaan. Christer en Johan brengen de jas en de muts naar de droogkast in het Technisch Laboratorium en gaan alvast naar de andere spullen kijken die we hebben gevonden.'

Vadh knikte en bracht zijn mobiel weer dichter bij zijn mond. 'Hoorde je dat?'

'Gedeeltelijk,' antwoordde Jacob. 'Dan is het een goed idee dat jij met Björn meegaat en bij de autopsie bent, dan hebben we dat maar geregeld. Magnus en Sven zijn op dit moment al met mensen aan het praten op het kantoor waar het slachtoffer werkte. Niklas is achtergrondinformatie aan het opspitten. Dus zo langzamerhand moeten we onze hersens er maar eens over gaan breken.'

'Onze hoofden, bedoel je,' corrigeerde Vadh.

Colt lachte. 'Pietlut! Zorg nou maar dat je hier na de autopsie terugkomt zonder dat je wordt neergeschoten of zo. *It's a jungle out there!*'

'Jij ziet te veel slechte Amerikaanse politiefilms.' Vadh zuchtte. 'Tot straks.'

Jacob Colt hing op, leunde achterover en keek uit het raam.

Een jonge, veelbesproken bankdirecteur in het water gegooid en dood aangetroffen. Portefeuille, duur horloge en waardevolle documenten achtergelaten. Geen beroving. Misschien een joggende moordenaar die er niet mee zat om een paar honderd meter verder in aanwezigheid van getuigen zijn kleren uit te trekken en in het water te gooien.

Niet best. Helemaal niet best.

3

Maandag 15 januari

Björn Rydh had van de andere technici een tas met camera-uitrusting geleend. Henrik Vadh had de centrale gevraagd vervoer te regelen voor Björn Rydh en hemzelf. Nu reden ze achter de zwarte bestelwagen die voor politielijkwagen doorging aan naar het Forensisch Instituut in Solna.

Terwijl het personeel van de wagen de brancard met de lijkzak naar binnen reed, kwam Laszlo Bodnár naar hen toe. Hij glimlachte toen hij hen herkende en stak zijn hand uit. 'Dag Henrik. Alles goed?'

'Zo goed als het kan, in de gegeven omstandigheden,' antwoordde Vadh. 'En jij?'

Bodnár gromde iets onhoorbaars voordat hij antwoordde. Hij was niet zo goed in smalltalk. 'Ik heb niet te klagen. Dag Björn, hoe gaat het?'

'Goed, hoor, maar ik zit tegenwoordig vooral achter mijn bureau. Ik ben betrokken bij de ontwikkeling van een computersysteem voor het registreren van in beslag genomen goederen.'

Laszlo Bodnár knikte nadenkend en maakte een gebaar naar het gebouw alsof hij hen uitnodigde binnen te komen.

De geringe spraakzaamheid van de gerechtsarts verbaasde Henrik Vadh en Björn Rydh niet. Ze wisselden even een blik van verstandhouding uit en liepen toen met Bodnár mee naar zijn werkkamer.

Laszlo Bodnár was geboren in Hongarije. Hij had al voordat hij aan zijn medische carrière begon, besloten dat hij zich aan de forensische geneeskunde zou wijden. De reden daarvoor was niet alleen een sterk rechtvaardigheidsgevoel, maar ook een grote nieuwsgierigheid. Bodnár wilde als kind altijd al uitzoeken hoe en waarom bepaalde dingen gebeurden. Ongelukken, zelfmoorden, moord en doodslag vormden daarop geen uitzondering.

Toen hij klaar was met zijn medische studie, had hij eerst een paar jaar als arts gewerkt in Boedapest voordat hij zich had gespecialiseerd in de forensische geneeskunde, en na verloop van tijd had hij gesolliciteerd bij de Hongaarse tegenhanger van het Forensisch Instituut. Tot aan het eind van de jaren zestig had hij het goed naar zijn zin, maar toen straten van Tsjecho-Slowakije in 1968 trilden onder de Russische tanks nam hij het zekere voor het onzekere en verhuisde hij naar Zweden.

Het duurde niet lang of hij vond werk bij het Forensisch Instituut in Solna, en sindsdien had hij meer dan negentienduizend lijkschouwingen uitgevoerd. Zonder aanmerkingen, grapte hij altijd droog wanneer iemand erover begon.

Bodnár had op een gegeven moment een Zweedse vrouw ontmoet en was met haar getrouwd. Na vijf jaar waren ze gescheiden zonder dat ze kinderen hadden gekregen, en sindsdien leefde Laszlo – voor zover zijn collega's wisten – in zijn eentje een tamelijk eenvoudig leven. Hij werkte hard en veel, en in zijn vrije tijd las hij over geschiedenis, luisterde hij naar klassieke muziek en schaakte hij bij een plaatselijk clubje op Kungs- holm, waar hij in een klein tweekamerappartement woonde. De collega's die buiten het werk om banden met hem hadden geprobeerd aan te kno- pen, hadden het algauw opgegeven. Bodnár was in zijn werk altijd cor- rect, maar het lukte niemand hem als mens beter te leren kennen.

Als collega en vakman werd hij echter zeer gewaardeerd en gerespec- teerd. Wanneer hij in de rechtszaal getuigde, zou geen advocaat het ook maar in zijn hoofd halen om aan zijn uitspraken te twijfelen.

Terwijl Vadh en Rydh met Laszlo Bodnár naar diens werkkamer lie- pen, overhandigde het personeel van de politielijkwagen het lichaam aan een assistent, die ervoor zorgde dat het werd geregistreerd en in een koelruimte gelegd.

Bodnár ging achter zijn bureau zitten en nodigde de collega's uit plaats te nemen. Hij boog over zijn bureau en bekeek in stilte een paar pape- rassen voordat hij hen aankeek.

Laszlo's Zweeds had ondanks al die jaren in Zweden nog steeds een zwaar accent, maar de rechercheurs konden hem moeiteloos verstaan.

'Ik heb begrepen dat dit belangrijk is. Commissaris Colt belde en vroeg voorrang en gelukkig kan ik onze planning aanpassen. Met andere woorden: ik kan de sectie meteen verrichten. Maar uit pure nieuwsgie- righeid zou ik willen weten wie het slachtoffer is en wat jullie tot nu toe al weten.'

Vadh knikte. 'Dank je wel daarvoor, Laszlo. Het klopt dat Jacob haast heeft met deze zaak. De dode is een jonge, veelbesproken bankdirecteur uit kringen rond het Stureplan. Tot nu toe hebben we nog niet veel om op af te gaan. Een getuige in een auto heeft gezien dat een man een an- dere man mishandelde op de kade bij de Strandväg. Toen de eerste po- litiepatrouille arriveerde, troffen ze het slachtoffer drijvend in het water aan. Zijn aktetas lag nog op de kade en op basis daarvan en van de iden- titeitspapieren in zijn portefeuille konden we hem snel identificeren. Björn?'

Vadh keek Björn Rydh aan, die vervolgde: 'Het technisch onderzoek op de plaats delict heeft niet veel opgeleverd. Het regende en waaide toen mijn collega's aankwamen. Ze hebben aan de kaderand wat bloed kunnen zekeren en later hebben we een jas opgevist die een getuige een man – misschien de moordenaar – in het water heeft zien gooien. Dat is eigenlijk alles...'

Laszlo Bodnár bleef even zwijgend zitten en zei toen: 'Dan kunnen we maar beter beginnen.' Hij pakte de telefoon en toetste een snelkiesnummer in. 'Met Laszlo. Wil je de sectie voorbereiden van...' Hij keek in de papieren op zijn bureau. '...Alexander de Wahl. Ja, die net met dat transport is gekomen. Dank je.'

Vijftien minuten later waren Bodnár, Vadh en Rydh klaar om te beginnen. De lijkschouwer had operatiekleding aan met daaroverheen een groene jas met lange mouwen en een wit, kunststof schort en hij droeg latex operatiehandschoenen. Om zijn nek had hij een microfoon, die verbonden was met een dictafoon in de zak van zijn jas. Vadh en Rydh hadden beschermende jassen en plastic overschoenen aan. De technicus had zijn digitale camera voorzien van een externe flitser en stond klaar.

Rydh keek om zich heen toen hij de sectiekamer binnen kwam. Het licht door de grote ramen werd buitengesloten met luxaflex in zachte, lichtblauwe en lichtgroene tinten. Sterke tl-buizen in zachte kleuren wierpen een perfect licht op de roestvrijstalen sectietafel, waar de zwarte lijkzak nu op lag. Aan het ene uiteinde van de tafel bevond zich een verhoginkje waarop de assistent de instrumenten had klaargelegd die Bodnár tijdens zijn werk nodig zou hebben. Een dertig centimeter lang parenchymmes om in weefsel te snijden, een vijftien centimeter lang microtoommes met wegwerpbladen om in weke delen en spieren te snijden. Een kraakbeenmes van vijftien centimeter lengte, met een stompere hoek dan de andere. Een lange darmschaar, een twintig centimeter lange bronchiaalschaar en een kleiner coronairschaartje om in kransslagaders en kleine holten te kunnen knippen. Daarnaast een ribbentang, een elektrische schedelboor, twee klauwpincetten en een liniaal.

Björn Rydh wist niet meer hoeveel secties hij in zijn carrière als technisch rechercheur al had meegemaakt, maar hij stelde vast dat hij ze met alle plezier allemaal had gemist. Hij was nooit flauwgevallen en had nooit hoeven overgeven, maar het gebeurde wel – zeker als de lichamen al in vergaande staat van ontbinding waren – dat hij er liever niet bij was geweest.

Vadh was niet zo vaak bij een autopsie geweest als Rydh en stond er bovendien anders tegenover, eerder volkomen analytisch. De sectie was een belangrijk deel van het onderzoek. Een stukje van de puzzel. Iets wat per se moest gebeuren. Hij had zich vaak afgevraagd waarom iemand het als zijn levensvervulling beschouwde om in dode lichamen te peuteren en ze binnenstebuiten te keren, maar aan de andere kant was hij intens dankbaar dat iemand dat vuile werk wilde doen, terwijl hij kon volstaan met toekijken, luisteren en doen waar hij goed in was: analyseren.

Voor Laszlo Bodnár was het weer een taak waaraan hij zich met al zijn professionalisme wilde wijden en waarvan het doel tweeledig was: vaststellen welke kwetsuren het lichaam had opgelopen en proberen te begrijpen hoe die waren ontstaan, en wel in eerste instantie zonder te speculeren of te oordelen. Het verslag moest volkomen objectief zijn, uitsluitend constaterend. Conclusies moesten later worden getrokken.

Bodnár wierp een snelle blik op zijn assistent, die met een knikje te kennen gaf dat hij klaar was. Rydh en Vadh posteerden zich aan de andere kant van de sectietafel, Rydh met de camera in de hand.

Laszlo sloot zijn ogen een paar seconden om zijn geest vrij te maken. Als forensisch patholoog-anatoom verrichtte hij jaarlijks autopsie op tussen de vijfhonderd en duizend lichamen. Hiervan waren slechts een stuk of tien slachtoffer van moord, de anderen waren overleden ten gevolge van zelfmoord, ongelukken of ziekten, zonder dat er reden was om aan een misdrijf te denken. Zijn hersens konden het niet laten een snel omweggetje te maken langs enkele van de feiten die hem zo hevig interesseerden. In Zweden werden tussen de honderdtien en honderdtwintig moorden per jaar gepleegd. Hiervan werden er tachtig à negentig vrij snel opgelost. Vaak lagen er tragische familiedrama's achter de gebeurtenissen en waren de daders familie van de slachtoffers. In andere gevallen kon de – vaak psychisch zieke – moordenaar al ter plaatse worden gearresteerd. Met andere woorden: de moord was technisch en juridisch al opgehelderd voordat het lichaam op Laszlo's roestvrijstalen tafel terechtkwam.

Twintig tot vijfentwintig van de overige zaken vergden een onderzoek en soms een behoorlijk grote inzet van de kant van de politie, maar werden toch binnen een redelijke termijn opgehelderd. De resterende tien moorden werden pas na een enorme politie-inspanning of na lange tijd opgelost of bleven, in het slechtste geval, onopgehelderd.

Laszlo Bodnár dacht even dankbaar terug aan Roland Brunder. Brunder, docent en specialist forensische geneeskunde en pathologische anatomie, met meer dan veertig jaar ervaring in het vak, was Laszlo's mentor geweest toen deze bij het Forensisch Instituut in Solna ging werken. Brunder, die werd beschouwd als een van de kundigste gerechtsartsen van het land, was een zwijgzame man, die de reputatie had dat hij bijna overdreven stipt was in het obduceren en protocolleren.

Laszlo kon zich Brunders korte maar eenvoudige devies nog maar al te goed herinneren. 'In de Bijbel staat "zoekt en gij zult vinden". Dat is niet per se zo. Wie niet zoekt, vindt echter gegarandeerd niets.'

Zoek, Laszlo.

Hij drukte op het knopje waarmee de dictafoon aanging en begon met de sectie.

De procedure voor een uitgebreide, gerechtelijke sectie is zeer strikt geregeld, en Laszlo Bodnár was niet van plan daarvan af te wijken. Met behulp van zijn assistent tilde hij het lichaam voorzichtig uit de zwarte lijkzak en legde het op de rug op de sectietafel. Toen knikte hij even naar Björn Rydh.

De technicus kon het slachtoffer nu in alle rust, onder optimale lichtomstandigheden, vóór de sectie, bestuderen. Rydh keek zorgvuldig in de lijkzak en fotografeerde het geklede lichaam vervolgens vanuit allerlei hoeken. Ten slotte onderzocht hij het slachtoffer methodisch om vluchtige sporen als haartjes en vlekjes veilig te kunnen stellen.

Hij vond niets.

Rydh deed een stap achteruit. 'Ik ben klaar, Laszlo, ga maar door.'

Bodnár knikte. Samen met zijn assistent kleedde hij Alexander de Wahl langzaam en systematisch uit. Hij gaf de kledingstukken een voor een aan Björn Rydh, die ze nauwkeurig protocolleerde en elk afzonderlijk in een plastic zak stopte.

Toen De Wahls lichaam naakt was, bestudeerde Bodnár zorgvuldig diens hoofd. Daar besteedde hij veel tijd aan, terwijl hij zijn bevindingen rapporteerde in de microfoon. 'In het rechter hersengebied is een ongeveer vijf centimeter grote, ronde, diffuse wekedelenzwelling te zien, waarvan het centrum twee centimeter boven het rechteroor ligt...'

Henrik Vadh en Björn Rydh bekeken hem zwijgend en wachtten tot Bodnár Rydh het teken gaf dat hij foto's moest nemen. Laszlo Bodnár zette de microfoon uit en wees. 'Hier zie je duidelijke tekenen van extern geweld, waarschijnlijk veroorzaakt door een klap met een stomp voorwerp.'

Björn Rydh maakte een serie foto's en ging toen terug naar de andere kant van de tafel, zodat de gerechtsarts kon doorwerken.

Bodnár onderzocht Alexander de Wahls gezicht nauwkeurig en verklaarde: 'Vanuit de mondholte welt stevig, fijnblazig, grijswit schuim op dat eruitziet als zogeheten sponsschuim.'

Dood door verdrinking dus. De weetgierige Henrik Vadh had in de vele jaren dat hij politieman was alle populairwetenschappelijke en vakliteratuur over technisch recherchewerk en forensische geneeskunde gelezen die hij maar te pakken had kunnen krijgen. Enerzijds uit nieuwsgierigheid, anderzijds omdat hij vond dat het goed was om te weten hoe de collega's werkten, en waarom.

Het woord 'sponsschuim' duidde erop dat het slachtoffer op het laatst water had ingeademd, waardoor schuim was ontstaan in de luchtwegen. Het gaf ook met zekerheid aan dat De Wahl bewusteloos, maar nog wel in leven was toen hij in het water werd gegooid, en dat de feitelijke doodsoorzaak verdrinking was.

Laszlo Bodnár onderzocht De Wahls nek, armen en benen. Hij ging door met de romp, de billen en de uitwendige geslachtsdelen, draaide samen met zijn assistent het lichaam om en bestudeerde ook de rug. Elk lichaamsdeel werd genoteerd, elk schaafwondje of littekentje werd voorzien van een referentienummer, elke waarneming werd genoemd in de dictafoon.

Godzijdank hoef ík dat niet te beluisteren en uit te typen, dacht Henrik Vadh. Hij had in zijn carrière genoeg autopsieverslagen bestudeerd om te weten dat die zomaar vijftien, twintig pagina's konden beslaan, met eindeloos gedetailleerde beschrijvingen van waarnemingen, van huidkwabjes en nagels tot de binnenste bloedvaten van het hart.

De gerechtsarts reikte naar het kortste mes. Hij wierp nog even een blik op Björn Rydh en Henrik Vadh, en begon toen te snijden. Met een snelle snee van de hals naar het schaambeen maakte hij de buikholte open. Hij legde de ribben bloot, sneed het ribkraakbeen door en maakte het borstbeen los. Toen hij de opgezwollen longen tevoorschijn zag komen, wist hij het al zeker. *Ze zijn opgezet, gezwollen, overstrekt.* Hij drukte er licht op met zijn vingertoppen. *Mijn vingers laten afdrukken achter. De kleur van de longen is gemarmerd, grijsroze gevlekt. Een klassieke verdrinking.* Hij liet zijn eigen overwegingen achterwege als hij zijn waarnemingen in de microfoon sprak.

Henrik Vadh hield zich op de achtergrond en keek gefascineerd toe hoe de gerechtsarts de inwendige organen methodisch begon weg te snijden alsof hij een fiets voor een servicebeurt uit elkaar haalde. Björn Rydh deed nu en dan een stap naar voren, boog over het lichaam heen en nam een of meer foto's van lichaamsdelen die Bodnár een nummer gaf en van bepaald commentaar voorzag.

Het werk ging zo nog ruim drie uur door. Bodnár maakte Alexander de Wahls schedel open door een snee van achter het ene oor over het hoofd te maken, waarbij hij ervoor zorgde dat hij niet door het zichtbare letsel heen ging. Toen maakte hij de hoofdhuid zo los, dat hij de ene helft over het voorhoofd kon trekken en de andere over de nek. Daarna deed hij een stap terug en liet zijn assistent de elektrische zaag pakken en het schedeldak rondom doorzagen. Björn Rydh trok een grimas toen hij zag dat Bodnár de hersens uit De Wahls cranium haalde. Henrik Vadh keek peinzend naar de gerechtsarts toen die het harde hersenvlies optilde om naar barsten in de schedel te kunnen zoeken.

Ze hadden hier net zo goed in een of andere werkplaats kunnen zijn, dacht Henrik Vadh. De patholoog haalde het ene orgaan na het andere uit het lichaam van Alexander de Wahl en legde ze op het roestvrijstalen blad, naast de spoelbak aan het uiteinde van de sectietafel, om ze gedetailleerd te onderzoeken. Bodnár bestudeerde kneuzingen in de hoofdhuid, onderzocht vervolgens systematisch de inwendige organen en zocht onder de huid van het slachtoffer naar diepe nabloedingen.

Ten slotte nam Laszlo Bodnár de dode monsters af voor forensisch-chemisch en -microscopisch onderzoek: bloed, urine, maaginhoud en leverweefsel. Hij haalde ook stukjes weefsel uit de longen en legde die in formaline. Hij haalde de endeldarm en de blaas eruit, nam met een wattenstaafje een DNA-monster uit de anus en deed dat in een plastic zakje, dat hij aan Björn Rydh overhandigde om door te sturen naar het Nationaal Forensisch Laboratorium in Linköping.

Ten slotte stelde hij een paar haartjes veilig en schraapte hij onder de nagels van de dode.

Bodnár zette de microfoon uit, trok zich terug van de sectietafel en knikte naar zijn assistent. De eerstkomende uren zou de jongeman het lijk wassen en schoonmaken, alle organen die Laszlo Bodnár eruit gehaald had terugstoppen, alle sneden dichtnaaien, het schedeldak en de hoofdhuid herstellen, de huid dichtnaaien en het opzijgelegde haar zorgvuldig terugkammen.

Wanneer het lichaam eenmaal afgelegd was en in zijn kist lag, zou niemand meer kunnen zien dat erin gesneden was.

Een halfuur later zaten Björn Rydh en Henrik Vadh weer in de werkkamer van Laszlo Bodnár op de stoelen tegenover hem.

De Hongaar zat zwijgend, voorovergebogen aan zijn bureau en maakte met een potlood uitvoerige aantekeningen op een notitieblok.

'Sorry dat ik stoor, Laszlo, maar heb je iets voor ons?' vroeg Henrik Vadh zacht.

Bodnár stopte met schrijven en keek Vadh een poosje aan.

'Ik zal de monsters zo snel mogelijk naar het lab in Linköping sturen. Als ik voorrang vraag, kunnen we de resultaten binnen een week hebben. Ik zal er ook voor zorgen dat we de microscopische preparaten zo snel mogelijk hier op ons histologisch lab hebben.'

'Laszlo, ik weet dat je doet wat je kunt, maar dat was niet wat ik bedoelde.' Henrik Vadh glimlachte dankbaar naar de patholoog-anatoom. 'Ik vraag me alleen af of je al iets kunt zeggen, hier en nu?'

Laszlo Bodnár leunde achterover en keek Henrik Vadh aan. 'Ik zal natuurlijk nauwkeurig rapport uitbrengen zodra ik de resultaten van alle tests heb. Maar voorlopig kan ik dit zeggen: het slachtoffer heeft aan beide kanten van zijn hoofd klappen gehad met een stomp voorwerp, bijvoorbeeld een steen. Door die klappen is hij bewusteloos geraakt. Het slachtoffer was dus buiten kennis, maar leefde nog wel toen hij in het water werd gegooid en puur technisch is verdrinking de doodsoorzaak. Ander letsel heb ik niet kunnen vinden. En wat sporen van alcohol, chemische substanties, sperma et cetera betreft, zullen we moeten wachten op de resultaten van de tests.'

Henrik Vadh knikte en keek naar Björn Rydh. Ook de technicus leek tevreden met de antwoorden en leek nu graag door te willen gaan.

Björn Rydh stak zijn hand uit. 'Dank je, Laszlo, het is altijd waardevol iemand zo professioneel aan het werk te zien.'

Bodnár liet een van zijn zeldzame glimlachjes zien. 'Jij ook bedankt, Björn, leuk om je weer te zien. Ik hoor het wel als ik nog meer voor je kan doen.'

4

'Heb jij wel eens medelijden met iemand, Christopher?'

Christopher Silfverbielke, die zich juist amuseerde met het ronddraai-en van een Montblanc-pen tussen zijn vingers, keek door het raam naar de Birger Jarlsgata. Het was weer gaan regenen; dikke druppels zochten zich een weg door de winterse duisternis en sloegen tegen het raam. Deprimerend.

Hij had de lunch overgeslagen, een broodje gekocht bij de 7-Eleven, dat naar binnen gewerkt en zich van het Stureplan over de Birger Jarlsgata naar haar praktijk gehaast om gehoor te geven aan haar aanbod om de eerder afgezegde afspraak in te halen, deze vijfenveertig minuten waarin zijn hele leven wel even zou worden ontraadseld. Waarin de grote vragen beantwoord zouden worden.

Bullshit.

Hij ging naar haar toe omdat hij er lol in had. Omdat Hans lang bij haar gelopen had, haar had aanbevolen, had gezegd dat ze slank, slim en sexy was.

Interessant. Zouden Hans en zij...? Daar moest hij dieper op ingaan. Dat kon van groot belang zijn voor de toekomst.

Hij keek haar glimlachend aan.

'Hoe bedoel je?'

De psychiater, doctor Mariana Granath, keek hem rustig aan. 'Precies wat ik vraag. Weet je nog of je wel eens medelijden met iemand hebt gehad, ooit?'

Terwijl ze op antwoord wachtte, krabbelde de punt van haar potlood 'empathie?' op het blok dat voor haar lag.

Wat wist ze eigenlijk van hem? Na ruim een halfjaar van gesprekken kwam het haar voor alsof ze alleen nog maar een beetje aan het oppervlak had geschraapt, dat er een welhaast ondoordringbare laag onder zat. Hij had een register van tegenstellingen uitgespeeld dat haar onzeker maakte, waardoor ze zich afvroeg welke methode het geschiktst was.

Christopher was gekomen op aanbeveling van Hans Ecker, en ze had begrepen dat die twee al jaren vrienden waren. Van meet af aan had ze Ecker een stuk gemakkelijker gevonden om te diagnosticeren. Hij was zwaar gefrustreerd over zijn achtergrond, dat het gezin waaruit hij afkomstig was niet 'chic' genoeg was voor zijn huidige positie. Bovendien was hij bij tijd en wijle heel agressief en leed hij aan een serie complexen en dwangvoorstellingen, niet in de laatste plaats over vrouwen.

Maar deze knaap was erger; dat voelde ze.

Silfverbielke glimlachte. 'Nu klink je weer als een baardige psycholoog in een corduroy broek.'

Ze voelde de irritatie in zich opkomen. Zelfbeheersing.

'Christopher, ik ben psychiater, geen psycholoog. Maar het hoort bij mijn werk om zulk soort vragen te stellen. Het gaat erom dat we proberen uit te zoeken wie je bent, wat er verborgen ligt in je innerlijk.'

Hij glimlachte nog steeds en bleef haar onafgebroken aankijken. Ze sloeg haar ogen neer. De situatie werd er nou ook niet bepaald beter op dat hij zo onwaarschijnlijk knap was.

'Mariana, het gaat er niet om of ik wel of niet medelijden met iemand heb gehad. Het gaat erom dat ik me zo totaal, verdomde verveeld voel, en niet weet wat ik met mijn leven aan moet...'

Ze zuchtte en trommelde even met haar pen op haar notitieblok. 'Oké, als je daarover wilt praten, dan praten we daarover.'

Hij gaf haar een knipoogje. 'Je weet best waar ik over wil praten.'

'Christopher, is er vandaag iets bijzonders gebeurd?'

Als je eens wist. Hij schudde zijn hoofd. 'Helemaal niet. Ik ben alleen maar in een buitengewoon goed humeur.'

Ze knikte. 'Goed, goed...'

Inwendig kookte ze. Hij irriteerde haar mateloos. En ze vond hem helaas ook wel een beetje aantrekkelijk.

Mariana Granath was vierendertig jaar en was al vijf jaar werkzaam als psychiater. Ze had een gezicht met zachte rondingen en brede, volle, sensuele lippen, was donkerblond, lang en had goed ontwikkelde vrouwelijke vormen. Een van haar vroegere vrienden had eens opgemerkt dat ze een kopie was van Kim Basinger, alsof ze zó uit de film *9½ weeks* kwam. Ze had die film met gemengde gevoelens gezien en wist niet goed of ze die uitspraak als een compliment moest opvatten of niet. Mariana verbeeldde zich dat de enige echte overeenkomst tussen Kim Basinger en haar was dat Mariana altijd heel secuur was op haar uiterlijk en dat ze liever doodging dan dat ze een panty aantrok. Vrouwelijk gekleed gaan was belangrijk voor haar identiteit. Een panty was even vrouwelijk

als een overall en curling. Ze gaf de voorkeur aan echte kousen en besteedde bovendien een klein vermogen aan mooie, exclusieve kleren,
niet in de laatste plaats aan ondergoed.

'Ben je vanavond vrij?'

Ze schrok op uit haar gedachten en keek op. Hij lachte nog steeds dat
zeer spottende, maar onweerstaanbare glimlachje.

'Christopher, ik ben je arts, niet je date.'

'Ik moet hier... eh... misschien ophouden. Zou je dan met me daten?'

'Nee. Dat zou ongepast zijn.'

Hij deed alsof hij gekwetst was. 'Tja, nou, dan kunnen we maar beter
doorgaan met therapietje spelen. Vertel me dan, Mariana, wat moet ik
met mijn leven beginnen? Het voelt alsof alles al over en uit is...'

Over en uit. Dat had ze eerder gehoord, van haar eigen patiënten,
maar vooral in verhalen van collega's die meer ervaring hadden dan zij.
Al in de jaren tachtig was dat verschijnsel ontstaan. Yuppies van zes-,
zevenentwintig die al veel te gemakkelijk veel te veel geld, miljoenen,
hadden verdiend, liepen opeens rond met zelfmoordideeën. Ze hadden
alles al gedaan, ze waren rijk, ze verveelden zich en vonden dat het leven
geen zin had. Tijdens haar studie had een van haar docenten haar verteld
over een aandelenhandelaar van nog geen dertig die, waarschijnlijk onder invloed van drugs, tijdens een therapeutische sessie plotseling was
opgestaan, door het raam was gesprongen en vier verdiepingen lager op
het trottoir te pletter was gevallen.

Hoe goed was het eigenlijk dat sommige mensen zo vroeg in hun leven zo ontzaglijk veel geld konden verdienen? Wat betekende dat voor
hun respect voor geld en voor andere mensen?

Ze rolde haar leren stoel een stukje achteruit, leunde achterover, sloeg
haar benen over elkaar en trok discreet haar rok omlaag, die langs haar
bovenbenen was opgekropen. Ze wist dat hij haar handbeweging waarnam, dat zijn uitzicht onder het bureau, dat niet meer was dan een grote,
eiken plaat op vier gepolijste stalen buizen, nergens door werd gehin-
derd.

Ze heeft stay-ups aan. Ze is bang dat ik de boorden kan zien. Silfverbielke voelde even een steek van opwinding. Dit was zijn terrein.

Mariana draaide het potlood rond tussen haar vingers en staarde voor
zich uit terwijl ze tactisch probeerde te denken. *Wat ben ik aan het doen?
Ik ben verdomme arts, ik laat me toch zeker niet beïnvloeden!*

43

'Dat met je vader, Christopher...' Ze keek op, zich er volledig van bewust dat dit hem wel zou uitschakelen, in elk geval voorlopig. 'Want je hebt verteld dat hij...'

Ik ga je neuken tot je om genade smeekt. Je zult...

Haar woorden boorden zich plotseling door zijn gedachten en braken die af.

Fragmenten van een lange film werden op zijn netvlies afgespeeld zonder dat hij het tegen kon houden. Christopher naast papa, bij het meer, toen hij een jaar of vijf, zes was. Het gekwinkeleer van de vogels, de wind in de bladeren, de geur van zomer, de glinstering van de zon in het water. Nu en dan een beweging aan de lijn, een rukje aan de hengel. Hoop. Papa's glimlachende gezicht. Een snelle omhelzing. En wat hij zei. 'Wij zijn maatjes, Christopher, jij en ik. We zullen altijd maatjes blijven...'

Snel doorspoelen. Zijn vader op de tribune, zoals altijd wanneer Christopher speelde. Herfstwind, halfdonker, een modderig veld. Aanmoedigingen. 'Voetballen, Christopher, jij bent de beste! Maak ze in!' En, als ze verloren: 'Geeft niks, knul, daar leer je van. Het is maar één wedstrijd, er komen er nog meer. Jouw tijd komt nog wel. Je weet waar je staat, je bent een kanjer!'

Weer snel doorspoelen. De trots in zijn vaders ogen als Christopher thuiskwam met zijn rapporten. De warmte, de omhelzingen, de waarderende woorden. Wandelingen door de hoofdstad, bezoekjes aan musea en cafés. Een hechte, nauwe vriendschap. Wederzijds respect. Liefde.

Papa. Misschien de enige mens van wie Christopher ooit had gehouden.

En later...

'Stop!' Mariana schrok van de kilte in zijn lage stem. Ze ging weer rechtop zitten op haar stoel, legde haar pen op tafel, vouwde haar handen en keek hem aan. Ze voelde opeens een rilling langs haar ruggengraat. *Hoe bestaat het dat zijn blik zo snel kan veranderen, zo ijskoud kan worden! Wat zit er in hem, diep onder die dikke schil? Hij vertoont niet alleen de typische symptomen van nieuw-rijke yuppies, hier zit iets veel diepers om uit te graven. Kan ik dat eruit krijgen, te weten komen? Wil ik dat? Durf ik dat? Iemand uit elkaar halen is één ding, hem weer in elkaar zetten is iets heel anders en dat lukt niet altijd. Een enorme verantwoordelijkheid.*

'Christopher, je komt nu al bijna acht maanden bij me en we hebben gesproken over je eenzaamheid, je melancholie, je verwarring, dat je niet weet wat je met je leven aan moet. Maar als we iets willen bereiken, oplossingen willen vinden, moet je me durven vertrouwen, je durven openen. Ik weet dat je vader en jullie relatie heel belangrijk voor je waren. Ook al is het pijnlijk, ik denk dat we er juist heel zorgvuldig doorheen moeten als je dat negatieve achter je wilt laten en door wilt gaan met je leven. Ik ben ervan overtuigd dat dat juist een deel van...'

Haar stem verdween weer. Christopher Silfverbielke sloot zijn ogen en liet zijn gedachten de vrije loop.

Het kwade achter me laten en doorgaan met mijn leven. Dat is precies wat ik heb gedaan. Maar ik kan jou niet vertellen hoe.

En ik wil nog steeds weten of je stay-ups aanhebt.

5

Maandag 15 januari

14.45. Nog vijftien minuten.

Functioneringsgesprek. Stompzinnig kinderspelletje.

De woede groeide en hij moest flink zijn best doen om zich te concentreren. Silfverbielke stond op van zijn bureau, liep door de gang naar het toilet en sloot zich op.

Hij bekeek zichzelf in de spiegel, deed de kraan open en liet het water stromen tot het ijskoud was. Hij spoelde zijn gezicht af en bestudeerde het zorgvuldig. Hij haalde een kam uit zijn binnenzak en haalde die een paar keer door zijn dikke, zwarte haar, totdat het perfect zat.

Niet slecht, Christopher. Helemaal niet slecht.

Hij ging terug naar zijn bureau, liet de cursor over het scherm van zijn pc gaan, en maakte een snelle herinneringstocht door de diagrammen en rapporten. Hij had in het nieuwe jaar een bliksemstart gemaakt, elke dag lang en hard gewerkt en fantastische resultaten behaald. Silfverbielke knikte vergenoegd toen hij de cijfers op zijn scherm zag, stond op, deed het middelste knoopje van zijn colbert dicht en liep naar de kamer van zijn baas.

Oké. Laten we dan maar gaan spelen.

Martin Heyes stond op, liep Christopher glimlachend tegemoet en stak zijn hand uit. 'Christopher, fijn om je te zien! Koffie? Water?'

Silfverbielke drukte hem stevig de hand en keek hem aan. 'Water is lekker, dank je, met wat citroen erin, graag.'

Heyes pakte de hoorn van de haak, gaf een paar instructies, legde neer en beduidde dat Christopher in de stoel tegenover zijn grote bureau moest gaan zitten.

Christophers gedachten waren nog bij Mariana Granath. Hij was pas ruim een uur geleden bij haar weggegaan, de regen op de Birger Jarlsgata in, en had zich teruggehaast naar het kantoor aan het Stureplan.

Toen hij het briefje met de nieuwe afspraak aannam en haar de hand schudde, hield hij die stevig vast en keek hij haar diep in de ogen. Ze trotseerde zijn blik kalm en hij voelde een steek van teleurstelling dat hij de wedstrijd niet kon winnen, haar niet uit haar evenwicht kon krijgen. Hij had haar losgelaten en was vertrokken zonder nog iets te zeggen.

Terwijl hij de trappen af liep, gingen er allerlei gedachten door zijn hoofd terwijl de regendruppels over zijn gezicht spoelden. Wilde hij haar hebben? *Ja.* Had het enig nut – uit zuiver logisch dan wel therapeutisch oogpunt – om naar haar toe te gaan? *Nee.* Wilde hij nog steeds naar haar toe gaan? *Natuurlijk.* Waarom? *Ze was knap.* Ja, ja, maar verder? *Nee. Ja, toch wel.* Behalve dat hij haar eindeloos wilde neuken, gaf het hem een eigenaardige voldoening om een psychologisch – misschien wel *psychotisch* – kat-en-muisspelletje met haar te spelen. Hoe dan ook, het was het geld en de tijd waard. Toen hij beneden op straat kwam, had hij nog steeds een stijve.

Hij dacht aan haar haar, haar gezicht. 'Knap' was niet de juiste omschrijving. Hij kon niet op een goed woord komen, maar... Hij dacht diep na. *Sensueel.* Mariana Granath was sensueel in die zin dat ze hem, alleen maar door er te zijn, toeschreeuwde dat zijn enige missie op aarde was haar te neuken tot ze doodging.

Dat was misschien wel te regelen.

Hij keek op zijn horloge en versnelde zijn pas. Een jonge vrouw met zo'n nieuw type kinderwagen reed over zijn voet. Hij had de pest aan die kleine, zogenaamd chique, grootsteedse designmonsters met hun lage, dikke rubberwieltjes, en aan hun – meestal vrouwelijke – bestuurders, die al hun vrije tijd, die hij verdomme met zijn belastingcenten betaalde, gebruikten om juist rond lunchtijd de straten te blokkeren en in cafés te zitten kakelen met andere, even stompzinnige, pas bevallen vrouwen. *Fuck them.* En nu reed ze met die verdomde klotekinderwagen met haar verdomde klotekind daarin over zijn retedure schoen.

'Sorry!' Ze keek naar hem op. Hij bleef staan en bekeek haar. Ze had gymschoenen, een ribbroek en een lelijk, gewatteerd jack aan. Ze gebruikte zo te zien helemaal geen make-up, door de regen plakte haar haar aan haar hoofd en bovendien had ze een grote puist op haar kin.

Zijn erectie was verdwenen.

Hij forceerde een glimlachje. 'Geeft niks.' Hij knikte kort naar haar en haastte zich verder naar het Stureplan.

'Christopher, om te beginnen wil ik je vertellen hoe blij ik ben dat je zo populair bent hier in de groep. Ik hoor bijna dagelijks wel opmerkingen dat je zo'n kanjer bent – altijd correct, vriendelijk, behulpzaam. En bovendien...' – Heyes schoot in de lach – '...de ideale schoonzoon, als ik de vrouwen op kantoor goed begrijp!'

Silfverbielke ontwaakte uit zijn overpeinzingen en zag Martin Heyes' glimlach. Hij deed zijn best om net zo overtuigend terug te glimlachen. 'Ach...' mompelde hij, en dat leek hem wel gepast bescheiden. Hij keek Heyes aan. *Schiet op, verdomme, ik heb niet de hele dag de tijd om hier te zitten!*

Heyes schoof een hoog glas ijswater met een schijfje citroen naar hem toe en wees op een paar stukken die op zijn bureau lagen.

'Christopher, je resultaten zijn echt *outstanding!*'

Craig International Brokers had Heyes een jaar eerder – voor een bedrag van zeven cijfers, naar het gerucht wilde – gerekruteerd bij een andere effectenmakelaar op het Stureplan. Heyes, die in Londen was geboren, maar op zevenjarige leeftijd naar Zweden was gekomen, was in de financiële voetsporen van zijn vader getreden en had algauw het epitheton 'wonderkind' gekregen.

Heyes glimlachte nog steeds.

Wat valt er te lachen? dacht Christopher. *Je bent vijf jaar ouder dan ik. Heb je het geluk gevonden? Zit je in een optrekje in Danderyd van vier-honderd vierkante meter met een perfecte, superknappe, geile vrouw, drie welopgevoede kinderen, vier auto's, veertien golfstokken, en alle lidmaat-schappen en alle respect die je nodig hebt om in deze branche en op het Stureplan te kunnen overleven? In het leven. In ons leven.*

Of ben je maar een verdomde bluffer, Heyes?

In wezen kon het Christopher geen bal schelen. Voor zijn part was Heyes een flikker of een vogelaar en woonde hij in een eenkamerflatje in Hjulsta. Als er maar niet dat kleinigheidje in de weg zat dat Heyes zijn baas was.

Christopher keek Martin uitdrukkingsloos aan, nog steeds zonder iets te zeggen.

Heyes dronk zijn koffie op, trok de papieren naar zich toe die hij net over tafel had geschoven en liet zijn blik eroverheen gaan.

'Wat is je tactiek, Christopher? De winst die jij hier hebt behaald is haast te mooi om waar te zijn...'

Silfverbielke wachtte een paar tellen en nam toen een slok citroen-water. 'Mag ik daaruit afleiden dat je tevreden bent over mijn inzet?'

'Christopher, je begrijpt heel goed dat ik meer dan tevreden ben. Maar het maakt me natuurlijk nieuwsgierig.'

Waar is die zak op uit?

'Ik doe niks abnormaals, eigenlijk. Ik bet wat en ik laat mijn deltapo-sitie wel eens flink oplopen.'

En ik ga af op een stel insidertips en als dat uit zou komen, vlogen jij en ik er allebei binnen tien seconden uit.

Heyes keek hem strak aan en knikte nadenkend. 'Je presteert nu al lange tijd uitzonderlijk goed. Ik ken niemand met gelijkwaardige resul-taten. Ik doe je een aanbod: vanaf volgende week word je teamchef van onze vijf beste traders, je leert hen werken zoals jij en je drijft onze re-sultaten als geheel zodanig op dat ze over drie maanden een afspiegeling zijn van jouw individuele resultaten. Als dat om een of andere reden niet werkt, gaan we terug naar de huidige werkwijze. En... ik hoef je waarschijnlijk niet te herinneren aan de Beursautoriteit of de Financiële Inspectie?'

Heyes keek hem glimlachend aan.

Silfverbielke dacht na over wat Heyes had gezegd. *De Beursautoriteit, de Financiële Inspectie. Fuck them! Die waren domweg niet slim genoeg.*

En Heyes begreep er niets van. Griezelig, maar waar. De beste man van Zweden, uitgeroepen tot levend wonder, begreep niet wat Christopher elke dag snapte, analyseerde en in zijn voordeel omzette. *Verdomd tragisch.*

Silfverbielke dacht snel na. Wilde hij dit? Zoals het nu ging, liep alles goed en hoefde hij zich alleen maar op zijn eigen projecten, op zijn *fonds* te concentreren. Als hij ja zei, was hij ook opeens rechtstreeks verantwoordelijk voor de resultaten van anderen. Hij begreep heel goed welke traders Heyes op het oog had. Een van hen was *a fuckin' star*, voor wie Christopher ondanks zichzelf een zekere bewondering had. Twee van hen waren redelijk en de andere twee waren niet bepaald om over naar huis te schrijven.

Veel werk om hen in de gaten te houden.

'En...' – Christopher keek Heyes afwachtend aan – '...wat zou zo'n organisatiewijziging in de praktijk betekenen, voor hen en voor mij?'

Heyes boog voorover over zijn bureau. 'Puur uit tactisch oogpunt stel ik voor – als je mijn aanbod aanneemt, uiteraard – dat je hen begin volgende week bij elkaar haalt en in grote lijnen uitlegt hoe ze hun zaken moeten ombuigen. Zoals een kapitein zijn schip langzaam laat zwenken, ongeveer. Daarna moeten wij natuurlijk samen nauwlettend in het oog houden hoe het gaat en wie hun taak aankunnen. Jij hebt de dagelijkse leiding en je brengt elke dag om zes uur verslag uit aan mij. Je hebt het volledige mandaat binnen de gebruikelijke *trading limit* en die kunnen we misschien langzaam maar zeker aanpassen. Als je ziet dat er iets misgaat, grijp je in en zet de zaak stop. In het ergste geval haal je iemand die niet aan de verwachtingen voldoet eruit.'

Silfverbielke knikte en deed zijn best om zijn zelfbeheersing te bewaren. *'Zoals een kapitein zijn schip langzaam laat zwenken...' De stomme idioot. In deze branche is geen ruimte om langzaam te zwenken.* Miljoenen kronen konden in een paar seconden verdwijnen, en het ging erom alles de hele tijd verdomd goed onder controle te houden, of uit te loggen.

'Wat jouzelf betreft,' vervolgde Heyes, 'zou dit betekenen dat je salaris wordt aangepast, van negentigduizend naar honderddertigduizend...'

Martin Heyes bekeek Silfverbielkes gezicht zorgvuldig, zocht een reactie.

Geen spier.

'...en met bonus erbij zou je dan op een jaarsalaris van bijna acht miljoen komen.'

Heyes leunde tevreden achterover. Dat zou er toch zeker in gaan als koek.

Christopher vertrok nog steeds geen spier.

Heyes werd onzeker, hij wist niet wat hij aan Silfverbielke had. *Wat mankeert die man? Ik heb hem net een aanbod gedaan waarvoor de meeste mensen bij dit bedrijf een arm zouden laten amputeren.*

Het bleef stil.

Christopher zette de vingertoppen van zijn ene hand lichtjes tegen die van zijn andere hand en bestudeerde verstrooid zijn keurig gemanicuurde nagels. Toen keek hij Heyes weer aan. 'Wanneer wil je mijn antwoord hebben, Martin? In de loop van volgende week?'

Heyes schudde zijn hoofd. 'Nu, Christopher. Je weet dat we een van de flexibelste actoren zijn, we moeten snel schakelen.'

Silfverbielke knikte nadenkend. 'In dat geval ben ik bang dat ik voor je aanbod moet bedanken, maar dank je wel dat je aan me gedacht hebt.'

'Wat?!' Heyes had de neiging uit zijn stoel op te springen, maar hij hield zich in. 'Daar begrijp ik niks van, Christopher. Je beseft toch wel wat de draagwijdte van mijn aanbod is, zowel voor je carrière als financieel? Het geeft je de mogelijkheid om –'

Silfverbielke hield zijn hand afwerend omhoog en Martin stopte.

'Ik ben me heel goed bewust van de draagwijdte van je aanbod, Martin, en ik voel me gevleid. Maar het idee dat ik verantwoordelijk zou worden voor andere traders spreekt me niet erg aan. Bovendien heb ik, om het maar eerlijk te zeggen, net een zeer aantrekkelijk aanbod gehad van een ander bedrijf. Zij zijn bereid om me ongeveer evenveel geld te bieden als waar jij het over hebt, maar dan mag ik zelfstandig blijven handelen.'

Shit. Fuck. Verdomme. Heyes wist dat deze dag zou komen, maar had het verdrongen. Wat geruchten betreft, was het Stureplan maar heel klein en nieuws – of het nu goed of slecht was – verspreidde zich ongelooflijk snel. Hij had moeten beseffen dat het gerucht dat Silfverbielke maand na maand uitzonderlijke resultaten behaalde de ronde zou doen en dat iemand bereid zou zijn veel te betalen om hem over te nemen.

Wat nu? Als hij dit melkkoetje kwijtraakte, zou hij dat moeilijk tegenover de directeur kunnen verantwoorden, die het moeilijk tegenover de Raad van Bestuur zou kunnen verantwoorden, en...

Waarschijnlijk kon hij maar beter gauw op zijn schreden terugkeren, in elk geval voorlopig.

'Ik begrijp het. Laten we zeggen dat ik even nadenk over... eh... eventuele alternatieven en dan volgende week met een nieuw voorstel bij je terugkom? Je begrijpt natuurlijk dat ik je graag voor ons bedrijf wil behouden en –'

'Dinsdag.' Silfverbielkes stem klonk vriendelijk maar vastberaden.

Heyes trok een wenkbrauw op. 'Dinsdag?'

'Ik heb het andere bedrijf beloofd dan uitsluitsel te geven, dus dan kun jij misschien beter iets eerder met een nieuw voorstel komen.'

Martin Heyes zuchtte, stond op en stak zijn hand uit. 'Ik zal mijn best doen, Chris, ik wil je echt niet kwijt.'

Silfverbielke nam zijn hand aan en Heyes verbaasde zich over de kracht van zijn handdruk. Christopher keek hem aan met ogen die plotseling van ijs leken te zijn gemaakt. Heyes' onbehagen groeide. *Wat een onaangenaam type kan dat zijn als hij zich van die kant laat zien. Waar is hij eigenlijk op uit? Wie is hij?* Heyes moest zijn best doen om te blijven glimlachen terwijl Christopher zich omdraaide en de kamer uit ging.

Met één hand in zijn broekzak wandelde Silfverbielke rustig door de gang terug naar zijn eigen kamer. Hij sloeg even af naar het herentoilet, urineerde en waste daarna zorgvuldig zijn handen. Hij monsterde zijn uiterlijk in de spiegel, veegde een stofje van zijn revers en ging met zijn handen door zijn dikke, zwarte haar.

Christopher hield halt in de deuropening bij Pernilla en keek naar binnen. De secretaresse van het makelaarsteam zat zoals gewoonlijk ijverig achter haar computer. Het viel hem op dat ze een paar stapels papier had verplaatst om de vaas met de twintig bloedrode, verse rozen een ereplekje te geven. 'Vind je ze mooi?'

Ze schrok en keek op. Toen ze hem zag, brak er een brede glimlach door op haar gezicht. Pernilla Grahn stond gauw op en liep om het bureau heen naar hem toe. Ze stak haar armen uit alsof ze hem wilde omhelzen, maar stopte midden in de beweging. Misschien niet gepast bij Craig International om je gevoelens zo te laten blijken. Christopher was immers een van haar chefs.

'Christopher, ze zijn geweldig, dank je wel! Ik denk niet dat je beseft hoeveel dat juist nu voor me betekent.'

Hij glimlachte en kreeg haar stil door zijn wijsvinger tegen zijn lippen te leggen en te knipogen. 'Pernilla, jij bent tien keer zoveel rozen waard,' vervolgde hij met zachte stem. 'Je bent een rots in de branding en zonder jou zou ik het niet redden. Ik weet dat je het moeilijk hebt en ik dacht dat je op dit moment vast wel iets kon gebruiken waar je blij van wordt.' Hij haalde zijn schouders op en sloeg zijn ogen neer.

Het kostte Pernilla Grahn moeite om haar tranen te bedwingen. Die man was absoluut fantastisch! Stel je voor dat ze hem destijds had ontmoet in plaats van...

'Ik wilde alleen maar zeggen dat je super bent en dat ik je echt enorm waardeer.' Nu keek hij haar recht in haar ogen met die warme, staalgrijze ogen waar haar knieën van begonnen te knikken. 'En vergeet niet wat ik eerder heb gezegd: als je hulp nodig hebt bij de verhuizing hoef je maar te kikken. Ik kan wel een aanhangwagen of een bestelwagen voor je regelen.'

Ze was hem het liefst om de hals gevallen.

Toen Pernilla Grahn negenentwintig was, dacht ze dat ze het geluk had gevonden. Ze woonde al twee jaar samen met Patrik, hield van hem, wilde zo gauw mogelijk een kind van hem en wilde de rest van haar leven met hem delen. Hij was eenendertig, knap, wellevend, en een bijzonder getalenteerde architect, die al diverse prijzen had gewonnen en waarschijnlijk binnen enkele jaren een eigen, succesvol bureau zou kunnen starten. Ze woonden prachtig in een driekamerappartement in Vasastan, dat te zijner tijd vast zou kunnen worden ingeruild voor ofwel een passende woning in Östermalm ofwel een mooie villa in Täby of zelfs Danderyd – en ze kon zich niet voorstellen dat het nog beter zou kunnen worden.

Natuurlijk had ze zich ook niet kunnen voorstellen dat het slechter zou kunnen worden. Ze zou dan ook nooit de dag vergeten dat de waarheid haar leven verbrijzelde, dat wanhoop en vernedering haar als een bliksemslag troffen. Toen ze, misschien wel voor de rest van haar leven, het geloof in trouw en eerlijkheid verloor.

Craig International had een conferentie gehad in Yasuragi, het Japanse kuuroord en conferentiecentrum op Hasseludden, ten zuiden van Stockholm. Die zou van donderdag tot en met zondagmiddag duren. Pernilla had het druk gehad met notuleren, maar ook genoten van de wellnessrituelen die er werden aangeboden: je naakt net niet te branden aan het hete water van de houten badkuipen en je dan, in je badpak, samen met je collega's in het veertig graden warme water van de bronnen buiten, onder de blote hemel, laten zakken. Ze had genoten van de stille omgeving, de Japanse meditatie, de massage, de heerlijke diners en – moest ze toegeven – de waarderende blikken en opmerkingen van diverse mannelijke collega's.

Christopher.

Hij had nooit iets gezegd wat verkeerd zou kunnen worden begrepen of opgevat als lomp of stuitend. Maar zijn glimlach, zijn lage stem, zijn vriendelijke woorden! Ze kon 's avonds in haar kamer maar moeilijk in slaap komen, ze sliep naakt tussen de koele lakens in het lage bed in de Japans geïnspireerde kamer en blozend had ze ingezien dat het haar moeilijk zou vallen om hem te weerstaan als hij...

Maar toch. Nee! Fantaseren, denken was één ding. Doen iets heel anders. Pernilla Grahn was onverbeterlijk romantisch en fysieke ontrouw was volkomen ondenkbaar voor haar. Je moest domweg keuzes maken in dit leven; dat had ze al geleerd toen ze nog klein was. En als je gekozen had, moest je je daaraan houden.

Misschien kwam de klap daarom ook zo hard aan.

Zaterdagmiddag laat was de conferentie op Hasseludden afgelopen. Ze was heen en weer geslingerd tussen blijven en 's zondags baden in de warme bronnen of naar huis gaan en Patrik verrassen met haar liefde. Ze had gekozen voor Patrik, was zondagochtend vroeg opgestaan, had gedoucht en een taxi besteld.

Op weg naar huis had ze haar mobieltje gepakt en het nummer van Patriks mobiel ingetoetst. Voicemail. Of hij sliep lekker in hun gezamenlijke bed, of op de bank bij zijn beste vriend, Jojje. Pernilla ging ervan uit dat hij thuis was en wilde hem op een bijzondere manier verrassen, slechts gekleed in de Japanse ochtendjas die ze van Yasuragi had gekregen.

Het volgende telefoontje ging naar haar beste vriendin, Helena. Aan de ene kant om de laatste roddels over Helena's veroveringen te horen – ja, haar vriendin was aanzienlijk onconventioneler en ondernemender op het punt van 'slaap en heers' – en aan de andere kant om te vertellen over haar belevenissen tijdens haar verblijf in het kuuroord. Ook al voicemail.

De minuten nadat ze thuis de deur had opengedaan, werden ongeveer de slechtste van haar leven. De geluiden uit de slaapkamer waren niet mis te verstaan en even later zag ze dat het Helena was die onder Patrik lag.

Als je hele leven, je dromen, je geloof in wat goed en kwaad is de bodem in wordt geslagen, doet dat onnoemelijk zeer. De tijd hierna was voor Pernilla één grote kwelling. Ze huilde en kon hen wel vermoorden. Soms – maar dat duurde niet lang – wilde ze hem vergeven en doorgaan met hun leven, maar dan kreeg de woede over de vernedering en het bedrog weer de overhand.

In de discussies met Patrik was ze ijskoud en ze had al snel besloten dat ze nooit meer met Helena wilde praten. Dat er een tijdlang elke dag telefoontjes van Helena naar haar mobieltje kwamen en een aantal slijmerige, verontschuldigende berichten op haar voicemail, deed Pernilla niet van gedachten veranderen.

Slet. Trut. Zoiets dóé je niet met je beste vriendin. Niet met haar vriend, met haar toekomstige man!

Pernilla Grahn had niet veel vertrouwelingen om mee te praten en was niet zo'n goede toneelspeelster dat ze zich op het werk goed kon houden. Op een dag stortte ze huilend in en de troostende hand kwam van... Christopher.

Hij had haar verhaal geduldig als een therapeut aangehoord. Hij was met verstandige opmerkingen gekomen, met voorzichtige voorstellen en had haar verzekerd dat hij haar zou helpen zoveel hij kon. Intussen had hij geen moment een tegenprestatie verlangd of geprobeerd van haar zwakte te profiteren.

Christopher was gewoon geweldig. En vandaag had hij – schijnbaar zonder aanleiding – een vaas met twintig prachtig mooie, donkerrode rozen op haar bureau gezet. Wat een man!

Pernilla Grahn kon het niet laten zich af te vragen of ze nog een schijn van kans had. Voelde Christopher zich tot haar aangetrokken? Dat moest wel. Je kon wel een aardige collega zijn, maar wat hij deed was van een heel andere orde.

Stel je voor dat hij toch verliefd op haar was!

Haar hart sloeg ervan over.

Minder dan een uur na het functioneringsgesprek met Christopher Silfverbielke zat Martin Heyes in overleg met de directeur en de tweede man van het Stockholmse filiaal van Craig International Brokers.

Ze zagen er alle drie bezorgd uit.

Toen Heyes verslag had gedaan van Silfverbielkes resultaten en de situatie had uitgelegd, dacht de directeur zwijgend dertig seconden na. Toen keek hij Martin aan en zei: 'Geef hem wat hij wil hebben. Geef hem exact – wat – hij – verdomme – wil – hebben! Je moet ervoor zorgen dat die knaap blijft, Martin. Ik hoop dat je dat begrijpt.'

Heyes slikte moeizaam, knikte en stond op. 'Absoluut.'

Toen hij door de gangen terugliep naar zijn kantoor kwam hij langs de kamer van Christopher Silfverbielke en hij zag dat de deur openstond. Hij keek gauw even naar binnen en bleef verbaasd staan. In plaats van voorovergebogen, met zijn ogen op het scherm gefixeerd, zoals anders, zat de trader nu rustig achterover in zijn hoge leren stoel, met zijn ogen dicht.

Martin Heyes fronste bezorgd zijn wenkbrauwen. Silfverbielke dacht natuurlijk aan het gesprek dat ze eerder hadden gehad en het aanbod dat hij vanbuiten had gekregen. Van wie?

Als hij had geweten dat Christopher in feite aan Mariana Granath dacht – en wát hij dacht – had Heyes nog meer reden tot bezorgdheid gehad.

Heyes gebruikte de volgende uren om zich het hoofd te breken over de vraag wie Silfverbielke zo'n royaal aanbod had gedaan. Eén of twee, maximaal drie mensen rond het Stureplan zouden het kunnen weten. De kans dat hij de juiste persoon zou treffen als hij rond ging bellen was klein. De kans dat degenen die het wisten dat aan Heyes zouden vertellen was nihil. Als het hem niet lukte Silfverbielke voor de zaak te behouden, zou hem dat zwaar worden aangerekend. *Verdomme!* Hij moest er na het werk beslist een paar drankjes en een maaltijd aan spenderen bij brasserie Grodan.

Het idee dat er nog een andere mogelijkheid was kwam niet in hem op.

Dat Silfverbielke helemáál geen aanbod van een concurrent had gehad, maar dat hij blufte.

Een zwak gezoem van zijn mobiele telefoon gaf aan dat hij een sms'je had gekregen. Silfverbielke klikte door naar het bericht en las het. *Kijk op Aftonbladet.se en bel me dan!*

Het was blijkbaar zover.

Hij surfte erheen, las, pakte de telefoon en toetste het nummer in.

'Ecker.'

'Hallo, met Christopher...'

'Heb je het gelezen?'

'Hm-mm...'

'Weet je nog wat voor klootzak het was toen we op Sandsjöö zaten? Heeft hij jou niet ook een keer een pak slaag gegeven?'

'Nou ja, een pak slaag... Ik heb wel eens een klap van hem gehad, maar ik geloof wel dat ik er een teruggegeven heb. Ik weet het niet meer zo precies, het is al zo lang geleden.'

Hans Ecker lachte. 'Ik dacht éven dat jij het had gedaan!'

'*What comes around goes around!*' Christopher deed zijn best om zijn antwoord ongedwongen vrolijk te laten klinken. 'Nee, zeg, ik zou er trots op zijn als ik het had gedaan, maar ik heb wel wat anders te doen in het leven dan me met zulke idioten bezig te houden. En kennelijk heeft hij zichzelf in de loop der jaren meer en ergere vijanden op de hals gehaald.'

'Daar lijkt het wel op, ja. Hoe gaat het trouwens?'

'Prima. Ik heb zin in Berlijn!'

'Ik ook. We moeten vanavond maar even bellen om de details te bespreken...'

'Yep, ik meld me wel. Ik zal tegen Johannes zeggen dat hij voor kaartjes en zo moet zorgen.'

'Super! Dus je belt?'

'*You bet.*'

Silfverbielke hing op.

Wat betekende dit?

6

Jacob Colt zat diep in gedachten verzonken. 's Middags had hij twee telefoontjes van de chef van de Nationale Recherche gehad, waarin die duidelijk uitlegde hoe belangrijk het was dat de moord op Alexander de Wahl zo snel mogelijk werd opgelost.

Zijn toon irriteerde Jacob. *Allicht is dat belangrijk, alle moorden zijn belangrijk, patser. Alle mensen zijn evenveel waard en... Flauwekul!*

Deze knaap was duidelijk meer waard. Jacob vroeg zich af wat voor contacten het slachtoffer of zijn nabestaanden bij de politietop hadden. Bij de politietop, bij het ministerie van Justitie, bij... Ja, waar niet? Dit was bepaald niet de eerste keer in zijn carrière dat er van bovenaf pressie werd uitgeoefend en hij vond het elke keer weer even verachtelijk.

Jacob had al lang geleden begrepen dat alle mensen helemaal niet evenveel waard waren. Elke dag stierven er in Afrika duizenden kinderen van de honger. In Brazilië werden kinderen doodgeschoten. In het Oostblok werden vrouwen massaal verkracht. In Azië werden mensen aan de lopende band vermoord. En wie bekommerde zich er nou écht om, anders dan een beetje droevig te doen voor de vorm?

Een paar jaar geleden kreeg een neushoornjong in een Zweedse dierentuin een hersentumor, of zoiets. De sensatiepers slaagde erin het hele Zweedse volk te mobiliseren; ze doopten het beest Nelson en schreven pagina's vol over de smartelijke strijd tegen de neushoornkanker.

Conclusie: een neushoorn met kanker wordt in Zweden hoger aangeslagen dan een Afrikaans kind dat nog een heel leven voor zich had.

Jacob leunde achterover en streek vermoeid met zijn hand over zijn gezicht. Toen keek hij op de klok. Vier uur.

Björn Rydh had hem gebeld zodra de autopsie voltooid was en had verteld wat ze tot nu toe wisten. Geen verrassingen. De Wahl was zuiver technisch gezien overleden door verdrinking, maar dat zou niet zijn gebeurd als iemand hem niet eerst hard met een steen op zijn hoofd had geslagen en hem vervolgens over de kaderand had geduwd.

Magnus Ekholm en Sven Bergman hadden vanaf het werk van Alexander de Wahl ook een paar keer gebeld.

Niets.

De Wahl werkte daar pas tien dagen en afgezien van een paar mensen die hem al daarvoor kenden, was hij voor de meesten van zijn collega's een grote onbekende. Nee, ze wisten niet of hij vijanden had, ze wisten überhaupt niet meer dan dat zijn vader een vooraanstaand man in financiële kringen was en dat zijn zoon ook als briljant werd beschouwd. Vandaar de benoeming tot coo, natuurlijk.

Jacob dacht na. Wie had reden om een jonge, succesvolle bankier om te brengen en wat was het motief? Lieve hemel, dat werd een hele lijst. Concurrenten, andere bankiers, jaloerse parvenu's, iemand die een transactie, een overname of iets anders in het gecompliceerde spel van de financiële wereld wilde tegenhouden. Het motief? Jaloezie, concurrentie, geld, haat, wraak, ontrouw of...

Zijn gedachten werden onderbroken doordat de telefoon ging.

'Colt.'

'*Me, too!*'

Jacob glimlachte toen hij Melissa's oude grapje hoorde. Toen ze trouwden had hij haar achternaam aangenomen, enerzijds om van zijn beroerde achternaam Jörgensen af te komen en anderzijds om Melissa te eren omdat ze haar vaderland omwille van hem had verlaten.

'Dag schat, hoe gaat het?'

'Hier gaat het goed, dank je. Er staat een geweldig mooie boom voor mijn raam en daar word ik blij van, ook al is het *Swedish winter*. Hoe gaat het met mijn man, *the super cop*?'

'Niet zo erg *super cop* vandaag, vrees ik. Je hebt de avondkranten misschien al gelezen of het nieuws op internet gezien?'

'Eh... die bankier?'

'Hm-hm...'

'Denk je dat je hem even kunt vergeten als ik beloof dat ik vandaag een heel lekker herfstdinertje maak? Georgiaans eten, een fles Gnarly Head, kaarsjes...'

Jacob aarzelde. 'Best verleidelijk. Melissa, ik weet dat je het niet graag hoort, maar ik zal vandaag echt moeten overwerken. Dit is een bijzondere moord en ze zetten me van bovenaf al onder druk.'

'Niet wéér, hè, Jacob?' Ze zuchtte diep. 'Álle moorden zijn bijzonder, dat weet ik. Maar je hebt de laatste tijd een beetje erg vaak overgewerkt. Je hebt er toch niet toevallig een nieuwe, jonge, vrouwelijke, beeldschone assistent-rechercheur bij gekregen op de afdeling?'

'*Shit, you caught me!*' Jacob lachte zachtjes. Hij wist dat jaloezie in Melissa's woordenboek niet eens voorkwam, maar hij wist ook maar al te goed dat ze gelijk had wat zijn overwerken betrof en dat hij haar, hun huis en alle klusjes die er de laatste tijd gedaan hadden moeten worden, had verwaarloosd.

Hij maakte een snelle afweging. Björn Rydh was op weg naar het politiebureau om wat spullen te brengen, maar die zou daarna waarschijnlijk doorgaan naar zijn ondergehuurde flatje. Henrik Vadh had verteld dat hij van het Forensisch Instituut rechtstreeks naar Gunilla in Upplands-Väsby zou rijden. Magnus, Sven en de andere rechercheurs zouden vandaag ook niets meer doen, om de eenvoudige reden dat er niets meer te doen wás. Het was misschien een goed idee om op tijd op te houden en morgenvroeg weer met hernieuwde kracht te beginnen.

'Ben je er nog, schat?' Melissa's zachte stem haalde hem uit zijn gepeins.

Hij lachte. 'Ik neem het aanbod aan, miss! Zal ik je op weg naar huis ophalen?'

'Goed idee. Als ik nu ga lopen, kan ik over een halfuur op de Sveaväg zijn. Dan zien we elkaar op de gebruikelijke plek. Als je mij thuis afzet, maak ik het eten klaar en dan kun jij even naar de slijterij; we hebben niet veel wijn meer.'

'Dat klinkt goed. Tot over een halfuur.'

'*Love you!*'

'Insgelijks.'

Hij logde uit, trok zijn leren jack aan, verliet de afdeling en nam de lift naar beneden. In de lange gang naar de uitgang kwam hij een oudere rechercheur tegen die al bijna aan zijn pensioen toe was. Collega Ander was kort, gezet, had een beetje een kromme rug en dun haar. Hij staarde naar de grond en zag er bezorgd uit, zoals gewoonlijk. Verbitterd.

Colt huiverde en haastte zich verder. *Zo wil ik nooit worden. Nooit een hekel krijgen aan mijn werk. Nooit mijn geloof in mensen verliezen. Nooit opgeven.*

Hij deed zijn BMW open, startte en reed op zijn gemak door de files in de city naar de Sveaväg en naar de plek waar hij Melissa altijd oppikte. Zoals zo vaak dacht hij na over zijn leven, hoe het zo gekomen was en waarom.

Jacob Colt was geboren en getogen in Malmö en hij zou zijn jeugd zonder meer gelukkig hebben kunnen noemen als het ongeluk niet was gebeurd.

Hij was toen acht jaar en als hij niet zo verkouden was geweest had hij zijn vader, Hans-Erik, gevraagd of hij ook mee mocht gaan vissen. Nu ging zijn vijfjarige broertje Niels mee.

Hans-Erik Jörgensen kwam er natuurlijk nooit overheen. Hoe het precies gegaan was, was hemzelf ook nooit duidelijk geworden, alleen dat het een kwestie van seconden was. Terwijl hij in de roeiboot bezig was met een haakje boog Niels te ver over de rand. Hans-Erik hoorde een kreet en een plons, en draaide zich bliksemsnel om.

De jongen was weg.

Het was schemerig en een grote boom onttrok de plaats waar de roeiboot lag aan de zon. Een paar seconden keek Hans-Erik vertwijfeld om zich heen zonder dat hij het kind ergens zag. Toen rukte hij zijn laarzen uit en stortte zich in het koude water.

Toen hij Niels uiteindelijk vond en in de boot had, was het al te laat.

Jacob had zijn vader altijd beschouwd als een sterk en gelukkig man, die openhartig en menslievend bleef, ondanks alle ellende die hij in zijn werk bij de recherche in Malmö tegenkwam. Na het ongeluk was zijn vader echter lange tijd zo gesloten als een oester, en ook al opende hij zich langzaam maar zeker toch weer een klein beetje, Jacob had het idee dat hij nooit meer de oude was geworden. Misschien, dacht Jacob, misschien had het geholpen als hij toen in therapie was gegaan om zijn schuldgevoelens te verminderen of kwijt te raken. Maar het leek wel alsof therapie in die tijd nog niet was uitgevonden en een rechercheur die naar een psycholoog ging, werd ongetwijfeld zwak gevonden, en misschien ook wel ongeschikt voor zijn werk.

Een paar keer had Jacob geprobeerd het ongeluk ter sprake te brengen, maar zijn vader had hem vriendelijk maar gedecideerd te verstaan gegeven dat hij er niet over wilde praten.

Op een of andere manier ging het leven door. Jacob groeide samen met zijn oudere broer Per en zijn zus Inga op in een groot huis in het centrum van Malmö. Toen zijn moeder, Ingrid, die Jacobs hele jeugd huisvrouw was geweest, twee jaar geleden aan kanker was overleden, had Hans-Erik Jörgensen besloten het grote huis in te ruilen voor een tweekamerflat aan de Möllevångsgata. Hij verbleef ook steeds vaker in het zomerhuis in Kämpinge, dat hij vijftien jaar eerder had gekocht.

Jacob stopte voor rood licht bij de St. Eriksgata. Het was weer gaan regenen en hij zette de ruitenwissers aan. Tussen de druppels door die het neonlicht extra deden schitteren, zag hij opeens een welbekende figuur, die zich over het zebrapad haastte juist toen het voetgangerslicht op rood sprong.

'Kijk nou toch...' mompelde Colt zachtjes.

Dragan.

De lange, krachtig gebouwde man met het kale hoofd was een beruchte leider van de Stockholmse Joego-maffia en tevens een bekende geweldpleger. Jacob vroeg zich geërgerd af hoe vaak ze die man al voor verhoor hadden opgepakt en een vooronderzoek waren begonnen; ze hadden hem echter nooit achter slot en grendel weten te krijgen. Dragan werd verdacht van drugs dealen op grote schaal, souteneurschap, afpersing van cafés in het centrum, het afdwingen van protectiegelden, grove mishandeling en... moord.

Het was elke keer hetzelfde verhaal. Een zwijgende, superieur glimlachende Dragan, die tijdens het verhoor rookte en niets zei, terwijl een goedgeklede advocaat de politie klemzette en eiste dat hij onmiddellijk werd vrijgelaten. Gebrek aan bewijs. Getuigen die ofwel zo bang gemaakt werden dat ze zwegen of domweg verdwenen. Ingetrokken beschuldigingen.

Nu haastte Dragan zich over de van de regen glimmende straat met een zilverkleurig attachékoffertje in zijn hand. Jacob weerstond de neiging om de auto uit te stormen, hem achterna te rennen en voor een of ander onbenulligheidje in te rekenen, alleen maar om te zien wat er in dat koffertje zat.

Het was moeilijk om na werktijd geen politieman meer te zijn.

En – hij glimlachte bij de gedachte – eigenlijk had hij niet eens politieman zullen worden.

Hij had besloten rechten te gaan studeren en na de middelbare school was hij – mede dankzij een lening van zijn ouders – naar de UCLA in Los Angeles gegaan.

In de twee jaar dat hij daar was, kwam hij niet alleen tot een van de belangrijkste ontdekkingen van zijn leven, maar ontmoette hij ook Melissa. De ontdekking dat recht niet gaat om wie gelijk hééft, maar wie het kríjgt – en dat je waarschijnlijk ook nergens zo gemakkelijk vuile handen bij kon krijgen – maakte dat hij die droom opgaf en zich aanmeldde bij de politieacademie. Ook al zuchtte zijn vader en raadde hij hem aan zijn leven aan iets beters te wijden.

Jacob had het naar zijn zin in de Verenigde Staten, maar wist al die tijd dat hij koste wat het kost terug wilde naar Zweden als hij klaar was met zijn studie. Voor Melissa – een intelligent, knap, geestig en stevig in haar schoenen staand meisje uit Savannah, Georgia, in de verte verwant met de wapenproducent Samuel Colt – was de liefde onvoorwaardelijk, en toen ze begreep dat haar vriend echt naar huis wilde, besloot ze tot groot verdriet van haar familie met hem mee te gaan.

Het duurde niet erg lang of Melissa Colt vond een goede baan als secretaresse op de Amerikaanse ambassade. Daar had ze later verschillende banen gehad, maar toen ze kinderen kregen, had ze die opgezegd om voor hen te kunnen zorgen. Toen Stephen Hans (genoemd naar zijn beide grootvaders) werd geboren, hadden ze hun tweekamerflatje ingeruild voor een driekamerwoning en toen Elin geboren werd, verhuisden ze naar een rijtjeshuis in een buurt die de naam 'Hollywood' had gekregen.

Jacob draaide de Sveaväg in, speurde naar Melissa en kreeg haar een meter of tien verderop in het oog. Hij remde af, boog over de passagiersstoel en deed het portier voor haar open.

'Wat kijk je kwaad!' zei ze verbaasd, terwijl ze naar hem toe boog en hem kuste. 'Niet op mij, hoop ik?'

Hij schudde zijn hoofd. 'Helemaal niet. Ik zag alleen toevallig een oude bekende de straat over hollen toen ik hierheen reed. Dragan, een Joego-maffioso. God weet hoeveel ellende die de mensen in de loop der jaren heeft bezorgd, en het ergert me dat we hem nooit ergens op hebben kunnen pakken. Maar het spel is misschien nog niet uit.'

Melissa lachte. 'Oké, *I get it*. Kunnen we nu ontspannen en doen alsof het avond is? Ik ben ervan overtuigd dat je overal boeven ziet als we de stad niet gauw uit gaan. Klinkt "wijn en lekker eten" niet gezelliger? Elin komt even langs, trouwens.'

Jacob reed over de Sveaväg naar het noorden. 'Leuk! Moeten we haar dan ook ophalen? Het is immers vlakbij.'

Sinds Elin de deur uit was en een lerarenopleiding volgde, deelde ze met een vriendin een huurflatje aan de Vanadisväg.

'Nee, ze was niet thuis toen ik belde. Ze zou de pendeltrein naar Sollentuna nemen, zei ze.'

'Des te beter, dan wordt ze niet te veel verwend door een vader die voor taxichauffeur speelt,' grapte Jacob.

Melissa knikte. 'Ik geloof echt dat dat zo is. Je hebt onze dochter jarenlang verwend, misschien wel te veel.'

'Ho, ho, ho!' zei Jacob en hij sloeg zijn ogen ten hemel. 'En mevrouw Colt heeft een zekere Stephen Colt nooit verwend?'

'Dat kan ik me absoluut niet voorstellen,' zei Melissa glimlachend.

'Bedoel je dat moeders in het algemeen de neiging hebben hun zonen te verwennen?'

'Dat is vragen naar de bekende weg.' Jacob grijnsde. 'Wat eten we trouwens? Ik ben uitgehongerd!'

'Dat is nog een verrassing, zoals gebruikelijk. Haal jij die wijn nou maar, dan zorg ik er wel voor dat het eten tot tevredenheid is.' Ze knipoogde naar hem. 'Want je hebt toch niks tegen lekker Georgiaans eten?'

Hij schudde zijn hoofd. 'Niet in het minst.'

'Trouwens,' vervolgde Melissa. 'Moeten we Henrik en Gunilla niet uitnodigen voor dit weekend? Het is al even geleden dat we elkaar hebben gezien.'

'Is het niet hun beurt?'

'Hou op, zeg! Tel je de vleesballetjes en de centiliters ook?'

'Ik probeerde je maar wat te plagen, en dat is blijkbaar gelukt,' zei Jacob lachend. 'Maar natuurlijk moeten we ze weer eens uitnodigen. Vrijdag misschien?'

'Geen slecht idee. Ik zal Gunilla een seintje geven. Het zou trouwens ook wel weer eens gezellig zijn om samen op reis te gaan. Het is al een eeuwigheid geleden dat we samen ergens naartoe zijn geweest!'

Jacob knikte. 'Hm... Londen zou leuk zijn, maar om deze tijd van het jaar weet ik het niet. Misschien moeten we wachten tot het voorjaar, en kiezen voor Rome of Parijs?'

In de tien jaar dat ze samenwerkten, hadden Jacob Colt en Henrik Vadh ondanks de vele verschillen die er tussen hen bestonden, een hechte persoonlijke vriendschap ontwikkeld, die zich ook uitstrekte tot hun vrije tijd.

De soms wat introverte, stugge analyticus Henrik was geïnteresseerd in zeilen, schaken, geschiedenis, filosofie en wetenschap in het algemeen. Hij las veel en had ook veel belangstelling voor film.

Jacob was opener, socialer, maakte gemakkelijk contact met mensen en vervloekte zichzelf vaak omdat hij na al die jaren als politieman soms nog altijd te naïef was. Hij hield van kijken naar sport en het speet hem dat hij niet meer zo veel tijd had als vroeger om zelf te sporten. Maar hij squashte regelmatig met Henrik Vadh en maakte bovendien deel uit van wat hij 'het seniorenregiment' noemde, een groepje mensen dat op zondagavond in Sollentuna unihockey speelde. Jacob en Melissa waren allebei verstokte golfspelers en omdat ze praktisch naast de Sollentuna

Golfclub woonden, grepen ze bij goed weer elke kans die zich bood aan om een rondje te spelen.

Melissa verslond boeken, en dat was een van de redenen dat ze na hun verhuizing van Los Angeles naar Zweden in zo korte tijd zo goed Zweeds had geleerd. Maar Jacob plaagde haar soms met de schrijvers die ze koos. Ze hield van thrillers, net als Jacob. Maar in tegenstelling tot Melissa ergerde hij zich aan auteurs die slordige, ongeloofwaardige verhalen schreven en waarin het politiewerk vol fabels en feitelijke onjuistheden zat. Het irriteerde hem ook dat de meeste rechercheurs in zijn functie heel clichématig werden omschreven als ouder wordende, gescheiden, verbitterde mannen die te veel dronken en in reusachtige auto's rondreden.

'O, Rome zou heerlijk zijn!' zei Melissa. 'Gunilla vertelde dat ze een paar jaar geleden op studiebezoek is geweest bij een school voor speciaal onderwijs daar, en ze hield meteen van de stad!'

Naarmate de vriendschap tussen Jacob en Henrik zich ontwikkelde, hadden hun vrouwen elkaar ook gevonden. Gunilla Vadh was adjunctdirecteur van een basisschool in Upplands-Väsby. Melissa en zij hadden heel wat barbecueavondjes lang gediscussieerd over hoe het onderwijssysteem verbeterd zou kunnen worden, terwijl hun mannen in een andere hoek van de tuin stonden te praten over... moord.

De beide echtparen waren, als ze oppas konden regelen, ook een paar keer een weekendje weg geweest in Europa. Bovendien hadden ze menige avond doorgebracht aan de scherenkust, aan boord van de boot van het echtpaar Vadh.

'Ik zal het er even met Henrik over hebben. Tegenwoordig kun je met Ryan Air al voor weinig geld vliegen.'

Melissa knikte. 'Als ze vrijdag komen, kunnen we het wel bespreken.'

Nadat Jacob Melissa voor hun rijtjeshuis aan de Hollywoodväg had afgezet, reed hij door naar de Forum-hypermarkt, die de goede smaak had gehad de staatsslijterij een naastgelegen ruimte te laten betrekken.

Hij deed zijn BMW op slot, nam een boodschappenkarretje en liep naar de ingang. Een paar meter daarvoor stond een verweerde man in sjofele kleren de daklozenkrant *Situation Stockholm* te verkopen.

Jacob stopte en trok zijn portemonnee. Hij vond vier briefjes van twintig kronen, vouwde ze op en ging naar de man toe.

'Twee kranten, asjeblieft, maar verkoop die ene maar aan iemand anders!'

De man keek hem glimlachend aan. 'Dank u wel. Fijne avond!'

Jacob pakte de krant aan en liep, zijn karretje voor zich uit duwend, de slijterij binnen. Zo veel dingen, dacht hij, hangen van toeval af. Zweden is kouder, harder geworden. Het sociale vangnet is kapotgegaan en het begrip 'verzorgingsstaat' hoort thuis in de geschiedenisboeken. Tegenwoordig moet iedereen zichzelf zien te redden, en als je valt, is het zo gebeurd. Scheiding, ontslag, overspannenheid, een beetje te veel alcohol erbij, en je belandt zomaar op straat en tegenwoordig is het hier net zo moeilijk om weer in het normale leven terug te komen als voor een dakloze in de Verenigde Staten. Triest.

Terwijl hij een keuze maakte uit de Californische wijnen, constateerde hij voor de zoveelste keer laconiek dat het niet genoeg was om je ouders en je geboorteplaats te kiezen, je moest ook je hele leven kiezen.

En goed.

7

Maandag 15 januari

'O, wat ben je mooi, bijna een exacte kopie van mij!'

Jacob deed zijn best om bloedserieus te klinken terwijl hij zijn dochter bekeek. Elin Colt was drieëntwintig, lang en slank, had felblauwe ogen en haar blonde, kortgeknipte haar zat meestal nogal warrig. Ze had lieve lachkuiltjes, die zich vaak lieten zien, maar ze kon ook behoorlijk vinnig zijn als ze wilde.

'Doe niet zo flauw, pa!' Elin Colt schudde glimlachend haar hoofd, wurmde zich uit haar gewatteerde jack en omhelsde Jacob stevig. 'Hoe gaat-ie?'

'Kon minder. En hoe is het met mijn lievelingsdochter?'

'Ik studeer me te pletter voor die tentamens en ik heb geen geld voor de huur. Mijn huisgenote heeft er ineens lol in haar nieuwe vriendje mee naar huis te slepen, en dat is een langharige rockmuzikant zonder geld. Ze liggen hele nachten te vrijen en hebben de koelkast geleegd voordat ik wakker ben. Maar verder gaat het super...' Elin zuchtte en liep om Jacob heen naar de keuken om Melissa te begroeten. Toen ging ze aan de keukentafel zitten.

Jacob pakte een kurkentrekker en keek zijn dochter aan. 'Ik ga ervan uit dat dat betekent dat je wel te porren bent voor een glas wijn?' zei hij glimlachend.

'Leukerd! Als ik je vroeger vroeg een paar flesjes bier voor me te halen, zei je altijd nee, en nu vraag je het zelf!'

'Je bent inmiddels wel een paar jaar ouder geworden, kattenkopje. Ik heb bij de lente- en midzomerfeesten genoeg kinderen in de bosjes zien liggen en zien kotsen. Stel je voor dat jij er daar een van was geweest, en dat dat mijn schuld was geweest!'

Elin lachte. 'Soms is het maar goed dat je niet alles weet, maar laten we het over iets anders hebben. Hoe gaat het met mijn verwende grote broer? Geniet hij nog steeds van het rijke culturele leven in de Deense hoofdstad? Wanneer wordt hij nou eens volwassen en zoekt hij een echte baan?'

'Heerlijk toch, die liefde tussen broers en zussen!' riep Melissa lachend vanachter het fornuis, waar een pittig stoofpotje al verrukkelijke geuren verspreidde. 'Ik denk dat je nog wel eens trots zult zijn op Stephen. Het gaat goed met hem.'

Elin knikte. 'Jaja, hij heeft de artistieke genen gekregen, maar ik zou niet weten van wie. Een ander moet maar gewoon schoolfrik worden en zich de komende vijftien jaar door kinderen laten doodpesten.'

Jacob dacht aan Stephen. Zijn zoon was lang en tenger, en leek uiterlijk op zijn moeder. Hij had een mooi, fijn gezicht, bruine ogen en half-lang, donkerblond, krullend haar.

Als kind had Stephen al blijk gegeven van artistieke aanleg. Op school werd hij geplaagd omdat hij liever tekende, schilderde en viool speelde dan dat hij meeging naar het voetbalveld. Hij haalde tot Jacobs grote verdriet altijd slechte cijfers voor sport en was er totaal niet in geïnteresseerd.

Dat hij ontwerper wilde worden, was dus voor zijn ouders niet als een verrassing gekomen. Hij was aangenomen op een bekende school in Kopenhagen, ook tot grote vreugde van zijn grootvader. Hans-Erik Jörgensen had na zijn verhuizing naar het huisje in Kämpinge zijn tweekamerflat aan de Möllevångsgata in Malmö aangehouden, waarschijnlijk vooral uit nostalgische overwegingen. De flat bood nu onderdak aan de jonge toekomstige ontwerper, die elke dag op een oude motor over de brug naar Kopenhagen op en neer reed. Stephen bracht soms de weekends bij Hans-Erik in diens huisje door, en daar was Jacob blij om. Die twee hadden een zeer hechte relatie en Jacob had het gevoel dat Stephen een soort surrogaat voor de verdronken Niels was geworden.

'Heeft hij nog geen vriendin?'

Elins vraag kwam onverwacht en Jacob schrok. Bij het fornuis draaide Melissa zich om; ze wierp hem een snelle blik toe en trok haar wenkbrauwen op.

'Waarom vraag je dat?' Jacob klonk vriendelijk, afwachtend.

'Nou ja, zo'n gekke vraag is dat toch niet? Die jongen is vijfentwintig en ik kan me niet herinneren dat hij ooit iets heeft gehad wat op een vaste relatie lijkt. Als ik niet beter wist, zou ik denken dat hij homo is...'

Jacob keek haar aan en dacht aan wat hij zichzelf had beloofd op het moment dat Stephen werd geboren. *Lieg nooit tegen je kinderen. Als ze hun eigen vader niet kunnen vertrouwen, wie dan wel?*

In de loop der jaren hadden Melissa en hij hun kinderen al vaak onaangename waarheden moeten vertellen, die ze hun liever hadden bespaard. Maar ze hadden toch het gevoel dat eerlijkheid op den duur toch het beste was.

Waarschijnlijk was dat nu ook zo.

Jacob keek haar ernstig aan. 'Hij ís homo, Elin.'

Elin deed haar mond open alsof ze iets wilde zeggen, maar bedacht zich. Een glimlach vormde zich rond haar mond, maar die verdween al snel toen ze zag dat haar vaders gezichtsuitdrukking niet veranderde.

'Ja, maar... O, nee toch... Ik bedoel... Hij kan toch niet...'

Ze leek in de war toen het tot haar doordrong dat Jacob het meende. 'Wisten jullie... Eh... Hoelang...?'

Jacob zuchtte. 'Nog maar heel kort. Je weet misschien nog dat ik een maandje geleden of zo vertelde dat Stephen in de stad was. Zijn klas was hier voor een of ander studiebezoek en 's avonds kwam hij op bezoek. Hij had een Deense jongen bij zich – Joachim – en ik dacht natuurlijk dat dat een klasgenoot was. Maar de koffiekopjes stonden nog maar nauwelijks op tafel of Stephen vertelde dat Joachim zijn vriend is...'

Elin zei nog steeds niets. Melissa draaide zich om naar het fornuis, beet op haar lip om een snik te onderdrukken en proefde de zoute smaak van haar tranen.

Stephens blije, openhartige mededeling die avond was om diverse redenen een schok voor haar geweest. Haar eerste gedachte was voor een vrouw misschien heel voor de hand liggend: dat Stephen nooit kinderen zou kunnen krijgen. *Eigen kinderen.* Misschien was dat het belangrijkste voor iedere vrouw en het was ook een volkomen natuurlijk verlangen van iedere moeder voor haar kinderen.

En dan de moraal. Melissa had zich haar hele leven – niet in het minst na haar uitspattingen tijdens haar studie in Los Angeles – verbeeld dat ze een ruimdenkende, onbekrompen vrouw zonder vooroordelen was. Maar in haar hart zat ze met dezelfde morele vragen als vele anderen, en de conservatieve opvoeding die ze thuis in Savannah had gehad kon ze niet zomaar zonder meer van zich afzetten.

En wilde ze dat wel?

Wat zullen de mensen wel niet zeggen? Melissa kon zich niet herinneren hoe vaak ze die zin had gehoord wanneer het gezin in het huis aan East Gaston Street om de grote eettafel geschaard zat. Haar ouders, geziene juweliers in de mooie stad, maakten zich juist vaak zorgen over wat de mensen zouden vinden en zeggen over van alles en nog wat.

Melissa had geleerd dat je netjes, schoon en beleefd moest zijn. Dat je hard moest werken en aan je verplichtingen moest voldoen. Dat er voor een meisje speciale regels golden waaraan je je moest houden om je reputatie hoog te houden.

Natuurlijk was ze in opstand gekomen, maar pas toen ze naar de UCLA in Los Angeles ging. Ze had de regels doorbroken en de grenzen opgezocht, dingen gedaan die jongeren doen, haar lichaam en dat van anderen onderzocht, een paar drugs uitgeprobeerd. Geleefd. Maar natuurlijk zonder dat haar ouders daar ooit achter waren gekomen.

Ze kon zich niet herinneren dat ze veel over homoseksualiteit had gehoord toen ze nog in Savannah woonde. Een gerucht hier, een fluistering daar, toespelingen die ze misschien had begrepen als het haar iets had kunnen schelen, maar ze waren langs haar heen gegaan, omdat ze niet over haar gingen.

In Los Angeles was alles veel duidelijker geworden. Ze zag mannen hand in hand op straat lopen, ze zag meisjes die elkaar openlijk kusten. Op de universiteit was er een geaccepteerde, sterke homobeweging voor mannen en vrouwen. Melissa had zelfs wel uitnodigingen van andere meisjes gekregen. Dat vond ze aanvankelijk walgelijk en vies, maar later dacht ze er toch dieper over na. Een paar keer had ze zich gerealiseerd dat ze fantaseerde over een biseksuele of lesbische relatie, en dan had ze die gedachten blozend van zich afgezet als het tot haar doordrong dat dat misschien toch helemaal niet zo onplezierig was.

Maar dit was anders.

Haar eigen zoon was homo.

Hij zou geen kinderen kunnen krijgen. *Wat zouden de mensen wel niet denken?*

Hoe ze ook van Stephen hield, ze begreep dat dit iets was wat ze niet zomaar kon wegwuiven om met een glimlach door te gaan. En ze zat erover in hoe haar ouders zouden reageren als ze het hoorden.

Jacob zag dat Melissa gauw een paar tranen van haar wangen veegde. Elin zag dat ook. Ze ging naar het fornuis, naar Melissa en omhelsde haar. 'Hoe is het, mam?' vroeg ze zachtjes.

'It's okay, honey.'

Jacob keek liefdevol naar hen. Melissa had de neiging om soms, als ze door sterke gevoelens overmand werd, in haar moedertaal te vervallen.

Melissa stopte met in de pan roeren en keerde zich om naar Elin. 'Ik vind het prima dat Stephen homo is. Het enige wat ik wil is dat hij gelukkig wordt en dat hij een goed leven krijgt. Het is natuurlijk een beetje jammer dat hij waarschijnlijk geen kinderen zal krijgen, maar...'

'Je bedoelt dat jullie geen kleinkinderen van hem krijgen?' Elins stem had plotseling iets scherps. 'Denk je daaraan, mama? Is dat niet een beetje egoïstisch?'

Melissa haalde haar schouders op en draaide zich weer om naar het fornuis. 'Allebei een beetje, neem ik aan...'

'Wat vind jij, pap?' Elin liep terug naar de tafel.

Jacob glimlachte naar haar. 'Rustig maar, Elin, het is geen natuurramp. Ik ben het met mama eens: ik wil alleen maar dat jij en Stephen gezond en gelukkig zijn. Hoe jullie willen leven, is jullie eigen zaak. Maar het levert wel een paar praktische problemen op, dat begrijp je wel.'

'Je bedoelt Savannah?'

Jacob knikte. 'Yep.'

Melissa's ouders en haar broers en zussen waren gewone, aardige mensen, maar ze waren wel beïnvloed door het conservatisme waarvan vooral de zuidelijke Amerikaanse staten nog altijd doortrokken waren. Het feit dat veel homo's en lesbiennes de afgelopen jaren het zuidelijkste puntje van de Verenigde Staten – het hippienest Key West – hadden verlaten omdat het te duur werd en naar Savannah in Georgia waren verhuisd, had de houding van de inwoners van Savannah tegenover homoseksualiteit niet bepaald verbeterd.

'Maar hoe bedoel je? Dat Stephen niet meer naar opa en oma toe kan? Daar moeten ze maar even flink zijn en...'

'Elin, die dingen zijn niet altijd zo eenvoudig als ze zouden moeten zijn. De houding tegenover homo's in Georgia verander je niet zo een-twee-drie, en op de leeftijd van opa en oma is het sowieso niet zo makkelijk om van mening te veranderen. Natuurlijk betekent dat niet dat wij of Stephen hen niet meer kunnen zien, maar we moeten misschien een beetje voorzichtig zijn met wat we vertellen, en hoe.'

'We moeten het soort van geheimhouden, bedoel je?'

'Soort van, ja.' Jacob grijnsde inwendig omdat hij een stopwoordje gebruikte waaraan hij zo'n hekel had als hij het jongeren hoorde gebruiken. 'Maar ik ga ervan uit dat dit je houding tegenover Stephen niet verandert?'

Elin schudde haar hoofd. 'Helemaal niet. Hij is nog steeds het onuitstaanbare ventje dat me bont en blauw sloeg toen we klein waren en mijn poppen kapotmaakte. En... ik hou van hem!'

Melissa kwam met de pan naar de tafel. Ze glimlachte naar Elin. 'Jullie zijn broer en zus, Elin, en jullie moeten elkaar vasthouden, dat is het enige wat telt. Dat je elkaar vasthoudt.'

Melissa diende op en ze genoten van het eten en van de volle wijn uit Napa Valley. Elin vermaakte hen met verhalen van de Lerarenopleiding, maar ook al deed Jacob echt zijn best om te luisteren, zijn gedachten dwaalden voortdurend af. Hoe kwam het dat sommigen homo waren en anderen niet? Werd je met een bepaalde seksuele geaardheid geboren of ontwikkelde je die later in je leven? Zat homoseksualiteit in je genen? Hij nam zich voor dat hij daar meer over zou proberen te lezen.

Daarna weer andere gedachten. Wie had Alexander de Wahl vermoord? Wat was het motief? Zouden ze erin slagen de moordenaar te pakken?

De zaak irriteerde hem en pas toen Melissa hem uren later, tussen de koele lakens, wist af te leiden, ontspande hij.

8

Dinsdag 16 januari

Hamid Chan Barekzi stapte door de portiekdeur naar buiten, stopte en trok huiverend de ritssluiting van zijn gewatteerde jack op tot aan zijn hals.

Hij keek om zich heen. De lege asfaltvlakten tussen de twaalf verdiepingen hoge torenflats met hun roodbruine bakstenen gevels lagen er verlaten bij, op een kapotte fiets en een paar vuilbruine sneeuwhopen na. Een nijdig, geel verbodsbord schreeuwde hem vanaf een muur toe: BALSPELEN VERBODEN.

Hamid haalde zijn schouders op. De Sejdelväg in Fittja, even ten zuiden van Stockholm, was het enige thuis dat hij kende en hij had, net als de meeste andere jongeren hier, een groot deel van zijn jeugd doorgebracht met voetballen op deze pleinen. Voor zover hij wist was daar niemand aan doodgegaan.

Hij liep snel het korte stukje omlaag naar het centrum van Fittja en zag tot zijn opluchting de bus al klaar staan. Hij hoefde niet te staan kleumen.

De chauffeur keek vermoeid naar zijn buskaart. Hamid liep gewoontegetrouw door naar de brede achterbank, in de hoop dat hij daar met rust gelaten zou worden.

Hij zakte erop onderuit, trok zijn pet diep over zijn voorhoofd, deed zijn armen over elkaar en wilde juist zijn ogen dichtdoen voor een dutje toen zijn oog op een *Metro* viel die iemand op de zitting naast hem had achtergelaten.

Hamid schrok toen hij de zwarte kop op de voorpagina van de krant zag.

BEKENDE BANKIER VERMOORD IN CITY

Onder de vette letters stond een foto van een gezicht dat hij maar al te goed kende.

Wat was dat verdomme???

Hij keek schichtig om zich heen, alsof hij verwachtte dat een groep agenten plotseling de bus zou bestormen om hem te grijpen.

Voorzichtig trok hij de krant naar zich toe en sloeg hem open. Het artikel was kort: de bekende bankier Alexander de Wahl was op de

Strandväg vermoord toen hij te voet op weg was naar zijn werk. De politie wilde geen details prijsgeven, maar zei dat er een goed signalement van de dader was en dat ze goede hoop hadden dat ze hem spoedig konden aanhouden.

Hamids hart bonsde hevig en zijn tong plakte aan zijn gehemelte. Hij frommelde de hele krant op tot een prop, gooide hem op de vloer van de bus en zag dat hij onder een stoel rolde.

Wat moest hij nu doen?

Zijn hoofd tolde van de gedachten, die hij probeerde vast te houden en te ordenen. Vluchten zou gelijkstaan aan bekennen. Bovendien zouden ze het nooit begrijpen, zijn oom en de rest van de familie.

Blijven zou gelijkstaan aan opgepakt worden. Vroeg of laat zouden ze...

Tranen welden op in zijn ogen en hij veegde ze gauw weg. Hij keek om zich heen. De meeste mensen waren voor in de bus gaan zitten en de dichtstbijzijnde passagiers zaten zo ver van hem vandaan dat hij niet langs hen heen hoefde als hij door de achterdeuren uitstapte.

Hij keek even op zijn horloge en besefte dat hij een besluit moest nemen.

Hamid kon slecht toneelspelen. Zijn oom Avzal was een des te betere mensenkenner en het was niet erg waarschijnlijk dat Hamid zijn onrust voor hem kon verbergen.

Het alternatief was open kaart te spelen en zijn oom de waarheid te vertellen. Avzal zou gek worden als hij hoorde hoe de vork in de steel zat.

Nee, dat was echt geen goed idee.

Hij kon vluchten. Heel ver weg.

En dan zelfmoord plegen. Een lange brief schrijven om het uit te leggen aan de mensen van wie hij hield en er dan een eind aan maken. Nee, dat zou alleen maar een teken zijn dat hij schuld bekende, en daarmee zou hij nog meer schande over zijn familie brengen. Bovendien had hij niet genoeg geld om ver weg te vluchten. Een groot deel van zijn salaris ging rechtstreeks naar de gemeenschappelijke familiekas en het beetje spaargeld dat hij hier en daar had verstopt, zou hooguit voldoende zijn voor een enkeltje naar Zuid-Europa.

En dan?

De bus begon af te remmen en Hamid Chan stond aarzelend op. Toen de achterdeuren opengingen stapte hij uit, en hij bleef even besluiteloos op de stoep staan terwijl de deuren sissend dichtgingen en de bus doorreed. Hamid rook de geur van ethanol, stopte zijn handen in zijn jaszakken en begon te lopen.

Het was 06.32 uur.

'Je bent vandaag alwéér te laat!' Avzal keek naar Hamid, toen op zijn horloge en toen weer naar Hamid.

Hamid haalde zijn schouders op. 'Sorry, de bus was laat. Het spijt me.'

Hij keek de oudere man niet aan, maar liet zijn blik door de werkplaats glijden alsof hij verwachtte dat er, sinds hij gisteren naar huis was gegaan, opeens een heleboel auto's bij gekomen waren.

Maar alles was nog hetzelfde. Bij de brug, tegen de verste muur, was Faiz al begonnen de uitlaat van de rode 745 te vervangen. Bij de volgende werkplek hing Golbaz boven de motor van een Audi die zijn beste tijd had gehad. Boven de smeerkuil stond een Toyota te wachten tot Hamid de olie zou verversen en de versnellingsbakolie zou bijvullen.

Ten slotte keek hij naar zijn oom. Avzals ogen boorden zich dwars door hem heen. 'Wat is er met je aan de hand, Hamid? Ik zie dat er iets mis is.'

Hamid haalde zijn schouders weer op. 'Nee, alles is in orde, geloof me. Ik ga me omkleden...' Hamid zette koers naar de kleedruimte, maar toen hij op gelijke hoogte met Avzal was, schoot diens hand uit en greep hem bij zijn bovenarm.

Avzal Chan Barekzi was een korte, krachtige man van in de zestig. Een hard leven in een oorlogsgebied en een lange vlucht hadden hem in het begin van de jaren tachtig naar een nieuw – en in andere opzichten misschien even hard – leven gebracht, maar hier hoefde hij tenminste niet wakker te liggen uit angst dat zijn vrouw Ziagol verkracht zou worden of dat het huis in brand zou worden gestoken. Maar ook in dit nieuwe land kon hij niet ophouden zich zorgen te maken en onraad te ruiken, en hij had leren leven met het idee dat het waarschijnlijk de rest van zijn leven zo zou blijven.

Avzal koesterde een grote liefde voor de zoon van zijn broer, maar dat wist hij op dit moment uitstekend te verbergen. Zijn donkerbruine ogen leken nog donkerder te worden en zijn wenkbrauwen trokken zich samen tot een bezorgde frons. 'Hamid, het was een erezaak voor me om voor je te gaan zorgen toen je vader stierf en je weet dat je als een zoon voor me bent. Maar je weet ook dat het respect van twee kanten moet komen, hè?'

Hamid slikte en knikte zonder antwoord te geven. Hij was geboren en getogen in Fittja, en had nog nooit een geweer of een granaat gezien. Hij kon zich zijn vader Hatiq nauwelijks herinneren en thuis uren in het fotoalbum zitten bladeren. Hoe zou zijn leven zijn verlopen als zijn vader niet naar Afghanistan was teruggegaan om nog meer familieleden te redden? Waarom moest iemand juist hem doodschieten? Waarom mochten ze geen gelukkig gezin zijn? Avzal was wel als een vader voor hem geweest, maar...

'Geef antwoord, Hamid, kijk me aan!' De greep om Hamids bovenarm werd steviger.

'Ja, Avzal, je weet dat ik je respecteer en dat ik dankbaar ben voor alles wat je voor me hebt gedaan!' Hamid dwong zichzelf zijn oom in de ogen te kijken.

Diens hand verslapte enigszins. 'Hamid, ik wil dat je me alles vertelt, dat weet je. Als er iets is gebeurd, moet ik het weten. Anders kan ik je niet helpen, begrijp je?'

Hamid knikte zwijgend.

'Hoe gaat het met je moeder en je zussen?' Avzals greep om de arm van de jongen verslapte verder, en hij bekeek hem. Hamid was bijna achttien en Avzal was trots op hem. De jongen zag er goed uit en beloofde bovendien een heel goede monteur te worden, die hij nog jaren in de garage zou kunnen houden en die zou kunnen blijven als zijn zonen Faiz en Golbaz de zaak overnamen. Misschien werd het zelfs tijd een geschikte vrouw voor Hamid te kiezen.

Hamid forceerde een glimlachje. 'Goed, oom, alles is goed. Moeder doet je de hartelijke groeten. Ze wilde je uitnodigen voor het eten, zondag.'

'Ik zal haar bellen. Kleed je nu gauw om en zorg dan voor die Toyota. We krijgen voor de lunch vier auto's en als het weerbericht klopt, kunnen we elke dag blikschades verwachten!'

De jongen knikte en liep snel naar de kleedruimte. Hij beet op zijn lip en probeerde de prangende ongerustheid van zich af te zetten terwijl hij zijn spijkerbroek uittrok en zich in zijn overall hees.

'Mogge, mannen!' Jacob Colt maakte een uitnodigend gebaar naar zijn collega's, die met een kop koffie in de hand om de vergadertafel heen stonden.

Iedereen nam plaats en Colt keek even snel op de klok. 'Ik heb vanmorgen wéér een telefoontje van onze geachte hoofdcommissaris gehad. Hij laat ons weten dat het hem maar matig kan bekoren dat mensen – zeker bekende bankiers – op weg naar hun werk worden doodgeslagen. Ik kreeg de indruk dat hij wil dat de zaak-De Wahl zo snel mogelijk wordt opgelost. De media zitten kennelijk als ratten achter hem aan. En...' zijn stem kreeg iets ironisch, '...misschien niet alleen de media, maar ook de big shots.'

Henrik Vadh schoof geïrriteerd heen en weer in zijn stoel. 'Dan zou het misschien handig zijn als meneer de hoofdcommissaris ervoor zorgt dat er wat meer mensen kunnen werken aan de razendsnelle oplossing van moorden.'

'Hè, Henrik, doe nou niet zo onaardig tegen de baas.' Jacob glimlachte. 'Hij is heel goed, in elk geval in ongerust zijn!'

De politiemensen rond de tafel lachten hartelijk. Magnus Ekholm zwaaide met zijn hand.

'Hebben we al een officier van justitie?'

Jacob trok een grimas. 'De hogere machten hebben ons weer eens begiftigd met Anna Kulin.'

'Bingo,' mopperde Vadh, en het laatste gelach rond de tafel maakte plaats voor stilte.

Jacob Colt haalde zijn schouders op. 'Daar valt niet veel meer over te zeggen, we weten hoe de hazen lopen. Ze is goed in haar werk, maar ik zou willen dat ze ook wat beter was in op tijd komen.' Hij wierp een blik op zijn horloge. 'Ze had er nu moeten zijn.'

Anna Kulin was begin dertig en had een zeer snelle juridische carrière gevolgd naar haar doel: officier van justitie worden. Ze was goed van de tongriem gesneden en er kon zelden een lachje af. Ze droeg meestal broeken en truien in neutrale kleuren en maakte zich nauwelijks op. Ze verklaarde graag dat ze actief feministe was. Dat had tot gevolg dat ze beroepsmatige zaken uit genderperspectief kon gaan bediscussiëren, vaak op een zodanige manier dat niet alleen mannelijke, maar ook vrouwelijke collega's er ontmoedigd van begonnen te zuchten.

Jacob Colt bladerde wat door zijn papieren. 'Nou ja, ze zal zo wel komen. Laten we eens kijken wat we tot nu toe hebben en dan bepalen hoe we verdergaan.' Hij keek Sven Bergman aan. 'Hebben jullie iets gevonden op De Wahls werkplek?'

Bergman schudde zijn hoofd. 'De Wahl heeft als coo van de bank amper zijn stoel warm kunnen krijgen. Sommigen kende hem misschien wel van eerdere zakelijke bijeenkomsten, maar voor de meesten was hij alleen nog maar een naam.'

Colt knikte nadenkend. 'Potentiële rivalen daar? Zijn naaste ondergeschikten bijvoorbeeld?

'Rivalen zullen er altijd wel zijn, maar in dit geval kunnen de meesten worden afgeschreven, omdat ze al op hun werk waren toen de moord plaatsvond...'

'Vóór zeven uur 's morgens al?' Jacob Colt keek verbaasd. 'Sinds wanneer werken bankmensen zo vroeg? Ik vind het altijd een hels karwei om ze te pakken te krijgen als je ze nodig hebt...'

Vadh glimlachte: 'Dit zijn niet helemaal dezelfde mensen als die zich met jouw dikke politiesalaris bezighouden, Jacob. De mensen in de financiële branche zijn strebers die naar de top willen, en dan moet je 's morgens niet in je bed blijven liggen.'

'Dank je.' Jacob grijnsde. 'Maar ik ben bang dat je gelijk hebt. Enfin, we gaan door!'

Hij werd onderbroken doordat de deur openging. Anna Kulin kwam binnen. Ze knikte kort naar de mannen rond de tafel. 'Goedemorgen.' Toen ging ze zitten, maakte haar aktetas open en haalde er een stapeltje papier uit. Geen glimlachje, geen excuus dat ze te laat was.

Jacob Colt wisselde een veelbetekenende blik met Henrik Vadh, en praatte Kulin toen in het kort bij over wat er tot nu toe was gezegd.

'Ik begrijp het.' Anna Kulin knikte en wendde zich toen tot Magnus Ekholm. 'Hebben jullie met anderen in De Wahls omgeving gesproken? Familie, vrienden?'

'Nog niet.' Ekholm schudde zijn hoofd. 'Dat wilden we vandaag gaan doen. We waren gisteren een tijdje bezig op het hoofdkantoor; we hebben een stuk of tien mensen gesproken.'

Jacob Colt keek naar Niklas Holm. 'Heb jij iets gevonden, Niklas?'

De jonge computernerd schudde zijn hoofd. 'Nog niks bruikbaars, maar ik spit door. De Wahls financiële huishouding was goed, geen schulden en geen zakelijke of financiële lijken in de kast, voor zover ik tot nu toe heb ontdekt. Hij is een onbesproken blad, afgezien van een paar parkeerboetes en een snelheidsovertreding drie jaar geleden. Komt niet voor in onze andere strafregisters. Geef me zijn pc maar, dan kunnen we zien wat voor leuks ik daaruit kan opdiepen.'

'Dat komt nog, dat komt nog,' antwoordde Colt glimlachend toen hij het enthousiasme bij zijn jongere collega zag. 'Er is zo op het oog niet veel te vinden in zijn nieuwe computer op de bank, maar wie weet wat we tegenkomen als we bij hem thuis kijken.' Jacob keek naar Björn Rydh. 'En wat zeggen onze vrienden de technici ervan?'

'Johan en Christer moesten vanmorgen naar een spoedgeval, dus ik heb beloofd dat ik hun bevindingen ook zou doorgeven.' Björn Rydh bladerde door zijn papieren. 'Het onderzoek op de plaats delict heeft heel weinig opgeleverd. De wind en de regen hadden het daar natuurlijk behoorlijk schoongespoeld. Het bloed op de klinkers was van het slachtoffer, en op de jas die in het water was gegooid, hebben we geen sporen kunnen veiligstellen. De jas was gekocht bij een grote kledingketen, Dressman, dus het leek ons vrij zinloos daar tijd in te steken. Maar voor de zekerheid heb ik toch even contact opgenomen met een verkoopmanager daar. Hij zegt dat ze afgelopen voorjaar een partij van een paar duizend van die jassen hadden. Ze zijn door het hele land gedistribueerd, dus in de praktijk kan hij overal zijn gekocht. De muts die we in de plas water hebben gevonden, is echter van een bekender merk, dat in betere zaken wordt verkocht. Die heb ik naar het NFL gestuurd voor een DNA-test, en ik heb voorrang gevraagd.'

De technicus zweeg even en raadpleegde zijn aantekeningen voordat hij doorging. 'Uit de autopsie is gebleken – dat zal niemand verbazen – dat De Wahl is overleden door verdrinking nadat hij aan beide kanten van zijn hoofd met grof geweld was geslagen, vermoedelijk met een zwaar en stomp voorwerp, en in het water was gegooid. Een steen is een *educated guess*, maar daar durft de gerechtsarts geen gif op in te nemen, en ik ook niet.'

Jacob Colt keek naar Henrik Vadh. Zoals zo vaak luisterde zijn collega met zijn ogen dicht, alsof hij zich dan beter kon concentreren. De andere rechercheurs zaten zwijgend aantekeningen te maken op hun blocnotes.

'Oké,' zei Colt. 'Meer niet? Heb je helemaal geen vrolijk nieuws voor me?'

Björn Rydh knikte. 'Jawel, ik denk dat je hier wel blij van wordt. De aktetas van het slachtoffer lag vlak bij de kaderand. Die hebben we bekeken en we hebben een paar vingerafdrukken gevonden die niet van het slachtoffer waren. Die afdrukken hebben we door het register gehaald, en we vonden een match.'

Björn Rydh keek Colt even aan, en ging toen door.

'Barekzi, Hamid Chan, geboren nul-vijf nul-drie negenentachtig, wonende aan de Sejdelväg 26 in Fittja. Ruim anderhalf jaar geleden samen met een paar anderen opgepakt wegens een inbraak in een buurtwinkel in Alby. Dat was een gewoon kruimeldiefstalletje. Ze waren waarschijnlijk uit op sloffen sigaretten en hoopten misschien dat de dagopbrengst van de kassa er nog was. Bij deze inbraak mishandelde Barekzi een even oude jongen vrij zwaar. Hij ontkende, maar werd in verband met zijn jeugdige leeftijd onder toezicht gesteld.'

'Een jongen nog maar,' mompelde Anna Kulin. Ze boog voorover en maakte een paar aantekeningen op haar blok.

Jacob Colt leunde achterover en liet zijn blik even over het plafond gaan. 'Geboren in negenentachtig, zei je? Tja, je kunt niet vroeg genoeg beginnen. Maar van een inbraak bij een buurtwinkel overgaan op moord, dat lijkt toch wel wat fors.'

Rydh haalde zijn schouders op. 'Vergeet die mishandeling niet, die was grof. En ik heb het wel gekker meegemaakt.'

'Aan de andere kant...' vervolgde Jacob Colt, '...waarom zouden de vingerafdrukken van de jonge Hamid anders op De Wahls aktetas zitten? We weten dat het geen beroving was, want het slachtoffer had zijn portefeuille en zijn dure horloge nog. Kan die jongen op een of andere manier voor De Wahl hebben gewerkt?'

Janne Månsson schudde zijn hoofd. 'Een zwartjakker uit Fittja, niet eens oud genoeg om een rijbewijs te hebben – kan ik me haast niet voorstellen. Wat voor werk had hij dan moeten doen?'

Anna Kulin schrok op toen ze het woord 'zwartjakker' hoorde en deed haar mond open om er iets van te zeggen, maar Jacob Colt was haar voor.

'Ik gooi maar een balletje op. Had De Wahl personeel?'

Niklas Holm schudde zijn hoofd. 'Hij woonde alleen in een appartement aan de Torstenssonsgata en maakte gebruik van een schoonmaakbedrijf – wit – dat één keer in de week kwam, op vrijdag. Dat bedrijf deed ook in het weekend zijn was en bracht die op maandagochtend per bode terug.'

'Had hij een auto?' vroeg Colt.

'Hij is geregistreerd als eigenaar van een twee jaar oude Mercedes,' antwoordde Holm.

'Ik kan me nauwelijks voorstellen dat hij die toevertrouwt aan een zandneger uit Fittja! Is het een Turk?' vroeg Månsson zonder zelfs maar te proberen de minachting in zijn stem te verbergen.

Björn Rydh keek hem rustig aan. 'Nee, hij is geboren in Zweden. Maar als je het precies wilt weten: zijn ouders komen uit Afghanistan.'

'Maakt geen reet uit,' zei Månsson bars. 'Eens een zwartjakker, altijd een zwartjakker, en ze zijn maar zelden chauffeur in Östermalm!'

'Nou is het wel genoeg, dat soort uitdrukkingen wil ik hier niet horen, Månsson!' Anna Kulin keek de rechercheur kwaad aan.

Månsson glimlachte vaag en leunde achterover. 'Ik zeg het gewoon zoals het is. We kunnen het beestje toch wel bij de naam noemen?'

Kulin keek hem kwaad aan en Jacob zag dat haar handen een beetje trilden, maar ze zei niets meer.

Hola, oppassen, dacht Colt. Janne is nog maar net op deze afdeling. En zijn tolerantie tegenover immigranten is op zijn zachtst gezegd gering...

Jacob maakte een mentale aantekening dat hij Månsson in de gaten moest houden, vooral als het met allochtonen te maken had. Intussen keek hij – gezien Månssons achtergrond – niet op van diens opvattingen.

Månsson had zich een reputatie als zeer bekwaam rechercheur verworven bij de politie van Örebro, waar hij jaren had gewerkt. Jacob had hem daar ontmoet toen hij daar een lezing gaf over het toegenomen geweld in grote steden. Månssons collega's hadden Jacob te verstaan gegeven dat hij heel wat in zijn mars had en dat het waarschijnlijk maar een kwestie van tijd was voordat Månsson promotie zou maken.

Daarom had Jacob verbaasd opgekeken toen Månsson op een dag plotseling een verzoek indiende om overgeplaatst te worden naar Stockholm, en wel naar de afdeling van Jacob Colt. Een paar telefoongesprekken met Janne Månsson hadden daar niet meer duidelijkheid over gegeven, dus uit pure nieuwsgierigheid pleegde Jacob nog een paar telefoontjes, en via het roddelcircuit kwam hij erachter.

Janne Månsson was jaren getrouwd geweest, en het was geen geheim dat hij en zijn vrouw van alles in het werk hadden gesteld om kinderen te krijgen, maar tevergeefs. Zoals zoveel andere onvrijwillig kinderloze stellen zaten ze in een voortdurende stroom van onderzoeken, experimenten, spermatests en echo's. Zowel hun huwelijk als hun financiële positie leed onder deze beproevingen.

Op een nacht kwam Janne Månsson wat eerder dan verwacht thuis na een afgebroken actie in zijn nachtdienst. Toen hij naar binnen sloop om zijn vrouw niet wakker te maken, zag hij tot zijn verbazing een vreemde uniformjas in de hal hangen. Een paar seconden later hoorde hij onmiskenbare geluiden uit de slaapkamer, en toen hij daar naar binnen keek, viel zijn hele bestaan in duigen. Politie-aspirant Mehmet Svensson, een korte man met donker haar, een gespierd bovenlijf en veel borsthaar, zat op zijn knieën achter Jannes naakte vrouw. Ze genoot kennelijk van de behandeling en zou waarschijnlijk gauw een orgasme hebben gekregen als Månssons binnenkomst geen eind aan hun spelletje had gemaakt.

Janne Månsson wilde geen uitleg horen. Hij wilde maar op één vraag antwoord hebben: 'Hoelang al?'

Het duurde drie dagen van schreeuwen, ruziemaken en dreigen voordat zijn vrouw ten einde raad bekende dat ze de afgelopen twee jaar regelmatig met Mehmet naar bed was geweest. Na die mededeling had Månsson hun huis met een weekendtas in zijn hand verlaten zonder nog iets te zeggen. Eerst was hij in de kleedkamer van het politiebureau getrokken en een week later had hij een logeerplek gekregen bij een collega thuis. De echtscheidingsstukken had hij haar gestuurd op de dag nadat hij was vertrokken, en de andere praktische zaken waren geregeld door advocaten en verhuisbedrijven. Hij had tegen zijn vrouw gezegd dat hij de rest van zijn leven niet meer met haar wilde praten of haar wilde zien. Wat hij in de kleedkamer van de politie onder vier ogen tegen Mehmet Svensson had gezegd, had tot Månssons ontslag kunnen leiden als het was uitgekomen.

Het smeulende wantrouwen dat Janne Månsson tot dan toe had gehad tegenover immigranten en 'nieuwe Zweden' – hij gruwde van dat woord – sloeg nu om in een brandende haat, die waarschijnlijk nooit meer zou doven.

Dat wist Jacob Colt allemaal, en wanneer hij zich probeerde te verplaatsen in Månssons situatie kon hij diens gevoelens ook wel begrijpen. Maar toch. Ze waren bij de politie, en ze moesten professioneel zijn. Wilde dat lukken, dan moest je je werk en je privéleven kunnen scheiden.

'...Vind je niet, chef?'

Jacobs gepeins werd afgebroken. Henrik Vadh keek hem vragend aan. 'Sorry, wat zei je?'

'Ik vroeg of we maar niet eens naar Fittja moesten rijden om een praatje te maken met die jongeman.'

Jacob Colt knikte. 'Goed idee, en ik ga zelf mee.'

Hij keek de officier aan. 'Anna, ik stel voor dat Niklas doorgraaft in De Wahls achtergrond en kijkt of hij iets kan vinden. Intussen...' Jacob keek Sven Bergman, Magnus Ekholm en Janne Månsson aan, '...wil ik dat jij, Janne, teruggaat naar de bank en verder praat met mensen daar. Check bij Magnus en Sven wie ze gisteren nog niet hebben gehad. Magnus en Sven, jullie beginnen met De Wahls familie en daarna gaan jullie de deuren langs bij het optrekje waar hij woont.'

Anna Kulin bleef even stil en antwoordde toen: 'Dat klinkt goed. Maar ik wil wel dat jullie Barekzi voorzichtig aanpakken. Hij is ondanks alles pas zeventien, en het laatste waar we nu behoefte aan hebben, is kritiek omdat we iemand van die leeftijd verkeerd behandelen. Er is al genoeg pressie van bovenaf in deze zaak, en –'

'Wil je alsjeblieft vertellen waar dat allemaal goed voor is?' Jacob Colt deed zijn best om zijn irritatie te beheersen en klonk daardoor een beetje ironisch. 'Het is lang geleden sinds onze geachte chef zich zó voor een zaak interesseerde. Hij belde me gistermiddag al twee keer en vandaag nog een keer. Ik zou wel willen weten –'

'Ik weet niet meer dan jij!' Kulins stem klonk scherp. 'Maar ik vermoed dat het niet zo belangrijk was geweest als het slachtoffer een vrouw was geweest. Anderzijds is dat in deze zaak niet relevant, omdat vrouwen meestal geen toegang hebben tot hoge posities in de financiële sector.'

Zucht! Goede vrouwen komen waar ze willen, kijk maar naar jezelf, dacht Colt. Maar hij besefte dat het een slecht idee en zonde van de tijd zou zijn om daarover met haar in discussie te gaan.

De andere rechercheurs stonden op en begonnen hun papieren bij elkaar te rapen. Jacob keek Rydh aan. 'Björn, je begrijpt: ik heb je nu echt nodig. Als ik je chef kan overhalen om jou nog een paar dagen uit te lenen, wil je dat dan?'

'Akkoord,' zei Rydh en hij knikte. 'Zodra Christer en Johan terug zijn, begin ik met de flat van De Wahl.'

9

Dinsdag 16 januari

'*Talk to me, baby,*' zei Jacob terwijl hij zijn BMW in zuidelijke richting over de Essingeled, de binnenrandweg van Stockholm, stuurde.

Vadh grinnikte. 'Ah, je bent in een zeer romantische stemming? Heerlijk, maar daar komen we waarschijnlijk niet ver mee in een Afghaanse garage in Huddinge.'

'Hè?' Colt keek zijn collega verbaasd aan. 'Ik dacht dat ik iets had gehoord over een flat in Fittja?'

'Klopt, maar voordat we vertrokken, heb ik Niklas gevraagd even snel iets over die jongen uit te zoeken en een paar telefoontjes te plegen.' Henrik Vadh bladerde in de stukken op zijn schoot. 'Die jongen – Hamid Chan Barekzi – is dus geboren op 5 maart 1989 en woont al vanaf zijn geboorte in Fittja. Zijn vader ging naar Afghanistan om redenen die we niet kennen, en werd daar doodgeschoten toen Hamid nog maar twee jaar was. De jongen woont aan de Sejdelväg, samen met zijn moeder Shirengel en twee oudere zussen, Kadijhu en Malale. Hij werkt in een garage in Huddinge, die geleid wordt door zijn oom, een zekere Avzal Chan...'

Jacob trok zijn wenkbrauwen op. 'Chan en Chan, heten alle mannen in die familie Chan?'

'Waarschijnlijk wel. Heb je daar moeite mee?' plaagde Vadh.

Jacob Colt zwenkte naar de linker rijstrook en trapte het gaspedaal in.

'Ik niet, maar Månsson wel.'

'Dat heb ik gemerkt, ja.' Vadh keek naar buiten. Alles zag er wintergrijzig uit, bijna troosteloos. Hij vroeg zich af hoe deze zaak zich zou ontwikkelen en dacht er – voor de zoveelste keer – over na of hij er goed aan had gedaan om bij de politie te gaan in plaats van legerofficier te blijven. Hij zag echter niet waar zijn belangstelling hem in zijn werkzame leven anders had kunnen brengen. Bovendien had hij altijd een sterke drang om voor veiligheid en rechtvaardigheid te zorgen. *Het goede laten zegevieren over het kwaad, altijd het goede laten zegevieren.* Hij glimlachte ironisch om zijn eigen gedachten. Soms was het maar goed dat mensen geen idee hadden waar je aan dacht. Wat zouden ze van hem vinden? Een pathetische...

'Neem jij het over als ik hem heb opgewarmd?'

Vadh werd opgeschrikt uit zijn gedachten en keek Jacob aan.

'Volgens het navigatiesysteem zijn we er bijna,' vervolgde Colt. 'Ik warm die jongen op met een paar simpele vraagjes en dan neemt de man met de zweep het over. Oké?'

Vadh knikte. Na al die jaren samen had Jacob niet hoeven bespreken hoe ze de ondervraging zouden aanpakken. Ze kenden elkaar goed genoeg en hadden voldoende fingerspitzengefühl om iemand tijdens een verhoor aan elkaar toe te kunnen spelen. Desalniettemin namen ze van tevoren vaak de checklist door, als twee piloten.

Piloot, dacht Vadh terwijl Jacob de auto tot voor de garage reed. Ik was misschien een goede piloot geworden...

Op het moment waarop de beide mannen binnenkwamen, begreep Hamid Chan Barekzi waar het om ging.

Smerissen!

Hij weerstond de sterke neiging om de bahcosleutel op de grond te gooien en naar de kleedkamer te rennen, waar ook de achterdeur was. Dat was geen goed plan. Ze zouden hem vinden, vroeg of laat.

Er waren de hele dag allerlei verwarrende gedachten door zijn hoofd gegaan. Hij kon zich maar moeilijk op zijn werk concentreren en Avzal had naar hem geschreeuwd toen hij struikelde en bijna drie liter motorolie over de vloer van de werkplaats morste.

Wat moest hij nu doen?

Hamid zag dat zijn oom de schroevendraaier oppakte van de motor van de oude Saab en naar de mannen keek, terwijl zijn wenkbrauwen zich fronsten tot de wantrouwende uitdrukking die zijn gezicht zo vaak kreeg.

De kleding van de mannen verraadde duidelijk dat ze niet tot de normale cliëntèle van de garage behoorden. De eerste gedachte van zijn oom was dat ze van de Belastingdienst waren of van een andere instantie die kleine ondernemers het leven nog zuurder wilde maken dan het al was.

'Shit,' mompelde hij, en hij stopte de schroevendraaier in zijn zak en liep naar de mannen toe.

'Wat willen jullie?' Avzal Chan Barekzi deed geen poging aardig te doen toen de beide rechercheurs hun legitimatie toonden.

Colt keek hem rustig aan. 'We willen graag praten met uw neef Hamid.'

'Waarom?' Avzal klonk verontwaardigd. 'Waar gaat het om?'

'Dat willen we graag met hem bespreken.' Colts blik was vast.

Avzal spreidde zijn armen. 'Hij is minderjarig. Ik sta erop erbij te zijn als jullie met hem praten!'

Colt keek gauw even naar zijn collega, die zijn schouders ophaalde. Avzal draaide zich op zijn hakken om en wenkte Hamid, terwijl hij nijdig en snel naar het kantoortje achter in de werkplaats ging.

Henrik Vadhs zesde zintuig sloeg alarm zodra hij Hamid Barekzi zag. De jongen ontweek zijn blik en toen hij op gezag van zijn oom in het kantoortje op een stoel ging zitten, zag Vadh dat zijn handen trilden.

'Hamid, wij zijn van de recherche in Stockholm en we willen je een paar vragen stellen. Ik heet Jacob Colt en dit is mijn collega Henrik Vadh.'

Hamid wierp een snelle, ernstige blik op de rechercheurs en keek toen zonder iets te zeggen weer naar de grond.

'Ik wil nu weten waar het over gaat!' Avzal wond zich weer op, maar Jacob Colt snoerde hem gedecideerd de mond.

'We kunnen dit op twee manieren doen. Of we mogen hier nu in alle rust met Hamid praten, of we nemen hem mee naar het politiebureau, en dan zonder u!'

Avzals ogen leken nog donkerder te worden dan anders, maar hij beheerste zich en zei niets meer.

Colt keek de jongen aan. 'Hamid, ik weet dat dit lastig voor je is, maar het beste is om maar meteen de waarheid te zeggen. Jij begrijpt wel waar het om gaat, hè?'

De handen van de jongen trilden nog steeds. Hij schudde zwijgend zijn hoofd en bleef naar de grond kijken.

Jacob knikte naar Henrik Vadh, die naar de jongen toe boog. 'Hoe kende je Alexander de Wahl?'

Het kwam er razendsnel uit en de jongen schrok ervan. 'Eh... Wie...?' Nu sidderden zijn handen gewoonweg, en zijn blik fladderde nerveus door het kantoortje.

Vadh vuurde zijn volgende vraag af: 'Probeer geen spelletjes te spelen, ik weet veel meer dan je denkt. Ik wil het alleen maar van jouzelf horen!'

'Ik –'

Het antwoord werd onderbroken doordat de mobiele telefoon van Jacob Colt ging. Hij haalde hem uit zijn zak, keek op het display en nam op. 'Ja, Björn?'

Björn Rydh en Christer Ehn hadden de bus van de technische recherche uit de garage van het politiebureau gehaald en waren naar de Torstenssonsgata gereden. Toen ze voor de flat van Alexander de Wahl aankwamen, vloekte Ehn. 'Dit is toch verdomme te gek, zeg. Het is niet alleen hopeloos om in Östermalm te komen, er parkeren is helemaal klote. Af en toe vraag ik me af wat die politici denken als het om auto's gaat. Denken ze dat mensen geen dorst meer hebben als je de kraan dichtdoet?'

Rydh lachte. 'Voor een politicus is dat misschien het makkelijkste om te denken. En ze hebben zelf vast niet zo vaak parkeerproblemen, denk ik zo.'

Ehn knikte chagrijnig, maar zijn gezicht klaarde op toen een vrachtwagen zijn richtingwijzer aanzette om weg te rijden van de zijkant van de weg. 'Dank je wel! Soms moet het een beetje meezitten.'

Björn Rydh hield stil voor de deur van de flat waarin een brievenbus met de naam DE WAHL zat. Hij trok een paar dunne rubberhandschoenen aan, pakte de sleutel en deed open. 'Wil jij het slot verwisselen terwijl ik binnen een kijkje neem?' Ehn knikte, knielde bij zijn metalen koffertje en begon naar een schroevendraaier en een slotcilinder te zoeken.

Dood. Het bleef – hoe vaak hij het ook al had gedaan – een raar gevoel om een flat binnen te gaan van iemand die vermoord was, vaak zonder dat hij precies wist waar hij naar moest zoeken. Wat kon de relatie tussen de moordenaar en het slachtoffer zijn geweest? Wat was het motief? Als hij de antwoorden op deze vragen had geweten, was het natuurlijk gemakkelijker.

En lang niet zo spannend. Ergens was dat eeuwige, hersenpijnigende gepuzzel toch de jeu van het werk. En de beloning kwam als het technische bewijs iemand hielp veroordelen. Of vrijspreken.

Rydh schudde die gedachten van zich af, deed het licht aan en keek om zich heen in de hal. Ordelijk op het pedante af.

Vijf minuten later had hij een eerste rondje door het driekamerappartement van De Wahl gemaakt. Een vrij kleine kamer was, tamelijk ascetisch, ingericht als kantoor. Op het mooie parket stond een groot bureau van chroom en glas, en een zachtgevulde leren fauteuil. De laptop op het bureau was zéker vijfendertigduizend kronen waard en de keurig op een rijtje liggende Montblanc-pennen vertegenwoordigden meer geld dan Rydh aan maandsalaris kreeg. Smaakvol, dacht Rydh. Of in elk geval duur.

Hij zou de laptop natuurlijk meenemen naar de TR. De jonge Niklas Holm zou dolblij zijn om daar zijn tanden in te mogen zetten.

Christer Ehn kwam binnen. 'Het slot is klaar.' Rydh knikte. 'Goed, laten we dan maar eens rondkijken.'

Methodisch gingen de beide technici door de badkamer, de keuken, de woonkamer en de slaapkamer. De etage was licht en mooi, met een imposante plafondhoogte en stucwerk.

'Dit is nou zo'n keuken waar mijn vrouw altijd van droomt,' zei Ehn met een lachje. Rydh knikte. 'Ik denk dat mijn vrouw er ook niet erg hevig tegen zou protesteren. En heb je die tv gezien? Dat is de grootste flatscreen die ik ooit heb gezien!'

Ze gingen de woonkamer in en keken naar het reusachtige scherm. Op de marmeren tafel voor de beide leren fauteuils stonden twee bordjes met etensresten en zes bijna lege glazen, en lagen een paar servetten en wat vuil bestek. Ernaast stonden twee zilveren kandelaars met opgebrande witte kaarsen en een overvolle asbak.

'Kijk eens aan, meneer De Wahl heeft eergisteravond een etentje gegeven,' zei Rydh terwijl hij naar de tafel liep. 'En kennelijk werd het zo laat dat hij gistermorgen geen tijd meer had om op te ruimen.'

Ehn knikte. 'Daar ziet het wel naar uit, want verder houdt hij toch van orde en netheid.'

Björn Rydh boog over de tafel en pakte voorzichtig een van de peukjes. 'Golden King,' las hij. 'Wat is dat?'

'Ik weet het niet zeker, want ik rook zelf niet,' antwoordde Ehn, 'maar ik geloof dat dat zo'n goedkoop merk is dat je bij de Lidl koopt.'

Björn Rydh bekeek de glazen een voor een en rook eraan. 'De hele batterij – bier, rode wijn en whisky. Er is blijkbaar heel wat doorheen gegaan. En als ik er niet helemaal naast zit, is er vlees, aardappelgratin en knoflookboter geserveerd, onder meer. Laten we eens in de slaapkamer gaan kijken.'

Een gigantisch tweepersoonsbed bedekte een groot deel van het eiken parket van de slaapkamer. Aan de muur hing een lcd-scherm, dat verbonden was met een dvd-speler op een plank aan de muur.

'Wat is dit hier verdomme – een bordeel of zo?' Christer Ehn begon te lachen toen hij het zwarte, zijden laken op het niet opgemaakte bed zag. Hij liep ernaartoe en boog zich over het bed. 'Zeg, hier lijken een heleboel vlekken te zitten...'

Rydh knikte, bijna verstrooid. Hij stond met zijn rug naar het bed bij de plank met de dvd-speler en bladerde door het dvd-etui. 'Ik geloof dat meneer De Wahl een ietwat bijzondere voorkeur had. Kijk eens, bijna alleen maar homofilms met jonge jongens.'

Christer Ehn floot. Björn Rydh pakte zijn mobiele telefoon en toetste het nummer van Jacob Colt in. 'Dat moet ik Jacob even melden. Kijk jij intussen of je haren in het bed ziet?'

Jacob Colt stond op, liep het kantoortje uit, de garage in en luisterde. Hij stak een vinger in zijn andere oor om Björn Rydhs stem boven het lawaai van de werkplaats uit te kunnen horen.

'Alles wijst erop dat De Wahl bezoek heeft gehad op de avond voordat hij vermoord werd,' begon Rydh. 'Er liggen resten van een vrij goed diner voor twee personen. Ze hebben bier, wijn en whisky gedronken en...' Hij zweeg even. 'Rookt die jongen met wie jullie praten trouwens?'

'Weet ik niet. Hoezo?' Colt draaide zich om en keek door de glazen ruit in het kantoor. Hij zag dat Henrik Vadh rustig achterovergeleund, met zijn blik op de jongen gefixeerd, zat te wachten tot Jacob terugkwam. De oom liep geïrriteerd te ijsberen. De jongen zat met zijn handen in elkaar geknepen naar de grond te staren.

'We hebben een hele asbak vol peuken gevonden van een goedkoop merk dat "Golden King" heet. Niets anders in de flat wijst erop dat De Wahl zelf rookte en als hij dat onverhoopt toch deed, denk ik dat hij een beter merk zou kiezen.'

Jacob Colt tastte met zijn vrije hand naar een notitieblokje en een pen, vond die en maakte een aantekening, terwijl hij zijn mobiel tussen zijn schouder en zijn wang klemde. 'Hm... Golden wat, zei je?'

'Golden King. Maar ik heb meer waar je misschien blij mee bent. Het bed ziet eruit alsof er heel wat activiteit is geweest. Er zitten een hoop vlekken in en Christer zoekt momenteel naar haren. In de slaapkamer is ook een tv, een dvd-speler en een heel stel homofilms met jonge jongens in de hoofdrol...'

Jacob ademde diep door. 'Dank je, Björn, geweldig! Gaan jullie maar door, dan zien we elkaar straks op het bureau. Ik denk dat het tijd wordt om die jongen in te rekenen.'

Hij stopte zijn mobiel weg, klopte op het raam van het kantoor en beduidde Vadh dat hij naar buiten moest komen.

Twee minuten later gingen de beide rechercheurs weer op de wiebelige kantoorstoelen zitten. Henrik Vadh zag geen reden om zijn kruit te sparen. Hoe sneller ze de jongen mee konden nemen uit de garage en bij zijn oom vandaan, hoe beter.

'Hamid, ik weet dat je Alexander de Wahl kende, en jij weet dat hij dood is, hè? Ik denk niet dat jij het gedaan hebt, maar ik wil weten wat je eergisteravond bij hem thuis deed!'

Avzal Barekzi keek eerst verbaasd, maar vloog toen weer op. 'Waar hebt u het over? Wie is die Wahl? Wat zou mijn Hamid –'

Vadh keek Barekzi streng aan. 'Ik praat met Hamid!'

Barekzi leek van zijn stuk en liet zich langzaam op de stoel achter het bureau zakken. Hij zag er geschokt uit en haalde een pakje sigaretten uit zijn zak.

Jacob Colt glimlachte vriendelijk naar Hamid. 'Neem ook een sigaret, Hamid, en ontspan je een beetje.'

Voor het eerst keek Hamid hem aan, nu met iets wat op dankbaarheid leek. Hij haalde een pakje sigaretten tevoorschijn en peuterde er een sigaret uit. Vadh keek naar het pakje. *Golden King.*

Henrik Vadh liet Hamid een paar diepe trekken nemen voordat hij doorging.

'Nou, Hamid, wat heb je me te vertellen?'

De jongen rookte nerveus en staarde naar de vloer. Plotseling fluisterde hij iets onverstaanbaars. Henrik Vadh keek even naar Colt, die knikte en het overnam. 'Sorry, Hamid, ik verstond je niet.'

Hamid leek opgelucht dat hij weer met Colt mocht communiceren.

Hij keek op en schraapte zijn keel. 'Ja, ik was bij Alexander thuis,' zei hij zacht. 'Maar... ik heb hem niet vermoord. U moet me geloven!'

Vadh keek hem aan. 'Hoe wist je dat hij dood was?'

'Ik zag in de krant dat...' Hamids stem stokte.

Jacob stond op. 'Hamid, je moet met ons mee naar het politiebureau. We moeten langer met je praten.'

Avzal stond zo abrupt op dat de bureaustoel achter hem omviel. 'Mijn neef is geen moordenaar!' schreeuwde hij. 'Jullie hebben niet het recht om hier te komen en –'

'Rustig!' brulde Colt. 'Anders gaat u ook mee! We willen alleen maar met hem praten en hij krijgt natuurlijk een advocaat. Maar u blijft hier, dat is het beste.'

Avzal Barekzi balde zijn vuisten zo hard dat het bloed eruit wegtrok, terwijl hij probeerde ze stil te houden door ze stevig tegen zijn heupen te drukken. Het lijkt me geen goed idee om deze garage mijn remmen te laten vervangen, dacht Jacob Colt terwijl hij Hamid het teken gaf om op te staan.

'Mag ik me omkleden voordat we gaan?' Hamids stem klonk zwak. Henrik keek Jacob Colt vragend aan.

Colt knikte. 'Kom maar, ik ga met je mee naar de kleedkamer.'

Tien minuten later reed Jacob bij de garage weg. Henrik Vadh zat op de achterbank naast een zeer zwijgzame Hamid Barekzi, die door het zijraam naar buiten keek. Vadh pakte zijn mobiel en drukte een sneltoets in.

'Rydh.' De technicus nam even kortaangebonden op als altijd. Hij was druk bezig sigarettenpeuken in een plastic zak te stoppen die naast de zakjes met glazen belandde. De Wahls pc was al ingepakt en Christer Ehn doorzocht de flat nog een laatste keer om te kijken of er niets meer was wat ze mee moesten nemen voor analyse.

'Hallo, met Henrik. We nemen de jongen mee voor verhoor. Hij heeft toegegeven dat hij eergisteravond bij De Wahl was. Hebben jullie nog meer gevonden?'

Rydh aarzelde voordat hij antwoord gaf.

'Er zaten, zoals ik al zei, een heleboel vlekken op het zwarte laken in het bed. We sturen ze natuurlijk naar het NFL, maar het zou me niet verbazen als uit de analyse blijkt dat het sperma is. We hebben ook zwarte schaamharen gevonden en hoofdharen in twee verschillende donkere tinten. We hebben nog een stel homofilms gevonden in een kledingkast, en een paar daarvan zijn, naar het omslag te oordelen, behoorlijk gewelddadig. De rest zal Jacob wel verteld hebben?'

'Dank je, Björn, tot straks.' Vadh keek Hamid aan en zei, een stuk vriendelijker dan eerder: 'Hamid, het is maar het beste dat je ons alles vertelt. Was je Alexander de Wahls minnaar?'

Jacob Colt draaide de Essingeled op, stuurde de BMW naar de linkerbaan en negeerde de maximumsnelheid toen hij doorreed naar het Fridhemsplan en de inrit van de ondergrondse parkeergarage van het politiebureau. Henrik Vadh zag opeens tranen opwellen in de ogen van de jongen en hij hoorde een snik.

'Nee, ik was niet zijn minnaar, ik was alleen maar zijn vuile hoer!'

Hij begon onstuitbaar te huilen, en Henrik Vadh legde zijn hand kalmerend op de schouder van de jongen, terwijl hij grimaste en achteroverleunde. *Wat een smerige, walgelijke klotewereld!*

Terwijl de tranen over zijn wangen biggelden, tolden de gedachten door Hamids hoofd en werd de tijd teruggespoeld. *Een halfjaar, het moest ruim een halfjaar geleden zijn, want het was zo'n mooie zomeravond.*

Hamid had al vroeg ontdekt dat hij homo was. Op één enkele, onhandige en mislukte poging met een vijf jaar ouder, Zweeds meisje – ze had hem uitgelachen toen hij eerst geen erectie kreeg en daarna al een zaadlozing voordat hij bij haar binnen was – had hij alleen seksuele contacten gehad met mannen. Waarom hij zich aangetrokken voelde tot oudere mannen kon hij niet uitleggen, hij kon alleen vaststellen dat het schandelijk was en dat zijn oom en zijn neven volkomen uitzinnig zouden zijn als ze erachter kwamen.

Een paar keer had hij advertenties gezien – vooral op internet – voor clubs waar hij misschien het soort mannen zou kunnen tegenkomen waar hij warm van werd. Het had lang geduurd voordat hij genoeg moed bijeengeschraapt had, maar die warme zomeravond had hij zich niet meer kunnen bedwingen.

De club heette Torso en lag in een van de steegjes bij het St. Eriksplan. Hamid had een smerig lachje gekregen van de man aan de kassa toen hij honderdvijftig kronen betaalde om binnen te komen en nog eens honderd voor 'de huur van een handdoek' voor de sauna.

In de filmzaal draaide een harde pornofilm, een Duitse, waarin een paar dominante mannen in leren slipjes en met petjes op een jongen van Hamids leeftijd min of meer verkrachtten. Vreemd genoeg voelde Hamid dat de grofheid van de actie hem opwond en toen hij iets probeerde te zien in de duisternis om zich heen, merkte hij dat hij niet de enige was. Een paar mannen in zijn buurt zaten openlijk te masturberen, anderen bevredigden elkaar met mond en handen.

Een kwartier later zat hij in de sauna, en hij ontdekte tot zijn verbazing dat hij alleen was. Hij had zich zorgvuldig gewassen voordat hij naar binnen ging, en nu voelde hij zich onzeker. Moest hij blijven zitten of weggaan? Zou er iemand komen? Hoe werkte het hier, wat waren de regels? Wat zou er gebeuren als er iemand kwam die hem niet beviel, maar die wel iets met hem wilde? Wat zou er gebeuren als er iemand kwam die hem wél beviel, maar die niet geïnteresseerd was in hem?

Hamid zweette, deed zijn ogen dicht en leunde tegen de wand van de sauna.

Toen kwam Alexander binnen.

'Ben jij een flikker, jij schoft?' riep een van zijn studievrienden jaren eerder op het internaat van het Sandsiöö College uit toen De Wahl op een avond laat, toen de alcohol rijkelijk had gevloeid, bekende dat hij de nacht tevoren een van de jongere jongens in het gebouw naast het hunne had verkracht.

De Wahl lachte hautain. 'Beste jongen, je weet toch dat een echte connaisseur moet kunnen genieten van alle lekkere vruchtjes in de fruitmand? De oude Grieken en Romeinen verstonden de kunst al om af en toe een zacht jongetje te nemen. Hier zijn, zoals je weet, niet zo veel meisjes, en ik bevredig mijn behoeften graag als ik dat wil. Bovendien zijn jongens vaak nauwer. Het lijkt wel of de meeste meisjes al jong uitgesleten zijn – bah!'

Zijn studievriend keek hem vol verachting aan. 'Nee – het is walgelijk, het is ziek!'

De Wahl glimlachte sarcastisch. 'Mijn beste Bleuman – je doet je naam wel eer aan, haha – het gaat erom een verfijnde smaak te ontwikkelen. Maar ik neem aan dat jij liever goedkope hoeren neemt..'

Bleuman keek De Wahl woedend aan, stond op en liep de kamer uit. Zoals zoveel anderen op Sandsiöö verafschuwde hij De Wahl, en er was eigenlijk maar één reden waarom niemand die walgelijke snob eens en voor altijd op zijn plaats kon zetten: Alexander de Wahls vader had meer geld dan de meeste anderen. Op Sandsiöö ging rijkdom voor kennis en gedrag.

Alexander de Wahl had de vele facetten van zijn seksuele geaardheid al in zijn vroege tienerjaren ontdekt en er niet veel over nagedacht. Voor hem was seks niet alleen een kwestie van genot, maar ook in hoge mate van macht, en of hij een jongen of een meisje vernederde, maakte niet zo veel uit, als het maar goed gebeurde. Zijn behoefte aan sadomasochistische spelletjes was al vroeg ontstaan. En al even snel had hij begrepen dat hij helaas vaak zou moeten betalen voor dat genoegen, als hij tenminste lekkere jongens of meisjes wilde hebben om te slaan. Mensen die zich vrijwillig aan de pijn en de vernedering onderwierpen waren verdoemde zielen, beschadigde mensen waarmee hij niet wilde worden geassocieerd, laat staan dat hij ze thuis wilde ontvangen.

Hamid Chan Barekzi had niet op een geschikter moment in Alexander de Wahls leven kunnen verschijnen.

Ze hadden nog geen tien minuten samen in de sauna gezeten of De Wahl pakte de jongen zacht, maar vastberaden bij zijn nek en duwde zijn hoofd naar beneden. Nog vijf minuten later kreunde de bankier tevreden. 'Was je en kleed je aan,' zei hij met een glimlachje dat vriendelijk moest overkomen. 'Nu gaan we eten. En dan gaan we naar mijn huis en praten we wat over de toekomst.'

Hamid had gemengde gevoelens, maar toch vooral positieve. Alexander was weliswaar niet helemaal zo oud als hij het liefst wilde, maar hij was toch een stuk ouder dan Hamid, hij was knap en hij was dominant. Hamid had het gevoel dat de man de meeste van zijn wensen zou kunnen vervullen en wilde hem in elk geval een kans geven.

Hamid slikte toen de discrete ober de rekening op het witte tafelkleed legde. Hij zag dat het diner, de dure wijnen en het likeurtje bij de koffie ettelijke duizenden kronen hadden gekost en hij trok wit weg.

De Wahl glimlachte. 'En, Hamid, hoe had je gedacht jouw deel van de rekening te betalen?'

De jongen voelde zich duizelig worden van de alcohol en de nieuwe, ongewone situatie. Hij wist heel goed dat hij het benodigde geld niet had en hij voelde welke kant het op ging.

Alexander gooide de ober nonchalant zijn goldcard toe en krabbelde zijn handtekening op het bonnetje waarmee deze even later terugkwam. De ober maakte een diepe buiging. 'Hartelijk dank, en graag tot ziens!' Alexander de Wahl keurde hem geen blik waardig, maar gaf Hamid het teken om mee te komen. Toen ze naar de Torstenssonsgata wandelden legde De Wahl zijn hand vriendschappelijk op Hamids schouder. 'Ik heb geen antwoord gekregen in het restaurant, Hamid. Hoe dacht je jouw deel te gaan betalen?'

Hamid verbaasde zich over zijn eigen reactie. Hij had Alexander in de sauna bevredigd, maar was zelf niet bevredigd. Hij voelde dat hij een erectie kreeg terwijl hij aarzelend antwoordde: 'Ik zal het je naar je zin maken, Alexander! Of – misschien wil je me...?'

Alexanders stem was hees en Hamid zag dat zijn ogen vochtig waren toen hij zich naar hem over boog en fluisterde: 'Ik denk dat we het wel eens worden over de beste manier, Hamid. Wij worden het beslist wel samen eens!'

De volgende ochtend werd Hamid vroeg en onvriendelijk gewekt door Alexander, die verklaarde dat hij zich had verslapen en dat Hamid zijn appartement onmiddellijk uit moest. Alexander moest zich klaarmaken voor een belangrijke vergadering. Hamid trok slaapdronken zijn kleren aan en probeerde zich te herinneren wat er 's nachts gebeurd was. Toen hij zijn spijkerbroek aantrok, vertrok zijn gezicht van pijn. Hij wierp een snelle blik in de spiegel achter zich en zag dat zijn billen vol donkerrode striemen zaten. *De pijn en... het genot.* Hij keek verholen naar Alexanders naakte lichaam en zag dat ook dat duidelijk de sporen droeg van de zweep die ze in bed beurtelings hadden gebruikt.

De Wahl liep snel naar de broek die hij keurig op een dressboy naast het bed had gehangen. Hij stak zijn hand in een zak, haalde er een stapeltje bankbiljetten uit, pakte er vier briefjes van duizend af en stak die Hamid toe. Zijn stem had niets vriendelijks meer. 'Hier, ga weg nu. Er valt meer te halen – geld, maar ook genot – als je je gedraagt. Maar geen woord, hè? Tegen niemand! Schiet op nou. Ik bel je wel.'

Hamid stond op straat en omklemde de bankbiljetten in zijn zak. Vierduizend. Meer dan wat hij in een hele week verdiende bij Avzal. Er valt meer te halen, had Alexander gezegd.

Hij had dingen met hem gedaan die niemand anders had gedaan. Hij had bij Hamid gevoelens opgewekt van schaamte, opwinding, pijn en genot. Hij had hem meerdere keren gedwongen Alexander te bevredigen op manieren die hij nog niet kende.

Hamid schaamde zich dat hij er zo van had genoten.

Hij greep de bankbiljetten in zijn zak stevig vast terwijl hij snel van Östermalm naar de metro liep.

Hij wilde weer naar Alexander. Gauw.

'Hoe vaak zagen jullie elkaar?' Henrik Vadh sloeg nu een rustiger, vriendelijker toon aan dan in de garage.

Hamid, Vadh en Colt zaten in een verhoorkamer op het politiebureau. Voor hen op tafel stonden een opnameapparaat en een microfoon. Op een vierde stoel zat een toegewezen advocaat, die gebeld was om bij het eerste verhoor van Hamid Barekzi aanwezig te zijn.

Colt was verbaasd. De advocaat gaapte herhaaldelijk. Een paar keer had hij – kennelijk meer omdat het zo hoorde – opgemerkt dat een vraag van Colt of Vadh niet relevant was in dit verband. Vadh, die goed de weg wist in de juridische doolhof, had teruggebeten als een cobra, en nu leek de advocaat in een soort verdoving te zijn weggezakt.

'In het begin zo ongeveer om de week. Later vaker... Het werd eh... Anders...'

Hamid sloeg zijn ogen neer en streek met de duim van zijn ene hand over de vingers van de andere.

Hij had alles verteld. Toen hij in de auto begon te huilen, waren de woorden uit hem gestroomd. Op het politiebureau was hij tot rust gekomen, hij had een kop koffie en een broodje kaas gekregen en in alle rust een sigaretje mogen roken terwijl ze op de advocaat wachtten. Daarna had Hamid, terwijl de dictafoon geluidloos elk woord registreerde, het hele verhaal nog een keer herhaald.

Hij begreep dat hij er slecht voor stond. De agenten hadden wel gezegd dat ze niet dachten dat hij Alexander had gedood. Maar dat zeiden ze misschien alleen om hem in de val te lokken, om hem van alles te laten bekennen. Aan de andere kant moesten ze begrijpen dat hij geen enkele reden had om zijn minnaar om te brengen en de hand die hem voedde kwijt te raken.

Hij had geen alibi. Toen hij die ochtend wakker werd, was Alexander al weg. Hamid had op de klok gekeken en tot zijn schrik vastgesteld dat hij uren te laat in Avzals garage zou komen, hoe hij zich ook zou haasten.

Hij had zelfs overwogen een taxi te nemen – verdomme, had hij dat maar gedaan, dan had hij waarschijnlijk een alibi gehad! – maar hij had bedacht dat het een heel slecht idee zou zijn om met een taxi bij de garage van zijn oom te komen voorrijden.

'Hoe bedoel je dat het "anders" werd?' Vadh keek hem onderzoekend aan.

Fout type. Die Colt was wel oké, maar elke keer dat hij een vraag kreeg van Vadh voelde Hamid zich onbehaaglijk. Hij was hufterig geweest in de garage en nu deed hij zich heel correct voor.

De jongen aarzelde met zijn antwoord.

'Hamid, we hebben heus het goede met je voor, maar willen we dit oplossen, dan moet je ons helpen. Jij wilt toch ook dat we degene die Alexander heeft vermoord te pakken krijgen?' Jacob Colt keek Hamid vriendelijk aan.

Hamid voelde de tranen weer in zijn ogen springen. Hij slikte moeilijk. 'Ik bedoel, in het begin was het vooral de spanning – en het geld, natuurlijk...'

Jacob Colt knikte hem bemoedigend toe. Henrik Vadh deed alsof hij op de klok keek, stond op en ging de kamer uit.

De advocaat reageerde niet en even vroeg Jacob Colt zich af of de man in slaap was gevallen.

'...maar later was het echt of we steeds meer voor elkaar begonnen te voelen. De laatste tijd zagen we elkaar meerdere keren per week en ik kreeg niet meer zo veel geld, dat leek niet meer zo belangrijk...'

Colt knikte nadenkend en bleef een tijdje stil.

Hij dacht aan zijn eigen zoon.

10

Donderdag 1 februari

Hij legde zijn Rimowa-koffer voorzichtig in de kofferbak, deed de klep dicht en ging in de auto zitten. Terwijl hij startte en wegreed, stopte hij het oordopje van zijn bluetooth goed in zijn oor en toetste een snelkies-nummer in op zijn mobiel.

De telefoon ging drie keer over.

'Silfverbielke.' Een lage stem, afgemeten.

'Hoi maat!' Hans Ecker stuurde zijn suv door de smalle straten van Östermalm. 'Ben je klaar voor avonturen in Berlijn?'

Silfverbielke lachte. 'Absoluut. Ben je onderweg?'

'*Yes, sir!* Ik ben binnen tien minuten bij je en dan halen we Johannes op. Hij was op kantoor, zei hij.'

'Zo vroeg in de ochtend al? Als hij voor het eerst van zijn leven van plan is te gaan werken, heeft hij de verkeerde dag uitgekozen!' zei Silf-verbielke. 'Maar hij wil misschien indruk maken op zijn vader. En dat is goed voor ons alle drie.'

Ecker lachte smalend. '*I see your point.* Eén vraagje maar: heb jij me-dicijnen voor ons bij je?'

Silfverbielke zweeg even. 'Ik heb genoeg voor vanavond. Het zou niet verstandig zijn het mee de grens over te nemen. De rest regelen we daar wel.'

'Verdomme! Kutwijf!' riep Ecker opeens.

'Wat is er aan de hand?' vroeg Silfverbielke rustig.

Ecker ademde diep door. 'Gewoon een idiote Östermalmse trut die vlak voor me naar links gaat zonder richting aan te geven. Ik heb geen zin in een botsing met mijn karretje van nog geen maand oud. Je zou zo'n wijf ombrengen!'

'Dat is misschien wel te regelen. Schrijf het kenteken maar op.'

Hans Ecker ontspande en lachte. 'Je bent niet goed snik, Chris. Ga onderhand maar naar beneden, ik ben er zo. En vergeet vooral je-weet-wel-wat niet!'

'Komt goed. Geef me nog twee minuten.'

Ze hingen op. Ecker liet voor de zekerheid een groter gat vallen tussen zijn Mercedes en de Chrysler met die idiote trut.

De Merc was zijn oogappel en hij wist nog wat er op de website van Mercedes stond. *Een gl is een luxe, ruime terreinwagen die alles heeft, of u nu naar een bestuursvergadering of naar het kampvuur gaat...*

Kampvuur, *my ass!* dacht hij grijnzend. Het buitenleven was niets voor hem, maar bestuursvergaderingen des te meer, en op het ogenblik liep zijn carrière op rolletjes.

Hij had de auto op de website in diverse versies samengesteld voordat hij op een dag bijna nonchalant naar de garage ging en hem bestelde. Een obsidiaanzwarte GL 500 4Matic met een V8-cilinder van 388 pk en een 7G-Tronic transmissie. Achttien inch lichtmetalen velgen, kasjmier-beige leren bekleding, parameterbesturing en alle andere snufjes die hij maar wenste. Het was moeilijk geweest om op het klein uitgevallen lijstje van extra accessoires iets te vinden wat niet nodig was. Maar ja, zonder elektrisch schuifdak, elektrisch in- en uitklapbare buitenspiegels en roestvrijstalen, gepolijste instaplijsten kon je toch niet? De rekening – inclusief extra accessoires – bedroeg 982.500 kronen en de verkoper had waarschijnlijk de hele weg naar de bank zitten lachen, maar *so what?* Zo'n verkopertje zou nooit een fractie van het salaris krijgen dat hijzelf verdiende, hoeveel Mercs hij ook de deur uit werkte. *Krijg de klere, man!*

Dat dit tweeënhalftons monster bovendien in het stadsverkeer één op vijf reed en buiten de bebouwde kom één op tien stoorde hem ook niet. Met het salaris dat hij als leidinggevende bij Fidelis Effectenmakelaars had, kon hij zich veroorloven van mening te zijn dat de benzineprijs nooit zijn echte waarde zou bereiken. Met hogere benzineprijzen en tol-poorten in Stockholm zou het misschien ook nog eens draaglijker wor-den om in de stad een suv te rijden en te parkeren.

Glimlachend liet hij zijn handen over het lekkere leer van de zitting glijden, en hij sloeg af naar rechts. De geur die hij had geroken toen hij de eerste keer in de wagen was gestapt, zat nog steeds in zijn neus.

De geur van macht.

Christopher Silfverbielke wachtte zoals afgesproken op straat voor de centrale entree van zijn flat. Naast hem op de grond stond een Zero Ha-liburton-koffer. Hans Ecker remde af en liet de ruit aan de passagiers-kant zakken.

'Indrukwekkend, hoor, een koffer van tienduizend ballen, maar hoe wil je een metalen bak meeslepen die leeg al acht kilo weegt?'

'Belangrijke bagage is nooit te zwaar om te dragen, vriend. Kun je de kofferbak van deze Hitlerkoets openmaken of moet dat met de hand?'

Ecker schaterde. Een half minuutje later zoefden ze weg in de richting van de Valhalläväg.

Hans keek tersluiks naar zijn vriend en stelde vast dat Chris er onge-woon casual uitzag onder zijn zwarte mohairjas. Exclusieve leren schoe-nen. Ongetwijfeld Brooks. Spijkerbroek. Acne, natuurlijk. Een lichte kasjmieren trui zonder opschepperige labels. *Jesses, hoeveel heeft hij moeten betalen om ze losgetornd te krijgen?*

Hans dacht terug. Al toen ze elkaar ontmoetten op het internaat van het Sandsiöö College, veertien jaar geleden, had Christopher een zeer goede smaak, al was zijn portefeuille toen nog een stuk dunner dan nu. Weliswaar hadden ze allebei vaders die betaalden voor het internaat en voor een uitspatting af en toe, maar een hoorn des overvloeds was het nu ook weer niet.

Na drie jaar op Sandsiöö hadden Christopher en Hans, die even oud waren, allebei een sabbatical genomen. Sindsdien hadden ze nog maar sporadisch contact, maar toen kwamen ze elkaar tot hun verbazing op een dag op de Handelshogeschool tegen en ontdekten dat ze weer dezelfde opleiding volgden, nu voor de komende vier jaar.

Om diverse redenen was de financiële steun van thuis nu voor allebei nog maar schraal, om niet te zeggen afwezig. Ze woonden in een studentenhuis aan de Körsbärsväg en er stonden maar al te vaak noedels als hoofdgerecht op het menu. Dat Johannes Kruut een jaar later hun pad kruiste, had niet geschikter uit kunnen komen.

Johannes was drie jaar jonger dan Hans en Christopher en kwam uit een gegoede familie. Zijn grootvader Erwin Kruut was een gewiekste zakenman, die tegen het eind van de jaren dertig en in het begin van de jaren veertig een klein vermogen had verworven in de bosbouw, en daarna een concern had ontwikkeld van bosbouwondernemingen en houtzagerijen. Erwin leerde zijn zoon John zorgvuldig de fijne kneepjes van het zakendoen en liet hem geleidelijk een zeer vermogende onderneming overnemen. John, op zijn beurt, beheerde de erfenis goed en lijfde een aantal kleine, maar winstgevende productiebedrijven in.

Erwin Kruut was een langetermijndenker, en toen zijn kleinzoon Johannes Erwin Kruut werd geboren, opende hij een fonds voor het jochie. Het niet onaanzienlijke bedrag dat opa had vastgezet werd door financiële experts beheerd, waardoor de jonge Johannes al op zijn twintigste beschikte over een persoonlijk vermogen van bijna achttien miljoen kronen. Maar wel op voorwaarde dat hij in het familiebedrijf werkte, en dan ook nog tot Johns tevredenheid.

Johannes en zijn geld waren echter eerder een zorg dan een bron van vreugde voor John Kruut.

'Ik weet niet wat ik met Johannes aan moet,' zei hij meer dan eens tegen zijn vrouw. 'Hij is gewoon niet uit het goede hout gesneden, en ik zie niet hoe ik hem het bedrijf ooit kan laten overnemen.'

Hans Ecker en Christopher Silfverbielke hadden gedurende hun gezamenlijke studiejaren echter veel profijt en plezier van Johannes' positie gehad. Johannes had een auto, een eigen flat en geld. Hij was klein van stuk, dun en een beetje rossig. Hij had weinig vrienden en kwam maar moeilijk aan meisjes. Een uitstekende partner voor de heren Ecker en Silfverbielke. En zo werden nogal wat activiteiten van het drietal in hun jaren op de Handelshogeschool gefinancierd vanuit Johannes' vermogen. Dit bekommerde Johannes niet in het minst. Hij was dolblij dat hij twee vrienden had en zat er niet mee dat er nu en dan iets van zijn bankrekening werd afgeknabbeld.

De studie aan de Handelshogeschool leek weinig nut te hebben voor de ontwikkeling van Johannes Kruuts handelsgeest. Hij was en bleef een – kennelijk niet al te intelligente – naïeve, doelloze leegloper die door het leven boemelde op een broodje garnaal.

Toen hij klaar was op de Handelshogeschool gaf zijn vader hem een paar maanden vrij. Daarna kreeg hij een eigen kantoor en een beperkt takenpakket bij Kruut Invests op de Valhallaväg.

Binnen een paar maanden had Johannes een groot deel van de winst van het – volgens zijn vader tamelijk eenvoudig te leiden – productiebedrijf in Skara om zeep geholpen. John Kruut zag zich gedwongen zijn zoon abrupt over te plaatsen en zich met de zaken te bemoeien om er de gang weer in te krijgen.

Daarna probeerde John Kruut zijn zoon op allerlei posities uit in de hoop dat Johannes op enig gebied talent zou blijken te hebben. Meestal met hetzelfde teleurstellende resultaat. Uiteindelijk mocht Johannes met een verzonnen titel op zijn kantoor zitten – op de dagen dat hij zin had om zich daar te vertonen – terwijl de rest van het personeel hem scheef aankeek en zijn vader grijze haren kreeg van de tekortkomingen van zijn enige zoon.

Johannes maakte zich lang niet zo veel zorgen over de situatie – en het leven – als zijn vader. Hij had een leuke tweekamerkoopflat in Östermalm. Hij had genoeg geld om 's morgens lang uit te kunnen slapen en om te doen wat hij wilde. Hij had bovendien twee beste vrienden, te gekke kerels die hem entree verschaften tot besloten clubs, coole feestjes en lekkere meiden.

Toen Christopher en Hans na de Handelshogeschool solliciteerden bij twee verschillende effectenmakelaarsbedrijven, een maatschappelijke positie kregen en het idee van een 'fonds' kregen, kwam Johannes' kapitaal nog beter van pas.

Silfverbielke en Ecker hadden een uitermate briljant idee, maar niet genoeg startkapitaal. Ze wisten met veel kunst- en vliegwerk ieder een half miljoen kronen bij elkaar te lenen, maar hadden nog vier, vijf miljoen nodig, wilde het project meteen kansrijk zijn.

Johannes Kruut had geld genoeg, dus hij zag er niet zoveel in als zij, maar hij begreep dat het project belangrijk was voor zijn beide vrienden en dat zijn investering waarschijnlijk de weg voor hem opende om aan nog meer spannende avonturen mee te doen. Hij had volledig vertrouwen in het zakelijk talent van Ecker en Silfverbielke, en zes van zijn achttien miljoen in een project steken leek hem net zo min een risico als het een probleem was.

Alles was goed begonnen en daarna steeds beter gegaan.

Hans Ecker keek heimelijk naar Christopher Silfverbielke terwijl de auto door het Stockholmse verkeer gleed. *Hoeveel zou Christopher verdienen als trader? Honderdduizend per maand plus bonus?* Silfverbielke had altijd veel aandacht besteed aan zijn uiterlijk en zijn kleding. Zijn glanzende, zwarte haar was altijd perfect naar achteren gekamd en hij rook lekker.

'Wat voor aftershave heb je? Dat is geen verkeerde!'

'Nieuw geurtje. Hummer. Net als de auto, weet je wel. Heel lekker luchtje, beter in elk geval dan het blik waar het zijn naam aan dankt.'

Ecker keek Christopher verbaasd aan. 'Wat is er mis met een Hummer, dan? Je zou er vast niks op tegen hebben om er een te rijden. Hoe is het met je BMW, trouwens?'

Silfverbielke haalde zijn schouders op en keek naar de mensen die over de pas gevallen sneeuw liepen.

'Die staat in de garage. Ik rij nu taxi. Ik ben hem helemaal zat.'

'Zat? Hij is toch pas een jaar oud of zo?'

'Hm-mm, maar niet snel genoeg. Ik heb weinig geduld met auto's. Maar Ferrari schijnt met iets nieuws te komen. Dat zou iets kunnen zijn. Of waarom geen Bentley?'

Hans trok zijn wenkbrauwen op. 'Heb je daar geld voor?'

Christopher keek hem ernstig aan. 'Goede vraag. En die brengt me vanzelf bij iets waar we het over moeten hebben voordat we Johannes ophalen.'

'Wat dan?' Ecker keek vragend.

'Ons gesprekje van twee weken geleden.'

'Dat is in orde. Ik heb Johannes toen direct gebeld. Hij was niet meteen van de partij, maar ik heb hem overtuigd. Maar geld naar Berlijn overmaken en daar weer opnemen, bleek wel moeilijker te zijn dan ik had verwacht. Drie miljoen is zoveel dat mensen vragen gaan stellen. Sinds 11 september is het bankwezen totaal paranoia. Maar geen zorg: ik heb het opgelost.'

Silfverbielke spoorde Ecker met een knikje aan om door te gaan.

'Ik moest Björn gedeeltelijk inwijden en –'

Christopher Silfverbielke verstijfde op de stoel naast hem. 'Ben je niet goed wijs? Niemand mag het weten!'

Ecker stak bezwerend een hand op. 'Rustig maar! Björn weet niets van het fonds. Hij weet alleen dat we een goede deal hebben gedaan en dat we cash mee naar huis willen nemen zonder het hier op te geven. Ik moest het wel zo doen, en was jij niet degene die belde dat je per se geld wilde hebben?'

Silfverbielke haalde geërgerd zijn schouders op. 'En nu?'

'Het gaat wat geld kosten.' Ecker trok een grimas. 'Maar je kunt wel uitrekenen wat het had gekost als we het geld langs de officiële weg hierheen hadden gehaald.'

'Daar wil ik niet eens aan denken.'

'Dit is de deal,' vervolgde Ecker. 'Björn heeft een betrouwbare vriend die een bedrijf in de im- en exportbranche heeft...'

'En wat im- en exporteert dat bedrijf?' Silfverbielkes stem klonk kil.

'Björn zei dat zijn vriend dat soort vragen niet kon waarderen,' antwoordde Ecker glimlachend. 'In elk geval is de deal dat wij het geld overmaken naar het bedrijf van Björns vriend, dat die het omzet in cash en aan Björn geeft, die het op zijn beurt bij ons hotel aflevert.'

'En dat kost?'

'Tien procent.'

Silfverbielke keek nadenkend. 'Klinkt redelijk. En wat wil Björn hebben?'

Hans lachte. 'Hij zei dat hij genoegen nam met een Rolex en één of twee meisjes.'

'Oké.'

Ecker knikte. 'Ja toch?'

'En als hij ons belazert en er met het geld vandoor gaat, die maat van Björn? We weten niet eens wie het is, toch?'

'Ik ben ervan overtuigd dat het goed komt.' Ecker haalde zijn schouders op.

'Ik vertrouw Björn volkomen en hij vertrouwt zijn vriend, zegt dat die knaap veel te groot is om iemand voor drie, vier miljoen te willen belazeren. Blijkbaar ziet hij het meer als een dienst die hij Björn bewijst. Het is toch hoe dan ook voor hem ook een risico. Boekhoudfraude, als het niet meer is.'

Christopher verzonk even in gedachten. Dankzij een stuk of tien agressieve optietransacties per jaar, allemaal gebaseerd op insidertips die Ecker en vooral hijzelf hadden gekregen, was het fonds in indrukwekkend tempo gegroeid, en nu was het bijna zeventig miljoen kronen waard. Aan- en verkoopopdrachten werden door Hans en Christopher gegeven al naar gelang de tips die ze kregen. Ze deden dat via discrete telefoontjes met een makelaar in Basel, Zwitserland, met speciaal voor dit doel aangeschafte prepaidmobieltjes. Het kapitaal lag veilig opgeborgen in een bank in Zürich en om er iets van te kunnen opnemen voor een ander doel dan het kopen van aandelen, was het nodig dat Hans, Christopher en Johannes binnen een bepaalde periode ieder hun persoonlijke code aan de bank doorgaven.

Bij de instelling van het fonds waren ze met zijn drieën bij een advocaat geweest die Silfverbielke had aanbevolen – Måns Andersson – en aan hem hadden ze hun zaak voorgelegd. Ze zouden alle drie een envelop inleveren met hun persoonlijke code. In het geval dat een van hen om het leven zou komen, konden de andere twee zich tot de advocaat wenden om de envelop met de code van de overledene te krijgen. Als twee van hen gelijktijdig zouden verongelukken, had de derde recht op hun beide enveloppen. Als ze onverhoopt alle drie tegelijkertijd zouden omkomen, zou de advocaat, zodra hij dat vernam, de drie enveloppen vernietigen zonder kennis te nemen van de inhoud.

Christopher keek Ecker aan. 'De oorspronkelijke deal was dat we de winst in drie gelijke delen zouden verdelen na aftrek van de oorspronkelijke inleg. Dat betekent met andere woorden dat we, afgezien van onze inzet, ieder ruim eenentwintig miljoen bezitten.'

Hans knikte. Waar was Christopher op uit? Had hij financiële problemen? Hij verdiende toch goed? 'Ja, en...?'

'Dat is aan óns te danken. Johannes krijgt het niet eens voor elkaar elke ochtend de *Dagens Industri* te lezen, laat staan dat hij begrijpt hoe de beurzen werken. Het fonds is het resultaat van jouw en mijn deskundigheid, en wíj nemen de risico's. Hij heeft in het begin wel meer geïnvesteerd, maar als uitkomt dat wij insiderinformatie gebruiken...'

Nee, het is niet aan ons te danken, dacht Silfverbielke. Het was míjn idee en het is aan míj te danken. Zonder mijn contacten en mijn leiding was het fonds nu maar een derde waard geweest. Ik zou daarvoor beloond moeten worden. En waarom zou ik überhaupt met iemand delen?

Ecker trok een grimas en stak een hand op om hem te onderbreken. 'Dat weet ik allemaal, Chris. Maar we zijn er bijna. *Give me the bottom line*. Waar wil je heen?'

Christopher draaide zijn hoofd naar hem om. Zijn gezicht stond vastberaden. 'We weten allebei dat we hiermee doorgaan. Als alles goed gaat, komen we langzamerhand op een zeer aantrekkelijk niveau. Maar ik had toch het gevoel dat ik een tussentijdse beloning wilde; daarom belde ik je twee weken geleden. Ik wil een beter leven, Hans.'

Ecker knikte. 'Heb je iets speciaals in gedachten? Investeringen?'

Christopher schudde zijn hoofd. 'Niet direct. Misschien een wat groter appartement. Een leukere auto. Meer meisjes. Meer coke. Een weekendje New York, weet ik het? Ik wil het cool hebben. Ik begin echt uitgekeken te raken. Het leven is meestal zo verdomd eentonig...'

Ecker remde hard voor een zebrapad en onderdrukte een vloek toen een oudere man met een rollator de straat op schuifelde. Chris had gelijk: 'uitgekeken' was het woord. Ze waren goed en wel dertig, hadden al in alle luxerestaurants gegeten, alle merkkleding gekocht, alle meisjes gehad die het proberen waard waren, drugs uitgeprobeerd en eerste klas gevlogen met een glas champagne in de hand. Chris was uitgekeken op zijn leven en Hans – ook al probeerde hij het naar buiten toe te verbergen – was het zijne ook zat. Hij had een topbaan, een prachtauto en een vrouw voor wie de meeste mannen een arm zouden laten amputeren om haar te krijgen. Maar hij moest steeds meer drinken om te overleven, want de hemel mocht weten dat die verdomde psychologen ook niet veel hielpen. Een baardig type in een corduroy broek, dat Ecker tot waanzin dreef door hem aan te staren terwijl hij op een potlood kauwde en mompelde: 'Hmmm, en wat gaat er dan door je heeeeen...?'

Hans wist eerlijk gezegd niet waarom hij zo lang naar die idioot was blijven gaan voordat hij tegen hem had gezegd dat hij naar de hel kon lopen en hij Mariana Granath had gevonden. Maar iedereen die aan het Stureplan werkte was in therapie, dat hoorde erbij. Nee, hij moest zijn leven echt omgooien. Hij had alles en toch niets. Geen spanning meer. Totaal geen spanning.

Hij keek zijn vriend met gespeelde verbazing aan. 'Uitgekeken? Chris, we zijn onderweg naar Berlijn om onze dertigste verjaardag met terugwerkende kracht te vieren en meteen Björn te zien. Het leven is nog maar net begonnen. Dat geldt voor ons allebei. Over een paar jaar sta je er net zo voor als ik, en...'

Christopher trok een grimas. 'Ik weet niet of ik er wel net zo voor wíl staan als jij. Natuurlijk, chef zijn en twee keer zoveel verdienen is leuk. Je hebt een supervrouw; jullie praten vast over huizen en kinderen en –'

'Hoe wist je dat nou?' onderbrak Ecker hem lachend.

'*Biiig surprise*, Hans,' antwoordde Christopher met een glimlachje. 'En Veronica is natuurlijk echt benijdenswaardig, ik wens je heel veel geluk met haar. Maar ik weet niet of ik daar wel aan toe ben, of het nou een chefschap is of een vaste relatie. Vooral geen vaste relatie...' hij lachte zachtjes, '...terwijl er zo veel singles rondlopen die ik vast gelukkig kan maken, of liever, die mij gelukkig kunnen maken.' Hij werd weer serieus. 'Maar ik wil de deur, de mogelijkheden, openhouden. Ik moet kapitaal vrijmaken, snap je?'

Hans Ecker werd ook serieus en haalde zijn schouders op. 'Ik begrijp echt heel goed wat je bedoelt met "uitgekeken", Chris. Dat gevoel heb ik ook. En ik zie geen problemen met het kapitaal. Johannes doet wat wij tegen hem zeggen en hij zou de code meteen na ons gesprek naar de bank doorbellen. Jij zei dat je dat al had gedaan. Ik heb het op dezelfde dag gedaan als Kruut. Als de bank alle drie de codes heeft gekregen, is de zaak voor de bakker en ligt het geld in Berlijn op ons te wachten. Ongeveer een miljoen per man als we Björn en zijn vriend hebben betaald. Deal?'

Silfverbielke reikte hem snel zijn gehandschoende hand.

'Deal.'

Johannes Kruut stond met een brede glimlach op de Valhallaväg te wachten toen de grote Mercedes-jeep de straat in draaide.

'Hallo, mannen! Dit wordt super!'

Op de voorstoel deed Christopher Silfverbielke zijn ogen even dicht. *Als je eens wist...*

Hij deed zijn ogen open, hoorde dat Kruut zijn koffer achterin legde en riep hem over zijn schouder toe: 'Goedemorgen, directeur Kruut. Alles goed met het conglomeraat?'

Hans Ecker leunde over het stuur, onderdrukte een lachbui en hoopte dat Johannes niet zag hoe hij reageerde.

'Ik mag niet klagen, hoor, dank je. En jullie, alles goed?'

'Alles goed!' zei Ecker vrolijk.

Silfverbielke reageerde niet.

Ecker zette de auto in beweging. Johannes schoof een beetje zenuwachtig heen en weer terwijl hij de beide vrienden op de voorstoelen bekeek. Hans Ecker leek opgewekt en ontspannen. Hij had een spijkerbroek, een overhemd en een Lacoste-trui met een v-hals aan. Hij bestuurde de grote Mercedes met zijn linkerhand, terwijl zijn rechter op de versnellingspook rustte. Christopher zag er stug uit en staarde stuurs voor zich uit door de voorruit.

'Hoe is 't, Christopher?' probeerde Johannes.

Het was even stil. En toen: 'Het gaat zo goed dat ik een tweeling zou moeten zijn om me nog beter te voelen!' Silfverbielke keek Johannes over zijn schouder glimlachend aan.

Johannes verstijfde. *Ik weet niet wat ik aan hem heb. Het is een correcte vent, maar soms is hij niet te vertrouwen. Ik vraag me af wat hij denkt.*

File op de Valhallaväg. Ecker was omgedraaid en reed terug naar het noorden, naar Roslagstull, Norrtull, de E4, de vrijheid.

Berlijn.

Terwijl ze in de file stonden, greep hij plotseling naar zijn hoofd en maakte een grimas. Silfverbielke, in gedachten verzonken, zag de beweging vanuit zijn ooghoek.

'Wat is er?'

Ecker draaide rondjes met zijn hoofd en zijn schouders. 'Beetje hoofdpijn, beetje druk gehad, de laatste paar dagen. Moest nog een hoop afwerken voordat ik wegging, je kent dat wel, en daardoor heb ik niet al te veel geslapen.'

Christopher Silfverbielke knikte. 'Ik kan wel rijden, als je wilt, dan kun jij gaan liggen en er even je gemak van nemen. Heb je pilletjes bij je? Anders ik wel.'

Ecker keek hem snel aan. 'Meen je dat? Van mij mag je rijden, graag zelfs. Maar je moet beloven dat je goed op mijn oogappeltje past!'

Christopher glimlachte. 'Alsof het mijn onschuld was. Als je bij het Östra-station stopt, dan wisselen we. We gaan even naar de buurtwinkel om wat water en zo in te slaan. En dan gaan we. We hebben alle tijd.'

'Hoe laat gaat de boot?' vroeg Johannes Kruut vanaf de achterbank.

Silfverbielke keerde zich om en keek hem een paar tellen aan zonder iets te zeggen.

Johannes Kruut werd meteen weer onzeker. *Wat kijkt hij toch ijzig! Is hij kwaad op me? Heb ik hem iets gedaan? Ik heb toch de hele rekening betaald toen we een paar weken geleden bij het East hebben gegeten? Hij ging ervandoor met dat retelekkere grietje dat ik was tegengekomen. Wat heeft hij te klagen?*

'Laat, Johannes. Kalm maar, ik zorg wel dat we er op tijd zijn.'

Silfverbielke glimlachte, maar Johannes vond het een ijzig lachje.

Vijfenveertig minuten later naderde de Mercedes Södertälje. De stereo stond op een aangenaam volume en Hans Ecker sliep languit op de achterbank nadat hij twee aspirientjes had genomen met een halve fles water. Johannes Kruut was op de voorstoel gaan zitten en had een paar onhandige pogingen gedaan om een gesprek met Christopher te beginnen, maar na een poosje had hij de conclusie getrokken dat hij maar beter kon zwijgen. Na een tijdje was ook hij ingedommeld en nu zat hij met zijn hoofd tegen de zijruit gezakt.

Ecker had zijn jack uitgedaan, het opgevouwen en in de ruimte tussen de voorstoelen gelegd. Toen Silfverbielke er een snelle blik op wierp, zag hij dat het met de voering naar buiten lag en dat Eckers portefeuille uit de binnenzak stak. Hij keek even achterom naar zijn slapende vriend en even naar Kruut, viste de portefeuille toen uit de jas, legde hem op zijn schoot en deed hem open.

De gebruikelijke creditcards, inclusief een AmEx Platinum, natuurlijk. Een plastic vakje met een foto van een glimlachende Veronica. *Nice girl.* Een paar notitiebriefjes, een rijbewijs, een identiteitsbewijs van Fidelis. En een gewoon legitimatiebewijs.

Goed om te hebben.
Silfverbielke haalde het legitimatiebewijs rustig uit de portefeuille, liet het in zijn borstzak glijden, deed Eckers portefeuille weer dicht en stopte hem terug in de binnenzak van het jack.

11

De Merc vrat het asfalt van de E4 op, en na Nyköping ging het snel. Johannes Kruut was wakker geworden en keek heimelijk naar Christopher en naar de snelheidsmeter, terwijl hij een nonchalante, relaxte indruk probeerde te maken. *Hij rijdt bijna 200! Stel dat er politie opduikt, wat dan?*

Vlak na de lange bocht naar Norrköping, in een aan het oog onttrokken parkeerhaven naast de snelweg, stond een patrouille van de verkeerspolitie van Östergötland, voorzien van radar.

Silfverbielkes scherpe ogen registreerden de politiewagen voordat de vinger van de agent de knop van de radar kon indrukken. Silfverbielke keek op de snelheidsmeter. Ruim tweehonderd.

Iets te mooi om waar te zijn. Honderdvijfenzeventig zou een mooie meting zijn.

Hij trapte het rempedaal hard in en de luchtvering van de Merc reageerde en de snelheidsmeter ging met een ruk terug.

De Mercedes-jeep reed aan het eind van de bocht honderdachtenzeventig kilometer per uur, en ook al begreep hij dat hij moeilijk in te halen was, aspirant-agent Hultman startte de Volvo, zette de zwaailichten en de sirenes aan en draaide de snelweg op.

Christopher Silfverbielke zag de zwaailichten ver achter zich in de achteruitkijkspiegel het asfalt op komen. Met een flauw glimlachje deed hij zijn rechtervoet nog iets naar beneden.

'Chris! Wat doe je? Dat is de politie, minder vaart, verdomme!' Johannes Kruut klonk angstig.

Silfverbielke reageerde niet, kneep zijn handen harder om het met

leer beklede stuur en tuurde voor zich uit, terwijl de Mercedes voort-
raasde over de linker rijstrook.

'Maar Chris!' Kruut slikte zwaar en greep met zijn rechterhand stevig
de handgreep aan het dak vast.

Een bult in het asfalt schudde Hans Ecker op de achterbank wakker,
en confuus kwam hij overeind. Hij keek verward om zich heen, wierp
een blik door het achterraam en zag in de verte de achtervolgende blauwe zwaailichten.

Ecker lachte zacht. 'De smerissen zijn op pad, Chris, misschien moet
je een beetje vaart minderen, zodat ze niet denken dat ze achter óns aan
zitten...'

'Ze zítten achter ons aan, Hans,' antwoordde Christopher kalm.

Ecker schudde zijn hoofd. 'Wat zeg je nou? Achter ons? Waarom?'

Silfverbielke glimlachte naar hem in de achteruitkijkspiegel. 'Rustig
maar, Hans, ik kan het wel aan. Ik nam een bocht bij Norrköping een
beetje te hard, meer niet. Dit kan nog hartstikke leuk worden, dat karretje van jou rijdt als een speer!'

'Je bent verdomme niet goed snik, Chris!' Ecker kwam half overeind,
pakte de hoofdsteun van de voorstoelen vast en keek op de snelheidsmeter. 'Ben je gek? Je rijdt honderdtachtig! Ze slaan je rijbewijs uit je
handen als ze ons stoppen. Wees in elk geval een beetje verstandig en
sla bij de eerstvolgende afslag af, voordat ze een helikopter de lucht in
sturen. Je kunt altijd de oude weg naar Ödeshög proberen totdat het
weer wat rustiger is!'

Silfverbielke antwoordde niet, hij hield zijn ogen op de weg voor zich.
Ecker keek achterom. De politiewagen leek maar met moeite gelijke tred
te kunnen houden, en toen hij weer naar voren keek, gaf de snelheidsmeter tweehonderdtien aan.

'Chris...?'

'Ga maar weer liggen uitrusten, Hans,' antwoordde Silfverbielke zacht.
'Ik heb op dit moment niet zo'n zin in afslagen en oude wegen. Ik regel
dit wel, rustig maar!'

Hans Ecker leunde achterover en deed zijn ogen dicht. *Hoe hou je je
rustig bij tweehonderdtien kilometer per uur als de politie met blauwe
zwaailichten en sirenes achter je aan zit? Nou ja, het was wel zijn auto –
de auto van zijn bedrijf – maar Christopher zat achter het stuur en hij
zou zijn rijbewijs moeten laten zien.* Hij had geen idee hoe zijn vriend

zich uit een discussie met de politie wilde redden, maar aan de andere kant was hij ook niet bang om hard te rijden met Christopher, en een beetje afwisseling was wel spannend.

Johannes Kruut klampte zich krampachtig vast aan de handgreep, terwijl er van alles door zijn hoofd schoot. *Wat zou de politie met hem doen? Natuurlijk zouden ze de auto vroeg of laat tot stoppen dwingen – zou hij dan in de krant komen? Wat zou zijn vader zeggen?* Dit was geen best begin van de reis, absoluut niet! Heel even had hij er spijt van dat hij überhaupt had gezegd dat hij wel mee wilde naar Berlijn.

Christopher Silfverbielke keek nogmaals in de achteruitkijkspiegel en moest zijn best doen om niet te gapen. Wat een stelletje amateurs! Moest hij vaart minderen en op hen wachten?

Blijkbaar.

Hij tilde zijn voet een stukje op en keek weer op de snelheidsmeter. Honderdnegentig. Honderdvijfenzeventig. Honderdzestig. Nu moesten ze het toch verdorie kunnen redden. Waar betaalde je anders belasting voor?

Aspirant-agent Hultman en zijn collega Adolfsson hadden de hoop om de Mercedes in te halen en tot stoppen te dwingen bijna opgegeven. Adolfsson zat aan de passagierskant met de microfoon in zijn hand, klaar om versterking en een helikopter op te roepen, toen hij hetzelfde waarnam als zijn collega achter het stuur. De auto voor hen minderde vaart. Wat gebeurde er? Begon de benzine op te raken? Zag de bestuurder in dat hij nooit zou kunnen ontsnappen?

Hultman gaf plankgas en merkte tot zijn tevredenheid dat de afstand tot de Mercedes-jeep snel kleiner werd. Toen hij er vijftig meter achter zat, zette hij het rode, knipperende stoplicht aan om aan te geven dat de Mercedes langs de vangrail moest stoppen. Er was geen sprake van om de bestuurder van dit voertuig tot de volgende afrit of controleplaats te laten doorrijden.

Silfverbielke glimlachte. Hij remde af tot zestig kilometer per uur, zwenkte naar de vangrail en telde: *Een, twee drie...!*

Toen trapte hij het gaspedaal tot op de bodem in en voelde de brute kracht van de V8 – het voelde alsof hij een schop in zijn rug kreeg toen de jeep weer vaart maakte.

'Wel alle...!' Hultman greep het stuur steviger vast en trapte met zijn rechtervoet het gaspedaal dieper in.

Adolfsson keek even naar hem. 'Ik vraag versterking, Ove, die vent is gek!'

Hultman schudde zijn hoofd. 'Rustig maar, Bertil, we pakken hem zelf, dat komt beter over!'

Silfverbielke speelde nog een paar minuten. Minderde vaart en zwenkte naar rechts alsof hij wilde stoppen, gaf dan weer gas en reed naar de linkerbaan. Hij liet de potente Mercedes-motor zijn hele register uitspelen tegenover de lamme politie-Volvo, als in een paringsritueel waarin de ene partner keer op keer zijn superioriteit laat zien.

Johannes Kruut hoorde tot zijn verbazing opeens gelach van Hans Ecker op de achterbank. 'Chris, jij verdomde psychopaat, wat ben je aan het doen?' Nieuw gelach. 'Hoelang blijf je spelen met die jongens? Wil je je rijbewijs weggeven of zo?'

Silfverbielkes glimlach werd breder. Hij keek gauw even naar Kruut, die er nu uitzag alsof hij moest overgeven. 'Je hebt gelijk, Hans, daar hebben we helemaal geen tijd voor! Het wordt tijd om op te houden met het spelletje...'

Christopher stuurde rustig naar de rechterkant van de snelweg en ontspande zijn rechtervoet.

Toen de Mercedes nog maar zo weinig snelheid had dat er niet meer te sturen viel, zette hij de motor uit, hield twee vingers aan het stuur en keek glimlachend hoe de politie-Volvo langszij kwam, hen passeerde en voor hen remde.

'Allemachtig! Ik zou er wat voor overhebben om op dit moment een videocamera in handen te hebben!' gierde Ecker vanaf de achterbank. Hij vouwde zich dubbel en ging liggen.

Johannes Kruut werd weer misselijk, maar juist toen hij dacht dat hij moest overgeven, werd alles rustig en tot zijn grote verbazing voelde ook hij de lach vanuit zijn middenrif opborrelen. *Een film. Het was alleen maar een grappige film, en op dit moment was Chris in de hoofdrol beter dan John Cleese. Alles was in orde. Een praatje met de politie, een bekeuring en ze konden doorrijden naar Skåne en de veerboot...*

Christopher Silfverbielke zette de versnelling in de P-stand, leunde rustig achterover en staarde naar de politiewagen die met de blauwe zwaailichten aan voor hen parkeerde. Langzaam zocht zijn linkerhand het bedieningspaneel aan de binnenkant van het linker voorportier en met een discreet klikje gingen de portieren van de Mercedes op slot. Aspirant-agent Ove Hultman had twee jaar verkeerspolitie in zijn bagage en dit was de eerste keer dat hij zich afvroeg of hij zijn wapen moest trekken of niet. Relax, je hebt te veel naar *Cops* gekeken, dacht hij terwijl hij uitstapte. De kerel was toch ondanks alles gestopt. Even een praatje maken en de papieren invullen. En dan hierna even pauze, dat zou lekker zijn.

Bertil Adolfsson stapte aan zijn kant uit, keek even uit over de velden van Östgötland, draaide zich toen om naar de Mercedes en liep achter Hultman aan terwijl hij zijn best deed om er cool uit te zien.

Perfect. Ik zou ze zo allebei om kunnen leggen. Twee, hooguit vier schoten. Silfverbielke staarde recht voor zich uit, voorbij de agenten die nu langzaam naar hen toe kwamen.

Hultman stond bij het portier van de Mercedes. Silfverbielke staarde nog steeds voor zich uit.

'Goedemiddag, verkeerspolitie Östergötland. Het ging een beetje hard daarginds, mag ik uw rijbewijs even zien?'

Silfverbielke vertrok geen spier. Hultman herhaalde zijn vraag, een beetje krachtiger.

Stilte. De seconden tikten weg. Hultman begon kwaad te worden. 'We hebben u bij Norrköping geklokt op honderdachtenzeventig kilometer per uur. Ik wil uw rijbewijs zien. Doe die ruit omlaag!'

Hans Ecker deed, in zijn liggende positie op de achterbank, zijn uiterste best om zijn lachbui te onderdrukken. Kruut, op de passagiersstoel, nog steeds met zijn hand krampachtig om de handgreep, kon zijn lachen niet meer inhouden en voelde zijn wangen rood worden. Hij had nog nooit meegemaakt dat iemand zich zo gedroeg tegenover de politie, maar het was een heerlijk gevoel van macht, ook al speelde hij niet de hoofdrol. De Mercedes straalde macht uit, de hoogte van de wagen boven de grond straalde macht uit, het feit dat Chris de politieagenten negeerde straalde meer macht uit dan hij lange tijd had gezien.

'Dit wordt niet zoals je je had voorgesteld.' Silfverbielkes stem was ijzig toen hij langzaam zijn hoofd naar links draaide en Hultman aankeek.

Adolfsson fronste zijn wenkbrauwen en maakte zich, staande naast zijn collega, wat langer. *Wat is dit voor psychopaat?* Hij probeerde tevergeefs zich te binnen te brengen wat ze op de politieacademie hadden gezegd over precaire situaties. *Let op nou, Hultman. Wees voorzichtig. Misschien hebben we hier met een echte gek te maken...*

Zijn hand zocht onbewust naar het dienstwapen in de holster.

Ove Hultman werd onzeker, maar probeerde het nog een keer. 'Ik wil uw rijbewijs zien, nu!'

Christopher Silfverbielke wendde zijn blik van hem af en staarde weer voor zich uit door de voorruit. 'Ik heb mijn rijbewijs thuis laten liggen.'

Hultman aarzelde even. 'Dan moet ik u vragen u op een andere manier te legitimeren.'

Ecker gniffelde op de achterbank en kromp in foetushouding in elkaar, met zijn handen voor zijn ogen, als een kind.

Johannes Kruut voelde dat zijn wangen minder warm werden en dat het lachen hem verging. *Het was niet leuk meer. Wat was Christopher van plan?* Johannes zag met geen mogelijkheid hoe ze dit moesten oplossen als Christopher het niet opgaf, de ruit liet zakken, de agenten zijn rijbewijs liet zien en de bekeuring ondertekende.

Hultman hoorde geluiden vanuit de auto en boog voorover om beter naar binnen te kunnen kijken. 'Wie ligt daar op de achterbank?' Hij probeerde nog steeds autoritair te klinken.

Silfverbielke leunde tegen de met leer beklede hoofdsteun en deed zijn ogen twee tellen dicht. Toen zei hij, zonder naar Hultman te kijken: 'Dat is de wolf. Hij heeft grote oren om jou beter te kunnen horen en een grote neus om beter te kunnen ruiken hoe het hier stinkt!'

Ongecontroleerd gelach van Ecker op de achterbank.

Hultman deed zijn mond open, maar Silfverbielke ging met een lage stem door: 'Luister goed, want je praat met je baas – ík betaal namelijk je salaris. Ik hou straks mijn legitimatie tegen de ruit en je krijgt exact twintig seconden om mijn persoonsnummer en mijn naam op te schrijven. Dat is het enige waartoe je het recht hebt, en dat wéét je.'

Hultman voelde zich kwaad worden en liep rood aan. 'Hou op met die flauwekul en doe de portieren open, nu ben ik het zat! Opendoen en uitstappen, anders...'

'Anders wát?' Silfverbielkes ijzige stem bleef kalm. 'Je kunt niets doen en dat weet je! Ik ben advocaat en jij en ik weten allebei hoe dit kan aflopen als jij het niet correct afwikkelt. Niemand hier heeft een misdrijf begaan waar gevangenisstraf op staat. Ik ben niet van plan om de ruit te laten zakken of het portier open te doen. Jij hebt niet het recht om de auto binnen te komen zonder huiszoekingsbevel, en dat heb je niet en dat krijg je ook niet. Denk nou goed na over paragraaf acht van de Politiewet: het noodzakelijkheids- en proportionaliteitsprincipe.'

Hultman begon te twijfelen. *Advocaat. Niet best.* Hij probeerde vertwijfeld zich de lessen rechten aan de politieacademie te herinneren. Het lukte niet. Ergens thuis in de kast lag het boek *Algemene politieleer,* een samenvatting in begrijpelijk Zweeds van wat alle politiemensen hoorden te weten. Driehonderdvijfenveertig bladzijden. Dat kon toch verdomme niemand allemaal onthouden?

De situatie bracht hem in de war. Hij wist niet precies waar hij nu wel of niet het recht toe had. De man had niet zodanig gereden of gehandeld dat de politie zich tegen de zin van de bestuurder met geweld toegang tot de auto mocht verschaffen. Hultman had de vervolgopleiding van de verkeerspolitie niet gevolgd die een agent het recht gaf een vliegende inspectie te houden. Hij stond blijkbaar oog in oog met een jurist, en hij wist dat hij zijn daden later misschien in een rechtszaak zou moeten verantwoorden.

Niet best.

'...en uit pure vriendelijkheid zal ik je zo meteen de kans geven mijn legitimatie over te schrijven. Daarna rij ik hier weg, begrepen?'

Hultman slikte en wierp een onzekere blik op Adolfsson, terwijl Silfverbielke zijn hand in zijn borstzak liet glijden. De collega zag er al even onzeker uit als Hultman. Kennelijk was Adolfssons herinnering aan de rechtenlessen even slecht. Er was een enorm verschil tussen waartoe je dácht dat een agent het recht had en waartoe hij werkelijk het recht hád.

Adolfsson wist het niet. Hij wist alleen dat hij onder geen beding in de *Östgöta-Correspondent,* in *Aftonbladet* of in het journaal van TV4 terecht wilde komen omdat Hultman of hij een blunder had begaan tegen een – misschien wel heel bekende – advocaat. Hij keek Hultman aan en die leek er net zo over te denken.

Ecker huilde op de achterbank van het lachen. 'Verdomme, Chris, je bent te gek!'

Johannes Kruut voelde een nerveus lachje opkomen. 'Cool, Chris!'

Silfverbielke gaf geen van beiden antwoord. Hij pakte rustig de legitimatie uit zijn borstzak en drukte die, zonder de agenten aan te kijken, tegen de zijruit. 'Twintig seconden, Henning, als ik jou was zou ik gaan schrijven.'

'Ik heet geen –'

Silfverbielke onderbrak hem. 'Vijftien seconden. Voor mij heten alle smerissen Henning. Ga je nog schrijven of niet?'

Hultman had al een notitieblok en een pen uit zijn uniform gehaald. Terwijl de woede in hem steeds toenam en zich vermengde met twijfel en onzekerheid, krabbelde hij de gegevens van de legitimatiekaart op zijn blok.

'Wat is uw adres?' zei hij en hij deed andermaal een poging gezaghebbend te klinken.

Nu draaide de chauffeur langzaam zijn gezicht naar hem toe en hij staarde hem door de zijruit aan. Hultman verstijfde. De man keek hem aan op een manier, zo akelig als hij nog nooit had meegemaakt. Staalgrijze, ijskoude ogen, die dwars door hem heen leken te kijken.

'Dat zit in je computer. Denk je dat ik je betaal om de hele dag kaneelbroodjes te eten? Ga aan je werk voordat ik kwaad word! Je kent de regels.'

Hultman stond met zijn mond vol tanden. Hij had zolang hij dit werk deed nooit iemand ontmoet die zo tegen de politie durfde te praten. Hij keek om naar zijn collega, die achter de Mercedes-jeep was verdwenen om het kenteken en het model van het voertuig te noteren.

Opeens kreeg Hultman een idee. 'Ik wil dat u een blaastest doet en daartoe bent u in een situatie als deze wettelijk verplicht. Als u weigert, wordt u naar het politiebureau gebracht voor een bloedproef.'

'Kijk eens aan.' Er speelde een glimlach om Silfverbielkes mond. 'Onze Henning heeft een truc verzonnen. Nou, vooruit, geef me dat domme apparaatje van je maar, dan zal ik blazen. Maar schiet op, ik heb niet de hele dag!'

Met een klein drukje op de knop liet Christopher Silfverbielke de ruit twee centimeter zakken, net genoeg om het buisje van de alcoholtest door te laten. 'Steek het buisje naar binnen, dan zal ik blazen, maar verder niks, of je krijgt grote problemen!'

Hultman zocht in zijn zakken, vond het apparaat en zette er een buisje op. Waar was Adolfsson? Verstopte hij zich achter de auto? Was hij bang? Waarvoor? Hultman bedacht met tegenzin dat hij zelf bang was, zonder dat hij precies wist waarvoor.

Hij stak zijn arm uit en hield het apparaat zo dicht bij de ruit dat het buisje in de auto uitkwam. 'Blaas totdat ik –'

Silfverbielke wierp hem nog een ijzige blik toe. 'Ik weet wat ik wel en niet moet doen!' Hij haalde diep adem, zette zijn mond om het buisje en blies totdat het apparaat piepend meedeelde dat het de informatie had gekregen die het nodig had.

Op het moment dat Hultman het apparaat naar zich toe trok, liet Silfverbielke de ruit weer dichtschuiven. De agent wierp een blik op het apparaat en constateerde dat er niet de minste aanwijzing was dat de chauffeur alcohol in zijn bloed had.

Dat ook al niet. Wat moet ik nou, verdomme? Hultman vermande zich en deed nog een laatste poging. 'Volgens onze radar reed u honderdachtenzeventig kilometer per uur op een weg waar je maar honderdtien mag. Erkent u die snelheidsovertreding? Want dan wil ik dat u dit ondertekent...' Hultman begon in de buitenzak van zijn rechter broekspijp naar een blok te zoeken. Hij keek op en voelde het onbehagen weer toenemen toen hij de chauffeur in de ogen keek.

'Ik erken niets. Wij zijn klaar met elkaar.'

Verbaasd hoorde Hultman de motor van de Mercedes aanslaan met een gefluit dat algauw overging in gebulder. Voordat hij had bedacht wat zijn volgende stap zou zijn, zette de suv zich in beweging, reed om de geparkeerde politiewagen heen en maakte weer vaart op de E4.

Hultmans hart bonsde. Zijn eerste impuls was zijn dienstwapen te grijpen, een waarschuwingsschot af te vuren en dan gericht te schieten. Toen kreeg hij zijn collega in het oog. Adolfsson stond achter de plek waar de grote Mercedes net nog had gestaan, heel stilletjes en met een lege blik in zijn ogen.

'Bertil...?' Hultman keek hem aan en had het opeens ijskoud.

Adolfsson schrok op. 'Eh... ja, Ove?'

'Wat nou? Wat nou, verdomme?'

Adolfsson leek zijn hoofd een beetje te schudden voordat hij zijn collega aankeek. 'Nou gaan we koffiedrinken. Dat doen we. Wat jij, Ove?'

Hultmans hoofd tolde. Als hij hier een rapport over schreef, zouden Adolfsson en hij problemen kunnen krijgen. Hij kon zich de vragen van zijn superieuren al voorstellen. 'Waarom hebben jullie geen versterking opgeroepen? Hoe konden jullie hem laten gaan? We hadden er een inspecteur heen kunnen sturen die bevoegd is tot het uitvoeren van vliegende controles, en die die idioten uit de auto had kunnen halen. Hoe weet je dat hij niet vol zat met cocaïne, of met wapens, trouwens? En wat voor bewijs heb je dat hij echt jurist was? Je bent belazerd, Hultman! En nu wil je een rapport schrijven over het intrekken van een rijbewijs? Op de gronden die je nu hebt? Ik zou niet graag in jouw plaats in de rechtbank zitten als dit...'

Niet best.

Hij keek naar zijn collega. Adolfsson keek hem even aan en keek toen een andere kant op, kennelijk onaangenaam getroffen.

Hultman pakte voorzichtig het notitieblok waarop hij het kenteken van de Mercedes en de gegevens op de legitimatie van de chauffeur had genoteerd. *Ecker, Hans Günther, geboren 1976...*

'Ja, we vergeten dit en gaan koffiedrinken, dat is waarschijnlijk het beste.'

Adolfsson zag er opgelucht uit. 'Ik trakteer!'

Hultman draaide zijn hoofd om en keek over de snelweg. Toen liep hij naar de politiewagen, ging op de bestuurdersstoel zitten en deed de zijruit omlaag. De geur van de vochtige velden naast de weg leek ineens zuur. Hij scheurde het papiertje uit zijn blok, verkreukelde het en propte het met een zucht in het vak in het linker voorportier. Hij keek nogmaals over het asfalt van de E4.

Leeg.

Alsof er nooit een Mercedes was geweest.

12

Donderdag 1 februari

Anna Kulin hield de voorpagina van de krant zo dat iedereen aan tafel die goed kon zien.

MOORDENAAR SPOORLOOS – BANKWERELD GESCHOKT!

Ze bladerde wrevelig een paar pagina's door en begon hardop voor te lezen. '"Het is volkomen onaanvaardbaar dat de politie na meer dan twee weken nog geen spoor lijkt te hebben van de moordenaar," zegt bestuursvoorzitter Lars-Olof Ek van de Banque Indochine tegen *Kväls-*

pressen. "Ik kan alleen maar constateren dat men daar niet dezelfde eisen stelt aan effectiviteit en resultaten als wij in de financiële branche...'"

Nee, want in onze wereld gaat het niet om Monopoly spelen met geld van anderen en smijten met vette bonussen zelfs als iemand mislukt, dacht Jacob Colt bitter. In onze wereld gaat het om mensen die zich maar zelden zo gedragen als je verwacht. En je kunt altijd makkelijk advies geven als je geen idee hebt waar het om gaat...

'Zo kan het niet meer, we moeten verder komen!'

Anna Kulin legde de krant neer, trok haar stoel met een schrapend geluid dichter bij de tafel en keek rond.

De mannen zwegen. Jacob Colt keek haar aan, Henrik Vadh luisterde met zijn ogen dicht, Sven Bergman, Magnus Ekholm en Björn Rydh bladerden in hun mappen met onderzoeksmateriaal.

Jacob Colt wilde wel dat de mappen dikker waren geweest, dat ze meer hadden gehad om op af te gaan. Tegelijkertijd slaakte hij een zucht van opluchting dat Janne Månsson er niet was, omdat hij de deuren langsging. Zo hoefde Jacob tenminste niet nog een aanvaring tussen Månsson en Kulin mee te maken.

'We draaien nog steeds rondjes,' vervolgde Kulin. 'Zien jullie helemaal geen openingen?'

Colt dacht een paar seconden na. 'Nee, eigenlijk niet. Nog niet. Zoals je weet gaat het bij politiewerk om geduld, tijd. Soms moet je wachten totdat je tegenstander – de dader – een klein foutje maakt dat een opening geeft.'

Ze hadden even nauwkeurig politiewerk geleverd als anders. Henrik en hij hadden – niet alleen in werktijd – hun hoofd gebroken over allerlei onconventionele theorieën over waarom De Wahl was vermoord en door wie.

Zonder dat het ergens toe had geleid.

Tot nu toe wees alles op de jonge Barekzi, een theorie die Kulin helemaal niet beviel.

'Laat me nog een keer samenvatten wat we hebben,' zei Jacob rustig en hij pakte een paar vellen met aantekeningen uit zijn map.

Kulin keek hem aan. Het kostte haar moeite haar frustratie te verbergen. 'Jacob, ik wéét wat we hebben, als je tenminste geen konijn uit je hoed gaat toveren. De vraag is waaróm we niet meer hebben, en niets anders? Besef je onder hoeveel druk ik in deze zaak sta?'

Zie er dan van af, als je de druk niet aankunt. Jacob was even in de verleiding het in haar gezicht te zeggen, maar hield de gedachte toch maar voor zich.

'Wonderlijke dingen doen we op deze afdeling geregeld, Anna, maar wonderen duren wat langer. Als jij iets weet wat ik zou moeten weten over hoe we het aan moeten pakken, dan hoor ik het graag. De bankwereld werkt niet helemaal hetzelfde als de drugsscene op Sergels Torg, en soms zijn we genoodzaakt voorzichtig te werk te gaan om geen kwaad bloed te zetten. Of vind je dat ik de directeuren rond het Stureplan voor verhoor moet oproepen, alleen maar om een beetje in de mierenhoop te peuren?'

Anna Kulin zag er opeens verlegen uit, tot Jacobs verrassing. Maar hij maakte snel gebruik van de gelegenheid en vervolgde: 'Het sectierapport, de resultaten van het NFL en het forensisch lab bevatten geen verrassingen. De Wahl is bewusteloos geslagen – waarschijnlijk met een steen – en toen in het water gegooid, waar hij verdronk. Er waren sporen dat hij de avond tevoren alcohol had gedronken, zoals we al vermoedden. Er zaten spermaresten in zijn anus en dat sperma is via DNA gelinkt aan Hamid Barekzi, die ook heeft toegegeven dat hij de nacht voor de moord seks heeft gehad met De Wahl.'

Niemand aan tafel zei iets. Anna Kulin staarde naar het lege notitieblok dat tussen haar papieren lag. Jacob haalde nog een paar stukken uit zijn map.

'In de flat zijn – allereerst op de glazen en borden die daar stonden – vingerafdrukken gevonden van De Wahl zelf en van Hamid Barekzi. In het bed zijn haren van het slachtoffer gevonden, en van Hamid. De lakens vertoonden sporen van huid, hoofdhaar, schaamhaar en sperma van hen allebei, en bloed van Hamid. De jongen heeft verteld dat hij van de penetratie begon te bloeden.'

Sven Bergman trok een vies gezicht en wendde zijn hoofd af. Hij zag voor zich hoe de dronken bankier de jonge jongen misbruikte om zelf aan zijn gerief te komen.

'Barekzi heeft toegegeven,' vervolgde Jacob, 'dat Alexander de Wahl en hij de avond voor de moord samen hebben doorgebracht. Ze aten, dronken en bedreven seks tot diep in de nacht. De jongen beweert dat De Wahl weg was toen hij wakker werd, dat hij De Wahls appartement verliet en rechtstreeks naar de garage van zijn oom ging. We weten hoe laat hij in de werkplaats aankwam, maar dat bewijst natuurlijk niets. Hamid kan gelijk met De Wahl zijn opgestaan, de flat samen met hem hebben verlaten en hem op de Strandväg hebben doodgeslagen. Het kan ook zijn dat zijn oom liegt om de jongen te beschermen, en dat Hamid te laat in de garage was.'

Anna Kulin tekende identieke vierkantjes op haar notitieblok, zo hard dat de punt van haar potlood plotseling afbrak.

'Ja, ja. En de jas dan? En de muts?'

Ze keek naar Björn Rydh, die haar blik kalm trotseerde.

'Er was geen DNA van de jas te halen, misschien omdat die in het water heeft gelegen. We hebben wel DNA op de muts aangetroffen, maar dat gaf geen match in het register, niet van bekende daders en ook niet van onopgehelderde zaken.'

'Precies!' Kulins stem werd weer scherp. 'Omdat de jonge Barekzi is geregistreerd op basis van zijn vroegere zonden – en jullie hem nu bovendien DNA hebben afgenomen in verband met de verhoren – zou dat een match hebben opgeleverd als hij de dader is.'

Colt schudde zachtjes zijn hoofd. 'Niet per se. Het probleem is dat we twee getuigen hebben die allebei een ander stukje hebben gezien van wat er gebeurde. De getuige die 's morgens belde en die we maar niet te pakken krijgen, zag een vent die een liggende man in het gezicht sloeg. Hij zei niet wat de aanvaller aanhad. De andere getuige – de fotograaf – heeft helemaal niets van de mishandeling gezien. Hij heeft een jogger gezien die stopte, "iets" uit een zak van zijn jas haalde en dat op de grond liet vallen voordat hij zijn jas uittrok en die in het water gooide.'

De officier van justitie keek Jacob sceptisch aan. 'Wat wil je daarmee zeggen?'

'Dat we in feite niet eens weten of de jogger iets met de moord te maken heeft. We weten niet of de man die de jas in het water gooide de moordenaar was. En vooral: we weten niet of de muts het voorwerp is waarvan de fotograaf zag dat de jogger het op de grond gooide. Die muts kan daar wel al dagen, weken hebben gelegen...'

Anna Kulins mond versmalde tot een rechte lijn. *Een cobra.* Jacob ging door voordat ze kon bijten.

'Daarentegen weten we wel dit: Barekzi heeft toegegeven dat hij al vrij lang een...' Jacob hield het woord 'homoseksuele' nog net binnen. '...relatie had met Alexander de Wahl. Hij beweert dat er ook gevoelens in het spel waren, maar noemt zichzelf tegelijkertijd ook "een goedkope hoer" voor De Wahl. Hij geeft toe dat hij geld van De Wahl heeft aangenomen in ruil voor seks. Hij geeft toe dat hij de nacht voor de moord bij De Wahl is geweest en dat wordt ook gesteund door technisch bewijs.'

'Dat is niet genoeg!'

Weer die scherpe stem. Jacob Colt keek haar verbaasd aan. 'Wát is niet genoeg?'

'Hij heeft niet bekend, en er is geen motief.'

Colt zuchtte. 'Als we het moeten doen met mensen die direct bekennen en ons ook meteen een motief geven, zouden we niet veel zaken oplossen, dat weet je best! We moeten maar zien wat hij zegt als hij nog een paar keer wordt verhoord. Hij kan ook door zijn oom onder druk zijn gezet. Vergeet niet dat het tot op grote hoogte ook kan gaan over de zedelijke opvattingen van de familie, en dat Barekzi misschien wel zou willen bekennen, maar niet durft uit angst voor zijn oom. Hij is misschien banger dat zijn oom erachter komt dat hij...' Jacob aarzelde weer, maar vervolgde: '...homo is dan dat hij een moordenaar is!'

Anna Kulin keek Jacob Colt beschuldigend aan. 'Dus jij vindt dat homo's –'

'Ik vind niks!' Jacob keek haar strak aan. 'Ik probeer er alleen maar op te wijzen dat verschillende manieren van leven heel verschillende gevolgen kunnen hebben in andere culturen dan de onze, of we dat nou leuk vinden of niet.'

Jacob Colt voelde zich plotseling moe. Diep vanbinnen knaagde bij hemzelf – zonder dat hij kon uitleggen waarom – twijfel aan Hamids schuld. Ook al wees alles erop dat de jongen De Wahl had vermoord... Er klopte iets niet! Het irriteerde hem dat Anna Kulin en hij dezelfde mening hadden, maar om verschillende redenen. Hij had geen zin haar iets cadeau te doen, en vroeg zich soms af aan wiens kant ze stond.

13

'De wolf...' kreunde Ecker tussen het lachen door, '...de wolf heeft een grote neus om te kunnen ruiken hoe het hier stinkt! Hoe kom je erop, Chris? Ik had het gezicht van die joet wel willen zien, maar ik stikte van het lachen, dus ik kon niet overeind komen!'

Johannes Kruut had een rood gezicht gekregen van het lachen. 'Ik zag hem wel, Hans, hij trok een verrekt lang gezicht. Wat een stunt!'

Christopher Silfverbielke zat achterovergeleund, met zijn rechterhand aan het stuur. Een flauw glimlachje speelde om zijn lippen. 'En wat denken jullie dat deze vertegenwoordigers van de wet vandaag zullen rapporteren, heren?'

'Te hard rijden, natuurlijk,' antwoordde Johannes ijverig, 'maar verder niets, daar kun je van op aan, Chris!'

Ecker hing met zijn ellebogen op de voorstoelen en schudde alleen zijn hoofd, terwijl hij probeerde weer rustig te worden.

'Niets.' Silfverbielkes stem klonk weer even ijskoud. 'Absoluut niets. Als ze überhaupt een gram intelligentie bezitten, schrijven ze hier geen letter over.'

'Ik denk dat je gelijk hebt, Chris,' zei Hans. 'Het zou het slimste zijn om dat niet te doen. Daarentegen zou ik heel blij zijn als je bij de volgende pomp even wilt stoppen. Ik moet even ergens heen...'

Christopher knikte naar hem in de achteruitkijkspiegel.

Johannes Kruut verzonk even in stil gepeins. Ook al had het drietal in de loop der jaren al heel wat vrolijke momenten meegemaakt en was hij ervan overtuigd dat Christopher en Hans hem allebei als vriend beschouwden, toch voelde hij zich af en toe toch een beetje een buitenstaander. Ontelbare keren had hij voor zichzelf moeten toegeven dat de andere mannen een beter stel hersens, meer levenservaring en niet in de laatste plaats meer lef hadden dan hijzelf. Even vaak had hij bedacht dat hij er alles voor over zou hebben om op hun niveau te komen, om zich gelijkwaardig te voelen. Bovendien wilde hij de band met Christopher versterken. Hans was altijd aardig en open, maar Silfverbielke was een raadsel, een spannend raadsel dat Johannes imponeerde en waar hij meer van wilde weten. Hij deed opnieuw een poging tot converseren.

'Dat was een echte tienpunter daarginds, Chris!'

Tot Kruuts grote vreugde glimlachte Christopher toen hij hem aankeek.

Silfverbielke dacht razendsnel na. *Onverwachte hulp van Kruut, zonder dat hij het zelf in de gaten had. Bingo.*

Hij wist niet meer hoelang geleden hij op dat idee voor een puntensysteem was gekomen. Hij had op het goede moment gewacht om het aan Johannes en Hans voor te leggen. Dat was blijkbaar nu het geval.

'Vind je echt, Johannes?' Christopher keek weer naar Kruut. 'Ik had juist willen zeggen vijf punten, maar oké.'

Kruut werd meteen onzeker. 'Eh... Hoe bedoel je?'

'Gebeurt het wel eens dat je een verveeld gevoel over je hebt?' Het was lang geleden dat Silfverbielkes stem zo warm en vriendelijk had geklonken.

Johannes Kruut dacht na. Verveeld? Nee, waarom zou hij? Hij had een topbaan in het familiebedrijf. Weliswaar leek een deel van het personeel een beetje jaloers te zijn, maar daar moest hij maar tegen kunnen. De relatie met de familie was goed, ook al was zijn vader soms een beetje bezorgd. Hij had een mooi appartement en...

Plotseling drong de waarheid pijnlijk tot hem door. Zijn leven zat vast, zo simpel was het. Hij mocht zijn baan houden omdat zijn vader eigenaar van het bedrijf was, hij had nooit een echte relatie gehad, hij had geen vrienden behalve Hans en Christopher en hij bracht een groot deel van zijn vrije tijd door voor de tv of met internetten. Als hij zich iets voelde, dan wel verveeld!

Hij deed zijn best om nonchalant te klinken. 'Ik denk dat ik wel weet wat je bedoelt. We hebben nu wel zo'n beetje alles gedaan en alles is een beetje saai. Verveeld? Tja, natuurlijk...'

Johannes keek Christopher vragend aan. Die glimlachte zonder zijn ogen van de weg te halen.

'Komt goed uit, Johannes. Wij voelen ons namelijk ook heel verveeld, hè, Hans?'

'*Right on, man.* Het leven is zo verdomd triest. We zouden iets moeten verzinnen!'

'Mijn idee.' Christopher lachte even naar Hans in de achteruitkijkspiegel en zei toen tegen Johannes: 'En wat jij daar zei over punten, is dan extra interessant. Ik wil jullie een voorstel doen...'

De volgende minuten zette Christopher Silfverbielke zijn idee in grote lijnen uiteen. Voortaan zouden ze, samen of ieder voor zich, punten krijgen voor allerlei dingen die ze deden, voornamelijk wetsovertredingen. Elke daad zou punten opleveren en degene die op 31 oktober de meeste punten had, zou in zijn eentje twintig miljoen kronen uit het gezamenlijke fonds mogen opnemen. De waarde van het fonds zou tegen die tijd zodanig zijn gestegen dat die opname het niet noemenswaard zou bedreigen of uithollen, maar twintig miljoen cash zou het leven een stuk spannender maken voor degene die het kreeg.

Het was een paar minuten stil. Hans Ecker reageerde als eerste. 'Het is een vreselijk spannend idee, Chris. Maar hoeveel risico moet je nemen om die punten te krijgen? Hoe had je je dat voorgesteld? En waar ligt de grens?'

'Er is geen grens.' Silfverbielkes antwoord kwam razendsnel. 'Over de puntentelling moeten we het nog eens worden, maar ik denk aan een vrij langzaam stijgende schaal, die misschien onderweg ook nog zal moeten worden aangepast. We moeten het er natuurlijk ook nog over eens worden hoe de afzonderlijke prestaties moeten worden onderbouwd om er punten voor te kunnen krijgen. Maar ik kan me bijvoorbeeld voorstellen dat dat gedoe met die politiecontrole vijf punten waard is.'

Johannes Kruut dacht snel na.

'En als ik onderweg iets jat?'

'Dat hangt ervan af wat je jat.' Silfverbielke keek hem snel even aan. 'Maar probeer het maar, dan zien we wel. Als je nou eens een paar cd'tjes of films voor ons regelt op het volgende pompstation? Vijf punten.'

Kruut knikte.

Idioot, dacht Silfverbielke, en hij keek nog eens in de spiegel.

Ecker leek in diep gepeins verzonken.

'Wat vind jij ervan, Hans, doe je mee?'

'Tja...' Ecker klonk wat aarzelend. 'Het klinkt wel cool. Maar het is wel een beetje riskant, hè?'

'Niet als we het slim spelen en dat doen we toch meestal wel.'

Ecker knikte. 'Ik zal er eens over nadenken hoe ik van jullie kan winnen.'

Hij lachte zacht.

'Doe dat...' antwoordde Silfverbielke. 'Dat kon wel eens nodig zijn.'

De E4 was al in duisternis gehuld. Ze hadden een late lunch gebruikt in een van die talloze, slechte wegrestaurants die de enige mogelijkheid waren als je niet ver van de snelweg af wilde rijden.

Christopher Silfverbielke was liever gestopt bij een beter restaurant in Jönköping, maar omdat hij er zeker van wilde zijn dat ze de veerboot haalden en omdat je nooit wist hoe het weer in Skåne zich ontwikkelde, nam hij het zekere maar voor het onzekere.

Omdat hij had aangeboden als chauffeur dienst te blijven doen, had Ecker geen reden gezien om niet een paar biertjes te nemen en dat begon hij nu te voelen. Christopher sloeg af bij Gränna en ging een benzine-station in.

Toen hij uit het toilet kwam liet hij zijn blik door de winkel gaan, ter-wijl hij ogenschijnlijk doelloos tussen de schappen door liep. Twee ca-mera's aan het plafond, hier een en daarginds een. Verbonden met mo-nitoren achter de toonbank, zoals gewoonlijk. Een jong meisje en een wat oudere man achter de toonbank. De man was bezig een ongeschoren vrachtwagenchauffeur in een smerige spijkerbroek en een vuil, geruit overhemd een dikke worst met aardappelpuree en picklemayonaise te serveren. *Smeerlap. Hij zou die chauffeur buiten tussen twee trucks op zijn kop kunnen meppen met een bahcosleutel. De wereld een dienst be-wijzen.* Het meisje nam van de mensen die vooraan stonden in haar rij de betaling in ontvangst voor benzine en allerlei spullen uit de winkel.

Rustig nou.

Christopher bleef staan bij het rek met dvd's. SLECHTS 199,—! las hij op het bordje.

Hij glimlachte. *Schandalig.* Het kostte hooguit vijf kronen om zo'n ding te persen. Honderdnegenennegentig kronen moesten anderen maar betalen als ze zin hadden.

Hij wist heel zeker dat hij met zijn rug naar de op hem gerichte camera stond toen hij de vier films van zijn keuze rustig in zijn jaszak liet glijden. Daarna liep hij naar het snoepgoed, pakte drie pennywafels en ging in de rij voor het meisje staan. Toen hij aan de beurt was, liet hij haar geen seconde los met zijn ogen.

Ze was knap, heel knap. Negentien, twintig jaar, blond, slank, accep-tabele borsten. Maar je wist tegenwoordig maar nooit. Push-upbeha's en siliconen waren een irritant fysiek bedrog.

Ze bloosde toen ze zijn blik voelde.

'Druk vanavond?' Hij glimlachte, ze bloosde nog meer. Slikte, knikte.

'Ja, nogal...' Ze voelde de warmte over haar wangen trekken. Goh, wat was hij knap! En hij kwam ook nog uit Stockholm, dat kon ze wel horen.

Silfverbielke ging zachter praten. 'Moet je vanavond lang werken?'

'Ik... Ja, tot tien uur...' Ze werd onzeker en keek gauw om zich heen om zich ervan te vergewissen dat haar collega Stig het niet hoorde. Wat wilde die man? Wilde hij met haar uit?

Hij knikte begrijpend. 'Zonde, het was leuk geweest. Een andere keer misschien. Zou ik je nummer mogen hebben?'

Helena Bergsten aarzelde, maar niet lang. Ze wilde dat haar beste vriendin Mathilda had kunnen zien hoe knap die man was, want dat zou moeilijk uit te leggen zijn. Ze greep snel een notitieblokje, krabbelde er 'Helena' en haar mobiele nummer op, scheurde het briefje af en schoof het met licht trillende hand over de toonbank.

Het stuk wierp een blik op het papiertje, vouwde het keurig op en stopte het in zijn zak. Hij keek haar diep in de ogen. Zonder iets te zeggen legde hij een briefje van honderd kronen op de toonbank, draaide zich om en liep snel de winkel uit.

Helena keek hem lang na terwijl hij naar de grote Mercedes bij pomp 4 liep.

Toen ze een kwartier later even pauze nam in het kleine koffiekamertje kon ze nog steeds alleen maar aan hem denken. Zijn stem had haar de rillingen gegeven. Het leek wel of zijn ogen dwars door haar heen gingen en alles onthulden. Hij had mooie handen en ze bloosde toen ze bedacht dat ze er niets op tegen zou hebben gehad als ze die op haar lichaam had gevoeld.

Haar leven was één grote sleur, zonder verrassingen. Helena Bergsten was geboren en getogen in Gränna en – dacht ze verdrietig – veel verder zou ze duidelijk ook niet komen, zoals het er nu uitzag tenminste. Na de middelbare school, richting verzorging, was ze, zoals zo veel anderen, werkloos geweest totdat Claes, een vriend van haar vader, zich over haar had ontfermd en haar een baan bij het benzinestation had bezorgd.

En er was heus niks mis met het benzinestation. Claes was aardig en Stig, met wie ze af en toe werkte, was ook aardig. Maar aardige mensen om je heen hebben, octaan 95 verkopen, de vloer schoonmaken en grillworst met puree serveren was niet genoeg. Helena Bergsten wilde meer, maar ze had tot nu toe geen idee gehad hoe ze uit de gevangenis moest komen die Gränna voor haar gevoel nu was.

En dan Niklas. Ze waren al samen sinds haar zestiende, en het begon lastig te worden. Niklas was twee jaar ouder en reed een vuilniswagen voor zijn vaders transportbedrijf. Toen ze elkaar voor het eerst ontmoetten, vond ze hem knap en bovendien voelde het als een bevrijding dat ze haar brommerzadel kon inruilen voor een stoel in zijn Volvo 740. Maar dat was toen. Veel meer spanning dan dansmuziek uit de cassettespeler en wat geflikflooi in de auto had Niklas niet te bieden, tenminste niet tot aan die dag dat ze door een vluggertje in Niklas' slaapkamer haar onschuld had verloren. Niklas leek heel voldaan en begreep helemaal niet waarom zij naderhand huilde. Ze had het gevoel dat ze het maar beter niet kon proberen uit te leggen.

Het afgelopen jaar was hij steeds jaloerser geworden, vooral nadat zij zich met van haar ouders geleend geld had laten opereren en haar borsten, die eerst minimaal waren geweest, had laten vervangen door twee mooie, ronde en goed zichtbare. Niklas kon zomaar met allerlei smoesjes opduiken op haar werk, hij belde soms wel vier, vijf keer op haar mobiel als ze dienst had. Hij wilde weten wie ze ontmoette en welke klanten er geweest waren.

Hij was lastig.

Helena woonde in een kamer met eigen ingang in het huis van haar ouders in Gränna. Ze vond het fijn om af en toe 's avonds alleen te zijn en gewoon maar wat te luieren, een film te bekijken, te internetten of met Mathilda te babbelen. Op andere avonden wilden Mathilda en zij naar Jönköping, een biertje drinken in een café of naar de bioscoop gaan.

Dat vond Niklas maar niks, helemaal niks.

Helena Bergsten zuchtte. Het werd onderhand tijd om iets aan die relatie te doen. Niklas was best een fijne vent, maar als hij niet veranderde en haar wat meer zelfstandig liet, hield ze het niet vol.

Bovendien: ze was negentien en had pas één vriend gehad. Afgezien van een paar vluchtige kusjes en een onhandige streling had niemand behalve Niklas haar mogen aanraken.

En nu hij, dat stuk, met die prachtige stem. Ze vroeg zich af of hij echt iets van zich zou laten horen...

14

Christopher Silfverbielke draaide het contactsleuteltje om en keek even naar rechts. Het viel hem op dat Johannes' jaszakken een beetje uitpuilden toen hij snel naar de auto kwam lopen.

Hans was al achterin gesprongen en toen Kruut het portier dicht had geslagen, liet Christopher de Mercedes weer de E4 op stuiven.

'Kijk hier eens!' zei Kruut vergenoegd, terwijl hij zijn zakken leegde. Triomfantelijk hield hij twee cd's en een dvd in zijn handen.

'Goed werk, Johannes!' zei Hans bemoedigend vanaf de achterbank. 'Maar geef ze eens hier, laat me eens kijken. We moeten wel iets doen aan je smaak!' Hij greep de hoesjes en las voor: *Ingemar Nordströms Saxparty 18* en *Best of Country & Western Hits. Gimme a fuckin' break*, Johannes! En wat is dat voor film? Duitse porno?' Ecker liet zich gierend van het lachen achterovervallen.

Johannes klonk beledigd. 'Ik vond dat die meisjes op het hoesje er lekker uitzagen!'

'Nou ja...' zei Silfverbielke, '...we kunnen er morgen in het hotel wel even naar kijken. Je krijgt toch vijf punten voor dat stuntje, vind ik. Wat zeg jij, Hans?'

Ecker knikte. 'Oké. Vijf voor jullie allebei nu, als je dat genoeg vindt voor dat akkefietje met de politie. Ik begin me alleen af te vragen wat ik moet doen om jullie in te halen.'

Johannes Kruut draaide zich om. 'Dat komt wel goed, Hans,' zei hij. 'Jij verzint nog wel wat leuks, daar ben ik van overtuigd!'

Ecker zweeg even en antwoordde toen: 'Ik ook wel...' Hij leunde weer achterover en gaf zijn gedachten de vrije loop. Hij voelde zich lekker nu. Een lijntje zou trouwens ook niet verkeerd zijn. 'Heeft een van de heren misschien belangstelling voor een beetje medicijn?'

Kruut schrok. Hans en Christopher hadden hem ingewijd in de wereld van het witte poeder. Hij had de drug maar een keer of tien, vijftien geprobeerd, maar elke keer, vaak diep in de nacht in besloten clubs aan het Stureplan, had die wonderen gedaan voor zijn zelfvertrouwen en zijn potentie. Helaas had die combinatie er niet toe geleid dat hij in bed was geraakt met zo veel meisjes als hij had gedroomd, maar een paar keer had hij toch beet gehad en hij was ervan overtuigd dat het maar een kwestie van tijd was voordat het er meer zouden worden. Hij draaide zich bliksemsnel om op de voorstoel. 'Heb je coke bij je? Gaaf! Ik zou nu wel meteen een lijntje willen nemen.'

'Even wachten.' Silfverbielkes stem liet geen ruimte voor discussie. 'Het is nog maar een paar uur naar de veerboot en het zou zonde zijn als we uit de koers raken, hè?'

Ecker knikte. 'Je hebt gelijk. We doen het op de boot, dat hebben we misschien nodig om in vorm te komen. Iets zegt me dat die schuit geen garantie is dat we het leuk hebben. En ik wil het leuk hebben. Ik heb vooral behoefte aan een lekkere wip!'

Silfverbielke trok een wenkbrauw op naar de achteruitkijkspiegel. 'Ik dacht dat jij thuis wel aan je trekken kwam?'

'Begrijp me niet verkeerd, Veronica is super, in alle opzichten. Maar ze is net als alle andere vrouwen. In het begin was het heftig en spannend, en probeerden we van alles uit. Later begon ze te verslappen en tegenwoordig is het net zo'n versleten huwelijk. Ze praat over kinderen en ik wil dat we eens een groepsseksclub uitproberen. Dat gaat gewoon niet samen. Bovendien... het is wel leuk om alsmaar ossenhaas te eten, maar dat betekent niet dat je niet af en toe ook wel een worstenbroodje lust, toch?'

Hij lachte en de anderen vielen hem bij. 'Ik begrijp de diepere zin, Hans,' zei Christopher. 'Maar kalm maar, iets zegt me dat je op deze reis alles krijgt wat je nodig hebt – *just wait and see!*'

Ecker leunde weer achterover. Op Chris kon je vertrouwen.

Toen ze de provincie Skåne binnen reden, waren Johannes Kruut en Hans Ecker allebei in hun stoel ingedommeld. Ze werden wakker doordat de auto stopte en gingen slaapdronken rechtop zitten.

'Wat is er, Chris?' vroeg Johannes.

Silfverbielke zei rustig: 'Niks aan de hand, ik wil even wat kauwgum kopen en naar de wc. Ik ben zo terug.'

Hij ging het benzinestation in, keek om zich heen en vond al snel wat hij zocht. Hij pakte het doosje met de mobiele telefoon en nam het mee naar de kassa. Toen hij hem op de toonbank legde, ontdekte hij tot zijn verbazing dat de verpakking al geopend was.

De man achter de toonbank glimlachte hem toe. 'De meeste mensen die zo'n ding kopen, willen meteen bellen. En dan is hij niet opgeladen. En dan wordt de klant kwaad. Ik wil geen kwade klanten, dus ik laad de batterijen meteen op.'

Silfverbielke keek hem verbaasd aan. De man was dik, maar zag er keurig uit in zijn bedrijfsuniform. Hij sprak met de tongval van Skåne, maar vooral: hij had nágedacht! Een licht te midden van alle idioten. Christopher knikte waarderend. 'Uitstekend, ik neem hem. En een simkaart en een prepaidkaart.'

'Jazeker, een Telia of een Comviq?'

'Doe maar Comviq, en een vijfhonderdkronenkaart.'

'Zozo, er moet flink worden gebeld, begrijp ik?'

Silfverbielkes stem werd zacht, kil. 'Mijn moeder heeft kanker en ligt op sterven in een ziekenhuis.'

De benzinepompbaas keek op. 'O, sorry, het was niet mijn bedoeling...'

Inwendig dacht hij: je hebt een hele stapel bankbiljetten en rijdt in een Mercedes-jeep die meer kost dan ik in jaren verdien. En toch heb je geen mobieltje, en opeens kom je op het idee dat je er een moet kopen om je doodzieke moeder te bellen...

Christopher knikte hem geruststellend toe. Hij begon briefjes van vijfhonderd van het stapeltje te pellen. 'Wat kost de simkaart?'

'Die krijgt u van mij. Dan wordt het 995 voor de telefoon en 500 voor de prepaidkaarten, 1495 kronen in totaal.'

Christopher betaalde. 'Dank je wel. Heb je ook extra batterijen en een autolader?'

De man knikte, pakte de spullen en nog meer bankbiljetten wisselden van eigenaar. Christopher stopte de simkaart in de telefoon en voerde snel de codes van de vier prepaidkaarten in.

Zonder iets te zeggen deed hij alles in zijn zakken, ging naar het toilet en deed de deur op slot. Hij pakte het mobieltje en het papiertje met Helena's nummer, programmeerde het in de telefoon en stuurde haar snel een sms'je: *Bedankt dat ik je nummer mocht hebben. Kan je niet vergeten. Ben onderweg naar Duitsland voor zaken, maar wil je graag weer zien als ik terugkom. Wil je dan met me uit eten? Liefs, Hans.*

Toen hij weer in de auto stapte, keek Johannes Kruut hem verbaasd aan.

'Waarom duurde het zo lang?'

Silfverbielke keek hem lang aan. 'Ik denk niet dat je daar details van wilt weten.'

Hij startte de auto en draaide de E4 weer op.

'Dat is dan zeshonderdzeventig kronen, alstublieft.' Helena Bergsten glimlachte naar de klant en nam het geld aan. Ze schrok toen haar mobiel begon te trillen op de toonbank, gaf de klant snel wisselgeld en een bonnetje en nam op.

Bericht ontvangen. Ze drukte op TONEN en las het.

Ze herkende het nummer niet, en de naam ook niet, maar begreep het meteen. Ze kreeg het er helemaal warm van, maar aarzelde toch even. Toen verzamelde ze moed, drukte op BEANTWOORDEN en schreef: *Graag! Wanneer, waar, hoe? Doei, Helena.*

Ze drukte op VERZENDEN en bleef lang staan, met de telefoon in haar hand en een glimlach om haar lippen.

'Het is verdomme niet de Queen Mary, maar voor één nacht zal het wel gaan.' Hans Ecker hield de deur van de hut met een hand open en keek naar binnen.

Silfverbielke zei niets, trok alleen maar een vies gezicht en zette zijn deur op het haakje. Johannes, die de hut naast Christopher had, klonk wat positiever. 'Nou zeg, zo erg is het toch niet? Ik vind dat het er schoon en goed uitziet. En we zullen toch niet veel in de hut zitten, we gaan toch feestvieren, mannen?'

Een uur later had de Peter Pan van TT-Lines de haven van Trelleborg verlaten en over het donkere water koers gezet richting Travemünde. Het drietal had in een van de twee restaurants op het schip van het buffet gegeten, en Kruut en Ecker hadden dubbel gelegen van het lachen toen Christopher de gratis wijn uit de tapkranen had gedefinieerd als 'een tragisch mengsel van Duits frambozensap en Franse geitenpis', waarna hij een paar flessen betere wijn had besteld en had verklaard dat hij ervoor wilde betalen.

Om de erbarmelijke maaltijd te kunnen verdragen, hadden ze een paar borrels gedronken voordat ze in Eckers hut allemaal een lijntje cocaïne snoven.

In de taxfreeshop kochten ze een geschenkverpakking met producten van Hugo Boss en een paar flessen Glengoyne-whisky voor Björn Hamberg. Dit werd gecompleteerd met nog vijftien flessen wijn en sterke-drank van diverse merken en een halve boodschappentas vol pure chocola en blikjes cashewnoten. De inkopen werden naar Hans Eckers hut gebracht, waarna het drietal zich naar de voorste barzaal begaf in de hoop dat de avond nog iets beters zou opleveren.

Die hoop vervloog onmiddellijk. In de zaal zat een tiental mensen aan de kleine tafeltjes rondom het zielige oppervlak dat een dansvloer moest voorstellen. Vier van de aanwezigen waren vrachtwagenchauffeurs, alle vier met een biertje voor zich. In de bar hing een vermoeide barkeeper over de toog met zijn blik strak gericht op de twee tv-schermen, waarop respectievelijk een voetbalwedstrijd en een Duitse quiz te zien waren.

Silfverbielke moest zich inspannen om niet in woede uit te barsten. Wat een armetierig zootje. Hij verdiende beter. *Ik wil iemand slaan. Hard. Nu.* Hij deed zijn ogen even dicht om zijn zelfbeheersing terug te krijgen. 'Ga zitten, jongens, dan haal ik iets te drinken.'

Terwijl Johannes en Hans in de fauteuils bij de kleine tafeltjes gingen zitten, liep Christopher naar de bar. De vermoeide barman keek op. Silfverbielke glimlachte. 'En wanneer begint het feest?' probeerde hij luchthartig.

De barkeeper was in de vijftig, kalend en te zwaar. Hij had een boksersneus en spleten tussen zijn tanden, en die droegen de sporen van te veel roken. 'Het is waarachtig al een tijdje geleden dat het hier feest was,' zei hij in plat Skåns. 'Tegenwoordig komen hier alleen nog maar chauffeurs. Dit is geen partyboot, zoals ze dat noemen. Wat mag het wezen?'

Silfverbielke zuchtte. *Het is niet 'wat mag het wezen', idioot. Het is 'Goedenavond, heren, wat wilt u drinken?'* 'Drie Long Island Iced Tea, grote graag!'

De barkeeper keek verbaasd. 'Drie watte?'

Christopher deed zijn ogen dicht en voelde de woede in zich opwellen. Hij moest zijn uiterste best doen om de man niet met een rechtse directe neer te slaan. 'Ik bedenk me. Zes dubbele whisky's met het water apart, graag.'

De barkeeper haalde zijn schouders op en pakte een fles Maker's Mark. Silfverbielkes stem werd ijzig. 'Ik bestelde whisky, geen benzine!'

De barman keek hem met lege ogen aan. 'Ik dacht dat ze goedkoop moesten zijn, de meeste mensen willen goedkope hebben...'

'Geef me zes dubbele tienjarige Glengoyne, alsjeblieft.'

'Ja, ja, op die manier dus.'

Christopher nam het dienblaadje mee naar de tafel waar de anderen zaten. Ecker zag dat zijn ogen donker stonden. Hij glimlachte. 'Zo, de barkeeper heeft het buskruit niet uitgevonden, begrijp ik?'

Silfverbielke liet zich in een stoel zakken en goot de helft van een whisky naar binnen. 'Hoeveel punten krijg ik als die zak vannacht verdwijnt?'

Johannes en Hans lachten en hieven hun glas om te proosten. Ecker knikte discreet naar een tafeltje waar twee blonde vrouwen van een jaar of vijfendertig aan hun wijn zaten te nippen. 'Chris, dat zijn de enige vrouwen op de hele boot. Zullen we een poging wagen?'

Christopher keek vermoeid naar het tafeltje met de vrouwen.

'Hans, ik lees liever een boek over opgravingen in Egypte. Het enige wat ik nu wil, is me volgieten met whisky en dan deze hele verdomde rotschuit wegslapen. Ik kan niet wachten tot we in Berlijn zijn!'

Johannes hief zijn glas. 'Ik sluit me bij Chris aan. Proost op Berlijn, jongens!'

Een halfuur later nam Silfverbielke in zijn hut een snelle douche, waarna hij naakt tussen de lakens van de veel te smalle brits gleed. Hij pakte zijn mobiel, las Helena's bericht en schreef een sms'je terug: *Geweldig dat je wilt! Wanneer? Zodra ik kans zie in je buurt te komen, maar hou vol! Waar? Jönköping misschien? Hoe? Als je eens wist! Nachtzoentje, Hans.*

Hij drukte op het verzendknopje en glimlachte toen hij bedacht hoe ze zou reageren. Hij deed het bedlampje uit en sliep al gauw in op de verre vibraties van de scheepsmotoren.

15

Om kwart over zes 's ochtends uur werd hij wakker van een woedend signaal van zijn mobiele telefoon. Hij reikte er slaapdronken naar en nam op.

Johannes Kruut klonk verontrustend wakker. 'Goedemorgen! Ik heb Hans net wakker gemaakt. Wij wilden over een uur naar het ontbijtbuffet in de eetzaal. Kom jij ook?'

Silfverbielke zuchtte. 'Dank je, Johannes, maar ik denk dat ik een keertje oversla. Ik eet 's morgens meestal niet. We zien elkaar wel als het tijd is om naar het autodek te gaan.'

Toen Christopher met enige moeite uit zijn bed klom, deed zijn hele lichaam zeer en hij vervloekte de ondermaatse kwaliteit van de veerboot. Hij schoor zich zorgvuldig, nam een hete douche en smeerde zijn gezicht in met moisturizer. Hij trok een boxershort, een overhemd met korte mouwen, een spijkerbroek, sokken en handgenaaide, zachtleren bootschoenen aan. Hij stopte zijn eigendommen in de metalen koffer, ging op het bed zitten en checkte zijn prepaidtelefoon. Een nieuw bericht van Helena, vier uur geleden verzonden: *Ik hou vol. Voelde ook iets heel spesjaals toen jij kwam. Wat zie je in mij? Knuffel, Je Helena.'*

Je Helena? Silfverbielke glimlachte. Het duurde niet lang. Maar ze moest wel leren spellen. Hij moest haar het een en ander leren. Hij zóú haar het een en ander leren.

Hij dacht even na en formuleerde een antwoord. *Je bent mooi en sexy, maar ik had het gevoel dat er meer is. Ik weet alleen dat ik je weer wil zien – gauw! Je Hans.*

Dát zou aankomen bij een negentienjarige in Gränna. Hij glimlachte en stopte het mobieltje weg. Nu lag de bal weer bij haar, en het werd tijd om haar wat in spanning te gaan houden.

Toen de luidsprekerstem alle chauffeurs opriep om zich naar het autodek te begeven, zat Silfverbielke al achter het stuur te roken.

Vlak voordat Hans en Johannes de Mercedes op het autodek hadden gevonden, kwam er een klein, dik mannetje in een werkbroek en een sweatshirt met het logo van TT-Lines op de borst naar de auto toe. Hij tikte op de zijruit.

Christopher liet de ruit zakken.

'Het is verbood'n op het autodek te rook'n. Je moet 'm uitdoen!'

Verbood'n in plaats van verboden. *Rook'n* in plaats van roken. Silfverbielke bekeek de man van boven tot onder en kwam razendsnel tot de conclusie dat die stond voor alles waar hij een hekel aan had. Hij was klein, smerig, ongeschoren, slecht gekleed en hij sprak ongearticuleerd.

Spring uit de auto en sla erop tot hij niet meer beweegt. Christopher vocht tegen zijn innerlijke stemmen, drukte de sigaret uit in de asbak van de auto en glimlachte beminnelijk. 'Kan ik nog meer voor u doen, meneer?'

De man in de TT-trui liep weg van het raampje en liep langzaam om de Mercedes heen. Op dat moment gingen de deuren open en stapten Johannes en Hans in, hem een goede morgen wensend.

Christopher knikte, maar hoorde hen niet. Hij was helemaal geconcentreerd op het bemanningslid, dat op zijn gemak om de auto heen liep en nu weer bij het raampje naast de chauffeur terugkwam.

'Je krijgt toch probleem'n in Duutsland!' zei hij met ingehouden leedvermaak.

Hij grijnsde spottend en Silfverbielke voelde een sterke neiging om hem onmiddellijk om te brengen, maar wist zich te beheersen. 'Waarom?'

'Je hebt spijkerband'n!'

Silfverbielke werd plotseling onzeker. Had hij iets gemist? 'Nou, en?'

'Minstens twaalfduuz'nd boete als je in Duutsland met spijkerband'n rijdt, minstens!'

Christopher leunde achterover en staarde de man aan. 'Bedankt voor de informatie!'

Het bemanningslid spuugde op het stalen dek en liep weg. Silfverbielke startte knarsetandend de motor en reed achter de andere auto's aan van de boot af. Hij reed zwijgend door het havengebied naar de terminal, vond een parkeerplaats en zette de motor uit.

Johannes Kruut zat heel stil in de passagiersstoel naast hem. Silfverbielke keek hem aan. 'Mijn beste Johannes, heb jij deze reis niet georganiseerd, kaartjes geboekt en alles tot in detail geregeld tot aan Berlijn?'

Kruut zag er ongelukkig uit. 'Eh... Jaha.'

'Je hebt blijkbaar het detail van die spijkerbanden gemist, en nu lopen we het risico van een boete van pakweg twaalfduizend kronen. Heb je een goed idee?'

Het werd stil in de auto.

Silfverbielke vertrouwde op de GPS van de Mercedes om de weg naar Goedewind 5 te vinden, naar de Volkswagen-garage die de lokale vertegenwoordiger van Hertz in Travemünde was. Een paar telefoontjes met Hertz Zweden, onder vermelding van het nummer van Hans Eckers platinakaart, hadden opgeleverd dat Hertz Duitsland hun natuurlijk met alle middelen ten dienste zou staan en dat het Duitse personeel hen vanaf acht uur verwachtte.

Christopher Silfverbielke reed de Mercedes in stilte het terrein van de garage op. Hij keek Johannes Kruut aan. 'Johannes, ik ben moe. Ik wil een comfortabele, grote auto hebben, die banden heeft die in dit verdomde Hitlerrijk toegestaan zijn, en ik wil hem nu hebben. Ik vertrouw op jouw talent en goede smaak. Oké?'

Kruut zag er diep ongelukkig uit en draaide zich om naar de achterbank. 'Ga je mee, Hans?'

Ecker zuchtte, deed het portier open en liep achter Johannes aan naar de autodealer. Christopher leunde achterover en deed zijn ogen dicht. Vijftien minuten later werd zijn gepeins onderbroken door een bescheiden klopje op de ruit. Achter Kruut en Ecker stond een jonge vrouw. Christopher drukte op het knopje en liet de zijruit zakken. 'Ja?'

'Slecht nieuws, Chris,' kreunde Hans, voordat hij dubbel sloeg van het lachen.

Silfverbielke keek Kruut aan. Johannes keek bedrukt. 'Het spijt me, Chris, echt, maar ze hebben niet zo veel auto's beschikbaar met winterbanden...'

'En dat betekent?' Christopher staarde Johannes aan, haalde het sleuteltje uit het contact, opende het portier en bereidde zich voor op een verrassing.

Kruut schraapte zijn keel. 'Dat betekent dat we... een Volkswagen krijgen.'

De Fox was een van de kleinste auto's die Volkswagen tegenwoordig produceerde, een gegeven waar Christopher Silfverbielke niet erg van onder de indruk was toen hij het postgele misbaksel de parkeerplaats af reed.

Ze hadden met veel pijn en moeite hun koffers, alle taxfreezakken en Johannes Kruut op de achterbank weten te proppen. Christopher was achter het stuur gaan zitten en had de stoel zo ver mogelijk naar achteren gezet. Hans Ecker, kennelijk nog steeds vrolijk onder invloed van de laatste restjes drank en cocaïne van gisteren, gniffelde hysterisch over Silfverbielkes woede toen die het mini-autootje richting Berlijn reed.

'Het spijt me, Chris, echt,' probeerde Johannes vanaf zijn krappe positie op de achterbank.

'Johannes...' zei Silfverbielke met lage, koude stem. 'Je zou me een dienst bewijzen als je heel lang je mond zou houden. Maar intussen kan ik je wel vast vertellen dat je nu voor straf een opdracht moet uitvoeren om misschien nog een paar broodnodige punten te verdienen!'

Kruut knikte. Op dit moment was hij bereid zo ongeveer alles te doen om Christopher weer in een beter humeur te krijgen. Vanuit zijn ingeklemde positie op de achterbank antwoordde hij: 'Natuurlijk, wat moet ik doen?'

'Zoals je ongetwijfeld nog weet, moeten we een groot geldbedrag, om precies te zijn drie miljoen of zo, mee terugnemen uit Berlijn. Ik wil dat je dat geld met je leven bewaakt zodra we de auto uitgaan, al is het maar om naar de wc te gaan. Bovendien wil ik dat jij in Trelleborg met de koffer met geld lopend door de douane gaat, terwijl Hans en ik met de auto van de veerboot gaan. Snap je?'

'Ja, eh... Ik snap het, maar waarom?'

Silfverbielke trok een grimas. 'Geen gewaarom. Doe je het of doe je het niet?'

Kruut aarzelde. Wat zou er gebeuren als alles misging? Als de douane hem tegenhield, hoe moest hij dan in hemelsnaam verklaren dat hij drie miljoen in contanten bij zich had? Nou ja, hij zou wel wat verzinnen. Misschien kon hij met een verhaal komen dat hij het had gewonnen in een casino in Duitsland. Nu ging het erom Christopher weer aan zijn kant te krijgen.

'Komt goed, Chris, ik doe het. Hoe... hoeveel punten krijg ik daarvoor?'

Christopher keek even opzij naar Ecker. 'Daar moeten Hans en ik het even over hebben. Vijf of tien punten kan het wel waard zijn.'

Kruut keek door het kleine zijruitje, terwijl er van alles door zijn hoofd ging.

Silfverbielke gaf plankgas en toen de Fox goed en wel op de Autobahn was, kon hij hem op zijn best toch tot honderdveertig kilometer opjagen. De zwaarbeladen auto was sloom, hobbelig en maakte slagzij bij het minste zuchtje wind. Christopher reed op de rechter rijstrook en werd voortdurend ingehaald door Mercedessen, Audi's en zelfs door andere Volkswagens. 'Vuile nazi's,' mompelde hij verbeten.

Hij had het gevoel dat hij op dit moment zo ongeveer iedereen kon ombrengen.

Inclusief Johannes Kruut.

Op weg naar Berlijn werd er niet veel gezegd. Silfverbielkes gezicht had een harde uitdrukking, en Kruut en Ecker beseften dat het geen goed idee was om een gesprek te proberen aan te knopen.

Toen ze Berlijn naderden, haalde Christopher een draagbaar navigatiesysteem uit zijn zak, bevestigde dat aan het dashboard en volgde de instructies op, totdat ze konden afremmen voor het Ritz-Carlton aan Potzdamerplatz 3, waar Björn Hamberg kamers voor hen had gereserveerd. 'Dat is een representatief hotel waarin jullie alles krijgen wat jullie willen hebben, en het ligt op een minuut lopen van mijn werk,' had Björn gezegd.

Een zwarte man in een groen uniform en met een hoge hoed op kwam naar de auto, opende vriendelijk het linker portier en glimlachte. '*Welcome to Ritz-Carlton, sir!*'

Representatief? Hoe kan er dan verdomme een neger aan de deur staan? vroeg Silfverbielke zich vol weerzin af. Hebben ze dan helemaal geen gevoel voor klasse? We zijn toch niet in Afrika?

Hij kookte inwendig en geneerde zich bovendien vreselijk dat hij bij een fatsoenlijk hotel arriveerde in een Volkswagen Fox. En dat was allemaal de schuld van die amateur van een Kruut. Nou ja, dat moesten ze later maar ophelderen. Nu ging het alleen nog maar om overleven.

De foyer van het Ritz-Carlton had veel weg van een fraai ontworpen kunstwerk. De vloer was van mooi marmer in lichte tinten, de witmarmeren trap naar de hogere verdiepingen was breed als een snelweg. De receptionisten waren intelligent genoeg om hun verbazing dat de nieuwe gasten arriveerden in een van de kleinste Volkswagen-modellen niet te laten blijken.

Het drietal werd dus keurig welkom geheten en, nadat hun bagage naar hun kamers was gebracht, een drankje aangeboden in de fraaie bar op de begane grond.

'Kijk eens aan, een klein verschil met de boot!' zei Ecker opgewekt toen hij de minisuite betrad die hem was toegevallen. 'Wat kost dit feestje, Chris?' riep hij over zijn schouder de gang in.

'Daar kunnen we wel mee leven,' repliceerde Silfverbielke. 'Vierhonderdvijftig euro per nacht per suite, en dan nog een paar honderd omdat
ik heb gevraagd om een laptop in elke suite.'

Johannes Kruut stond zwijgend bij de deur naar zijn kamer. Hij had
wel een aantal zakenreizen gemaakt met zijn vader, maar dat was een
spaarzaam man, die altijd in schone, maar eenvoudige hotels verbleef,
en van suites was nooit sprake geweest.

Het was even na één uur 's middags. Toen ze zich in hun kamers geïn-
stalleerd hadden, gingen de drie mannen terug naar de begane grond,
namen plaats in de bar en bestelden een lunch en drank.

Christopher Silfverbielke keek om zich heen. Wat hij zag beviel hem
zo goed dat zijn behoefte om Johannes Kruut een aframmeling te geven
voor het foutje van vanmorgen een beetje afnam.

De bar, gemaakt van prachtig hardhout, was gedempt verlicht. De serveersters waren mooi en hadden Indonesische sarongs aan. Voor de bar
lag een vrij grote tearoom, waar een man in smoking een vleugel be-
speelde.

Christopher stond op en vroeg waar het toilet was. Een van de sa-
rongmeisjes wees hem de weg. Voor de deur van het herentoilet glimlachte ze en ze maakte een handgebaar.

Het toilet was betegeld met groen marmer en Christopher stelde tevreden vast dat de marmeren wastafels waren voorzien van bladen vol
opgerolde badstof handdoeken.

Stijl en klasse. Goed zo.

Op weg terug werd zijn aandacht getrokken door de inhoud van een
fraaie vitrinekast, die blijkbaar bij de souvenirshop hoorde. *Made by
Bentley*. Silfverbielke dacht na. Een Bentley. Misschien niet zo'n gek idee.
Nadenkend bekeek hij de modelautootjes, de stropdassen met logo's, de
sleutelringen en... de handschoenen. Die leken van prachtig leer, zwart
aan de binnenkant en bruin aan de buitenkant, met een klein polsbandje
met een drukknoopje met het logo van Bentley.

Vastbesloten liep hij de souvenirshop in, en daar zag hij nog een vitrinekast waar hij voor stil bleef staan. Hier stonden twee verschillende leren
schoenen, een houten mal van een schoen en een bordje dat verklaarde
dat de gerenommeerde schoenmaker Mario Herzog graag de maat kwam
nemen voor een bestelling en de schoenen dan met de hand maakte.

In de souvenirshop kreeg Christopher te horen dat Herzog honderdvijftig euro in rekening bracht voor het meten en nog eens twaalfhonderd euro voor de schoenen. De handgemaakte meesterwerkjes zouden zes weken later worden geleverd. Wie wil er zes weken zitten wachten op een paar schoenen? Achterlijk! dacht Christopher, en hij vroeg toen naar de Bentley-handschoenen. Een chique dame in hoteluniform liep met hem mee naar de vitrinekast en maakte die open. Vijf minuten en honderdtwintig euro – op de kamer van Johannes Kruut gezet – later kwam Christopher glimlachend terug bij zijn vrienden in de bar, met de handschoenen aan.

Hans Ecker zat met zijn mobiele telefoon in zijn hand. 'Björn komt om een uur of vijf, na zijn werk, hierheen. We hebben dus een paar uur de tijd om ons vol te laden. Ik stel voor met slaap. Wat vind jij?'

Christopher keek naar Johannes Kruut, die stil en ineengedoken in een stoel zat. 'Goed idee. Ik vind dat Johannes deze keer moet trakteren. Zet de lunchkosten maar op zijn kamer, dan gaan we een dutje doen.'

Eckers oog viel op Christophers handen. 'Hé, wat heb jij daar aan je handen, mag ik eens zien?'

Silfverbielke stak zijn gehandschoende handen uit om ze te laten bekijken.

'Cool!' zei Kruut. 'Hartstikke mooi!'

Christopher glimlachte naar hem. 'Dank je, Johannes, in dubbel opzicht. Je hebt ze zojuist voor me gekocht. Dat was echt heel aardig van je.'

'Huh? Bedoel je...?'

Hans Ecker leunde achterover en lachte. 'Nou, dat is heel tof van je, Johannes. En kijk eens hoe het humeur van meneer Silfverbielke ineens is opgeknapt!'

Op zijn bed liggend belde Hans Ecker Veronica om te vertellen dat ze waren aangekomen en dat alles goed ging.

'Is het een goed hotel?' vroeg Veronica.

'Het is het Ritz-Carlton, dus veel beter kan niet,' antwoordde Hans. Hij deed zijn best om vrolijk en ontspannen te klinken. Geestelijk was hij al helemaal geconcentreerd op de vraag waar en hoe ze vanavond al een paar meisjes konden versieren.

'Jullie halen niet te veel kattenkwaad uit, hè? Jullie moeten voorzichtig zijn,' hield Veronica hem voor.

Ecker deed zijn best overtuigend te klinken. 'Dat komt wel goed, schat, we zijn hier alleen maar om Björn te zien en onze verjaardagen te vieren. Vanavond gaan we lekker eten, denk ik. Natuurlijk doen we kalm aan.'

'Ik hoop het. Hoe is het trouwens met Johannes?' Veronica Svahnberg hoopte dat haar belangstelling oprecht leek.

'O, wel goed, hoor. Waarom vraag je dat?' Hans Ecker klonk verbaasd.

'Ach, ik vroeg het me gewoon af, ik heb een beetje met hem te doen. Is hij nog steeds alleen?'

Ecker lachte. 'Lieverd, Johannes is altijd alleen geweest en zal dat waarschijnlijk ook altijd blijven.'

'Och, die stakker. Jullie moeten hem maar een handje helpen. En...' Veronica schraapte haar keel, '...hoe is het met Christopher?'

'Hoe bedoel je?'

Veronica hapte naar lucht. In de jaren dat ze met Hans samen was, had ze Christopher een paar keer ontmoet bij etentjes en feestjes. De eerste keer al had hij haar aangekeken met die diepe, bijna doorborende blik, zoals hij alleen dat kon en ze voelde zich tot hem aangetrokken. En die belangstelling was met de jaren niet minder geworden. Ze had echter al snel begrepen dat Christopher één groot, levend waarschuwingssignaal was en dat ze op veilige afstand van hem moest blijven. Hij was gevaarlijk. En daardoor ook mateloos interessant. Ze had het gevoel dat hij herhaaldelijk een beetje met haar flirtte, maar ze wist niet of hij het meende of alleen maar met haar speelde. Maar pas geleden, op het nieuwjaarsfeest, was haar laatste twijfel weggenomen toen hij iets had gezegd over haar geur en met zijn lippen even haar hals had beroerd.

'Eh, ik bedoel gewoon... Ik vroeg me gewoon af of het goed met hem gaat.'

Ecker lachte weer. 'Alles is prima met Chris, liefje. Moet je niet vragen of hij ook nog alleen is?'

'Nou ja, dat is toch niet zo gek om te vragen? Zo zijn wij vrouwen, dat weet je inmiddels toch wel, schat?'

'Ja, dat zou ik onderhand toch wel moeten weten. Ik kan je verzekeren dat Chris nog single is en dat zal hij ook nog wel een tijdje blijven. Hij pikt vrouwen op als hooibalen. Hij heeft zijn uiterlijk natuurlijk mee, zogezegd.'

Veronica Svahnberg voelde een steek van jaloezie die ze niet goed begreep. En tegelijkertijd: opwinding. Zijn uiterlijk mee, ja, dat kon je wel zeggen van Christopher Silfverbielke. Als ze zelf single was geweest, had ze er beslist niks op tegen gehad om...

Ze probeerde die gedachten van zich af te zetten. Waar was ze mee bezig? Ze wilde een goed, stabiel leven. Ze had zich opgewerkt naar een goede baan in het bedrijfsleven. Ze hield van Hans, wilde met hem leven, wilde dat ze een huis kochten en kinderen kregen. Bovendien was hij, in tegenstelling tot Christopher, een betrouwbare partij. Ze had geen idee wie Silfverbielke achter zijn masker was en dacht dat niemand dat eigenlijk wist, ook al had Hans haar herhaaldelijk verzekerd dat Chris zijn beste en trouwste vriend was.

'Hou je van me, Hans?'

'Natuurlijk hou ik van je, meissie, er is niemand anders voor me, dat weet je toch?' Ecker klonk verbaasd.

'Ja, maar soms wil ik je dat gewoon even horen zeggen. Je zegt het niet zo vaak.'

Hans zuchtte. 'Sorry, schat, ik was de laatste tijd wat gestrest. Al dat gedoe op het werk, je weet wel. Maar natuurlijk hou ik van je. Misschien moet je stoppen met de pil als ik thuiskom, denk je niet?'

Veronica's stem was een en al blijdschap. 'Dat doe ik meteen! Kom maar gauw naar huis. Ik heb zin in je!'

Hij verzekerde haar nogmaals dat hij veel van haar hield. Toen hing hij op, pakte het blad *Berlin this week* en bladerde het nieuwsgierig door op zoek naar advertenties van escortgirls.

Veronica Svahnberg bleef nog lang met de telefoon in haar hand zitten. Terwijl ze aan de ene kant warm was geworden van wat Hans had gezegd, bleef ze nog lang aan Christopher Silfverbielke denken.

16

Vrijdag 2 februari

Johannes Kruut keek welke tv-stations er waren en stelde tevreden vast dat hij met één druk op de knop Duitse pornofilms kon bestellen, dag en nacht, en dat voldeed heel goed aan zijn behoeften.

Silfverbielke pakte zijn prepaidmobiel. Hij had twee sms'jes van Helena gekregen en zag dat die ook 's nachts waren verstuurd. *Moeite met slapen, meissie?* Hij las het eerste bericht. *Woow, wat een compliment, dank je! Je bnt egt n boeiende man! Knuffel van je Helena.'* En twee uur later: *Je bnt vast ervaren. Heb je veel meisjes ghad?* Christopher glimlachte. Nieuwsgierigheid, jaloezie of allebei? Hij antwoordde: *Natuurlijk ben ik ervaren en natuurlijk heb ik vrouwen gehad. Spannend, hè? Ben je single? Nieuwsgierig, Je Hans.* Hij legde het mobieltje weg, nam een snelle douche en gleed naakt tussen de koele, witte lakens.

Hij werd ruim een uur voordat ze met Björn Hamberg hadden afgesproken wakker. De slaap had hem goed gedaan en hij gebruikte het uur om zijn lichaam te verzorgen. Zestig push-ups en veertig sit-ups, gevolgd door een douche. Daarna schoor hij zijn gezicht zorgvuldig. Toen verwisselde hij het scheermes en verwijderde even zorgvuldig de laatste restjes schaamhaar. Ten slotte smeerde hij zijn hele lichaam in met een vochtvasthoudende lotion en zijn gezicht met een andere crème. Hij pakte zijn koffer uit en hing zijn kleren keurig in de kast. Hij trok elegante, maar discrete kleding aan: een stralend wit overhemd, een lichtgrijze stropdas en een donkergrijs kostuum.

Zijn mobieltje gaf aan dat er twee nieuwe sms'jes waren. *Je bnt lief en je mooie wrdn makn me blij! Je Helena.* En daarna: *Ja heb vrnd Niklas maar t is niet zo goed tussen ons msschn maak ik t gauw uit. K&K!*

Christopher drukte op BEANTWOORDEN en schreef: *Als je een camera op je mobiel hebt, stuur dan iets moois waar ik naar kan kijken voordat ik ga slapen. Knuffel, je Hans.* Het antwoord kwam snel. *OK zal zien wat ik kan doen. Trwns, bn jij zelf single?* Hij antwoordde snel: *Ja!*

Hij ging naar beneden, naar de bar, bestelde een whisky en wachtte op de anderen.

Toen Björn Hamberg even na zessen de bar in gezeild kwam met een aluminium koffertje in zijn hand, hadden ze alle drie al een whisky op.

'Hallo, jongens, dat is alweer een tijd geleden. Welkom in Berlijn!'

Ze stonden op, schudden hun vriend de hand en omarmden hem.

Achter Björn stond een lange, gespierde man met een donkerbruine huid en zwart haar. Björn draaide zich naar hem om en fluisterde een paar woorden in het Duits. De man knikte, keerde zich om en ging weg zonder iets te zeggen.

'Wat was dat?' vroeg Ecker geamuseerd.

Björn Hamberg glimlachte. 'Gezien de inhoud van dit koffertje wilde ik zelfs zo'n kort wandelingetje liever niet alleen maken. Het zou een beetje sneu zijn als een of andere lamstraal me op weg hierheen zou overvallen, hè?'

'Slim,' zei Silfverbielke. 'Zullen we de volgende whisky maar op de kamer nemen terwijl we dat daar op een veilige plek opbergen?'

Hamberg knikte. 'Goed idee.'

Christopher liep naar de bar en vroeg om een fles whisky, water en koffie voor op zijn kamer. Hij ging terug naar de anderen en tilde het metalen koffertje op van de vloer. 'Mijne heren, ik geef een rondje.'

Ze wachtten tot roomservice een dienblad met hun bestelling had gebracht. Silfverbielke vergewiste zich ervan dat de deur op slot zat, legde toen het koffertje op het bed en maakte het open. Johannes Kruut floot toen hij de stapeltjes bankbiljetten zag.

'Mijne heren: driehonderdduizend euro in diverse coupures,' zei Björn Hamberg glimlachend. 'En meer wil ik natuurlijk niet weten.'

'We zijn je veel dank verschuldigd, Björn,' zei Hans Ecker, en hij drukte zijn vriend de hand.

Silfverbielke telde snel vierduizend euro af en overhandigde die aan Björn Hamberg. 'Hartelijk bedankt voor je hulp, en hier is een kleine vergoeding voor onkosten en... het lekkers, hoop ik?' Hij gaf Hamberg een veelbetekenend knipoogje, maakte vervolgens drie stapeltjes van tweeduizend euro, overhandigde er een aan Johannes en een aan Hans en stopte het derde in zijn zak. Ten slotte verdeelde hij de rest van het geld in drie gelijke delen en deed die in doorzichtige plastic zakken.

Ze legden alle drie een zakje in de kluis in hun suite. Daarna kwamen ze terug naar de kamer van Christopher om whisky te drinken.

'Laten we het vieren, jongens. Hier is het lekkers!' Björn Hamberg haalde een plastic zakje tevoorschijn, legde zorgvuldig vier lijntjes op het glazen tafeltje voor hen en pakte een bankbiljet uit zijn colbertje. De anderen namen ook een briefje van honderd, bogen zich voodover en snoven het witte poeder op, waarna ze zich met een zucht van verlichting in hun fauteuil lieten zakken. Ecker gooide zijn opgerolde bankbiljet op het tafeltje, stak een John Silver op en trok de asbak naar zich toe, zodat die op een prettige afstand kwam te staan.

'Zo, daar is niks mis mee!'

Christopher glimlachte instemmend en knikte, hief toen proostend zijn glas en zei tegen Hamberg: 'Vertel eens, Björn, hoe is Berlijn?'

Björn Hamberg was een vrolijke, luchthartige vent, ruim vier jaar ouder dan Hans en Christopher. Ze hadden elkaar leren kennen op de Handelshogeschool, maar na hun studie was Björn de technische kant op gegaan, terwijl zijn vrienden hun heil in de financiële branche hadden gezocht. Hij had zich opgewerkt bij de Duitse technische onderneming Schecke en was daar de coming man. Toen hem acht maanden geleden een baan als hoofd productontwikkeling was aangeboden op het hoofdkantoor van Schecke in Berlijn, had hij niet geaarzeld. Hij was single, de baan was een uitdaging, zijn salaris zou in één keer verdubbeld worden en alles leek hem mee te zitten.

'Ik heb het verrekte goed naar mijn zin, behalve dan dat ik nou niet echt dol ben op de taal. Maar de mensen zijn over het algemeen oké, een beetje strikt, natuurlijk. Het is een mooie stad; er is een hoop te doen en de prijzen vallen erg mee. En...' Björn knipoogde veelbetekenend, '...er zijn een hoop lekkere meiden!'

Johannes Kruuts gezicht lichtte op. 'Dat klinkt veelbelovend!'

Silfverbielke kreunde inwendig en Ecker smoorde een lach. 'Zeker weten! Wat heb je voor ons in gedachten, Björn?'

Hamberg proefde van zijn whisky en smakte goedkeurend. Hij legde een hand om zijn kin en dacht even na. 'Tja, ik denk dat we niet alles tegelijk kunnen doen. Berlijn heeft geen centraal plein waar het allemaal gebeurt, zoals het Stureplan in Stockholm. Op dit moment bevinden we ons midden in het zakencentrum – de straten hier rondom de Potsdamerplatz – maar hier zijn geen cafés of clubs die de moeite waard zijn, alleen een grote bioscoop die Sony hier heeft neergezet en een paar kleine kroegjes. Ik dacht dat we misschien een hapje konden eten bij een zaak die Brel heet, aan de Savignyplatz.'

'O, zoiets als Café Opera?' vroeg Johannes.

Björn lachte. 'Dat nou niet direct. Er is hier niet echt een Café Opera. Brel is een klein, trendy, intiem café, waar veel intellectuelen komen. Het is er gezellig en ze hebben heel lekker eten. En dan gaan we daarna naar de clubs.'

Het was over elven 's avonds. Het drietal zat samen met Björn Hamberg na te tafelen bij Brel, met koffie, cognac en sigaren. De kaarsjes wierpen een warm schijnsel over de witte tafelkleden en buiten verspreidden de straatlantaarns een oranjeachtig licht over de natte straatkeien.

'Dat was een goede keus, Björn, het eten was voortreffelijk!' Hans Ecker stak een sigaar op.

'Dank je, Hans. Maar eerlijk gezegd doe je het niet gauw verkeerd in Berlijn. Er zijn ongelooflijk veel goede cafés, en omdat ik elke avond uit eet heb ik er al heel wat afgewerkt.'

Kruut werd nieuwsgierig. 'Eet je echt elke avond uit? Waarom dat?'

'Een combinatie van gemakzucht en genieten!' Björn Hamberg glimlachte. 'Aan de ene kant heb ik natuurlijk heel wat zakelijke etentjes, maar aan de andere kant vind ik het ook verdomd vervelend om thuis eten voor één persoon te staan koken. En hier kun je het je veroorloven om elke avond uit te eten en bovendien kom ik juist in dit soort kleine cafés een heleboel interessante mensen tegen. Berlijn trekt nog altijd kunstenaars uit heel Europa. Ze kunnen hier goedkoop leven, kunnen in voormalig Oost-Berlijn een tweekamerflatje van vijfenveertig vierkante meter met leuk uitzicht huren voor zo'n tweehonderdvijfentwintig euro, dat is ongeveer tweeduizend kronen per maand. Dan moeten ze wel met koud water douchen en de wc delen met de buurman, maar ze kunnen er overleven op noedels en slechte rode wijn, en intussen schrijven, schilderen of beeldhouwen. En de meisjes zijn ook niet gek, natuurlijk. Er is een hoop links gezeur over het recht van de vrouw op vrije, ongeremde seks en zo en dat is natuurlijk best handig.'

Hij onderbrak zijn uiteenzetting en haalde ook een sigaar uit zijn zak. 'Krijgen de heren al zin om de avond ergens anders voort te zetten?'

Ecker wreef zich in de handen. '*Take us to the girls, bitte!*'

'Dat is niet moeilijk,' antwoordde Hamberg. 'Het zou me teleurstellen als je vanavond niemand zou weten te versieren. Berlijn zit vol meisjes die van knappe kerels houden en velen van hen zijn bovendien erg onder de indruk van buitenlandse zakenlieden, dus als je gewoon je hele trukendoos aan charmes uitspeelt kan het niet misgaan!'

Ecker nam een trek van zijn sigaar en blies de rook langzaam uit. 'Dat klinkt goed, Björn, heel goed!'

Christopher Silfverbielke kreeg een idee. Hij zei tegen Björn Hamberg: 'Sorry als dit een beetje abracadabra voor je is, maar wij hebben een onderling geheimpje...'

Björn schudde zijn hoofd. 'Waarom verbaast me dat nou niks? Praat maar abracadabra!'

Christopher knipoogde snel naar Hans en zei tegen Johannes: 'Dit zou wel eens jouw kans kunnen zijn om vanavond met een paar punten naar huis te gaan.'

Kruut, vol zelfvertrouwen door de wijn en de single malt, glimlachte zelfverzekerd. 'Geen probleem, waar dacht je aan?'

'Dat Hans, Björn en ik hier een voor een wegsneaken, dat jij hier blijft en een "boze geest" achterlaat.'

'Je bent ziek, Chris, maar ik vind het best,' zei Hamberg. 'Ik ga nu meteen. Honderdvijftig meter die kant op...' hij wees discreet met zijn duim, '...is een café waar we elkaar weer zien. Sjalom!'

Hij stond op, knikte naar de serveerster en liep rustig naar de uitgang.

Hans Ecker stond tegelijk op. 'Mijne heren, ik moet naar de wc en ik kom niet terug!' Zonder zich te haasten liep hij weg, vastbesloten om het restaurant ofwel via een raam in de toiletten ofwel via een achterdeur in de keuken te verlaten.

Kruut trok wit weg. 'Maar Chris, hoe moet ik –'

Silfverbielke onderbrak hem met zachte stem. 'Johannes, ze gaan heus niet op je schieten. Ze rennen hooguit een stukje achter je aan. We hebben een rekening van rond de vierhonderdvijftig euro en het is jouw taak om te zorgen dat we die niet hoeven te betalen. Ik ga nu.'

'Maar Chris...!'

Silfverbielke wachtte niet, maar stond op en liep naar de serveerster. Hij glimlachte naar haar en zei in perfect Duits: 'Ik vrees dat de parkeerwachten hier zo vroeg op de avond ook al actief zijn. Ik ga even mijn auto verplaatsen. Ik ben zo terug.'

Ze knikte en keek hem lang na. Ze hoopte echt dat hij terug zou komen.

Ze kwamen niet meer bij van het lachen aan het tafeltje in de Panorama Club. Zoals Johannes Kruut eruitzag toen hij naar de bar gehinkt kwam, waar de anderen al met een drankje zaten te wachten, was onbetaalbaar. Kruuts haar stond rechtop en hij hijgde zwaar.

Bij Brel had hij, toen hij begreep dat de anderen hem gesmeerd waren, het zekere voor het onzekere genomen en was hij als een dolle naar de deur gerend. Het was goed gegaan tot aan de hal, waar hij in zijn dronkenschap over een drempel struikelde en schreeuwend met zijn knie tegen de deur stootte, waardoor hij nogal de aandacht van het verbaasde personeel trok. Toen hij vervolgens de deur opentrok en wegrende, waren ze natuurlijk razendsnel achter hem aan gekomen, en hij had ze slechts met de grootste moeite weten af te schudden door zijn kiezen op elkaar te zetten en een paar stratenblokken door te zigzaggen.

Toen hij goed en wel aan zijn achtervolgers was ontkomen, had hij geen idee waar hij was en moest hij Björn Hamberg bellen om instructies te vragen hoe hij de anderen terug kon vinden.

Hans Ecker hief zijn champagneglas en moest zijn stem verheffen om boven het geroezemoes en de muziek in de Panorama Club uit te komen. 'En de rekening...' proestte hij, '...je had de rekening nog in je hand toen je hier naar binnen kwam stormen!'

Kruut keek beledigd. 'Wat moest ik dan? Ik moest toch bewijzen dat ik hem niet had betaald! Hoeveel punten krijg ik hiervoor?'

Ecker keek Silfverbielke aan en sloeg zijn ogen ten hemel. 'Ik vind het wel vijf punten waard,' zei Christopher rustig. 'Nu heb jij er dus tien, Johannes. Ik heb er vijf en Hans nul. Het wordt tijd om te beginnen, Hans!'

Ecker lachte en nam een slok. 'Dat komt wel goed, heb ik zo het idee. Krijg je punten voor neuken?'

Silfverbielke dacht na. 'Dat hangt ervan af waar, met wie en hoe. Vertel het later maar, dan zien we wel. We moeten er maar op vertrouwen dat we als eerlijke gentlemen met elkaar omgaan, maar fotografische documentatie en zo wegen natuurlijk zwaarder. Je kunt toch foto's nemen met je mobieltje?' Hij knipoogde naar Hans.

De uren verstreken, de champagne vloeide rijkelijk en Björn Hamberg was zo verstandig geweest nog meer cocaïne mee te nemen, die hij onder de vrienden verdeelde. Ze gingen met z'n vieren naar de herentoiletten, snoven alle vier een lijntje en waren in een uitstekende stemming. Björn Hamberg was een oude vlam tegengekomen en zat nu in een hoekje met haar te flikflooien. Hans Ecker keek hoopvol naar het vrij grote aanbod van jonge, knappe Duitse vrouwen. Kruut ook.

Christopher Silfverbielke draaide met zijn champagneglas tussen zijn vingers en leek in diep gepeins verzonken.

'Waar denk je aan?' Johannes Kruut boog zich over de tafel om ervoor te zorgen dat Silfverbielke hem kon horen.

Christopher keek op. 'Ik denk er ernstig over na om naar de rosse buurt te gaan. Er zijn fantastische hoeren hier in Berlijn en ik voel dat ik hier vanavond niemand kan oppikken. Wat denk je ervan, ga je mee?'

Kruut dacht na. De alcohol en de cocaïne hadden hem weer zelfvertrouwen gegeven, maar hij wist dat zijn vermogen om profijtelijke banden aan te knopen met het andere geslacht beperkt was. Als hij iets wilde, zou het natuurlijk gemakkelijker zijn om ervoor te betalen, en als Chris toch ook die kant op ging, waarom dan niet samen? Hij knikte. 'Ik ga mee!'

Christopher boog zich naar Hans over en overlegde even met hem. Ze knikten naar elkaar, en Christopher stond op en gaf Kruut het teken om weg te gaan.

Toen de taxi de Oranienburgerstrasse een stukje in gereden was en het Silfverbielke begon te bevallen wat hij zag, gebaarde hij naar de taxichauffeur dat die mocht stoppen. Hij betaalde, ze stapten uit en wandelden door de straat.

'Allemachtig, wat mooi!' verzuchtte Kruut. Hij bleef staan. 'Maar hoe werkt het, praktisch gezien? Hoe pak je het aan? Wat kost het?'

'Dat heb ik even bij Björn nagevraagd. De meeste meisjes vragen driehonderd euro per halfuur, cash en vooraf. Het meisje neemt je mee naar een redelijk hotel. De kamer is in de prijs inbegrepen. Zoenen kost veertig euro extra, als je haar anaal wilt nemen, moet je daarover onderhandelen. Ik raad je aan een uur te nemen, anders heb je er niks aan.'

Kruut slikte en keek weifelend. 'Oké, ik snap het. Maar Chris, ik... Ik heb nog nooit een hoer gehad. Is het gevaarlijk?'

Silfverbielke klopte Johannes op de schouder. 'Maak je geen zorgen, Johannes, het ergste wat er kan gebeuren is dat je je portefeuille kwijtraakt. Pas maar gewoon een beetje op. Ga nou maar een meisje uitzoeken, dan bellen we over een paar uur wel en dan zien we elkaar voor de afterparty in het hotel!'

Kruut keek Christopher opeens verbaasd aan.

'Waarom heb je handschoenen aan? Het is toch warm?'

'Dat is een slechte gewoonte van me, Johannes. Ik praat er nooit over en ik zou je dankbaar zijn als je het niet doorvertelt, want het zou niet goed zijn voor mijn imago als het uitkwam...'

Johannes knikte ijverig om hem te laten doorpraten. 'Dat is in orde, Chris.'

'...maar soms lijd ik aan smetvrees. Ik hou er niet van om handgrepen van taxiportieren aan te raken en zo. Ik weet dat het dom klinkt, maar dan is het fijn om handschoenen aan te hebben!'

'Oké, ik snap het. En wees maar gerust, ik zal het tegen niemand zeggen!'

Ze gingen uit elkaar. Kruut zag Silfverbielke verderop in de straat achter een blond, lief meisje aan gaan. Toen hij weer opkeek, stond er een donkerharige schoonheid voor hem. Ze zei dat ze Michelle heette en vroeg of hij haar een poosje gezelschap wilde houden. Johannes knikte zwijgend en ging met haar mee.

In de loop van het volgende uur werden veel van de fantasieën die Johannes Kruut de afgelopen jaren had gehad verwerkelijkt. Nadat Michelle hem had uitgekleed stripte ze zelf uit haar strakke, zijden jurkje. Vervolgens trok ze een minuscuul zwart slipje uit en toen stond ze in een zwarte kanten beha, zwarte kousen met jarretels en op hoge hakken voor hem. Het kostte haar minder dan vijf minuten om Kruut met haar handen zijn eerste orgasme te geven. Daarna praatte ze een kwartier vriendelijk met hem, streelde hem weer, deed hem geroutineerd een condoom om en bereed hem ritmisch totdat hij kreunend opnieuw klaarkwam. Toen ze hem vriendelijk maar beslist de kamer uit duwde, waren er precies tweeënveertig minuten verstreken. Ze had zeshonderd euro gekregen voor een uur en bovendien had hij haar nog vrolijk een fooi van tweehonderd euro gegeven.

Had ik maar meer van zulke klanten, dacht Michelle zuchtend, terwijl ze zich aankleedde en de straat weer op ging.

17

Zaterdag 3 februari

Christopher Silfverbielke zat met zijn hoofd tegen de muur geleund, deed zijn ogen dicht en voelde het koude zweet op zijn bovenlip parelen.

De werking van de coke begon af te nemen. Nog een lijntje zou niet verkeerd zijn.

Hij stak zijn hand in zijn zak en haalde er een plastic zakje met het witte poeder uit. Uit een andere zak pakte hij een bankbiljet, dat hij tot een dun buisje oprolde.

Hij ging verzitten, zodat hij op de rand van de wiebelige stoel zat. Toen hij het tafeltje naar zich toe trok, viel het hem op dat alles in de kamer zo vies was. Met een grimas goot hij wat poeder in het buisje. Toen hij dat naar zijn neus bracht en zich vooroverboog, gleed zijn blik door de kamer. Hij werd opeens misselijk, snoof het lijntje snel op, liet het bankbiljet weer in zijn zak glijden, leunde met zijn naakte bovenlichaam naar achteren en deed zijn ogen dicht.

Het duurde minuten voordat hij zijn ogen weer opendeed en de werkelijkheid onder ogen kon zien.

Dat was beter. Veel beter.

Hij voelde zich weer sterk.

Ze zag er raar uit, daar op het bed. Niet languit, maar met haar rug eigenaardig gedraaid, alsof ze zich half had willen omdraaien. Willen ontsnappen. Op haar gezicht waren hier en daar al rode stippen te zien, net als in haar ogen, die leeg naar het plafond staarden.

Haar tepels. Toen hij ze voor het eerst opgezwollen en hard had gezien, vond hij ze mooi. Wat er nu nog van over was, was ingezakt en slap. Waar de andere had gezeten, was nu alleen nog een bloedige plek te zien. Hij proefde de smaak nog in zijn mond. Smerig.

Stom kutwijf!

Hij diepte een van de kleine, plastic flesjes whisky die hij op de boot had gekocht op uit zijn zak, maakte het open en nam een flinke slok terwijl hij haar bekeek.

Haar vingers waren gekromd in een soort afweerhouding en instinctief bracht hij zijn eigen vingers naar zijn wang. Een schrammetje maar, hooguit een paar centimeter, van haar vingers. Daar kon hij zich wel uit kletsen.

Haar buik. Mooi plat. Niet slecht voor een Duitse hoer. Ze zag eruit alsof ze goed haar best had gedaan in de fitnessclub. Zonde dat ze er geen plezier meer van zou hebben.

Hij keek naar haar in nylons gestoken benen en voelde een steek van opwinding.

Opeens hoorde hij geluiden op de gang. Hij kwam bij zijn positieven. Tijd om te gaan. Hij schudde zijn hoofd en probeerde zich te concentreren. Zijn boxershort lag op de grond, net als zijn shirt, zijn stropdas, zijn sokken en zijn colbert. Hij kon zich niet herinneren waarom hij alleen de broek van zijn kostuum slordig had aangetrokken nadat hij haar had gedood.

Ze had alles verkeerd gedaan wat ze maar verkeerd kon doen. Misschien om meer geld te krijgen, misschien meende ze het.

Ze had hem met tegenzin gepijpt en niet goed. Ze had gekwekt dat hij zijn handschoenen uit moest trekken en kwaad gekeken toen hij dat weigerde. Toen hij goed en wel boven op haar zat, had ze langzaam maar zeker tekenen van genot vertoond. Hij was er vrij zeker van dat ze zelf ook was klaargekomen.

Idioot.

Een hoer moet dienen, niet genieten. De prijs die ze voor haar domheid moest betalen was hoog.

Intelligentie. Het verschil tussen succes en mislukking. Intelligentie is gelijk succes is gelijk geld is gelijk macht. Wie stom is wordt winkelbediende of hoer in Berlijn – wat is het verschil? Wie intelligent is wordt begerenswaardig, rijk, machtig.

Terwijl er meer stemmen in de gang te horen waren, trok hij de broek van zijn kostuum uit en kleedde zich in de goede volgorde aan. Een snelle blik op zijn Breitling gaf aan dat het kwart over twee 's nachts was.

Silfverbielke liet zijn blik weer door de kamer gaan. Hij had zijn condoom zorgvuldig met een hoop wc-papier door de wc gespoeld en had gecheckt of hij echt in de afvoer was verdwenen.

Terwijl hij vol weerzin de plek rondom de afgebeten tepel zo goed en zo kwaad als het ging met in whisky gedrenkt wc-papier schoonmaakte, bedacht hij dat hij waarschijnlijk sporen zou achterlaten in de vorm van haren en huidschilfers.

Who cares? dacht hij. Ik heb betere wapens.

Nadat zijn vrienden eerder op de dag zijn suite hadden verlaten, had hij opgeruimd. Ecker had het opgerolde briefje van honderd kronen waarmee hij de coke had opgesnoven op tafel laten liggen. Silfverbielke had handschoenen aangetrokken en het biljet in een plastic zakje gedaan, samen met de peuken uit de asbak die Ecker had gebruikt.

Goed om te hebben.

Nu haalde hij dat plastic zakje uit zijn zak, nam het opgerolde briefje van honderd eruit en legde het op de tafel. Daarna schudde hij twee peuken in het asbakje op tafel, haalde toen de drie peuken eruit die daar al in lagen en liet die in het plastic zakje glijden.

Hij liet zijn blik opnieuw over haar heen gaan. Hij voelde minachting in combinatie met een zekere opwinding, wat hem verbaasde en amuseerde tegelijk.

In de badkamer keek hij nog één keer in de spiegel en hij trok zijn stropdas recht. Hij streek met zijn handen door zijn haar.

Voordat hij wegging, wierp hij nog een laatste blik op haar. Blond, lange benen, knap en... geil? Toen.

Nu: blond, opgezwollen, lelijk en dood.

Dag, Simone of hoe je ook alweer heette.

De deur sloeg achter hem dicht en hij liep rustig over de vuile, donkerrode vloerbedekking van de gang naar de lift. Een dikke man van middelbare leeftijd kwam hem tegemoet, met een jong meisje in zijn kielzog.

Vuile hoerenloper. Die zou hij ook moeten ombrengen. Hij staarde hen aan. De man sloeg zijn ogen neer; het meisje staarde afwezig, met lege ogen, recht voor zich uit.

Buiten op straat bleef hij staan en hij ademde de koele nachtlucht in. Hij keek nog een keer op zijn horloge, constateerde tot zijn tevredenheid dat de coke goed werkte en dat de nacht nog jong was. Hij vroeg zich af waar zijn vrienden waren en wat ze deden.

Opeens ging zijn mobiele telefoon. Hij keek op het display en zag dat het Hans was.

'Met Christopher.'

Ecker klonk opgewonden, angstig. 'Chris, waar ben je? Je moet me helpen!'

Silfverbielke concentreerde zich. Hij hield een taxi aan en stapte achterin. 'Wat is er, wat is er gebeurd?'

'Ik heb een grietje geneukt en haar meegenomen naar het hotel. Eerst was dat leuk, maar opeens begon ze te gillen en te schreeuwen dat ze werd verkracht. Er werd op de deur geklopt en toen ik opendeed, stormde haar vriend naar binnen. Die had ze waarschijnlijk ge-sms't of zo. Hij doet vreselijk dreigend en zegt dat hij me op mijn bek zal slaan en de politie zal bellen!'

Christophers stem werd zacht en ijzig. 'Hou ze even bezig. Ik ben er over vijf minuten. We lossen het wel op!'

Hij zei tegen de taxichauffeur dat hij gas moest geven en dat hij een flinke fooi zou krijgen als het snel ging.

De kamer van Hans Ecker was een chaos toen Christopher naar binnen stormde. Op het tweepersoonsbed lag een meisje dat blijkbaar hopeloos dronken was en haar best deed om haar slipje aan te trekken terwijl haar grote borsten heen en weer schommelden. Hans' haar zat in de war en hij had alleen een boxershort aan. Hij ruziede op hoge toon met een man van een jaar of vijfentwintig, die gekleed was in een zwarte spijkerbroek, een t-shirt en een leren jack.

Silfverbielke bleef even staan, overzag het toneel en streek met zijn handen door zijn haar. 'Ik neem het over, Hans. Heb je foto's van haar?'

Ecker grijnsde nerveus. 'Bendes. Het was leuk totdat die idio–'

'Ssst!' fluisterde Silfverbielke. 'Hoe hard zijn die foto's?'

'Hard genoeg.'

'Goed.'

De Duitse man richtte zijn agressie nu op Silfverbielke, die kalmerend naar hem glimlachte en hem beduidde mee te komen naar de zitkamer van de suite. Hij keek twijfelend naar zijn dronken vriendin, maar ging met Christopher mee toen die hem opnieuw wenkte.

Het gesprek werd gevoerd in het Engels en dat was aan de kant van de Duitser op zijn zachtst gezegd gebroken.

'Wat is het probleem?' vroeg Silfverbielke neutraal.

'Hij heeft mijn vriendin verkracht!' De Duitser zwaaide opgewonden met zijn armen. 'Ik zou die zak verrot moeten slaan! Ik bel de politie en –'

'Jij belt helemaal niemand, als je je tenminste niet een heleboel problemen op de hals wilt halen!' Silfverbielke praatte razendsnel op hem in. 'Luister! Je meisje is met mijn vriend meegegaan om te neuken. Het is niet ons probleem dat jij met zo'n ontrouw loeder zit. Hij heeft bovendien een heleboel pornofoto's van haar gemaakt. Wil je ze morgen op internet zien?'

De Duitser verstijfde. 'Pornofoto's?' Silfverbielke knikte. 'Het spijt me, kerel, maar mijn vriend heeft een hoop foto's waarop jouw vriendin hem blij en gelukkig afzuigt en een heleboel andere leuke dingen uitspookt die je meestal niet doet als je wordt verkracht. Je moet maar eens wat beter navragen waar ze mee bezig is als jij niet in de buurt bent. Maar als ik jou was zou ik haar dumpen. Hoe heet je trouwens?'

'Heinrich.' De Duitser leek nu zo mogelijk nog meer in de war en Silf- verbielke begreep algauw dat de man niet de slimste was. Hij besloot het ijzer te smeden nu het heet was.

Hij glimlachte overtuigend en legde zijn hand op de schouder van de man. 'Dit is vervelend, Heinrich, echt. Maar we zijn allemaal wel eens door een grietje besodemieterd, hè?'

Heinrich knikte ongelukkig. Christopher stak zijn hand in zijn broek- zak en vervolgde: 'Ik heb een idee. Ik wil je een vergoeding geven voor het ongemak dat je hebt gehad doordat je hierheen moest. Ik stel voor dat je nu weggaat en dat we de hele geschiedenis vergeten. Wat vind je daarvan?' Hij haalde een paar bankbiljetten uit zijn zak en stak die de man in de hand.

De Duitser keek ernaar en sperde zijn ogen open toen hij vijfhonderd euro zag. Hij zag Christophers vriendelijke, begripvolle ogen.

'Dank je wel...' zei hij, en hij draaide zich om en liep naar de deur. Toen hij voorbij de slaapkamer kwam, mopperde hij in het Duits: 'Loop naar de hel, vuile hoer!'

De deur sloeg achter hem dicht. Christopher liep de slaapkamer in en trok zijn colbertje uit. Hij hing het over een stoel, maakte zijn strop- das los en trok die over zijn hoofd. Hans Ecker staarde hem verbaasd aan. 'Wat doe je? We moeten hier als de bliksem vandaan voordat hij terugkomt met de politie!'

Christopher glimlachte hem toe, trok zijn shirt uit en maakte zijn broek open. 'Hij komt niet terug en de politie komt ook niet. Maar ik heb betaald en we willen waar voor ons geld, toch?'

Ecker begreep het en grijnsde. Hij boog zich snel voorover en begon het meisje haar slipje uit te trekken. Ze brabbelde iets onverstaanbaars, maar verzette zich niet.

Het volgende halfuur vergrepen ze zich ieder apart en samen aan haar, totdat ze hun huilend vroeg op te houden. Ze trokken haar haar kleren aan en Christopher kleedde zich snel aan. Met een stevige greep om haar arm loodste hij haar de brandtrappen af naar een nooduitgang. Hij hoorde het brandalarm afgaan en versnelde zijn pas. Hij hield haar stevig om haar arm vast en trok haar de straat op, een hoek om en nog drie blokken verder. Toen pakte hij haar stevig bij de schouders en keek haar diep in de ogen. 'Vergeet alles, begrepen?' siste hij in het Duits. 'Als je wilt blijven leven, vergeet dan dat je ons ooit hebt ontmoet!' Toen draaide hij haar zeven, acht keer hard rond totdat ze duizelig op het trottoir viel.

Toen hij zich omdraaide, hoorde hij dat ze begon te snikken. Hij liep snel naar het hotel terug.

'Ontbijt? Brunch, bedoel je zeker? Weet je hoe laat het is?' Johannes Kruut lachte toen Hans Ecker hem belde.

Kruut was gelukkig. Hij was lyrisch over de avond tevoren met de donkere Michelle en hij wilde meer. Liefst weer met haar. Toen hij bij het hotel terug was gekomen, had hij een paar keer geprobeerd Hans en Christopher te bereiken, maar omdat ze geen van beiden opnamen, was hij in bed gaan liggen en had hij een halfuurtje naar een pornofilm gekeken en champagne gedronken terwijl hij genoot van de herinnering aan Michelle.

Het drietal kwam bij elkaar in Eckers kamer. Ze waren allemaal casual gekleed: spijkerbroek, shirt, sportief jasje en gemakkelijke schoenen.

Ze begonnen de brunch allemaal met een bloody mary en vielen toen aan op de dienbladen die roomservice had bezorgd. Broodjes, eieren, bacon, zalm, vleeswaren en vier soorten kwaliteitsjam werkten ze naar binnen met hete, sterke koffie en toen bestelden ze nog een paar bloody mary's en een fles champagne.

Silfverbielke stak een cigarillo op. 'Het wordt tijd voor een kleine puntentelling, jongens. Wat hebben jullie te bieden?'

Johannes Kruut zag er enigszins gegeneerd uit. 'Niets, na mijn onbetaalde rekening, want op een hoer zitten telt zeker niet?'

Silfverbielke schudde zijn hoofd en blies rook uit. 'Niet als je niet iets heel speciaals met haar hebt gedaan en daar foto's van hebt genomen. Omdat ik weet wat Hans vannacht heeft gedaan, zou ik graag foto's willen zien...'

Kruut keek vragend en Hans vertelde in het kort wat er die nacht was gebeurd. 'Oef, verdorie!' zei Kruut. 'Dat had verkeerd kunnen aflopen, hè?'

'Dat geloof ik niet.' Silfverbielke pakte Hans' mobieltje aan, begon de foto's te bekijken en liet ze tegelijkertijd aan Johannes zien. 'Wat vind

je, Johannes, moeten we Hans hier toch maar niet tien punten voor geven? Want ik heb hem wel uit de brand geholpen, maar toen had hij die
foto's al genomen.'

Johannes knikte opgewonden. 'Absoluut, dat is tien punten waard!
Dus nu heb jij er vijf, ik heb er tien en Hans heeft er tien. Maar hoe haal
jij ons nu weer in, Chris? En hoe ging het met dat grietje op de Oranienburgerstrasse?'

Christopher Silfverbielke keek plotseling een beetje bezorgd en hij
nam nog een trek van zijn cigarillo voordat hij antwoord gaf. 'Zij is definitief een afgesloten hoofdstuk.'

Ecker fronste zijn voorhoofd, terwijl hij dacht: definitief? Wat bedoelde Christopher? Hij had al vaker gezien dat zijn vriend angstaanjagend
cynisch kon zijn, zeker als het ging om mensen die hij minachtte.

'Hoe bedoel je, Chris?' vroeg hij.

'Ik bedoel dat jullie maar eens op de webkrant van de *Berliner Zeitung*
moeten kijken of jullie een paar regels vinden over een jongedame op
de Oranienburgerstrasse die pech had...'

Johannes trok wit weg. 'Chris, je hebt haar toch niet...' Hij maakte zijn
zin niet af en staarde alleen maar naar Christopher. Ecker keek hem ook
afwachtend aan.

Silfverbielke haalde zijn schouders op. 'Ik had gewoon geen keus. Ze
bedreigde me en had ons alle drie problemen kunnen bezorgen als haar
Turkse pooiers me achterna waren gekomen. Jullie weten maar al te
goed wat er in de kluisjes ligt. We hebben te veel te verliezen. Ik heb uit
zelfverdediging gehandeld, zou je kunnen zeggen.'

Hans en Johannes keken nog steeds afwachtend.

'Het is ook een droevige wereld waarin we tegenwoordig leven en
soms moet je wel eens een beetje helpen opruimen,' vervolgde Silfverbielke. 'En maak je maar geen zorgen, niemand kan me ermee in verband brengen – of ons. Dus over punten gesproken, hoeveel krijg ik
voor een dode hoer? Dat is toch wel twintig waard...?' Hij nam nog een
trek van zijn cigarillo.

Kruut was rechtop gaan zitten in zijn stoel, te geschrokken om te kunnen reageren. 'Verdomme, Chris!' zei hij uiteindelijk. 'Hoe weet je zo
zeker dat de politie niet –'

Christopher stak rustig een hand op om hem te onderbreken. 'Johannes, het is simpel: in de eerste plaats maakt de politie er geen halszaak

van wie een hoer uit deze wereld heeft geholpen. In de tweede plaats weten ze gewoon niet waar ze naar moeten zoeken. Ik heb geen Duits strafblad, dus zelfs als ik sporen heb achtergelaten, is er domweg niets om die mee te vergelijken, snap je? De meeste moorden worden opgelost om de eenvoudige reden dat de moordenaar iemand uit de nabije omgeving van het slachtoffer is en dat is hier niet het geval.'

Kruut leek na te denken en knikte. Ecker merkte dat zijn handen trilden en hij staarde Christopher sprakeloos aan.

Waar is Chris verdomme mee bezig? Hij had het over een wedstrijd om punten, niet over het vermoorden van mensen! Snapt hij niet welk risico we lopen – alle drie? Wat moet ik nu doen, verdomme, in de auto springen en ervandoor gaan?

De gedachten bleven door zijn hoofd razen. Hij boog zich voorover, pakte zijn glas bloody mary en nam een flinke slok. 'Ja, ja, dat was een interessant begin van de dag. Je hebt dat puntensysteempje van je al meteen ondersteboven gegooid. Dat is wel een... laten we zeggen... een uitdaging, hè?'

Christopher schoot in de lach. 'Je mag ervan vinden wat je wilt, Hans. De bal rolt. Ik stel voor dat we ons klaarmaken, Björn bellen en een culturele wandeling door de stad maken voordat de avondexercitie begint. Zoals ik al zei: controleer mijn verhaal gerust op het net. Ze was blond en ze heette Simone, geloof ik. Maar we zijn het erover eens dat Björn niet in dit geheimpje ingewijd hoeft te worden?'

Kruut huiverde inwendig. Hij voelde zich opeens misselijk.

'Reken maar!' Ecker stond op en liep naar de laptop die op het bureautje stond. Hij logde in op internet. Silfverbielke bleef zijn cigarillo zitten roken, terwijl Johannes naast Hans ging staan om over diens schouder mee te kunnen lezen.

Er was alleen geluid te horen toen Hans Ecker over de nieuwspagina's van de *Berliner Zeitung* op het scherm scrolde. Toen stopte hij, las en vertaalde toen hardop: 'Vanmorgen vroeg werd de politie naar een hotel in de buurt van de Oranienburgerstrasse geroepen nadat het personeel een vijfentwintigjarige vrouw dood in een hotelkamer had gevonden. De vrouw werd geïdentificeerd als Renate Steiner, een prostituee die volgens collega's werkte onder de naam Simone. Uit voorlopig onderzoek blijkt dat Steiner door wurging om het leven is gebracht. De politie heeft in de hotelkamer sporen veiliggesteld en deze doorgestuurd voor DNAanalyse. "Tot dusverre hebben we geen spoor van een verdachte, maar we hebben goede hoop dat we hem zullen vinden," zegt inspecteur Wulf Weigermüller tegen de *Berliner Zeitung.* "We denken dat er een toerist achter kan zitten. De moordenaar heeft zelfs een Zweeds bankbiljet in de kamer achtergelaten..."

Ecker draaide zich met een ruk om. 'Je bent krankzinnig, Chris, waarom heb je niet meteen je visitekaartje en het adres van dit hotel achtergelaten? Dan konden ze ons meteen komen halen. Waar ben je verdomme mee bezig? Weet je wel welk risico ik loop als jij vast komt te zitten?'

Hij vloog overeind uit zijn stoel zodat die bijna omviel en deed een paar stappen naar het bankstel, waar Silfverbielke doorging met roken, terwijl hij de woede-uitbarsting van zijn vriend bijna geamuseerd aankeek. Het bloed pompte door de aderen op Eckers voorhoofd, hij ademde zwaar en balde zijn vuisten van woede. Even leek het alsof hij zich op zijn vriend wilde storten en hem met zijn vuisten wilde bewerken.

Johannes Kruut bleef bij de computer staan en bekeek hen nerveus. Hoe kon dit? Zijn maag kromp samen. Moord. Het was toch moord. Christopher had haar gewurgd. Hij had iemand gedood. Het was geen spelletje meer.

'Rustig maar! Ga zitten, Hans, dan leg ik het uit.'

Hans Ecker worstelde om zijn ademhaling onder controle te krijgen. Hij keek Silfverbielke duister aan en ging zitten. Hij nam een slok champagne, stak een cigarillo op en nam een diepe trek. 'Ja...?'

'Het komt goed, Hans, geloof me.' Christophers stem was laag, koel. 'Zoals ik al zei: in de eerste plaats had ik geen keus. Die stomme hoer bedreigde me, en je raakte vannacht zelf toch ook in de problemen met een meisje, of niet?'

Ecker keek bedrukt, knikte en nam een paar flinke trekken, maar zei niets. Johannes Kruut sloot de website discreet af, liep terug naar het bankstel en ging zitten. Hij voelde zich ontzettend terneergeslagen. Ze waren hier toch om het leuk te hebben en zelf had hij er vanmorgen nog over gefantaseerd hoe hij Michelle zo snel mogelijk weer zou kunnen ontmoeten. De jongens hadden er misschien niets op tegen als hij haar vanavond mee uit eten nam. In dat geval zou hij het gezelschap daarna samen met haar discreet kunnen verlaten en dan zouden ze in zijn suite door kunnen gaan. Hij zou graag indruk op haar willen maken door champagne op de kamer te laten bezorgen en later zouden ze naar een pornofilm kijken terwijl ze in bed met elkaar speelden; dat zou in elk geval een stuk leuker zijn dan in dat shabby hotel.

Maar nu was de situatie veranderd. Christopher had iemand gedood. *Vermoord.* Daar was niets meer aan te doen.

Christophers stem onderbrak Johannes' gepeins. 'Er is absoluut niets wat mij daaraan linkt, Hans. Zelfs al vinden ze haren, huidschilfers of sperma, dan hebben ze nog niks om dat mee te vergelijken. En een Zweeds bankbiljet kan iedereen daar achtergelaten hebben. Wat moeten ze doen, alle uitvalswegen uit Berlijn afsluiten en de stad uitkammen op Zweden? Vergeet het maar, ze zijn kansloos!'

Ecker dacht zwijgend na, nam nog een paar trekken van zijn cigarillo en maakte hem uit. Toen keek hij Silfverbielke aan. 'Oké, ik hoop dat je gelijk hebt. Maar je moet begrijpen dat het me verontrust. Beloof me nou verdomme dat je niets meer doet waardoor we in de problemen kunnen komen!'

Christopher knikte hem overtuigend toe. Tegelijkertijd dacht hij: Wat is er met je aan de hand, Hans? Krijg je een beetje slappe knieën? Terwijl we samen toch zo veel lol hebben gehad? Je verveelt je en krijgt niks gedaan, en toch raak je gestrest zodra iemand iets uithaalt. Ik moet je misschien weer een beetje op het goede spoor zetten. Wat er vannacht gebeurd is, is toch nog maar het begin. Je hebt behoefte aan spanning, Hans, een heleboel spanning...

'Natuurlijk. Er is mij net zo veel aan gelegen als jou om dat koffertje veilig naar Stockholm te brengen, dus vertrouw me maar.'

Ecker beet op zijn kiezen, reikte naar de champagnefles en vulde hun glazen tot de rand. 'Nou, mannen,' zei hij neutraal. 'Wat gaan we dan vandaag en vanavond doen?'

Twee korte piepjes op Christophers mobiel gaven aan dat hij een bericht had ontvangen. Hij keek op het display. mms-*bericht ontvangen.* Hij drukte op tonen en glimlachte toen de foto verscheen. Helena was flink in de weer. Het was een mooie portretfoto, van dichtbij genomen. Misschien door een vriend, misschien wel door haar vaste vriend. Christopher hoopte het laatste. Het idee dat hij haar ertoe kon brengen privéfoto's te sturen die haar vriend had genomen, wond hem behoorlijk op. Hij glimlachte naar zichzelf in de spiegel en dacht: jij zieke rotzak. Toen las hij haar bericht. *Hoi, wat doe je? Ik werk. Saai! Schrijf wat je van de foto vindt. K&K. H.*

Hij drukte op BEANTWOORDEN. *Eindelijk iets moois om naar te kijken! Stuur maar meer foto's. Ik laad je prepaid op als ik weer in Zweden ben. Knuffel, Hans.*

Het antwoord kwam snel. *O, wat lief! Ik heb een Comviq Kompis. Ik stuur meer foto's. K&K, H.*

Hij keek op zijn horloge. Over ruim twee uur hadden ze bij de receptie afgesproken met Björn Hamberg om een stadswandeling te gaan maken. Hij besloot alvast naar de bar te gaan en daar te wachten. Hij wilde net de kamer uitgaan toen er zachtjes op de deur werd geklopt.

Christopher keek verbaasd naar Hans Ecker, die de kamer binnenglipte. Hij deed de deur achter zijn vriend dicht en zag dat Hans in een van de fauteuils plaatsnam, zijn ene been over het andere sloeg en zijn handen vouwde.

'Ik heb eens nagedacht, Chris...'

Silfverbielke antwoordde niet, maar keek hem alleen vriendelijk aan.

'Ik begrijp dat je vannacht geen keus had. En ik had zelf in de problemen kunnen raken als jij niet was gekomen. Zulke loeders als ik vannacht in mijn kamer had, zouden er niet moeten zijn. Verschrikkelijk schorem! Dat ik haar opscharrelde en dat ik boven op haar zat was verdomme geen punt. De problemen begonnen toen ik haar in haar reet wilde neuken. Toen ging ze eerst protesteren, toen wilde ze geld zien en uiteindelijk was het verkrachting. Wat een serpent! Geen klasse, geen stijl, geen eergevoel!'

Christopher ging tegenover hem zitten en bleef hem zwijgend aankijken.

Ecker vervolgde: 'Ik was eerst geschokt toen het tot me doordrong wat je had gedaan, maar naderhand begreep ik dat ik zelf ook zo zou hebben gereageerd. Ik wil alleen maar dat je weet dat ik achter je sta. Wij moeten met elkaar verder en we moeten één lijn blijven trekken.'

Silfverbielke knikte. 'Precies. En je hebt gelijk: één voor allen, allen voor één.'

'Maar hoe staat het met Johannes?'

'Hoe bedoel je?' Silfverbielke probeerde vragend te kijken, hoewel hij allang had nagedacht over wat Hans Ecker nu onder woorden bracht.

'Kunnen we hem wel vertrouwen, wat er ook gebeurt?'

'Dat denk ik wel. Johannes is in wezen een vreselijk loyale jongen. Het is misschien een beetje een watje, maar aan de andere kant: hij heeft geen andere vrienden dan jij en ik. Hij heeft alle reden om die vriendschap niet kwijt te willen raken en als hij onverhoopt toch dom genoeg zou zijn om zijn mond voorbij te praten, pakken we hem tegen die tijd wel aan.'

Ecker schrok. 'Je bedoelt toch niet...'

'Ik bedoel alleen maar dat we de zaken nemen zoals ze komen, oké?'

'Oké, goed, dan zijn we het eens. Nu ga ik nog even douchen voordat Björn er is. Wat ga jij doen?'

'Niet douchen met jou in elk geval,' zei Silfverbielke. 'Ik ga een paar kranten kopen. We zien elkaar straks beneden.'

18

Zaterdag 3 februari

Voordat Christopher Silfverbielke zijn kamer verliet, las hij de documenten van Hertz Autoverhuur in Travemünde goed door. Bij de hotelreceptie vroeg hij naar het adres van het dichtstbijzijnde politiebureau en vroeg de man achter de balie een taxi te bestellen.

De man in het groene hoteluniform keek bezorgd en vroeg of er iets mis was, of meneer Silfverbielke hulp nodig had.

Christopher stelde hem gerust door te zeggen dat hij alleen maar bij de politie wilde navragen hoe hij het het best kon aanpakken als hij Duitse personenauto's wilde importeren in Zweden.

Op het politiebureau vertelde Christopher dat zijn vrienden en hij een auto hadden gehuurd in Travemünde omdat ze Duitsland niet met hun eigen auto in wilden. Vrijdagmiddag had hij de auto geparkeerd in een zijstraat van de Potsdamer Platz. Of was het misschien de Leipziger Platz? Nee, hij wist helaas niet meer precies hoe de straat heette. Hij had de auto gewoon op een parkeerplaats gezet, omdat hij het duur en lastig vond om hem in de hotelgarage te zetten, omdat zijn vrienden en hij de auto best vaak nodig hadden. Maar toen hij hem vanmorgen wilde ophalen, was hij weg en dit – hij zwaaide met de sleuteltjes aan de sleutelring van Hertz – was het enige wat verried dat de auto überhaupt bestond. Nee, gelukkig hadden ze niets van waarde in de auto achtergelaten.

De agent achter de balie zuchtte, zette de gegevens in zijn pc en printte vervolgens een exemplaar van de aangifte van diefstal, en Christopher zette zijn handtekening erop. Hij kreeg een kopie voor Hertz, en de agent verklaarde vermoeid dat het wel een goed idee was om een andere auto te huren, want de kans dat de gele Fox teruggevonden zou worden, was vrijwel nihil. Waarschijnlijk, zei hij, was hij al opnieuw gespoten, voorzien van nieuwe nummerplaten, naar Polen overgebracht en daar verkocht.

Christopher bedankte hem, verliet het politiebureau en nam een taxi terug naar het hotel. Hij legde de autosleutels en het huurcontract terug in het ladekastje. De kopie van de aangifte stopte hij in een documentenvakje in zijn koffer.

Hij ging snel door zijn douche- en aankleedroutines. Toen Johannes, Hans en Björn Hamberg de een na de ander in de bar van het Ritz-Carlton verschenen, wachtte Silfverbielke hen al op met een glas whisky in de ene en zijn mobiele telefoon in de andere hand. *Tot hoe laat werk je vandaag en wat doe je als je klaar bent? Zelf ga ik dineren met een paar saaie zakenlui. Zou liever jou zien. Knuffel, Hans.* Hij drukte op VERZENDEN.

Terwijl ze langzaam over Unter den Linden naar de Brandenburger Tor en de Rijksdag wandelden, bewonderden ze de pracht en praal en de architectuur van Berlijn.

'Hier voel je echt de geest van de geschiedenis,' zei Johannes Kruut, terwijl hij met open mond naar de gevels van de gebouwen keek.

Björn Hamberg lachte. 'Dat is zo, maar als je vanuit het hotel linksaf was gegaan in plaats van rechtsaf, had je die geest nog sterker ervaren.'

Kruut keek verbaasd. 'Hoe bedoel je?'

'Op maar een paar meter van het hotel staan de laatste resten van de Berlijnse Muur; daar hebben ze een kleine tentoonstelling van gemaakt met feiten over de Muur en wat er gebeurd is. En verderop in de straat kun je ook nog sporen van de muur zien, hoe hij precies liep.'

'Merk je daar nog iets van in je dagelijks leven?' vroeg Hans Ecker.

Hamberg haalde zijn schouders op. 'Ja en nee. Er is in deze stad natuurlijk ontzettend veel gebeurd sinds de val van de Muur, en je kunt wel stellen dat er nog steeds verwarring heerst. Toen de Muur instortte, stortte ook het Oostblok in. Het kapitalisme nam alles over en smoorde het. Oost-Duitse fabrieken en opslagplaatsen werden van de ene dag op de andere opgeheven, wat talloze Oost-Duitsers tot vertwijfeling bracht en werkloos maakte. De werkloosheid is nog steeds een groot probleem in Berlijn; volgens de laatste cijfers die ik heb gehoord, bedraagt die nu zeventien procent. En tegelijkertijd is Oost-Berlijn verschrikkelijk chic. De beste clubs liggen aan de oostkant van de stad, en het is in om daar te wonen. Alleen nieuw-rijke Russen die nog niet doorhebben dat de bakens zijn verzet, zoeken de weelde nog in grote appartementen in het westen.

Silfverbielke liep twee passen achter de anderen en luisterde maar met een half oor. Hij ging op in zijn eigen gedachten. Hij voelde iets trillen in zijn zak, haalde zijn mobiel eruit en las. *Had met vriendin naar café in J-köping willen gaan maar mijn vriend wil me zien. Saai maar wat doe ik K&K, H.*

Hij drukte op BEANTWOORDEN. *Slaap je bij hem of kan ik straks bellen? Zou gaaf zijn! Weet nog niet. Sms vanavond. Je H.*

'Tegelijkertijd...' hoorde Christopher Hamberg zeggen, '...voeren de mensen hier altijd interessante gesprekken. In Zweden praten de mensen over wat er in de laatste soap is gebeurd of over wat – hoe heet ze ook weer? – Linda Skugge gisteren in *Expressen* heeft geschreven. Hier gaan de gesprekken over existentiële zaken. De Duitsers voelen nog steeds een grote, collectieve schuld over wat Hitler heeft uitgespookt en dat merk je in de dagelijkse gesprekken tussen mensen. Hier discussiëren de worstverkoper en het bloemenmeisje over kwesties als schuld, geweten, gerechtigheid. Mensen kunnen uren met elkaar praten over de wereld, ethiek, moraal, oorsprong...'

Christopher Silfverbielke hield op met luisteren. Ik heb genoeg van dat soort gedachten en discussies, dacht hij. Iedereen moet zijn eigen moraal, gerechtigheid en ambities maar vormen. Het leven is maar kort en met existentiële prietpraat kom je niet ver.

'Hoe ver is het eigenlijk lopen?' vroeg hij.

Hamberg draaide zich om. 'Al moe, Chris? Ik dacht dat jij wel goed in conditie was. We lopen nog een stukje door. Je móét de Brandenburger Tor en de Rijksdag nog zien.'

'Fout, Björn,' zei Christopher. 'Het enige wat ik echt móét zien is die Ferrari-garage aan de overkant van de straat. Ik ben niet van plan zere voeten te krijgen van het in de rij staan voor een krot dat in brand is gestoken toen Hitler hier aan de macht kwam!'

Björn Hamberg grijnsde. 'Zo ken ik je weer, Chris. Maar oké, laten we oversteken en even naar die Ferrari's kijken, zodat je wat opknapt. En dan wordt het wel tijd voor een middagdrankje, wat jullie?'

Johannes Kruut probeerde nonchalant te klinken. 'Met alle respect voor cultuur, dat was het verstandigste wat je tot nu toe als gids hebt gezegd, Björn!'

Al vroeg op de zaterdagavond was de stemming chaotisch vrolijk.

's Middags had het viertal in diverse cafeetjes wat gedronken. Björn Hamberg had een tas met schone kleren bij zich en maakte gebruik van de kamer van Hans Ecker om te douchen en zich om te kleden. Daarna waren ze, allemaal strak in het pak, weer bij elkaar gekomen en opnieuw aan de wandel gegaan, nu in het oosten. Toen ze over de Alexanderplatz liepen en Hans Ecker het hoge gebouw van het Park Inn Hotel in het oog kreeg, riep hij uitgelaten: 'We moeten tanken, jongens, ik krijg een droge keel!'

Nadat ze wijn hadden besteld in Spago's Bar op de begane grond van het hotel, waren ze het er algauw over eens dat uitgebreid dineren niet meer hoefde. Ze vroegen om de kaart en bestelden alle vier een eenvoudige maaltijd, vooral om iets in hun maag te hebben voor hun verdere consumpties.

Het eten werd gevolgd door een uurtje spelen in het casino, boven in het hotel. Silfverbielke merkte droogjes op dat het toch fantastisch was dat je een halve Hitlerstad van bovenaf kon bekijken terwijl je je geld kwijtraakte en zinspeelde erop dat er geknoeid was met het roulettewieltje.

Het viertal liet zich zakken in diepe fauteuils rondom een tafeltje. 'Waar hebben jullie nu zin in, jongens?' vroeg Björn Hamberg.

'Meisjes, natuurlijk!' zei Kruut grijnzend, en hij hief zijn glas zo snel dat de drank over de rand spatte.

De anderen lachten om hem. 'Rustig maar, Johannes, je komt vanavond heus nog wel aan je trekken. Maar serieus, Björn, wat is je voorstel?' vroeg Hans.

Hamberg dacht even na. 'Tja, ik vind dat we de beste clubs van de stad moeten afwerken: Panorama, Felix en vooral Marrakech, dat is de beste van allemaal. Maar we hebben geen haast, toch? Ze zijn open tot zeven, acht uur 's morgens. Dus misschien moeten we onderweg even een tussenstop maken bij een seksclub?' Hij glimlachte naar Hans en Christopher.

Christopher ging rechtop zitten. 'En wat is daar te doen?'

'Heel simpel. Bij Michelle aan de Ku'damm betaal je veertig euro entree en daar zijn twee slechte drankjes bij inbegrepen. Ze hebben vijftien tot twintig meisjes die non-stop strippen op het podium, en daar kun je mee neuken als je wilt; ze vragen meestal honderdzestig tot tweehonderd euro per uur.'

Christopher knikte nadenkend. Björn vervolgde: 'Maar eigenlijk kunnen we beter een kijkje gaan nemen bij Artemis. Dat is een saunaclub van drie verdiepingen met zestig meisjes, en de meeste zien er echt goed uit. Je moet je uitkleden en rondlopen in een badjas. Er zijn verschillende baden en spa's om in te badderen. Baden en massages zijn gratis als je eenmaal entree hebt betaald. De meisjes kosten zestig euro per halfuur.'

Johannes keek Hans en Christopher opgewonden aan. 'Ik vind dat we Artemis eens moeten proberen. Wat jullie, jongens?'

Het bezoek aan Artemis viel een stuk korter uit dan Johannes Kruut had verwacht. De faciliteiten van de club kwamen wel overeen met wat Björn had beschreven, maar dat was kennelijk niet goed genoeg voor Christopher. Hij stond met een drankje in zijn hand in zijn badjas en wuifde het ene na het andere meisje weg dat kwam vragen of hij een beetje persoonlijke service in een privékamertje wenste.

Dit tot frustratie van Johannes Kruut. Ze hadden voordat ze naar Artemis gingen allemaal een lijntje gesnoven en nu, bij het zien van de schaars geklede meisjes, had hij een permanente erectie die maar niet weg wilde.

Hans Ecker lachte toen hij dat doorhad. 'Kalm aan, Johannes, ga maar mee voor een vluggertje, dan drinken wij hier intussen wat!'

Johannes keek gelukkig en verdween. Silfverbielke verzeilde in een diepgaande discussie met een ober en verzekerde hem dat hij bereid was meer te betalen als ze iets beters te drinken kregen. Terwijl Johannes zich een halfuurtje met een van de meisjes amuseerde, vermaakten Hans, Björn en Christopher zich met kijken naar meisjes die om een klassieke paal op het toneel kronkelden en zich zo veel mogelijk blootgaven in de hoop dat ze dan meer en betere zaken zouden doen.

Te makkelijk, dacht Christopher. Veel te makkelijk. Vanavond moet het iets met meer finesse worden, iets lastigers.

Hij glimlachte in het donkere zaallicht.

Het was al over twee uur in de ochtend toen het groepje mannen bij Marrakech in Oost-Berlijn aankwam, in topvorm nadat ze al bij Felix en Panorama waren geweest.

De exclusieve club had een oosters geïnspireerd interieur met fraaie kleuren en diverse open ruimten met goed gedijde bomen en planten. Er waren twee verdiepingen. Op de onderste waren twee dancings met elk een bar. In de ene werd house, techno en indie gespeeld, in de andere lag de nadruk op rock en pop.

De bovenverdieping bestond uit een pianosalon met verschillende bars. Daar waren ook enkele 'clubsuites', bestemd voor kleine gezelschappen die met rust wilden worden gelaten. Er hing een vage geur van exotische kruiden in de lucht, en de mooie serveersters waren gekleed in traditionele Marokkaanse feestkleding.

Silfverbielke boog zich over naar Björn Hamberg. 'Hoe werken die privésuites?'

Hamberg gaf hem een knipoogje. '*Money talks.* Geef je serveerster of ober een flinke fooi, dan doen ze de deur van de suite niet open zolang je er niet om vraagt. Daarbinnen kun je doen wat je wilt...'

Silfverbielke keek nadenkend. Ik krijg verdorie geen hoogte van die man, dacht Björn Hamberg. Toen we op de Handelshogeschool zaten was hij de beste vriend die je je maar kon voorstellen en het is fijn dat het nu zo goed met hem gaat. Maar het is een onbetrouwbaar sujet. Ik ben blij dat hij niet de vriend van mijn zus is!

Ze gingen zitten in de diepe leren fauteuils in een van de bars en lieten zich door de mooie, donkerharige meisjes bedienen. Het gesprek rond de tafel ging afwisselend over meisjes, meisjes en... meisjes.

Silfverbielke voelde iets trillen in zijn broekzak en las het bericht. *Sorry, kon niet eerder smsn. Moest wel bij vrnd slapen. Hij slaapt nu. Hier klotig. Wat doe jij? K&K H.*

Hij schreef een snel antwoord. *Moest wel met zakenlui naar een bar. Zou liever met jou gaan. Tot horens morgen. Je Hans.*

Hans Ecker en Björn Hamberg gingen op de versiertoer en het duurde geen veertig minuten of ze verdwenen allebei met een meisje. Christopher plaagde Hans voordat hij wegging. 'Krijg ik nu geen noodoproep uit de hotelkamer? Vergeet niet foto's te nemen, maar laat ze niet zien als ik er niet om vraag. Ik moet Johannes ook nog aan wat extra punten helpen!' Ecker gaf hem een blik van verstandhouding en knikte. 'Geen zorg, Chris, we horen wel weer van elkaar.'

Christopher glimlachte naar Heidi, die in de stoel naast hem zat, een blonde Duitse van een jaar of vijfentwintig, in wie hij het afgelopen half-uur veel energie, heel wat complimentjes en een paar drankjes had geïnvesteerd. Volgens de wisselkoers die gold voor hoeren aan het Stureplan – drankjes in ruil voor seks – zou ze nu iets moeten willen. Ze was knap, slank en had een nauwe, zwarte zijden jurk aan. Dat ze zwarte kousen en schoenen met zeer hoge hakken droeg, maakte haar in Christophers ogen des te interessanter. *Ik moet van Johannes af zien te komen!*

Silfverbielke keek om zich heen. Drie tafeltjes verderop stond er plotseling een jonge, keurig geklede en zo te zien zwaar dronken man op. Hij hield zijn hand voor zijn mond en waggelde naar de toiletten. Op zijn tafeltje lagen nog zijn portefeuille, zijn mobiele telefoon en een zwarte agenda.

Christopher excuseerde zich glimlachend bij Heidi en boog zich voorover naar Johannes. 'Punten te verdienen, Johannes. Pak de portefeuille, het mobieltje en de agenda die drie tafeltjes achter je liggen. We zien nog wel of dat vijf of tien punten waard is. Ik ga zo meteen dit grietje berijden. Wat zijn jouw plannen?'

Johannes keek snel over zijn schouder. Na het bezoek aan de seksclub voelde hij zich sterk, onverslaanbaar.

Hij boog zich ook voorover en fluisterde: 'Er valt hier voor mij niet veel te versieren, vrees ik. Ik denk dat ik maar terugga naar de Oranienburgerstrasse om te zien of ik dat grietje van gisteren terug kan vinden, die was prima! We zien elkaar wel weer in het hotel.'

Johannes stond op, gaf Heidi beleefd een hand en legde uit dat hij weg moest. Op weg naar de uitgang hield hij als het ware toevallig stil bij het tafeltje iets verderop, stopte de portefeuille, het mobieltje en de agenda kalm in zijn zak en liep fluitend weg.

Christopher Silfverbielke glimlachte naar Heidi. Haar ogen waren vochtig van de drank en van de cocaïne die ze waarschijnlijk eerder op de avond had gesnoven. Hij boog zich naar haar toe. 'Ik merk dat jij ook wel zin hebt in wat avontuur,' fluisterde hij. 'Ik heb een idee: we nemen op het toilet een beetje coke om wat krachten op te doen, en dan huur ik zo'n privésuite en dan neem ik een paar mooie foto's van je. Je bent onweerstaanbaar!'

Hij kuste haar in de hals en raakte haar oor even aan met het puntje van zijn tong. Ze deed haar ogen dicht en hij merkte dat ze sidderde. Toen haar ogen weer half opengingen, was de boodschap die erin lag niet mis te verstaan. Ze knikte, gaf hem een knipoogje en stond op.

Ze sloten zich op op een van de vele toiletten. Silfverbielke haalde het zakje cocaïne uit zijn zak en strooide er genoeg uit om twee keurige lijntjes te maken. Hij ging op zijn hurken zitten en snoof het witte poeder gretig op; toen er een kleine explosie in zijn hoofd plaatsvond, deed hij zijn ogen even dicht.

Toen Heidi zich vooroverboog om haar neus op de hoogte van de toiletdeksel te brengen, liet hij zijn hand ver onder haar opkruipende jurk glijden en door haar dunne slipje heen greep hij haar geslacht zachtjes beet. Hij voelde dat ze al vochtig was en glimlachte. Ze nam goed de tijd en maakte geen aanstalten om zijn aarzelend strelende hand weg te duwen. Hij liet die over de zachte huid onder haar slipje gaan en stelde opgelucht vast dat ze stay-ups aanhad. *Een echte vrouw.*

Ze stond op, draaide zich om, sloeg haar armen om zijn nek en kuste hem gretig. Ze liet haar warme, gladde tong in zijn mond glijden en ronddraaien. Haar ene hand maakte zich vrij, gleed naar beneden en begon zijn geslacht te masseren, door de broek van zijn kostuum heen. 'Ik wil... jou,' kreunde ze.

'Straks,' fluisterde hij, terwijl hij door haar jurk heen haar schaambeen streelde. Hij merkte dat haar tepels nu opgezwollen en hard uitstaken in de dunne stof. *Teef.* Hij voelde dat hij opgewonden raakte. 'Je krijgt alles wat je wilt, maar eerst... Kom!'

Hij nam haar bij de hand, trok haar uit het toilet en liep naar de bar. Twee minuten later had hij een glimlachende serveerster veel te veel betaald om een fles champagne en twee glazen naar een privésuite te brengen, de deur achter zich dicht te doen en hen vervolgens met rust te laten tot hij belde.

Door de cocaïne had Silfverbielke het gevoel dat hij alles onder controle had. Heidi daarentegen leek zich in één grote mist te bevinden. Maar ze deed wat hij wilde en daar ging het om. Hij legde haar op een grote, wijnrode bank, pakte zijn mobiel, zette de camera aan en gaf haar instructies. Met glanzende ogen wierp ze hem verleidelijke blikken toe, terwijl ze intussen haar jurk naar beneden trok en haar ronde borsten met de harde tepels ontblootte. Daarna trok ze plagerig haar nauwe jurkje steeds verder omhoog. Toen de zwarte, met prachtig kant afgezette randen van haar kousen zichtbaar werden, begon Silfverbielke zwaarder te ademen; hij drukte enthousiast op de knop van de camera.

Ze trok haar minuscule string uit, spreidde haar benen en liet hem gewillig haar geslacht zien. Ze ademde zwaar en praatte hortend en stotend. 'Kom, kom nou... Kan niet meer wachten...'

Silfverbielke maakte zijn broek open, liet hem op de grond vallen en stapte eruit. Zijn boxershort ging dezelfde weg. Nog steeds met de camera in zijn hand liep hij naar haar toe. Hij bleef foto's maken terwijl ze hem met haar mond bevredigde.

Misschien kwam het door de cocaïne dat ze schreeuwde van het eerste orgasme, meteen nadat hij in haar gedrongen was, terwijl hij half over haar heen lag op de bank. Hij was harder dan hij sinds lang was geweest en pompte fanatiek, terwijl hij met zijn vrije hand in haar tepels kneep. Ze kwam nog een keer klaar, en toen beval hij haar op handen en knieën te gaan zitten. Hij maakte zorgvuldig foto's terwijl hij haar van achteren nam en wilde ook dat ze over haar schouder keek en naar de camera glimlachte. Hij nam haar snel en hard, en toen ze opeens klaagde dat hij te ver naar binnen kwam en dat het pijn deed, werd hij nog groter en stootte hij in haar zonder zich om haar kreetjes van pijn te bekommeren.

Toen hij voelde dat hij bijna klaar was, trok hij zich snel terug en drukte hij zijn geslacht tegen haar anus. Ze draaide zich verontwaardigd om. 'Wat doe je? Hou op, ik wil niet... niet daar!'

Hij drukte het knopje van de camera een paar keer in en liet het mobieltje toen naast zich op de bank vallen, zette zich schrap en perste zich diep naar binnen. Hij stak een hand uit en legde die stevig op haar mond om haar geschreeuw te dempen, terwijl hij in een razend tempo perste tot hij klaar was.

Ze zakte snikkend in elkaar op de bank. Hij bekeek haar met afschuw. Terwijl zij dronkener en meer stoned dan ooit leek, voelde hij zich nog steeds helder en scherp. Hij had alles onder controle.

Hij wilde weg bij die stomme hoer.

Maar... hij zou haar wel in leven laten.

Hij ging snel te werk, trok zijn boxershort en zijn broek aan, legde zijn haar goed met zijn handen en liet het mobieltje in zijn zak glijden. 'Wat doe je?' jammerde ze. 'Je kunt me hier niet zomaar laten liggen... Smeerlap die je bent!'

Christopher stak zijn hand in zijn zak, haalde er een stapeltje bankbiljetten uit, pakte een briefje van tien euro en liet dat op de grond vallen.

'*Auf wiedersehen, Liebling,*' zei hij spottend. Toen verliet hij de suite en deed de deur zorgvuldig achter zich dicht.

Vijf minuten later zat hij in een taxi terug naar het hotel.

Even na vier uur in de ochtend ging het feest weer door, nu in de suite van Hans Ecker. Hij had zich door roomservice champagne en wat snacks laten brengen. Ze aten, dronken en rookten cigarillo's. Hamberg bood iedereen die dat wilde nog een lijntje coke aan. Iedereen was er, behalve Johannes Kruut.

'Waar is Johannes toch gebleven?' vroeg Björn zich af.

Silfverbielke bekeek afwezig de foto's van Heidi in zijn mobiel. 'Hij wilde teruggaan naar de Oranienburgerstrasse om de liefde van zijn leven weer op te zoeken die hij daar gisteren had gevonden. Kijk hier eens naar, jongens.'

Hij overhandigde Björn zijn mobiel.

Hans Ecker pakte de zijne. 'Kijk jij dan intussen naar deze. Björn en ik hebben een triootje gedaan met zijn temeier. De mijne was niks, dus die hebben we er al gauw uitgegooid.'

'Zonder een beetje met haar gespeeld te hebben?' Silfverbielke klonk verbaasd.

Ecker stak zijn duim op. 'Jawel, ik heb hier even op haar gezeten terwijl Björn in de slaapkamer de andere pakte. Maar toen begon ze te zeuren dat ik geen gevoelens had en dat het een rotstreek was dat die anderen daar tegelijk bezig waren en nog wat van die dingen. Dus toen ik klaar was met haar, heb ik gewoon gezegd dat ze moest maken dat ze wegkwam.'

Björn lachte. 'Gelukkig was het grietje dat ik had des te beter bezig, zoals je op de foto's ziet. Ze kon ons allebei tegelijk aan!'

'Wat denk je, Hans...' vroeg Christopher glimlachend, '...vijf punten voor ons allebei, of worden het er tien?'

Ecker dacht na. 'Gezien de omstandigheden – triootje hier en jij in die kamer daar in die club – nou, dat is wel tien punten de man. Nou zal Johannes wel zenuwachtig worden.'

Precies op dat moment werd er aangeklopt. Ecker deed open en daar stond een dronken en gelukkige Johannes, met zijn haar rechtovereind. Terwijl hij zich in een stoel liet zakken en zich de hapjes en de champagne liet smaken, deed hij verslag van zijn avonturen. Hij was teruggegaan naar de Oranienburgerstrasse en had de mazzel gehad dat hij zijn Michelle weer had gevonden. Jawel, hij had foto's genomen terwijl ze lagen te neuken – hij liet zijn mobiele telefoon zien – en omdat ze hem nu kende, had ze ermee ingestemd dat hij achteraf zou betalen, omdat ze niet wisten hoelang hun spelletje zou duren. Toen ze klaar waren, was Michelle naar de badkamer gegaan voor een snelle douche, en toen was de jonge Kruut er manmoedig in geslaagd te ontsnappen zonder te betalen. Hij had heel voorzichtig moeten zijn in de Oranienburgerstrasse, waar verontwaardigde meisjes en geschifte pooiers van een afstandje naar hem schreeuwden.

Christopher, Hans en Björn keken elkaar verbaasd aan en schoten alle drie in de lach. Het verhaal was te mooi om verzonnen te zijn – zeker door Johannes – en ze vertrouwden erop dat hij de waarheid vertelde.

'Oké, Johannes, goed gedaan,' zei Christopher. 'Laat nou eens zien wat je in de club hebt meegenomen!'

Kruut knikte en groef in zijn zakken. Terwijl Hans de inhoud van de mobiele telefoon bekeek, pakte Christopher de portefeuille. Hij maakte hem open, keek wat erin zat en floot. 'Ruim vierduizend euro in contanten en een heleboel creditcards. Die knaap was de draad echt kwijt, hè?'

Christopher verdeelde het geld kalm onder de vrienden. Hij keek even in de agenda, maar vond niets interessants.

'Zit er iets in de telefoon, Hans?'

Ecker schudde zijn hoofd. 'Geen enkele foto, wat een saai type.'

'Nou...' vatte Silfverbielke samen, '...dat betekent dat de puntenverdeling vanavond als volgt is. Johannes krijgt er tien omdat hij de porte-feuille en de mobiel op de club heeft gejat en tien omdat hij die hoer heeft belazerd. Dat betekent dat hij er nu in totaal dertig heeft. Ik krijg er vijf voor mijn avontuur met Heidi in de club, zodat ik ook op dertig kom. Hans krijgt er tien voor zijn prestaties in de slaapkamer, waardoor hij in totaal op twintig staat. Daar mag je wel eens wat aan gaan doen, Hans!' Christopher hief zijn champagneglas om te proosten.

'Dat klinkt als een leuk wedstrijdje,' zei Björn Hamberg belangstellend.

'Hoelang gaan jullie door en wat krijgt de winnaar?'

Silfverbielke, Ecker en Kruut keken elkaar even aan en plotseling werd de stemming in de suite ernstig.

'Dat wil je niet weten,' zei Hans Ecker.

19

Zondag 4 februari

Het duurde lang voordat hij begreep waar dat snerpende geluid vandaan kwam en hij wilde degene die het veroorzaakte ombrengen. Zijn hoofd bonkte hevig en zijn tong plakte aan zijn gehemelte. Krachtige zonnestralen drongen door de slaapkamerramen naar binnen en brandden hem in de ogen toen hij die probeerde open te doen.

Hij knipperde, zocht met zijn hand naast het bed, vond de haak van de telefoon en bracht die naar zijn oor. 'Ja?'

Hans Ecker klonk wanhopig. 'Chris, we hebben ons verslapen, verdomme! Weet je hoe laat het is?'

Silfverbielke probeerde zijn gedachten op een rijtje te krijgen. 'Eh... Nee?'

'Het is vier uur 's middags!'

'Hm... Ja... En?' Christopher kwam langzaam bij zijn positieven en vroeg zich af welke pillen die man met de hamer het snelst uit zijn hoofd zouden kunnen halen. Oké. Het was zondag. Hij was in Berlijn. Ze waren in Berlijn. Ze moesten naar Travemünde om de boot niet te missen. Ze moesten niet vergeten het geld mee te nemen.

'Wat nou "nou en"?' Ecker klonk kwaad. 'De boot gaat om tien uur vanavond. Het is minstens drie uur rijden met dat verdomde koekblik en we hebben minstens een uur nodig om mijn auto te halen, in te checken en aan boord te komen. Dat kan maar net, snap je?'

Christopher ging rechtop in bed zitten en wierp een snelle blik op zijn Breitling op het nachtkastje. 'Oké, maak jij Johannes wakker? Geef me een kwartier, dan ben ik klaar om te vertrekken. We zien elkaar beneden. En vergeet het geld in godsnaam niet. Controleer dat ook bij Johannes!'

Hij gooide de hoorn op de haak, kwam uit bed en keek om zich heen. De slaapkamer en de zitkamer waren voor Christopher Silfverbielkes doen een chaos en hij keek er met afkeer naar. Normaal gesproken was hij bijzonder precies met het ophangen van zijn kostbare kleren. Nu slingerden ze overal rond en tijd om alles weer spic en span te krijgen was er niet.

Hij had vijftien minuten. Shit.

Hij ging aan de slag.

Silfverbielke boog zich voorover in de gele Volkswagen, bevestigde het navigatiesysteem aan het dashboard en zette hem aan. Toen kroop hij op de bestuurdersstoel en startte.

'Nou moeten we opschieten!' Hij manoeuvreerde de Fox zo gauw hij kon uit de hotelgarage en hield een half oog op het navigatiesysteem gericht om de stad zo snel mogelijk uit te komen.

Niemand protesteerde. Hans Eckers gezicht was wit weggetrokken en hij zag eruit alsof hij elk moment kon gaan overgeven. Johannes Kruut zat ingeklemd tussen de bagage op de achterbank, met het metalen koffertje met drie miljoen kronen erin onder zijn voeten.

Christopher reed Berlijn uit, vond de oprit van de Autobahn en maakte tempo op de A24. Hij mopperde dat de auto zo langzaam was, maar wist hem toch tot over de honderdvijftig te jagen.

'Ooo...' kreunde Ecker angstig op zijn stoel naast de bestuurder. 'Ik wil dood. Het brandt in mijn pik! Stel je voor dat ik iets heb opgelopen! Wat zal Veronica daar wel niet van zeggen?'

Silfverbielke stelde hem gerust. 'Er zijn pillen, maat. Ik heb er wel een paar voor je. Je neemt ze een paar keer totdat ze op hun sterkst zijn, en je moet gewoon een paar dagen niet met Veronica spelen.'

'Ja maar, verdomme, ze wil met me naar bed zodra ik binnen ben! Want ze wil kinderen, hè, en dat heeft vreselijke haast!'

Christopher schoot in de lach. 'Gooi het maar op hoofdpijn of late vergaderingen. Een paar dagen uitstel krijg je wel voor elkaar!'

Hij greep naar zijn voorhoofd en groef toen in zijn zakken. De twee aspirientjes die hij in het hotel had genomen, hadden de hoofdpijn wel wat verminderd, maar niet helemaal doen overgaan. Hij pakte er nog twee en trok een grimas toen hij ze probeerde door te slikken zonder dat hij iets had om ze mee weg te spoelen. *Moet iets te drinken vinden. Moet een benzinepomp zien te vinden.*

Silfverbielke was zich er volledig van bewust dat het niet de beste dag was om auto te rijden. Het feest in de suite van Hans Ecker had tot half-zeven in de ochtend geduurd, en hij durfde er niet eens aan te dénken hoeveel champagne, wijn, sterkedrank en cocaïne zijn vrienden en hij het afgelopen etmaal binnen hadden gekregen. Op dit moment had hij het gevoel dat het minstens een week zou duren voordat hij een blaastest zou aandurven. Als ze weer aan de Zweedse kant waren, moest hij zich vermannen. Er stond te veel op het spel.

Johannes Kruut zat op de achterbank zwijgend en nadenkend uit te staren over de velden die de snelweg omzoomden. Hij dacht aan wat er de afgelopen dagen was gebeurd. De politiecontrole in Zweden, de belevenissen in Berlijn. Christopher had een hoer omgebracht en hij kwam ermee weg! Hij huiverde bij de gedachte.

Zelf had hij waanzinnig lekkere seks gehad – zo lekker als waar hij altijd van droomde als hij naar pornofilms keek – en hij had er ook nog foto's van in zijn mobiel. Die zou hij een paar van de jongens op het werk laten zien. Of nee, dat was misschien niet zo'n goed idee: stel dat zijn vader het te horen kreeg.

Zijn vader, ja. Johannes had elke dag naar huis gebeld, zoals zijn ouders hem hadden gevraagd. Hij had hun verzekerd dat het uitstekend met hem ging, dat ze zich amuseerden met lekker eten en dat ze misschien nog naar een theater of een concert zouden gaan om de verjaardagen van Christopher en Hans te vieren.

Hij onderdrukte een giechelbui toen hij bedacht dat er nauwelijks iets minder met cultuur te maken kon hebben dan Michelle en haar vriendinnen. Tegelijkertijd bezorgde het hem een slecht geweten dat hij Michelle had bedrogen met het geld. Maar ach, ze was maar een hoer, en hij had haar de avond tevoren toch extra goed betaald. Hij zette haar uit zijn hoofd en duwde zijn rechtervoet voorzichtig naar beneden, totdat hij het aluminium koffertje onder zich voelde bewegen. Drie miljoen kronen. En daarvan was er één van hem. Een miljoen waarvan niemand wist, behalve zijn vrienden. Wat zou hij ermee gaan doen? Hij glimlachte en fantaseerde door.

Het verkeer op de Autobahn werd plotseling veel drukker en Christopher moest het gaspedaal een beetje loslaten. Hij zag voor zich een file opdoemen en vloekte: 'Wat krijgen we nou, verdomme? Daar hebben we helemaal geen tijd voor!' Hij keek even op zijn horloge en stelde voor de zoveelste keer vast dat ze vandaag geen speling hadden.

Hij zag een bordje waarop stond dat over vijfhonderd meter afrit nummer 22 naar Neuruppin kwam, en dacht even na. Als ze mazzel hadden, was het maar een korte file – een vrachtwagen met een lekke band of zo – en dan zouden ze over een paar honderd meter weer door kunnen rijden. Als ze pech hadden, was het zo'n kettingbotsing met een onbekend aantal auto's, zoals er zo vaak plaatsvonden op de Autobahn. In dat geval zou de hele weg kunnen worden afgesloten en zouden ze hier uren blijven staan.

Het alternatief was: nu afslaan en over een hobbelige, slecht onderhouden Oost-Duitse secundaire weg doorrijden. Dat was niet erg aantrekkelijk, maar toch veiliger.

Toen hij verderop groepjes blauwe zwaailichten ontwaarde, werd zijn laatste twijfel weggenomen

'Shit,' mompelde hij, en hij begon de Fox naar rechts te sturen.

Kruut boog zich voorover. 'Wat is er aan de hand, Chris?'

'Een hoop smerissen daarginds. En ik heb geen zin in een alcoholtest of in controle van onze bagage. We moeten van de snelweg af – nu!'

Precies op dat moment zag hij een politiewagen met blauw zwaailicht op slechts twintig meter voor hen op de vluchtstrook staan. Christopher voelde dat het zweet hem uitbrak terwijl hij de Fox zachtjes liet doorrijden. Een Duitse politieman wuifde de auto's resoluut door, en Christopher meende te zien dat hij extra lang naar hem en naar het kenteken van de Fox keek. *Verbeelding. Stel je niet aan.*

De afrit lag een paar honderd meter voor een barricade van politie- en brandweerwagens, waaruit bleek dat er een behoorlijk zwaar ongeluk was gebeurd. Christopher sloeg af en trapte het gaspedaal weer in.

Een paar minuten later bevonden ze zich op een secundaire weg in noordoostelijke richting, die inderdaad zo slecht was als hij al had gedacht. De grote kuilen in de weg waren provisorisch met allerlei materialen gevuld, en waar het asfalt door de vorst was uitgezet, waren er ook nog grote bulten, waardoor de Fox werd opgetild als hij te hard reed.

Ze passeerden groepjes kleine, lelijke, slecht onderhouden woonhuizen. Hier en daar stond op een erf een halfverroeste Trabant geparkeerd; stinkende rook uit de schoorstenen drong door de luchtroosters de auto in, waardoor Ecker naar adem moest happen.

'Verdomme, Chris, ik moet zo overgeven! En ik zou heel wat overhebben voor iets te drinken!'

'Een lijntje zou misschien ook wel lekker zijn.' Silfverbielke klonk nonchalant.

Ecker sloeg zijn handen voor zijn gezicht. 'Nee, spaar me, nu geen coke meer. Ik voel me onderhand net een junk op het Segelstorg. Verdomme, ik moet wel zorgen dat ik opknap voordat ik thuiskom. Veronica wordt gek als ik –'

'Godsamme, klote moffenland!' Silfverbielkes uitbarsting onderbrak Eckers zelfbeklag. Het autootje stuiterde over de kuilen en de bulten in de weg en de dorpjes die ze passeerden wedijverden om het lelijkst te zijn. Het stonk, en door het tikken van de klok zaten ze alle drie in de rats. De boot zou even na zeven uur de volgende ochtend in Trelleborg aankomen, en als alles meezat zouden ze om een uur of vier 's middags in Stockholm kunnen zijn. Dat was een must voor Hans Ecker, die een bestuursvergadering moest halen. Christopher had ook het gevoel dat hij grote behoefte had aan een rustige avond voorafgaand aan de vier zware werkdagen die hem te wachten stonden.

Christopher wierp een blik op zijn horloge. Het ging te langzaam. Ze zouden de boot missen. Hij trapte het gaspedaal tot op de vloer in en staarde verbeten door de voorruit. De winterduisternis was al over de weg gevallen en hij deed het grote licht aan.

Hij moest vaart minderen toen ze door Rägelin reden. Daarna kwamen er weer rechte stukken weg, die ondanks de kuilen uitnodigden om harder te rijden. De rechte stukken werden onderbroken door korte, heel scherpe bochten, waar hij vloekend op de rem moest trappen om te voorkomen dat het Volkswagentje uit de bocht vloog.

Na een bocht gaf hij weer plankgas en joeg hij de Fox op tot honderdveertig kilometer per uur. In de verte voor zich zag hij rode lichten; hij liep er snel op in.

'O, verdomme!' Hij remde hard en nijdig, zodat ze alle drie in hun veiligheidsgordels naar voren werden geduwd. Een vijftien jaar oude Opel Kadett kroop met zeventig kilometer per uur voor hen over de weg. Silfverbielke knipperde met zijn lichten en toeterde, maar dat bracht de chauffeur van de Kadett niet op andere ideeën aangaande zijn rijgedrag.

Zonder iets te zeggen gooide Silfverbielke de Fox naar de linker weghelft, en hij gaf gas. Tot zijn verbazing merkte hij dat de Kadett ook harder ging rijden. Ze reden hard op een bocht af en Silfverbielke besefte dat zijn enige kans was om er vóór de bocht voorbij te zijn.

De vrachtwagen had alleen maar dimlichten aan en dook als een totale verrassing ongeveer halverwege de scherpe bocht voor hen op. Christopher had de Kadett bijna ingehaald, maar niet helemaal. Instinctief gooide hij het stuur om naar rechts.

'Godver – domme!' gilde Ecker vanaf de rechter voorstoel, en hij sloeg de handen voor zijn ogen.

De klap kwam tegelijk met het geluid van staal tegen staal. De Fox begon te schudden en Silfverbielke hield het stuur krampachtig vast, terwijl de vrachtwagen zijn linker zijspiegel eraf sloeg. Christopher draaide het stuur verder naar rechts, hoorde een paar harde knallen en voelde de Fox nog een paar keer schudden. Toen leek de auto bevrijd, hervond zijn evenwicht en reed weer rechtdoor.

Christopher liet het gas los en keek op de weg voor zich.

Leeg.

Hij keek in de achteruitkijkspiegel en zag de rode achterlichten van de vrachtwagen in de verte verdwijnen. Waar was de Kadett gebleven?

'Chris, we zaten ertegenaan, we hebben de andere auto van de weg gedrukt!' schreeuwde Johannes vanaf zijn ingeklemde plek rechtsachter.

Silfverbielke zette de auto stil en keek nogmaals in de achteruitkijkspiegel.

'Wat... Wat is er verdomme gebeurd, Chris...?' Eckers stem was omfloerst.

'Die klootzak wilde me niet voorbij laten. Hij gaf gas net toen ik ernaast zat, en toen dook die vrachtwagen op uit het niets. Verdomme! We gaan even kijken...'

Hij zette de Fox in de achteruit en reed langzaam een meter of honderd terug. Hij trok de handrem aan, zette het rechter knipperlicht aan en stapte uit. Hans Ecker stapte aan zijn kant uit, gevolgd door Johannes, die zich van de achterbank af wurmde.

Een meter of dertig verderop, in de bosjes, zagen ze het zwakke licht van een van de koplampen van de Kadett. Het scheen in een rare hoek naar de grond. Silfverbielke luisterde scherp toen hij opeens een zwak kinderstemmetje hoorde.

Hij vervloekte zichzelf dat hij geen zaklamp bij zich had, maar nam een grote, vastberaden stap over de greppel naast de auto en liep tussen de verspreid staande bomen naar het licht toe. Hij hoorde takjes achter zich breken: Hans en Johannes kwamen achter hem aan. Het was donker, en zelfs het Oost-Duitse bos leek te stinken. Johannes Kruut huiverde en had er spijt van dat hij zijn jack niet had aangetrokken. Hij hoopte van harte dat er niemand gewond was.

Eckers angst werd met de seconde groter. Hij wilde niet op deze afschuwelijke plek zijn. Het vocht van de drassige bosgrond drong door zijn bootschoenen en maakte zijn sokken nat. Hij wilde hier weg, en gauw. Hij wilde naar huis. En boven alles wilde hij meer drank.

Christopher Silfverbielke stopte op een paar meter afstand van de Kadett. Hij zag dat die op z'n kop lag, dat de ene koplamp uit was en dat de andere recht naar de grond scheen. Er kwam rook uit openingen aan de zijkanten van de verkreukelde motorkap en er hing een doordringende benzinelucht.

In het schijnsel van het zwakke dimlicht stond een meisje, niet ouder dan een jaar of zes, zeven. Ze had stevige stappers aan, een vuile broek, een dikke loden jas en een muts met oorwarmers. Haar ogen stonden vol tranen en er stroomde bloed over haar ene wang.

'Vati... Vati!' snikte ze, terwijl ze probeerde haar tranen en het bloed weg te vegen.

Silfverbielke staarde haar aan. 'Wo?'

Het meisje wees. Silfverbielke kneep zijn ogen half dicht en opeens zag hij het. Het hoofd van een man hing door de versplinterde ruit naar buiten.

'Oeps...' mompelde hij, en hij liep er langzaam naartoe.

Achter zich hoorde hij Ecker plotseling in huilen uitbarsten en overgeven, terwijl Johannes schreeuwde: 'Chris, we moeten meteen bellen om een ziekenwagen. Moet je hier ook 112 bellen?'

'*Hilfe, Hilfe!*' Het meisje snikte.

Silfverbielke draaide zich om en zag dat Johannes zijn mobiel in zijn hand had. Een meter daarachter stond Ecker; hij had zich omgedraaid en leegde zijn maag op het zachte mos.

'Niet doen, Johannes,' zei Christopher ijzig. 'We bellen niemand!'

'Maar...'

'Geen gemaar! Doe wat ik zeg!'

Kruut slikte en liet zijn telefoon weer in zijn zak glijden. Hij wilde dichterbij komen, maar durfde niet. Hij zag alleen de omtrek van het hoofd van de man en was bang dat hij flauw zou vallen als hij meer zou zien.

Silfverbielke deed een paar langzame stappen naar het wrak, en toen hij bij de vernielde bumper kwam, ging hij op zijn hurken zitten om het beter te kunnen zien.

Het bloed stroomde langs de ondersteboven hangende hals naar de kin en de wangen. De ogen staarden leeg voor zich uit en Christopher zag geen enkel teken dat de man nog bewoog of ademde.

'*Hilfe, bitte! Vati, mein Vati!*' Het meisje huilde nu onbedaarlijk en liep zachtjes naar Christopher toe.

Hij draaide zich langzaam naar haar om, nog steeds op zijn hurken zittend. Ze had een snijwond op haar rechterwang, maar voor zover hij kon zien was het geen ernstige bloeding. Hij keek haar rustig aan en fluisterde: '*Ja, ja, ich will dich helfen. Nur ruhig. Ich rufe einen Krankenwagen an!*'

Ze knikte zwijgend en bleef huilen.

Christopher stond op en liep snel langs Johannes en Hans, die klaar was met braken en tegen een boom geleund stond.

'Kom, we gaan!'

Hij ging snel door naar de auto en hoorde hun reacties. 'Hoe bedoel je, Chris? We moeten toch op de ziekenwagen wachten?'

Johannes klonk wanhopig.

'En wat doen we met dat meisje? We kunnen haar hier toch niet zomaar achterlaten, haar vader lijkt me zwaargewond!' riep Hans.

Christopher deed het linker voorportier open en stapte in. 'Gaan jullie mee of niet? Ik ga nu weg!'

Johannes kroop op de achterbank, Ecker klapte zijn stoel terug, ging zitten en deed het portier dicht.

Christopher startte, schakelde en reed weg zonder achterom te kijken. Het laatste wat hij hoorde was een hartverscheurende schreeuw van het kleine meisje vanuit het donkere, vochtige bos.

'Je bent verdomme niet goed snik! Heb je dan helemaal geen gevoel?' Hans Ecker sloeg met zijn vuist op het dashboard, terwijl Christopher vaart maakte.

'Stop, verdomme, we moeten ze helpen!' gilde Kruut vanaf de achterbank. 'Ik ben het met Hans eens, we kunnen ze hier toch niet zomaar achterlaten!'

Silfverbielkes stem was koud en beheerst. 'Luister nou eens goed. Wil een van jullie een blaastest doen als de politie komt? Wil een van jullie de coke uit zijn zakken halen en op de motorkap leggen? Wil een van jullie de koffer met geld openmaken en uitleggen waar dat vandaan komt? Het gaat nu niet om wat we wel of niet zouden moeten doen. We hebben geen keus. Bovendien is dit best een drukke weg. Ze zullen dat meisje over een paar minuten vinden.'

'Maar...' stamelde Kruut, '...maar die man dan?'

Christopher keek even in de achteruitkijkspiegel en trapte het gaspedaal nog iets verder in. Niets achter hen. Hij zag twee koplampen op hen afkomen en concentreerde zich erop zo ver mogelijk rechts te blijven rijden.

'Die is dood.'

Christopher had de zin nauwelijks uitgesproken of hij hoorde Johannes kokhalzen op de achterbank. Hij remde hard, stopte langs de kant van de weg en staarde Ecker aan. 'Laat hem eruit, gauw, voordat hij in de auto kotst!'

Terwijl Johannes zich over de greppel boog, hield Christopher de weg voor en achter hen zorgvuldig in de gaten. Niets achter hen. De paar auto's die eventueel achter hen hadden gereden, waren vast gestopt op de plaats van het ongeluk. Tot dusverre was hun maar één auto tegemoetgekomen, en nu zag hij nog een paar koplampen aankomen.

'Schiet op!' brulde hij kwaad naar Johannes, die met een verontschuldigende blik weer op de achterbank kroop.

Hij trapte het gaspedaal zo ver mogelijk in en passeerde algauw Rossow. De eerstvolgende keer dat hij een bord naar de Autobahn zag, ging hij rustig die kant op. Een kwartier later reed hij op de rechter rijstrook van de snelweg, en joeg hij de Fox op naar de honderdvijftig.

'Maar de auto dan?' zei Hans Ecker na een lange stilte. 'Stel je voor dat iemand ons heeft gezien.'

Silfverbielke keek hem snel even aan. *Kreeg hij weer slappe knieën? Ik moet hem in de gaten houden. Als het spannend wordt, kan hij het begeven.*

'In de eerste plaats heeft niemand de auto of het kenteken gezien, zelfs het meisje niet,' antwoordde hij bedaard. 'Er zaten geen auto's achter ons toen we daar wegreden en we zijn er maar vier tegengekomen voordat we weer op de Autobahn zaten. In de tweede plaats is de auto als gestolen opgegeven, en dus is er geen spoor dat naar ons leidt.'

Ecker schrok en staarde hem aan. 'De auto is wát, zei je?'

'Als gestolen opgegeven.' Christopher glimlachte in het donker. 'Goed, hè?'

Ecker deed zijn ogen dicht. 'Wie heeft dat gedaan? Wanneer? Waarom?'

'Dat heb ik zaterdag gedaan. Het leek me wel spannend om te kijken of we met een gestolen auto bij de boot konden komen. Hoeveel punten krijg ik daarvoor?'

Ecker staarde hem aan in het donker. Eerst zag hij er woedend uit, toen zeeg hij ineen met een apathische uitdrukking op zijn gezicht; hij schudde zijn hoofd. 'Jij bent ontzettend ziek. Wat wil je zeggen als iemand ons aanhoudt?'

'Dat het allemaal een of ander misverstand is, natuurlijk. We hebben toch een huurcontract, de autosleutels en de auto, dus hoezo gestolen?'

Hij trapte het gaspedaal weer wat verder naar de vloer.

Ecker leunde achterover, sloot zijn ogen en vocht tegen de angst die in hem groeide.

Aan de rand van Travemünde draaide Christopher een klein zijstraatje in, stopte en raadpleegde het navigatiesysteem. Hij gaf een adres in en wachtte, terwijl het apparaat aan het werk was.

'Oké, we laten de auto hier staan en lopen verder. Het is maar tien minuten lopen naar wat grotere straten, en daar kunnen we een taxi nemen.

Kruut boog zich voorover. 'Maar waarom rijden we niet door naar Hertz? We moeten de auto toch terugbr–'

Silfverbielke deed zijn ogen dicht. *Hoe dom kun je zijn?*

'Hij is gestolen gemeld, Johannes. Bovendien heeft hij schade opgelopen bij een botsing, snap je?'

'O ja, ja, daar dacht ik niet aan...'

Silfverbielke haalde het navigatiesysteem van het dashboard en stapte uit.

'*Let's go.* Het feest is afgelopen.'

Christopher bleef staan en liet zijn blik glijden over het terrein voor het gebouw waarin de Volkswagen-garage en de autoverhuur van Hertz zaten.

Leeg.

De garage was om zes uur dichtgegaan en nu was het even na negenen. Kalm aan. Vastbesloten liep hij naar Eckers keurig geparkeerde Mercedes-jeep, maakte hem open en zette zijn koffer in de kofferbak. Hans volgde zijn voorbeeld en Johannes legde zijn eigen bagage en het koffertje met geld erin. Silfverbielke keek hem geduldig aan. 'Nee, Johannes, nee.' Alsof hij het tegen een hond had. 'Op de vloer, Johannes, onder je voeten.'

Hij wendde zich tot Hans Ecker. 'Wij jij soms rijden?'

Hans zag er nog steeds bleek en pips uit. 'Nee, dank je, als jij nog wilt rijden, ben ik je dankbaar.'

Christopher knikte, stapte achter het stuur en startte de auto.

Toen ze op het punt stonden de veerboot op te rijden, schrok Christopher. De man die de auto's naar binnen loodste, was dezelfde dikke, domme man uit Skåne die hem op de heenweg zo'n grote bek had gegeven. Hij raakte het knopje van het zijraampje even aan, zodat dat naar beneden gleed. Hij heeft nog steeds die smerige blauwe broek en die smerige sweater van TT-Lines aan, dacht Silfverbielke. Hij is nog steeds klein, vies, ongeschoren en slecht gekleed. Hij heeft nog steeds gele, smerige tanden. En nu gaat hij weer dom doen. Fout.

'Dat zul'n toch niet weer die Stockholmers zijn? Ging het goed met de spijkerband'n?'

Hij grijnsde vals.

Silfverbielke glimlachte beminnelijk. 'Het ging heel goed. We hebben een luxewagen met zomerbanden gehuurd.'

De glimlach verstarde op het gezicht van de Skåner, en hij keek teleurgesteld. 'Wat jammer nou...'

'Waarom, als ik vragen mag?'

De Skåner draaide zich om en spuugde op de geverfde stalen vloer. Toen kwam de valse grijns terug. 'Nou, jullie uit de hoofdstad kun'n af en toe wel een lesje gebruik'n, anders wor'n jullie te hooghartig. Daarzo parkeer'n...' Hij wees naar een plaats in de rechterrij, achter een Volkswagen-busje.

Silfverbielke liet de ruit weer omhoog glijden, liet de rem los en stuurde de Mercedes naar de aangegeven plek.

'We zien elkaar over een uurtje wel in het restaurant,' zei Christopher toen ze hun bagage uit de kofferbak haalden. 'Ik controleer even of de auto goed op slot zit en dan wil ik even uitrusten. Hou de koffer goed in de gaten.' Hij wierp een veelbetekenende blik op het aluminium koffertje.

'Maak je geen zorgen, ik blijf bij Johannes in de buurt,' zei Hans met een hoofdknikje.

Zodra ze uit het zicht waren, stapte Christopher op de achterbank van de Mercedes en ging liggen. Hij voelde geschommel wanneer er zware trailers aan boord kwamen en hoorde een klap als er personenwagens over de klep het autodek op reden. Er verstreek steeds meer tijd tussen de geluiden en de bewegingen en ten slotte hielden ze helemaal op.

Toen hoorde hij een zwaar, dof geluid. Hij kwam half overeind en zag dat de grote deur van het autodek werd gesloten. Hij ging weer liggen en wachtte nog tien minuten. Toen deed hij zachtjes het portier open en sloop tussen de geparkeerde auto's door.

Het kostte hem minder dan twee minuten om de Skåner te vinden. Die stond bij de stalen wand, bij iets wat eruitzag als de deuropening van een klein kantoortje, iets op een notitieblok te schrijven.

Silfverbielke bekeek hem even, vol afschuw. Vroeger was het makkelijker, dacht hij, dan sloeg je iemand met een witte handschoen in zijn gezicht, zei 'tot morgen in de ochtendschemering', en dan maakte je het de volgende dag definitief af.

Nu sloop hij stilletjes achter de Skåner, greep hem krachtig vast, draaide hem rond en gooide hem met een klap tegen het staal.

'Au, verdomme, wat doe je?'

'Hou je bek!' Silfverbielkes zei zacht en ijzig: 'Luister goed, lummel, wij moeten eens even praten.' Christopher pakte de man bij de kin, zodat diens gezicht van pijn vertrok.

'Wat doe je, verdomme, bejje niet goed snik?' kreunde hij.

'Ja, dat is nu juist het probleem. Ik ben echt niet goed snik. Ik doe soms maar wat en dan kan het me geen zak schelen wat ervan komt, snap je?' Zonder op antwoord te wachten vervolgde hij: 'Jij bent dom en je bent vies, en dat is geen beste combinatie, vooral niet omdat je ook nog zo'n grote bek hebt. Maar nu komt het goede nieuws: vandaag is de gelukkigste dag van je leven!'

Hij verstevigde zijn greep om de kin van de man. 'Waarom... Waarom dat?' wist de Skåner uit te brengen.

'Omdat ik heb besloten dat ik je in leven laat. Maar dan moeten we wel iets afspreken, en dat is dat ik jouw vieze, vette tronie op deze reis niet meer hoef te zien. Als jij jouw deel van de afspraak niet nakomt, hou ik me ook niet aan mijn deel. Is dat begrepen?'

Hij liet de kin van de Skåner los en gaf hem een rechtse in zijn middenrif, zodat hij kreunend dubbelklapte en op zijn knieën viel.

Silfverbielke zette gauw zijn voet onder de kin van de man en tilde die op, zodat hij hem in de ogen kon kijken.

'"Is dat begrepen?" vroeg ik. Ik zweer dat ik je vermoord als ik je nog een keer zie!'

Alle kleur was weggetrokken uit het gezicht van de dikkerd. Hij hield zijn buik vast terwijl hij geluidloos knikte.

Zonder iets te zeggen draaide Silfverbielke zich om, liep terug naar de auto, pakte zijn bagage en verliet het autodek.

Het drietal ging vroeg naar bed en de volgende ochtend ontbeten ze samen voordat de veerboot in Trelleborg aankwam.

Terwijl Hans en Christopher de Mercedes inpakten en van de boot af reden, liep een zeer nerveuze Johannes Kruut over de lange, wiebelende loopplank, met zijn gewone koffer in de ene hand en het metalen koffertje in de andere.

Hij voelde een steek in zijn borst toen hij zag dat het douanehokje, dat tegenwoordig meestal onbezet was, nu bemand was met vier douaniers en een herdershond. Een drugshond, natuurlijk. *Kan die ook geld ruiken?*

Kruut bleef even staan. *Flink zijn. Alles hangt van mij af. En ik heb punten nodig.*

Hij veegde discreet het zweet van zijn voorhoofd en liep rustig maar resoluut door de douane. Hij keek even opzij naar een van de douaniers en glimlachte.

Net toen hij voorbijliep, rukte de hond aan de riem en blafte.

Johannes dacht dat zijn hart stilstond, maar dwong zichzelf rustig door te lopen, terwijl hij erop wachtte dat ze hem terug zouden roepen of, nog erger, achter hem aan gerend kwamen.

'Rustig, Jacko, zit!' hoorde hij een douanier zeggen. Hij blies uit en liep de frisse winterlucht voor het havengebouw in. Toen hij iets verderop de Mercedes zag met Hans aan het stuur, zwaaide hij vrolijk.

Ze waren thuis. Thuis met drie miljoen.

Johannes laadde zijn koffers in, ging op de achterbank zitten, blies uit en probeerde nonchalant te klinken. 'Ja, ja, jongens, dat ging goed. En hoeveel punten krijg ik voor dit huzarenstukje?'

Christopher keek Hans snel aan en knipoogde bijna onmerkbaar. 'Ik vind het wel tien punten waard. Drie miljoen is toch drie miljoen. Wat vind jij, Hans?'

'Mee eens!' antwoordde Ecker. 'Het ziet ernaar uit dat ik flink achteropraak, hè? Als ik het goed heb, had jij er al dertig, Johannes. Dan heb je er nu veertig, Chris heeft er dertig, en ik twintig. Ik denk dat ik iets heel speciaals moet verzinnen!' zei hij lachend.

Het maakt niet uit, dacht hij. Chris zal het hoe dan ook wel zo weten te sturen dat hij en ik het geld delen. Johannes heeft al genoeg.

Johannes' gedachtegang was intussen heel anders. De tien punten die hij had gekregen, had hij echt hard nodig. Hij moest een voorsprong hebben, waardoor hij tijd had om na te denken hoe hij meer punten kon verwerven. Hij was er zich heel goed van bewust dat hij niet uit hetzelfde hout gesneden was als Hans en Christopher, maar hij wilde de wedstrijd toch graag winnen. Hij had wel al genoeg geld, maar dat was geoormerkt, en niemand wist wat er in de toekomst zou gebeuren. Een extra buffer van twintig miljoen zou helemaal geen kwaad kunnen.

Ecker schakelde en de jeep begon te rijden. Precies zes uur en vijfenveertig minuten later passeerden ze het bordje dat meldde dat ze in Stockholm waren.

Hans Ecker besteedde de avond aan een lange bestuursvergadering en viel toen uitgeput in slaap in zijn bed, ondanks Veronica's pogingen om hem te verleiden.

Johannes Kruut luisterde naar muziek en keek lang naar de foto's van Michelle op zijn mobiel.

Christopher Silfverbielke wandelde naar de 7-Eleven, kocht een prepaidkaart van honderd kronen en sms'te de code naar Helena, met de mededeling: *Ben weer thuis, moe. Mis je. Knuffel, je Hans.*

Toen sloeg hij zijn dekbed open, strooide de eurobriefjes over het laken, kleedde zich helemaal uit, masturbeerde en sliep toen acht uur lang rustig tussen de knisperende bankbiljetten.

20

Woensdag 7 februari

'Colt.'

'Jacob, met Angela van der Wijk!'

De commissaris ging rechtop zitten en glimlachte. Sinds ze elkaar een paar jaar geleden op een conferentie in Londen over internetgerelateerde criminaliteit hadden ontmoet, hadden ze elkaar een paar keer telefonisch gesproken, maar niet meer gezien. Ze hadden ervaringen uitgewisseld over een hele reeks onopgehelderde moorden in de hele wereld, totdat Jacob er, samen met Hector Venderaz van de FBI in Miami en Vladimir Karpov van de politie van St.-Petersburg, in was geslaagd het raadsel op te lossen. Ze hadden samen een van de kwalijkste internationale misdaadsyndicaten van de geschiedenis opgerold en...

'Ben je er nog, Jacob?'

'Sorry, Angela, ik zat even diep in gedachten. Leuk om van je te horen! Dat is alweer een tijdje geleden. Hoe gaat het met je?'

'Het gaat wel. Ik kijk niet verder dan één dag vooruit. We hebben niet bepaald te weinig te doen; daar weet jij ook alles van, denk ik?'

Ja, daar wist Jacob alles van. En hij wist ook maar al te goed hoe het met Angela van der Wijk ging. Slechter, veel slechter.

Angela was een uiterst bekwame en bovendien zeer aantrekkelijke rechercheur, die zich in recordtempo had opgewerkt en na verloop van tijd commissaris was geworden bij de afdeling Moordzaken in Amsterdam. Ze was gelukkig geweest met haar man en hun kinderen, een tweeling, tot een noodlottige avond ruim twee jaar geleden. Haar man en kinderen werden onderweg naar huis aangereden door een dronken automobilist en waren op slag dood.

Angela was met veel pijn en moeite door een verschrikkelijk zwaar rouwproces gegaan. Ze huilde 's nachts, terwijl ze zich overdag groot hield en professioneel gedroeg. Het werk was het enige vaste punt dat ze had, nu de rest van haar bestaan in een paar seconden van haar weggerukt was. Daarom begroef ze zich onder het werk en wuifde de vrienden weg die haar adviseerden om anders met de situatie om te gaan om er zelf niet aan onderdoor te gaan, aan kapot te gaan. Het waren haar man en haar kinderen die dood waren. Alleen zij wist hoe dat voelde. Alleen Angela van der Wijk zelf kon ervoor zorgen dat ze het overleefde.

Jacob schoot in de lach. 'Ja, dank je, daar weet ik alles van. De kans om werkloos te worden lijkt in deze branche niet erg groot. Op dit moment zit ik met een lastige moord op een Zweedse bankier en de sporen die we hebben brengen ons bepaald niet verder. De officier van justitie raakt er de kluts van kwijt, en de hoofdcommissaris ook. Herken je dat?'

'Nou en of. Maar bij wijze van uitzondering heb ik zelf nu eens geen zaak omhanden. Ik ben een week op studiebezoek bij een collega van de recherche van Berlijn, commissaris Wulf Weigermüller. Hij heeft een paar dagen geleden een moord op zijn bordje gekregen waarover ik jou om advies wilde vragen.'

'Mij?' Jacob klonk verbaasd, en hij voegde eraan toe: 'Aan mij heb je echt niks als het om moord in Berlijn gaat.'

'Komiek!' zei Angela lachend. 'Ik zal je uitleggen hoe het zit. Het slachtoffer – Renate Steiner, een vijfentwintigjarige prostituee – is gevonden in zo'n hotel waar dames van lichte zeden en hun klanten kamers per uur huren, tegen contante betaling vooraf. Ze was gewurgd en bovendien had iemand – waarschijnlijk de moordenaar – haar ene tepel afgebeten. Die is trouwens niet teruggevonden.'

Colt huiverde. Hij vroeg zich af hoe mensen in elkaar zaten, wat hun ertoe kon brengen volkomen krankzinnig te worden. De afgelopen jaren had hij er steeds meer voorbeelden van gezien dat het vermoorden van iemand aan wie je een hekel had niet voldoende was, maar dat de moord moest worden voorafgegaan of gevolgd door zonder meer beestachtige handelingen. Mensen sneden in hun slachtoffers, hakten hen in stukken, staken hun lichamen in brand, vermaalden of verbrijzelden hen.

Hij zette die gedachten van zich af. 'Dat klinkt als een leuke vent – ik neem tenminste aan dat jullie ervan uitgaan dat ze vermoord is door een man?'

'Ja. Maar nu kom ik bij waar ik heen wilde. De Duitsers hebben in de hotelkamer waar ze is vermoord DNA-sporen gevonden, twee verschillende zelfs, om precies te zijn.'

Jacob trok zijn wenkbrauwen op. 'Is het daar gebruikelijk dat prostituees meer mannen meenemen naar hun kamer?'

'Volgens mijn collega Wulf is bijna alles gebruikelijk in de omgeving van de Oranienburgerstrasse,' verzuchtte Angela van der Wijk.

'Wat nu zo verbazend is, is dat een van de beste vriendinnen van het slachtoffer – ook een prostituee – zag dat Steiner haar laatste klant oppikte. Ze kon geen uitgebreid signalement geven, maar beweert dat het een tamelijk lange, donkerharige, goed geklede man was, en ze was er zeker van dat hij alleen was. Een andere getuige – ook een prostituee – zag een lange, donkerharige, goed geklede man uit Steiners kamer komen toen ze zelf met een klant het hotel in kwam. We hebben dus niemand die een andere man heeft gezien. En het lijkt niet erg waarschijnlijk dat twee mannen met een zo gelijkluidend signalement op twee verschillende tijdstippen het hotel in en uit zijn geslopen.'

'Maar jullie hebben twee DNA's?' Jacob krabde zich op het hoofd. 'Aan de andere kant, hoeveel mannen werkt zo'n meisje op een avond af? Kan ze niet haar, vocht en dergelijke van meerdere mannen bij zich dragen?'

'Ja, dat is wel zo. Maar het ene DNA is onder haar nagels vandaan gehaald. Daar zaten huidschilfers en zelfs wat bloed, en de Duitsers leiden daaruit af dat ze heeft geprobeerd zich te verweren door de moordenaar in het gezicht te krabben. Er zat ook een donkere haar op haar lichaam met hetzelfde DNA als van de huidschilfers.'

Jacob keek op zijn horloge. Hij begon zich wat gestrest te voelen. Hij mocht Angela van der Wijk en wilde haar graag helpen als hij kon, maar hij moest haar aansporen om ter zake te komen.

'Angela,' onderbrak hij haar, 'ik heb het nogal druk, dus als je het zou willen samenvatten...'

'Oké, ik begrijp het. Wat ik wil zeggen is dat het andere DNA vele meters van het bed is gevonden waarop het slachtoffer lag. Het zat op sigarettenpeuken in een asbak en op een bankbiljet dat gebruikt was om cocaïne mee te snuiven. En nu komt het, Jacob: dat biljet was een briefje van honderd Zweedse kronen en de peuken waren van het merk John Silver!'

Colt, die tijdens het luisteren onderuitgezakt was in zijn stoel, ging rechtop zitten. Weliswaar kwam je in een opsporingsonderzoek wel vaker toevalligheden tegen, maar als er een Zweeds briefje van honderd in de buurt van een slachtoffer van moord werd gevonden, was er natuurlijk reden om aan te nemen dat de moordenaar wel eens een Zweed zou kunnen zijn.

'Interessant! Wat wil je dat ik doe, Angela?'

'De bureaucratie omzeilen, natuurlijk!' Ze lachte. 'Ik wilde vragen of jij een kortere weg naar het Zweedse DNA-register weet. We willen de gevonden DNA's natuurlijk zo gauw mogelijk door het Zweedse register halen, maar je weet wat er gebeurt als we dat via Interpol moeten doen.'

Jacob zuchtte. 'Ik weet het, ik weet het, maar helaas zie ik hier niet echt een kortere route.'

Hij vervloekte inwendig – hij wist niet voor de hoeveelste keer – het onvermogen van de politiekorpsen in de wereld om een beetje tempo te maken met het tot stand brengen van internationale samenwerking. Het afgelopen jaar, toen hij meewerkte aan het opblazen van het in Rusland gevestigde internationale misdaadsyndicaat, was niet alleen gebleken dat de internationale politiekorpsen vrijwel machteloos stonden tegenover internetgerelateerde criminaliteit, maar ook dat normale, eerzame samenwerking over grenzen heen hopeloos moeizaam tot stand kwam, terwijl de criminaliteit steeds internationaler werd. Politiek, prestige en onwetendheid over de nieuwe grensoverschrijdende werkwijzen van criminelen staken telkens een spaak in het wiel van mensen zoals Angela van der Wijk en hij, die elke dag in de praktijk konden vaststellen dat de misdadigers zich heel goed internationaal konden organiseren.

Er waren wel wat lichtpuntjes, maar Jacob vond het er veel te weinig. Toen vertegenwoordigers van Europese politiekorpsen een paar jaar geleden aan de onderhandelingstafel zaten in de Duitse stad Prüm, hadden ze in elk geval een begin gemaakt van iets wat heel goed zou kunnen worden. Duitsland, Nederland, Spanje, Oostenrijk, België, Frankrijk en Luxemburg hadden zich al in een vroeg stadium aangesloten bij het Verdrag van Prüm. Dat hield in dat men in het vervolg niet de omweg via Interpol hoefde te nemen als men vingerafdrukken of DNA wilde checken in een databank van een politiekorps in een ander land, maar dat men zich rechtstreeks tot de politie van het betreffende land mocht wenden.

Maar Zweden deed niet mee aan het Verdrag van Prüm. Nog niet.

Jacob Colt zuchtte weer. 'Zoals je weet doen we nog niet mee aan Prüm; onze geliefde superieuren en politici vinden kennelijk dat ze er nog even over moeten nadenken...'

Hij krabde op zijn hoofd terwijl hij nadacht. Misschien, heel misschien was er een andere mogelijkheid.

'Maar ik heb een idee. Als jij via Interpol een verzoek doet, neem ik contact op met het Nationaal Forensisch Instituut van Zweden, de beheerder van de databases. Ik heb daar goede contacten, en als ik een paar telefoontjes pleeg en vraag of ze jullie verzoek met voorrang willen behandelen omdat de moordenaar een Zweed zou kunnen zijn, denk ik dat we een paar wachtenden voor ons voorbij kunnen gaan.'

'Dat klinkt geweldig, Jacob. Wanneer denk je dat je ze kunt bellen?'

'Zodra wij ons gesprek hebben beëindigd.'

'Prachtig! Ik hou je natuurlijk op de hoogte van wat er gebeurt. Ik blijf nog een paar dagen hier bij Wulf, maar hij blijft me informeren als ik terug ben in Amsterdam.'

'Dat klinkt prima. We mailen of bellen. Ik wil natuurlijk weten of er een Zweedse gek in Berlijn rondloopt die prostituees vermoordt.'

'Dat dacht ik wel. Ik laat iets van me horen zodra ik meer weet. Ik zal je niet langer ophouden. Hartelijk bedankt voor je hulp, Jacob!'

'Geen dank. Pas goed op jezelf!'

Jacob legde op, leunde achterover en dacht na. Een Zweedse moordenaar in Berlijn? Of een buitenlandse moordenaar met Zweeds geld? Het zou heel interessant zijn om te vernemen of er een hit was als ze het DNA van de Duitsers door het register van het NFI lieten gaan. De database was verdeeld in twee secties. Een waarin het DNA werd geregistreerd van daders die waren gegrepen en veroordeeld voor allerlei misdrijven. En een waarin DNA werd opgeslagen dat te maken had met nog onopgehelderde misdrijven.

Jacob pakte de telefoon en toetste het nummer van het NFI in Linköping in. Sune Jonsson, een van de chefs daar die Jacob al jaren kende, zou hem kunnen helpen.

Tien minuten later had hij van Sune de verzekering gekregen dat die in de gaten zou houden wanneer de test van de Duitsers binnenkwam en dat hij zich er dan zo gauw mogelijk op zou storten. Jacob wist echter wel dat het geen goed idee was om te vragen om informatie vooraf, voordat het register van het NFI was gecheckt. Sune was gewoon te professioneel om tegen de regels in te gaan.

Gelukkig hebben sommige mensen nog eergevoel, dacht Jacob, terwijl hij geïrriteerd tussen zijn bureau en het raam heen en weer liep. Zijn zesde zintuig was plotseling tot leven gekomen en hij had het onaangename gevoel dat Angela's telefoontje hem op een of andere manier meer problemen zou bezorgen.

21

Donderdag 8 februari

Pang!

Het zwarte balletje stuiterde met een klap tegen de muur. Henrik Vadh stelde vast dat Jacob Colt een stuk harder had geserveerd dan anders.

Uit zijn humeur? Gefrustreerd? Serieuze problemen of gewoon met zijn verkeerde been uit bed gestapt? Vadh stormde naar voren en sloeg een sterke backhand terug waardoor Colt al meteen in het nauw kwam.

Ze sloegen zwijgend een paar ballen. Het enige wat er te horen was, waren de klappen waarmee de bal tegen de muur kwam, hun gehijg wanneer ze hem sloegen, het gepiep van hun rubberzolen over de vloer.

'Ben je niet in vorm, chef?' vroeg Vadh plagerig nadat hij vier rally's achter elkaar had gewonnen.

Colt bleef staan, boog zich voorover en leunde met zijn handen op zijn knieën terwijl hij een paar tellen naar adem hapte. Hij schudde zijn hoofd.

'Ik kan me vandaag niet concentreren, Henrik. Ik lig nu al nachtenlang te piekeren over de zaak-De Wahl. We tasten nog steeds in het duister.'

Vadh knikte. 'Het wordt niks met die jongen, hè?'

'Ik denk het niet.' Colt keek ernstig. 'Kulin was zo onaardig om vrijdag bij me te komen, vlak voordat ik naar huis zou gaan. Ze vertelde dat ze waarschijnlijk geen aanklacht tegen Hamid Barekzi zal indienen als we niet met iets veel beters komen dan wat we nu hebben.'

'Dat verbaast me niks.' Henrik Vadh schudde somber zijn hoofd. 'Maar wat wil ze dan? We hebben bewezen dat Barekzi een seksuele verhouding met het slachtoffer had en dat hij vermoedelijk op een of andere manier afhankelijk was van het geld dat De Wahl hem gaf. Hij heeft toegegeven dat hij de hele avond en nacht voordat De Wahl werd vermoord bij hem is geweest, en dat ze seks hebben gehad. Zijn vingerafdrukken staan op de aktetas van De Wahl.'

Colt knikte. 'Hm-mm, maar de jongen ontkent categorisch dat hij hem heeft vermoord. En Kulin vindt dat hij geen duidelijk motief heeft. Het ergste is dat ik geneigd ben het met haar eens te zijn.'

'Ik geloof dat ik in dezelfde richting denk als jij, maar vertel!' Vadh liep naar de bank bij de muur, ging zitten en veegde zijn voorhoofd af met de badstof handdoek die hij daar had neergelegd. Jacob volgde zijn voorbeeld en nam toen een flinke slok uit zijn flesje water.

'De jongen had een vaste baan, verdiende zelf geld en woonde thuis bij zijn moeder,' vervolgde Jacob. 'Financieel kon hij het zo heel aardig redden.'

Vadh fronste zijn voorhoofd. 'Dat kan zo zijn, maar mensen vermoorden elkaar ook om andere redenen. Jaloezie? De angst om in de steek gelaten te worden? De gevoelens van de jongen voor De Wahl waren kennelijk sterker dan die van De Wahl voor hem.'

'Natuurlijk, er zijn vast nog wel honderd redenen te bedenken. Maar

Kulin hanteert een simpele logica: als die jongen De Wahl met voorbedachten rade of in een opwelling tijdens een ruzie had vermoord, had hij het in het appartement van De Wahl kunnen doen, waar hij er zeker van kon zijn dat er geen getuigen waren. Waarom zou hij De Wahl in hemelsnaam achternagaan en hem een paar honderd meter van zijn woning vermoorden, midden op een kade waar hij had kunnen worden gezien en gepakt? Bovendien komt het DNA dat ze van de muts in de plas hebben gehaald niet overeen met dat van de jongen.'

Henrik Vadh schoot in de lach. 'Logica, ja, maar niet alleen de logica van Kulin is logica. Er bestaat geen absolute waarheid, dat weet je. Het is denkbaar dat De Wahl toen hij zijn huis verliet, iets zei wat Hamid wanhopig maakte, of woedend, of jaloers of alles tegelijk, waardoor hij hem achterna is gerend. En – zoals je zelf zei toen je laatst een woordenwisseling had met Kulin – wie zegt dat die muts van de moordenaar is geweest?'

'Zeker, maar toen kregen we dat probleempje met het moordwapen. Bodnár zegt in zijn rapport dat De Wahl zwaar uitwendig letsel is toegebracht, waarschijnlijk met behulp van een steen. Natuurlijk kan de jongen een steen van de straat hebben opgeraapt en die in het water hebben gegooid nadat hij er De Wahl een klap mee had gegeven. Maar er is meer wat niet klopt met Barekzi. Volgens de getuige – je weet wel, die fotograaf – had de man die daar wegjogde een lange mantel aan en dat is niet echt de stijl van de jongen. Ik heb ook het idee gekregen dat de jogger vrij lang was en Barekzi is klein. Maar vooral wekte de jogger een geweldig koelbloedige indruk toen hij verdween. Als Barekzi zijn minnaar had vermoord, denk ik eerder dat hij in paniek was gevlucht.'

Vadh dacht even na en antwoordde toen: 'Ja, daarin ga ik wel met je mee, maar er is nog steeds geen bevestiging van de theorie dat de jogger ook inderdaad de moordenaar van De Wahl was. Jammer dat we de man die het alarmnummer heeft gebeld niet kunnen horen, dan hadden we zijn informatie kunnen vergelijken met die van de fotograaf. Zoals het er nu voor staat, kunnen we daar niet zeker van zijn.'

Zeker. Hoe vaak kon je in dit beroep ergens zeker van zijn? Werden mensen altijd rechtvaardig beoordeeld – en veroordeeld – in hun rechtssysteem? Colt wist niet hoe vaak hij zich beroerd had gevoeld wanneer zijn intuïtie aangaf dat er waarschijnlijk iets fout zat in een onderzoek of zelfs in een rechtszaak.

De strak analytische Vadh hield in hun vele discussies altijd vol dat je theoretisch gezien nooit ergens zeker van kon zijn. Die stelling bracht hij doorgaans te berde met een plagerig glimlachje, en meestal terwijl Jacob en hij allebei een glas wijn in de hand hadden. Jacob bracht daar dan altijd tegenin dat je toch een vrij zekere zaak had als tien getuigen zagen dat iemand door iemand anders werd doodgeschoten en als de moordenaar een paar minuten later op de plaats delict werd opgepakt. Vadh stemde daar dan mee in: ja, dat was wel zo, maar hoe vaak zag een zaak van hen er zo uit?

Het was maar al te vaak anders. Te veel potentiële daders. Een staalkaart aan mogelijke motieven. Series vraagtekens die zich maar niet lieten uitwissen. Mensen die tijdens verhoren zonder blikken of blozen logen, ook al wisten ze dat later zou uitkomen dat ze wel met het misdrijf te maken hadden. Die logen omdat ze bang waren dat anders door puur toeval andere dingen aan het licht zouden komen. Zwartwerken, ontrouw, belastingontduiking, drugsgebruik.

Ontelbare keren hadden de vrienden Colt en Vadh – vaak tegen twee uur 's nachts, behoorlijk aangeschoten en een tikje gedesillusioneerd – samen geconcludeerd hoe het rechtssysteem eruit moest zien, wilde er *gegarandeerd* niemand onschuldig worden veroordeeld.

Dan moesten ze iedereen vrijuit laten gaan.

Puur theorie natuurlijk. Wie zou in een maatschappij willen – of durven – leven die alle plegers van geweldsdelicten vrijliet omdat ze, ondanks overtuigende bewijzen of getuigenverklaringen, ontkenden? Wat zou dat betekenen voor de geloofwaardigheid van de samenleving? De angst die er de afgelopen decennia onder de burgers was ontstaan doordat de criminaliteit steeds grover en wreder werd was nu al erg genoeg.

Colt liet wrevelig zijn racket op de grond vallen. 'Precies, we zijn nooit zeker, en daarom wil Kulin Barekzi laten gaan. Ik denk dat ze doodsbenauwd is dat ze in de pers de wind van voren krijgt. Die zouden er maar wat graag veel heisa over maken dat wij een jonge jongen zo hard aanpakken, vooral als hij later onschuldig zou blijken te zijn. Ik kan niet meer redelijk met haar praten, in elk geval niet op dit moment. Je weet waar ze over begint als ik met haar in discussie ga!'

Vadh lachte smalend. 'Dat je discrimineert. Dat je vrouwen bedreigend vindt en dat je niet accepteert dat ze lesbisch is, misschien? Ik geloof dat ik dat al eerder heb gehoord.'

'Zoiets, ja. En je weet net zo goed als ik dat dat flauwekul is. Het kan me geen bal schelen of ze man, vrouw of iets ertussenin is, en welke seksuele geaardheid ze heeft. Maar ik wil wel dat we deze zaak oplossen voordat de Nationale Recherche en de pers ons opknopen. Kennelijk heeft de familie De Wahl veel meer invloed dan ik had gedacht, en ze zetten ons ontzettend onder druk om de moordenaar te vinden.'

Vadh zag er de humor wel van in. 'Maar Jacob, het is toch fijn dat de familie De Wahl en wij hetzelfde belang hebben?'

Colt keek hem duister aan en gromde iets. Toen glimlachte hij.

'Wat denk je, zullen we maar gaan douchen, naar huis gaan en onszelf verdienstelijk maken? Ik denk niet dat we nog lang spelen vandaag, hè?'

Jacob Colt besteedde er een uur aan zorgvuldig de rapporten te lezen die Magnus Ekholm, Sven Bergman, Janne Månsson en Niklas Holm hadden opgesteld.

Die vormden tamelijk sombere leesstof.

De gesprekken met de nieuwe collega's van De Wahl bij de Banque Indochine hadden geen interessante aanwijzingen opgeleverd. Het huis-aan-huisonderzoek in de flat waar De Wahl woonde, had even weinig resultaat gehad. De oudere dames in hetzelfde trappenhuis getuigden dat de jongeheer De Wahl een aardige, beleefde, welgemanierde man was, altijd bereid om een handje te helpen als een van hen voor de deur met boodschappentassen stond te worstelen. Er kwamen maar zelden storende geluiden uit zijn huis en de keren dat dat wel gebeurde, moest je een jongeman toch gunnen dat hij zich een beetje amuseerde?

Toen Sven Bergman die reacties hoorde, had hij voor ogen gehad hoe De Wahl zich met het naakte lichaam van Hamid Barekzi amuseerde, en een vies gezicht getrokken.

Magnus Ekholm had tot taak gekregen met de ouders van De Wahl te praten, en Jacob had Henrik Vadh gevraagd mee te gaan. Ekholm was goed, maar had niet Henriks vermogen om kleine veranderingen in intonatie of oogopslag waar te nemen en te analyseren, tekenen die konden aangeven dat iemand loog. Samen waren ze naar de villa van de familie De Wahl in Djursholm gereden. 'Paleis' was misschien een betere benaming, dacht Vadh toen ze door de grote hekken reden, nadat Herman de Wahl telefonisch kort had laten weten dat hij een kwartier voor hen had tussen twee en drie uur 's middags.

Maar zelfs met Vadhs hulp had het bezoek niets opgeleverd. Herman de Wahl, de in financiële kringen in Stockholm welhaast legendarische multimiljonair, had tot Vadhs verbazing geen tekenen van verdriet getoond, maar zich arrogant gedragen.

Nadat hij hen bij de deur afgemeten had begroet, had hij zich omgedraaid en was hen zonder iets te zeggen door de magnifieke hal voorgegaan naar een salon waarvan de vloer bedekt was met dikke vloerkleden en de wanden vol hingen met kunst die ongetwijfeld kostbaar was.

Met een nonchalant gebaar had hij hun gevraagd te gaan zitten in fauteuils tegenover de leunstoel waarin hij zelf plaatsnam, maar hij had hun nog geen glas water aangeboden.

Toen Henrik Vadh zijn inleidende vraag stelde, had De Wahl hem aangekeken alsof hij gek was. Nee, de politie begreep toch wel dat zijn zoon geen vijanden kon hebben? Hoe kwamen ze aan zo'n volkomen bespottelijk idee? In de eerste plaats was de familie De Wahl van een zodanige klasse dat men zich niet inliet met mensen die zo primitief waren dat ze naar geweld zouden kunnen grijpen. In de tweede plaats: men kon in de financiële wereld met bewondering of afgunst naar concurrenten kijken, dat was waar. Maar vijandschap in de ware zin van het woord bestond natuurlijk niet in de betere kringen. Men streefde immers ondanks alles dezelfde doelen na, dat begreep de agent zeker wel? Meer kapitaal dus.

Terwijl Vadh rustig uitlegde dat zijn aanspreektitel niet 'agent' was, maar 'inspecteur', vroeg hij zich af in welke eeuw Herman de Wahl zich verbeeldde te leven. Als er überhaupt ooit een eeuw was geweest die aan De Wahls fantasiebeeld beantwoordde.

Magnus Ekholm had het grootste deel van de tijd zijn mond gehouden en maar af en toe iets gevraagd, maar hij had des te meer aantekeningen gemaakt. Hij stelde somber vast dat dit een van die zeldzame gevallen was waarin zelfs Henrik Vadh geen voet aan de grond kreeg.

Door De Wahls arrogantie had Vadh geen consideratie met hem gehad, wat hij normaal wel had bij familieleden van slachtoffers van moord. Dus hij constateerde gewoon: 'De vriend van uw zoon, een jonge automonteur met Afghaanse roots –'

'De wát van mijn zoon?' brulde Herman de Wahl, en hij vloog overeind uit zijn comfortabele leunstoel. 'Insinueert u dat mijn zoon... dat Alexander...'

'Homo was? Ja, zeer zeker.' Henrik Vadh keek de bankier kalm aan.

'Dat is gelogen! Puur gelogen, verdomme! Wie zegt –'

Vadh onderbrak hem opnieuw. 'De zeventienjarige jongen over wie ik het net had, heeft verteld dat Alexander hem had benaderd in een zogeheten saunaclub, een ontmoetingsplaats voor homo's dus. Ze kregen een relatie, en uit ons technisch onderzoek van het appartement van uw zoon is gebleken dat ze de nacht voordat Alexander werd vermoord gemeenschap hebben gehad, wat ook door de jongen is bevestigd. Uw zoon had bovendien een omvangrijke verzameling homoseksuele pornofilms en...'

Alle kleur trok weg uit het gezicht van Herman de Wahl. Hij zeeg weer neer in zijn stoel, hield zijn handen lange tijd voor zijn gezicht en mompelde voor zich uit: 'Alexander... Met een immigrant... Onvoorstelbaar...'

Henrik Vadh had de hoop om de bankier iets zinvols te ontlokken al min of meer opgegeven, dus hij zei op goed geluk: 'Nou ja, meneer De Wahl, zo erg is dat toch niet. Homoseksualiteit is in onze moderne samenleving toch geaccepteerd. Maar ik vraag me af, kent u misschien een vroegere vriend van uw zoon? Het is denkbaar dat –'

'Nee!' Herman de Wahl vond iets van zijn kracht terug en brulde weer. Toen liet hij zich weer tegen de rugleuning vallen en hij keek de rechercheurs met vochtige ogen aan. Hij maakte een vaag afwerend gebaar met een hand en opeens was zijn stem heel dun.

'Dit... Dit mag onder geen beding uitkomen. Onder géén beding, begrijpt u dat?'

Henrik Vadh legde uit dat hij daar niet over ging en dat er voor zover hij wist geen geheimhoudingsplicht bestond voor het onderzoek, behalve misschien ten aanzien van de jonge jongen.

Herman de Wahl hoorde dat met een blik vol weerzin aan en liet Vadh en Ekholm vervolgens zonder nog iets te zeggen uit.

Op de meest welwillende toon verklaarde Henrik Vadh dat het bepaald niet uitgesloten was dat ze nog eens terug zouden komen.

Jacob Colt kon een glimlach niet onderdrukken toen hij het door Magnus Ekholm vakkundig geformuleerde rapport las. Jacob kon gewoon zien dat Vadh zich aan de arrogante bankier had zitten ergeren voordat hij hem de waarheid over zijn zoon vertelde.

Hij legde het stuk weg en wijdde zich aan het verslag van Niklas Holm. Die had zoals gewoonlijk degelijk en uitstekend werk verricht achter de computer, en niets aan het toeval overgelaten.

Alexander de Wahl had een paar jaar op het internaat van het prestigieuze Sandsiöö College gezeten voordat hij naar het buitenland werd gestuurd om – vermoedde Holm in zijn commentaar – de juiste scholing te krijgen voor wat er komen ging. Hij had *Business and Administration* gestudeerd in Californië en was toen naar Engeland verhuisd om economie te studeren; bij beide opleidingen was hij de beste van zijn groep geweest. Daarna was hij teruggekeerd naar Zweden en had hij snel carrière gemaakt in de financiële sector.

Niklas Holm had ook in alle registers die er waren nagekeken of De Wahl erin voorkwam, maar dat had geen verrassingen opgeleverd.

In de computers van de politie was niet veel te vinden. Afgezien van een paar parkeerboetes en bekeuringen voor snelheidsovertredingen bleek dat De Wahl in zijn jeugd een keer wegens openbare dronkenschap door de politie was opgepakt en naar huis gebracht, maar zonder verdere consequenties.

De bankier was lid van een schietclub en had een wapenvergunning voor de twee jachtgeweren die op zijn naam waren geregistreerd. Hij had zijn dienstplicht met goed getuigenis vervuld, maar daarna niets meer met defensie te maken gehad.

Jacob las door zonder iets interessants tegen te komen.

Shit, shit! Terug bij af.

Zijn telefoon ging.

'Colt.'

De stem van Angela van der Wijk, een licht in de duisternis.

'Jacob, met Angela. Ik heb de uitslagen gekregen van het Zweedse NFI over de DNA's die we opgevraagd hadden en ik denk dat je dit wel interessant vindt!'

Colt legde Holms rapport weg en trok pen en papier naar zich toe. 'Vertel!'

'We hebben een hit op een van de twee DNA's die we bij die prostituee hebben gevonden. Niet van de huidschilfers onder haar nagels of van de haar, maar van de peuken en het bankbiljet dat is gebruikt om cocaïne te snuiven. Het NFI heeft commissaris Weigermüller een dossiernummer gegeven en verwees hem door naar jou!'

Jacob voelde de adrenaline door zijn lijf pompen. 'Oké, geef het nummer maar!'

Angela hoefde niet eens de hele nummercombinatie op te lezen toen Jacobs hart al sneller begon te kloppen. Hij herkende die maar al te goed en hij wist ook van welke zaak: de moord op Alexander de Wahl!

De gedachten tolden door zijn hoofd. Welk verband kon er bestaan tussen de moord op een Zweedse bankier en die op een Duitse prostituee? Was de moordenaar naar Berlijn gegaan om het te vieren of zo?

'Ben je er nog, Jacob?'

'Ja, sorry, ik ben er nog. Ik was alleen verbaasd. De zaak waar je naar verwijst is die waar ik middenin zit, de moord op die Zweedse bankier waarover ik je vertelde en...'

Hij hoorde Angela van der Wijk aan de andere kant van de lijn naar adem happen. Haar 'wow!' werd gevolgd door een zacht fluiten.

'Hm-mm...,' reageerde Jacob. '"Wow" is wel de juiste uitdrukking hiervoor. Ik weet niet goed wat ik moet denken.'

Hij zette de situatie kort uiteen, met de twee verschillende getuigenverklaringen, de onzekere informatie dat de jogger de muts uit zijn zak had gehaald en weggegooid, de uiteenlopende theorieën waarmee zijn collega's en hij speelden.

'Ik begrijp het,' zei Angela nadenkend. 'Dat betekent dat we er niet zeker van kunnen zijn dat jouw moordenaar dezelfde is als degene die het meisje in Berlijn heeft omgebracht. Maar dit stinkt toch behoorlijk?'

'Dat doet het zeker, maar ik zit hier met een officier van justitie die heel wat meer wil hebben dan stank voordat ze tevreden is. Bovendien denk ik dat er nu alleen nog maar meer vraagtekens bij zijn gekomen.'

Jacob krabbelde de informatie die hij had gekregen snel op het notitieblok.

'Hoe bedoel je?' vroeg Angela.

'Om te beginnen weten we dus niet zeker of onze moordenaar dezelfde is als die van jullie. Het enige wat we vermoeden is dat degene die de muts hier op de kade gooide, of verloor, waarschijnlijk dezelfde is als degene die het meisje in Berlijn heeft vermoord. Maar tegelijkertijd vind ik dat met die peuken en dat bankbiljet een beetje te mooi om waar te zijn.'

'Een *set-up*, bedoel je? Kijk je niet wat te veel naar Amerikaanse detectiveseries?'

Jacob glimlachte toen hij haar klaterende lach hoorde.

'Ik ben het met je eens,' vervolgde ze. 'Het bewijs zou heel goed geplant kunnen zijn, en bovendien verbaast het me dat het DNA van de peuken niet hetzelfde was als dat van de huidschilfers onder haar nagels. Maar theoretisch gezien zou ze de huidschilfers onder haar nagels – en ook de haar – kunnen hebben gekregen van de klant die ze daarvoor had, en dat de man van de peuken en het bankbiljet haar heeft vermoord.'

'Absoluut, er zijn op dit moment helaas nog heel wat mogelijkheden...' Jacob zuchtte en twijfelde even voordat hij doorging. 'Wat gebeurt er nu aan het front? Hoelang blijf je nog in Berlijn?'

'Niet zo lang als ik wel zou willen, jammer genoeg. Het is een boeiende stad en ik ben nu bovendien extra geïnteresseerd door deze zaak, al was het alleen maar omdat ik daardoor weer even contact met jou kon hebben, al is het op afstand...'

Jacob probeerde te horen of er een ondertoon onder haar woorden zat. Toen ze elkaar in Londen hadden ontmoet, was hij niet de enige wiens aandacht ze trok. Ook al flirtte ze niet openlijk, hij had haar belangstelling ervaren als meer dan alleen maar collegiaal, maar hij had nooit de kans gehad uit te zoeken hoe diep het zat. In Londen was een gezellig avondje van rechercheurs uit allerlei landen abrupt geëindigd toen hun Russische collega Vladimir Karpov het afschuwelijke telefoontje kreeg dat de auto van zijn vrouw en dochter was opgeblazen en dat ze waren omgekomen.

Jacob lachte zachtjes. 'Ik wil wel een paar Zweedse moordenaars naar Amsterdam sturen, hoor, of jij moet een paar Nederlandse boeven exporteren,' grapte hij.

Hij hield van Melissa en beschouwde haar als zijn allerbeste kameraad. De gedachte dat hij haar ontrouw zou zijn, was nooit in hem opgekomen, hoewel er zich in de loop der jaren heel wat gelegenheden hadden voorgedaan. Hij was niet van plan zijn trouw te verbreken door het aan te leggen met een – zij het ook zeer aantrekkelijke – Nederlandse weduwe, maar hij zou er helemaal niets op tegen hebben Angela weer te ontmoeten.

'Alle gekheid op een stokje,' hernam hij, 'hoe gaan jullie verder en hoe gaan we samen verder, formeel gezien? Mijn schoolduits is helaas niet zo best.'

'Het mijne ook niet, en Wulfs Engels is ongeveer even goed als mijn

Duits, dus we hebben heel wat afgelachen terwijl ik hier was. Maar Wulf is een prima vent en ik denk dat het geen probleem zal zijn. Ik ga overmorgen naar Amsterdam terug en formeel gezien moeten Wulf en jij dan natuurlijk het contact onderhouden. Maar informeel kan ik me voorstellen dat we het net zo doen als toen met dat Russische moordnetwerk: we houden contact en steken onze neus er flink in.'

Toen Jacob uitgesproken was met Angela drukte hij op het snelkiesnummer van Henrik Vadh.

'Kom even naar me toe, dan zal ik je eens wat vertellen!'

Een paar uur later ging niet Henrik Vadh in Jacob Colts bezoekersstoel zitten, maar Anna Kulin.

Ze ziet er net zo chagrijnig uit als anders, dacht Jacob. Ik vraag me af of ze haar werk leuk vindt. Hij was benieuwd naar Kulins leven; zou ze wel echte vrienden hebben?

De officier van justitie opende een notitieblokje en pakte een pen. 'Ik begrijp dat je nieuwe informatie hebt over de zaak-De Wahl?' Ze keek hem vorsend aan.

Colt knikte. 'Ja en nee. Hoeveel verband er feitelijk is met de moord op De Wahl kan ik nu nog niet bepalen, maar...'

Hij vertelde over het telefoontje van Angela en gaf de informatie door die hij uit Duitsland had gekregen. Kulin maakte ijverig aantekeningen en stelde af en toe een vraag. Jacob voelde welke kant het op ging.

'Je begrijpt natuurlijk...' ze staarde hem aan, '...dat dit wat mij betreft de doorslag geeft voor Hamid Barekzi?'

Colt staarde terug. 'Eigenlijk niet. Barekzi heeft nu toch niet meer met de muts te maken dan voordat we dit wisten?'

'Oké, probeer je nu te insinueren dat Hamid opeens naar Berlijn is getogen, van de ene dag op de andere hetero is geworden en een prostituee heeft vermoord? Jouw opvattingen over seksuele geaardheid –'

'Eens en voor altijd, Anna,' onderbrak Jacob haar, 'ik heb in deze zaak géén opvattingen over seksuele geaardheid. Dat heeft er niets mee te maken. Bovendien heb ik natuurlijk voor de zekerheid Barekzi's alibi voor de avond van de moord in Berlijn gecontroleerd. Hij zat bij zijn moeder en zijn zussen thuis in Fittja tv te kijken. Ik wilde je alleen maar de laatste informatie geven.'

Anna Kulin keek verbaasd toen Jacob opeens opstond, zijn leren jack van de rugleuning van zijn stoel haalde en dat aantrok. Ze deed net haar mond open om iets te zeggen toen hij met luide stem doorging: 'En als het je wat kan schelen: ik heb een zoon die homo is en dat heeft mijn opvattingen over hem geen steek veranderd!'

Jacob Colt keurde haar geen blik meer waardig toen hij snel zijn kamer verliet.

Hij had behoefte aan een wandelingetje om af te koelen. En hij moest nadenken.

22

Maandag 19 februari

'Ha, Christopher, hoe gaat het? Het is alweer even geleden dat we elkaar gezien hebben. En hoe was je reis? Je ging toch ergens heen met je vrienden?'

Mariana Granath dacht diep na terwijl ze op antwoord wachtte. Ze had de afgelopen weken een paar gesprekken gehad met Hans Ecker en begrepen dat hij ook mee was geweest naar Berlijn. Maar toen ze ernaar vroeg leek hij dat vervelend te vinden, en ze had niet doorgevraagd. En hij had Christopher Silfverbielke met geen woord genoemd.

Hoe zat hun vriendschap in elkaar? Hoe beïnvloedden ze elkaar? Hoewel Ecker zich steeds manifesteerde als openlijk hard en agressief, waren er toch aanwijzingen voor dat de beleefde, welbespraakte Silfverbielke de drijvende, misschien wel manipulerende van de twee was.

Christopher glimlachte naar haar. Een ontspannen glimlach, stelde ze vast. Misschien was hij op weg naar een betere fase?

'Goed, dank je. Ik heb de ID-kaart van mijn beste vriend gejat, een politieman een rotdag bezorgd, een minder intelligent negentienjarig grietje versierd, liters champagne gedronken, lekker aan de coke gezeten, een hoer omgebracht, stiekem drie miljoen kronen in contanten het land in gesmokkeld, een Duitser doodgereden en een vieze Skåner een pak rammel gegeven, omdat hij –'

Granath zuchtte. 'Probeer even serieus te blijven, Christopher. Als we iets willen bereiken, moet je je concentreren op je problemen...'

Dat doe ik toch? Heb je trouwens stay-ups aan? Vast wel.

Hij voelde zich meteen beter. 'Ik begrijp het. Maar ik weet niet goed waar ik moet beginnen, vandaag.'

Hij keek haar aan met een geamuseerd glimlachje.

Ze keek in haar aantekeningen en besloot het over een andere boeg te gooien. 'De laatste keer dat je hier was vroeg ik iets over je vader en –'

'Je weet dat ik niet over mijn vader wil praten!'

Zijn glimlach stierf weg, zijn ontspannen lichaamshouding – net lag hij nog half in de fauteuil voor haar bureau – was verdwenen. Zijn stem was hard, zijn blik kil.

Twee stappen terug. 'Oké, oké!' Ze knikte geruststellend. 'Dan doen we dat niet. Maar ik zoek nog steeds naar een... Laten we zeggen een breekpunt in je leven, als je begrijpt wat ik bedoel.'

Silfverbielke keek haar aan en trok zijn wenkbrauwen vragend op.

'Eh... Je wekt toch de indruk dat je vindt dat je kinderjaren en je jeugd goed waren, of niet?'

Was dat wel zo? Wat was er met hem gebeurd? Hij had wel eens aangegeven dat hij een goede relatie had met zijn vader, maar hij wilde niet meer over hem praten. Hij had het nooit over zijn moeder gehad. Geen broers of zussen. Was hij gepest, buitengesloten, onder de duim gehouden? Door wie?

Hij haalde zijn schouders op en wachtte tot ze door zou gaan. Toen glimlachte hij en nam haar van boven tot onder op, wat haar enigszins irriteerde.

Christophers mobiel piepte twee keer. Hij haalde hem uit zijn zak en opende het bericht. *Hier stomvervelend. Wil naar sthlm komen om je te zien of kom je zsm naar mij? K&K, je Helena.*

Hij nam de tijd om te antwoorden, zonder zich om Mariana's gefronste wenkbrauwen te bekommeren. *Hoop dat ik gauw kan komen. Beetje druk nu. Kusjes, H.*

Mariana Granath dacht na terwijl hij met zijn telefoon bezig was en woog voors en tegens tegen elkaar af. Christopher was een van de meest gecompliceerde patiënten die ze in haar jaren als psycholoog had gehad en ze had een paar keer overwogen hem niet meer te ontvangen. Puur logisch was ze zich ervan bewust dat de kans klein was dat hij iets aan de therapie zou hebben. Maar toch. Ze was arts en het was haar werk, haar plicht om het te proberen.

Christopher stopte zijn mobieltje weg en keek haar aan.

Ze wist dat ze voorzichtig door moest gaan. Dat hij onberekenbaar was en razendsnel kon omslaan.

'Je hebt me nooit verteld over je tijd op die internaatschool. Hoe heb je die ervaren?'

Hij schrok, maar hervond zich algauw.

Gevoelig! Wat was er op die school gebeurd? Ze krabbelde een paar woorden op haar notitieblok.

'Tja, dat ging wel...'

Silfverbielke was even van zijn stuk, leunde achterover en sloot zijn ogen. Hij voelde een beginnende hoofdpijn en wist dat die zomaar kon overgaan in een flinke migraineaanval als hij niet een paar pillen nam. Het laatste waar hij behoefte aan had was wel herinnerd te worden aan die school.

Internaat van het Sandsiöö College, veertien jaar eerder.

Christopher Silfverbielke voelde al op de eerste dag dat hij niet goed genoeg was, er niet bij hoorde.

De anderen waren rijker. *Alle* anderen waren rijker.

Ze hadden hem zijn kamer gewezen, die hij moest delen met ene Van der Laan, die hij nog niet had ontmoet. Dat maakte hem niet uit. Degene die hem, nog voordat hij hem had ontmoet, vervulde met een mengeling van angst en haat was Alexander de Wahl.

Christopher was de doorwaakte nachten op de intensive care nog niet vergeten. Zijn vader, bleek in zijn ziekenhuisbed na drie zelfmoordpogingen in twee jaar tijd. Beschaamd, bedrogen en geruïneerd.

Olof Silfverbielke had een groot deel van zijn volwassen leven besteed aan het opbouwen van een bedrijf dat zich concentreerde op import en verkoop van hoogkwalitatieve elektronische producten uit de Verenigde Staten, Duitsland en nog een paar Europese landen. In de jaren tachtig had hij tot zijn verdriet vastgesteld dat de mensen in het algemeen steeds minder waarde hechtten aan kwaliteit en liever goedkope wegwerpproducten uit Azië kochten. Tegen zijn zin, maar om de concurrentie te kunnen overleven, gooide hij zijn koers om en begon uit de goedkopere landen te importeren.

Hij ging altijd uit van de gedachte dat je beter begrijpt hoe dingen in elkaar zitten als je zelf op de plaats bent geweest waar ze gebeuren. Dus had hij aanzienlijke hoeveelheden tijd en geld geïnvesteerd in reizen naar die delen van de wereld waar de productie zich tegenwoordig concentreerde.

Een verstandige investering, die zijn bedrijf een voorsprong gaf.

Terwijl anderen bleven importeren uit Japan, Hongkong en ook wel Taiwan, had Olof Silfverbielke gelijkwaardige, maar veel goedkopere producten gevonden in landen als China en de Dominicaanse Republiek.

Plotseling kon hij de Zweden – zij het ook tegen zijn zin – een moderne techniek voor bijna schokkend lage prijzen aanbieden, en de omzet van het bedrijf steeg zeer snel. Maar even plotseling zat hij in een tijdelijke liquiditeitsdip.

Silfverbielke had een kortlopende lening van tien miljoen kronen nodig om meer mensen te kunnen aanstellen, de logistiek te verbeteren en daardoor de zeer grote partijen te kunnen verwerken die hem tegen zeer gunstige voorwaarden waren aangeboden.

Hij wendde zich vol vertrouwen tot de bank waarmee hij al meer dan twintig jaar zakendeed.

De bank waarvan Herman de Wahl directeur was.

De Wahl had hem zoals altijd hartelijk begroet, hem koffie aangeboden en ze hadden gezellig gebabbeld voordat ze tot de kern van de zaak kwamen. Olof Silfverbielke had het doel van zijn komst uiteengezet in de vorm van een zorgvuldig uitgewerkt ondernemingsplan.

De bankdirecteur had gereageerd met een vertrouwenwekkend glimlachje.

'Olof, we doen al zo veel jaren zaken. Ik weet dat je op de goede lijn zit. Dit zal vast geen probleem worden, maar voor de zekerheid moet ik het hier intern bespreken. Geef me een paar dagen, dan kunnen we een antwoord voorleggen.'

Ze hadden elkaar de hand geschud en Silfverbielke was de bank vol vertrouwen uit gegaan. Door de lening en de nieuwe transacties zou hij een veel sterkere positie krijgen in een markt waarin binnen een paar jaar een strijd op het scherpst van de snede zou ontstaan.

Het ging erom dat hij de eerste was.

Het had hem al verbaasd dat Herman de Wahl hem nauwelijks een week later belde en op veel afstandelijker toon vroeg zo spoedig mogelijk naar de bank te komen.

Ze spraken elkaar niet, zoals anders, op De Wahls kantoor, maar in de bestuurskamer van de bank, waar Silfverbielke vanachter een mahoniehouten tafel werd aangekeken door een aantal ernstige gezichten die hij nog niet kende.

Olof Silfverbielke kreeg meteen slechte voorgevoelens en die werden bewaarheid zodra hij was gaan zitten. Herman de Wahl was niet langer de gezellige bankdirecteur, golfpartner en Rotary-collega. Zijn ogen waren net zo koud als zijn stem toen hij uitsprak wat de bank van de situatie vond. Silfverbielkes bedrijf was volgens de bank slecht geleid en verkeerde in financiële problemen. De bank zag geen andere oplossing dan alle leningen vervallen te verklaren en onmiddellijk op te eisen. Silfverbielke mocht kiezen: of hij verkocht zijn bedrijf hier en nu aan de bank, of de bank, als prioritaire schuldeiser, vroeg het faillissement aan.

Plotseling leek het wel of de tafel, de gezichten, de hele kamer voor zijn ogen begonnen te draaien en Olof Silfverbielke voelde dat het koude zweet hem uitbrak. Zijn handpalmen waren vochtig en zijn handen trilden toen hij besefte dat zijn hele levenswerk in gevaar was; hij zag geen uitweg.

'Maar Herman, we hebben er een paar dagen geleden toch over gesproken! Ik heb je een zorgvuldig ondernemingsplan laten zien. Je weet toch heel goed dat het bedrijf betrouwbaar is en dat we een sterke groei hebben doorgemaakt, een groter marktaandeel...'

Hij zweeg toen hij Herman de Wahl meelevend het hoofd zag schudden. De Wahl wierp een snelle blik op de andere mannen rond de tafel en antwoordde toen: 'Het spijt me, Olof, het spijt me oprecht. Maar we hebben nog eens goed naar jullie cijfers gekeken en die zien er lang niet zo goed uit als we dachten. De bank is tegenwoordig veel scherper in zijn risico-inschatting dan een paar jaar geleden en...'

De Wahl spreidde verontschuldigend zijn armen en leunde achterover. 'Ik heb geen keus, Olof. Het enige wat ik je kan vragen is ons bod te accepteren, zodat we dit netjes kunnen afwerken en een faillissement en een hoop negatieve publiciteit kunnen vermijden.'

Olof Silfverbielke deed zijn ogen dicht en slikte. Zijn tong voelde droog aan tegen zijn gehemelte en hij dwong zichzelf snel na te denken. Hij had meer tijd nodig. Er klopte hier iets niet!

Hij deed zijn ogen weer open en probeerde er beheerst uit te zien toen hij De Wahl aankeek. 'En hoe ziet het bod van de bank op mijn bedrijf eruit?'

Zonder een woord schoof Herman de Wahl een contract naar hem toe. Silfverbielke griste het stuk naar zich toe en vloog met zijn ogen over de tekst tot hij kwam bij de regel: *...voor een koopsom van één (1) kroon...*

Hij stond zo abrupt op uit zijn stoel dat die bijna omviel en rende de kamer uit naar het herentoilet ernaast. Silfverbielke smeet de bril omhoog, boog zich voorover en voelde zijn maaginhoud met enorme kracht naar buiten komen. Hij gaf bijna een halve minuut over, stond toen moeizaam op, trok door, draaide zich om naar de wastafel en maakte zijn mond schoon.

Toen ging hij terug naar de bestuurskamer en de uitdrukkingloze gezichten, pakte zijn gouden pen, ondertekende het contract en verliet de kamer zonder iets te zeggen.

Ruim twee uur later probeerde Olof Silfverbielke zich voor de eerste keer van het leven te beroven.

Hoe zijn vader het voor elkaar had gekregen wist Christopher niet, maar op een of andere manier had hij een som geld weten te redden. Hij werd nooit meer de oude na de doodsteek van de bank, maar het stond voor hem vast dat Christopher een goede opleiding moest hebben en net als hijzelf een uitstekende zakenman moest worden.

Als Olof Silfverbielke had geweten dat Herman de Wahl zijn zoon naar het internaat van het Sandsiöö College had gestuurd, had hij het waarschijnlijk anders gedaan. Maar toen dat bleek, was het al te laat. Olof Silfverbielke had erop gestaan dat Christopher drie jaar op deze bekende en gerespecteerde school zou doorbrengen.

'Iedereen...' fluisterde hij vanaf zijn ziekbed tegen Christopher, '...iedereen die iets wil, die echt iets wil wórden, heeft op het Sandsiöö gezeten. Al doe je het alleen maar voor mij, Christopher...'

Zijn zoon, die zijn tranen niet kon bedwingen, kneep in zijn vaders hand en knikte zwijgend.

Nu was hij er.
Alle anderen zijn rijker.

Hij huiverde, maar rechtte zijn rug. Vroeg of laat, op een of andere manier, zou hij Silfverbielke in ere herstellen.

En misschien zijn vader wreken.

Een groot deel van het eerste jaar was zonder problemen verstreken en later vroeg hij zich af waarom Alexander de Wahl zo lang had gewacht met zijn aanvallen.

Christopher Silfverbielke deelde een kamer met Jean van der Laan en een paar dagen later was ook Hans Ecker bij hen ingetrokken. Christopher en Hans werden algauw goede vrienden, maar met Van der Laan hadden ze niet meer gemeen dan dat ze hem vriendschappelijk groetten en met hem deelden wat ze moesten delen.

Met de studie ging het goed. Hans en Christopher deden allebei goed hun best en presteerden uitstekend.

Het eerste jaar keurde Alexander de Wahl hem nauwelijks een blik waardig. De Wahl was een jaar ouder, zat een klas hoger, ging met anderen om en woonde in een ander studentenhuis.

Maar na de wintervakantie begon het. Eigenlijk zonder aanleiding, zonder dat Christopher begreep waarom. Eerst scheldwoorden. Commentaar op zijn kleding. Schimpscheuten, hoongelach: 'Armoedzaaier! Pauper! Maak je reclame voor postorderklanten?'

En als De Wahl lachte, lachte ook zijn hofhouding. De Wahl omgaf zich met een schare welgestelde papa's-kindjes die voor hem zorgden, hem op zijn wenken bedienden en deden wat hun werd opgedragen. Het gerucht dat De Wahl homo was had zich al snel door de school verspreid en Christopher twijfelde er niet aan dat een deel van de kliek rondom De Wahl ook als minnaar optrad, of ze dat nou wilden of niet.

'Wat is het toch een klootzak!' Christopher gooide zijn pen weg en stond abrupt op. Hans Ecker en Jean van der Laan, die aan hun bureau zaten te studeren, keken verbaasd op.

'De Wahl, die kwal! Hebben jullie niet gezien wat hij vandaag met Nilsonne deed? Hij ranselde hem af, terwijl anderen hem vasthielden. Verdomme!'

Van der Laan leek zich niet op zijn gemak te voelen en concentreerde zich zonder iets te zeggen weer op zijn boek. Ecker bekeek zijn vriend. 'Je hebt echt de pest aan hem, hè?'

Silfverbielke keek hem aan op een manier waar Hans Ecker van schrok. 'Hoe zou jij je voelen als zijn vader jóúw vader had gebroken en geruïneerd en tot zelfmoord had gedreven?'

Ecker zuchtte. 'Ja, natuurlijk. Maar de vraag is wat je gaat doen. Of niet doen.'

'Hij laat me niet met rust. Zijn scheldpartijen worden steeds erger en ik weet dat hij kwaad van me spreekt bij de leraren en ook in de leerlingenraad. Er zijn toch grenzen.'

De confrontatie kwam al de volgende dag, tijdens een pauze. Silfverbielke had besloten snel even wat door het bos rondom Sandsiöö te wandelen om zijn gedachten te verzetten. Toen hij van de rand van het bos in de richting van de school liep zag hij hen.

De Wahl en zijn bende stonden hem op te wachten.

Christopher week geen duimbreed, maar liep rechtdoor totdat ze hem puur fysiek tegenhielden.

'Wat moet je?' Hij bleef staan en keek De Wahl recht in de ogen.

'Kijk eens, wie hebben we daar? Is dat niet de armoedzaaier zelf?' zei De Wahl met een stem waar de minachting van afdroop. 'Papa's ventje? Maar papa heeft zeker niet genoeg geld?' Hij keek rond en de vijf jongens om hem heen grijnsden boosaardig om zijn opmerking. Hij vervolgde: 'Ach nee, wat dom van me, papa ís er toch niet meer!'

Christopher gaf hem een vuistslag van onderaf, ergens bij zijn heup. Hij was goed raak, en De Wahl wankelde achteruit, terwijl het bloed uit zijn neus op zijn donkere overjas droop. Hij greep met zijn gehandschoende hand naar zijn neus, keek naar zijn hand en toen weer naar Christopher.

Silfverbielke was roerloos blijven staan.

De Wahl keek snel om zich heen om zich ervan te vergewissen dat er geen leraar binnen oogbereik was. 'Hou hem vast!' siste hij, en hij deed snel een paar stappen naar voren.

Christopher vocht, maar het had geen zin. Vier van De Wahls vrienden hielden hem in een ijzeren greep, terwijl De Wahls vuisten zijn buik en zijn ribben bewerkten. Hij eindigde met een knietje tussen Christophers benen, zodat die met een kreun van pijn op de grond zakte.

'Zo, arme sloeber...' De Wahl hijgde tussen zijn tanden door. 'Nu begrijp je zeker wel hoe de verhoudingen liggen? Of moet ik me nog duidelijker uitdrukken?'

Christopher rolde om op de grond, dubbelgeklapt van de pijn na het knietje. 'Loop naar de hel, vuile flikker!' stamelde hij.

Hij voelde een laatste, harde trap tegen zijn hoofd en toen werd alles zwart.

Hoewel Ecker en Van der Laan, toen ze het bloed en de blauwe plekken zagen, allebei vroegen wat er was gebeurd, weigerde hij het te vertellen.

De volgende dag begon hij even voorzichtig als nauwgezet De Wahls doen en laten te bestuderen. Het kostte hem niet veel tijd om erachter te komen dat Alexander vrijwel elke avond alleen een wandeling over het bospad maakte.

Christopher wachtte een paar weken en kwam toen in actie.

'Ik ga even een frisse neus halen,' verklaarde hij op een avond tegenover zijn kamergenoten, en hij trok zijn jas en handschoenen aan en ging naar buiten.

Hij keek op zijn horloge en liep snel. Als De Wahl zijn normale patroon volgde, had hij zijn studentenhuis een paar minuten eerder verlaten.

Christopher was binnen tien minuten op gelijke hoogte. Het was gaan regenen, en misschien hoorde De Wahl daarom zijn zachte rubberzolen pas toen het al te laat was.

Christopher greep hem van achteraf beet, draaide hem om en gaf hem een rechtse directe waardoor hij achterover tuimelde, van het grindpad af de bosrand in. Voordat De Wahl van de schrik bekomen was, was Christopher bij hem. Hij pakte hem stevig bij de kraag van zijn jas en begon te slaan.

De Wahl kreunde van de pijn, probeerde zich los te wurmen en deed onhandige pogingen om terug te slaan, maar Christophers woede maakte tegenstand onmogelijk. Hij probeerde de meeste klappen op het lichaam te richten, maar af en toe verloor hij zijn zelfbeheersing en liet hij er een paar landen op De Wahls neus en lippen.

Toen De Wahl onder hem niet meer bewoog stopte hij met slaan, liet zijn vijand in het natte mos vallen en siste: 'Waag het niet nog eens, smeerlap! Waag het niet nog eens, onthou dat!'

Daarna draaide hij zich om en liep terug naar zijn studentenhuis, zijn kamer en zijn vrienden.

'Regent het?' vroeg Ecker verbaasd. 'Hoe was je wandeling?'

Christopher glimlachte. 'Lekker! Ik ben erdoor in een buitengewoon goed humeur gekomen!'

Drie weken voor de afsluiting van het semester. Hans Ecker en Jean van der Laan waren allebei het weekend naar huis. Christopher Silfverbielke zat slecht bij kas en bovendien wilde hij nog wat extra studeren om bij de eindejaarstoets de hoogste cijfers te halen – misschien wel weer als de beste van de klas. Dus bleef hij op Sandsiöö, als enige op de kamer. Hij genoot van de stilte en verdiepte zich geconcentreerd in zijn studie, alleen onderbroken door korte maaltijden in de grote eetzaal van de school.

Hij merkte tot zijn verbazing op dat ook De Wahl en zijn aanhang dit weekend blijkbaar op school waren gebleven, maar aan de andere kant gold dat ook voor veel andere jongens op het internaat. Het uur van de waarheid naderde immers, niet in de laatste plaats voor De Wahl en de andere leerlingen van de hoogste klas.

Er moest gestudeerd worden.

Hij wist niet hoelang hij had geslapen toen hij wakker werd doordat de deur werd opengesmeten en ze zich op hem stortten. Hij tastte in het donker naar de lichtschakelaar, maar kreeg de kans niet om erop te drukken. Door de eerste klappen op zijn gezicht werd hij duizelig en hij had niet eens de kracht om weerstand te bieden toen ze het dekbed van hem af trokken en zijn naakte lichaam blootlegden.

'Maak eens wat licht, dan kunnen we de arme sloeber eens bekijken...' Christopher herkende De Wahls fluisterende stem.

Hij hoorde het geluid van een rolgordijn dat helemaal naar beneden werd getrokken voordat iemand een bedlampje aandeed bij het bed van Van der Laan, waardoor een zwak schijnsel de kamer verlichtte.

De Wahl had drie even oude hovelingen bij zich en Christopher begreep dat hij een flink pak slaag zou krijgen. Schreeuwen zou niet helpen; hij wist dat ze dit weekend in zijn studentenhuis vrijwel alleen zouden zijn. Bovendien werd klikken beschouwd als de ergste misdaad die je op Sandsiöö kon begaan, dus ondersteunende getuigenverklaringen kon hij nauwelijks verwachten, wat er ook gebeurde.

Het drietal hield hem in een ijzeren greep, terwijl De Wahl honend commentaar gaf op zijn lichaam en zijn ontblote geslachtsdeel. Christopher deed zijn ogen dicht en schatte zijn kansen in om te ontsnappen, terwijl hij op de eerste klap wachtte.

Die kwam niet.

Tot zijn verbazing voelde hij dat een van de drie zijn neus hard vastpakte en zijn luchtwegen dichtkneep. Instinctief deed hij zijn mond open en hapte naar lucht, terwijl hij ook zijn ogen weer opende.

De Wahl, die nu minder dan een halve meter bij hem vandaan stond, had zijn gulp opengemaakt en zijn geslachtsdeel tevoorschijn gehaald; dat bewerkte hij nu met zijn rechterhand. Hij glimlachte in het halfduister. 'Zo, jongens...' fluisterde hij, '...nu zullen we die armoedzaaier eens laten proeven!'

Voordat Christopher goed en wel begreep wat er gebeurde, ging De Wahl schrijlings boven op hem zitten en duwde zijn penis in Christophers mond. Silfverbielke voelde braakreflexen, maar hij begreep instinctief dat hij waarschijnlijk in zijn eigen braaksel zou stikken als hij nu overgaf. De greep om zijn neus werd harder en stevige handen hielden zijn armen en zijn bovenlichaam in bedwang. Hij probeerde een paar keer De Wahl in zijn rug te schoppen, maar toen greep iemand zijn onderbenen en duwde ze op het bed.

Tijdens de volgende minuten, die wel een eeuwigheid leken, zonk hij weg in een verdoving waarin zijn hersens niet aldoor goed werkten. Ver weg hoorde hij De Wahl minachtend fluisteren: 'Zuig, sloebertje, zuig goed, anders zal ik je ook je maagdelijkheid nog moeten ontnemen...'

Het opgewonden gelach van de anderen wekte de haat in hem op.

Toen De Wahl met een voldaan gegrom klaarkwam en zijn penis terugtrok, braakte Christopher meteen, over zichzelf heen.

'Gadverdamme, rotzak! Walgelijk!' klonk het geschrokken, maar tegelijk hautain van rechts opzij, en de greep om zijn armen en bovenlichaam werd haastig losgelaten.

Het laatste wat Christopher hoorde voordat hij flauwviel, was een geluid dat hij nooit zou vergeten.

Het geluid van Alexander de Wahl die zijn gulp dichtritste, terwijl hij fluisterde: 'Een andere keer meer...'

Schaamte heeft een smaak.

Wie de ergste schaamte nooit heeft gevoeld, heeft ook nooit die brakke, rotte smaak in zijn mondholte geproefd. Die smaak die je nooit met een tandenborstel kunt wegpoetsen, zelfs niet met drank kunt wegspoelen.

Uit zo'n schaamte wordt ook een haat geboren die niet kan worden weggewassen.

23

'Wat is er, schat? Ik vind je zo stil!'

Jacob Colt keek op van de ochtendkrant. Terwijl hij zijn kopje koffie naar zijn mond bracht, liet hij zijn blik door het keukenraam naar buiten dwalen. De voetpaden voor hun rijtje huizen waren bedekt met een dun laagje sneeuw. De thermometer gaf twee graden onder nul aan.

Het was koud, het was donker, en op dit moment leek alles tegen te zitten. De afgelopen weken had de roddelpers – met misdaadjournalist Anders Blom aan het hoofd – met een snijbrander achter hem aangezeten. Niet alleen had de politie geen enkel constructief punt kunnen presenteren in de jacht op de moordenaar van Alexander de Wahl, Colt had ook een paar nieuwe moordzaken op zijn bordje gekregen.

Melissa keek hem aandachtig aan. 'Het is die moord op die bankier; die kun je maar niet loslaten, hè?'

'Kunnen, kunnen...' Jacob haalde zijn schouders op, keek haar aan en nam nog een slok koffie. 'Ik wíl hem niet loslaten. Ik wil een moord niet loslaten voordat we hem opgelost hebben. Maar inderdaad, het stoort me. Het zag er aanvankelijk naar uit dat de oplossing heel eenvoudig en helder was.'

Melissa knikte. 'Die jonge jongen, bedoel je?'

'Hm-mm, maar die was het niet. Tenminste, niet volgens Anna Kulin en ik ben helaas geneigd het met haar eens te zijn. Er ontbreken nog een paar belangrijke stukjes in deze puzzel.'

Jacob wierp even een blik op de klok. 'Oei, ik moet opschieten. Henrik komt me zo halen!'

'O ja, ik was vergeten dat de auto weg is voor een beurt. Mag ik met jullie meerijden naar de Sveaväg?'

'Geen probleem, als je de hele weg politiegepraat kunt aanhoren.' Hij gaf haar een knipoogje.

'Geeft niet,' zei Melissa glimlachend, 'ik neem een goede detective mee om te lezen op de achterbank. Ik moet me alleen nog even aankleden. Ik ben over tien minuten klaar. Maar Jacob, we moeten het ook over de vakantie hebben. De tijd vliegt. Ik denk dat het leuk zou zijn om van de zomer weer eens naar Savannah te gaan. Het is alweer lang geleden, vader en moeder worden oud en...'

'Ik weet het. Ik heb er ook aan gedacht. Dat hangt er aan de ene kant van af hoe we er financieel voor staan en aan de andere kant... Ik weet niet of je eraan hebt gedacht, maar er is nu nog iets waar we rekening mee moeten houden.'

'Je bedoelt Stephen?'

'Hm-mm...'

Melissa knikte.

'Dat is een probleem. Vader en moeder houden van hem, maar ik weet ook dat ze nooit zouden accepteren...' Ze zuchtte diep en vervolgde toen: 'Je weet, homoseksualiteit, Georgia en hun generatie: dat gaat niet goed samen.'

'Dat dacht ik ook ongeveer. Maar laten we het maar nemen zoals het komt. Ga je nou maar aankleden, Henrik kan er elk moment zijn.'

'En wat voor leuks gaat er vandaag gebeuren?' Henrik Vadh haalde zijn ogen niet van de weg terwijl hij dat vroeg.

Jacob zat lekker achterovergeleund naar buiten te staren, naar de natte sneeuw die zachtjes viel, terwijl Henrik de auto steeds een stukje liet opschuiven in de dichte file op de E4 in de richting van de binnenstad. Melissa zat op de achterbank, diep verzonken in haar boek.

'Ik zou het niet weten. We roeien tegen de stroom in. We hebben om tien uur een bespreking met Anna Kulin en voor zover ik weet, hebben we haar niet veel nieuws te vertellen. Ik heb er heel wat over nagedacht en...' Hij zweeg en zuchtte, alsof er niets meer te zeggen viel.

Henrik keek even in de achteruitkijkspiegel en veranderde van rijstrook. 'Ja, zeg dat wel, ik heb ook menig slapeloos uurtje geprobeerd greep op de kwestie De Wahl te krijgen. Het staat me natuurlijk tegen, maar ik denk dat we die Barekzi helemaal moeten afvoeren. Theoretisch gezien kan hij schuldig zijn, maar we kunnen het niet bewijzen, in elk geval niet zonder getuigen of nieuw technisch bewijs en ik weet niet wat dat zou moeten zijn.'

'Nee, en dat die vent die als eerste belde verdomme ook niets meer van zich laat horen!' zei Colt nijdig.

De politie had via de media een oproep gedaan aan de man die even na zeven uur op de ochtend van 15 januari de alarmcentrale had gebeld en melding had gemaakt van de aanval op De Wahl om zich te melden. De man had gebeld via een niet-geregistreerde prepaidtelefoon die de politie noch het telecombedrijf kon opsporen.

Herman de Wahl had na rijp beraad een beloning van een miljoen kronen uitgeloofd voor degene die informatie kon verschaffen die ertoe kon leiden dat de moordenaar van zijn zoon werd gegrepen. Kranten, radio en tv hadden veel aandacht besteed aan dit nieuws.

Desondanks had de anonieme beller zich nog niet gemeld.

'Wat heb je te verbergen als je niet geïnteresseerd bent in een beloning van een miljoen?' filosofeerde Vadh.

'Ik weet niet of hij per se iets te verbergen heeft,' antwoordde Colt. 'Als dat zo was, had hij ons helemaal niet gebeld. Er zijn vast andere redenen waarom hij niets van zich heeft laten horen. Misschien is hij wel op dezelfde dag naar een of ander Thais eiland vertrokken voor een maand vakantie en heeft hij de hele heisa hier gemist. Misschien is het zo'n type dat geen kranten leest of tv-kijkt. Of hij heeft een overdosis genomen. Misschien ligt hij bewusteloos in het ziekenhuis of...'

'Leuke theorieën, Jacob. Waarom ga je geen slechte detectives schrijven? Je kunt ze altijd nog aan je vrouw verkopen,' plaagde Vadh.

Vanaf de achterbank kwam onmiddellijk geamuseerd protest. 'Ik ben een vrouw, Henrik, dus ik kan multitasken en horen wat jullie zeggen terwijl ik lees. Er is helemaal niks mis met de detectives die ik lees!'

'Je hebt gelijk, Melissa, maar zelf zou ik wat moeite hebben om zelfs maar te beginnen aan een boek met de titel *De man die opdook uit het zwarte water.*'

Melissa lachte. 'Je mag het van me lenen als ik het uit heb, Henrik. Je kunt het geloven of niet, het is echt goed. Wat ben je zelf aan het lezen, *Egyptische filosofie, deel 4* of zo?'

'Zoiets, ja,' mompelde Vadh. 'Als ik al aan lezen toekom. Ik geloof dat ik op het ogenblik alleen maar sectierapporten en politieverslagen lees. "Vet cool", om Pernilla te citeren.'

Jacob en Melissa lachten. 'Wat zegt ze nog meer? Wat is het nieuwste?' vroeg Melissa.

Het was niet voor het eerst dat Henrik zijn dochter van elf citeerde, het nakomertje van Gunilla en hem. Hij deed dat vaak met gefronst voorhoofd omdat hij zich zorgen maakte over het taalonderwijs van tegenwoordig.

'Ze zegt het zelf niet eens zo vaak, maar ze citeert graag anderen en dat is al erg genoeg. Behalve dat "fok joe" "goedemorgen" lijkt te hebben vervangen hoor ik heel veel "lul", "mongool" en "teringlijer". Als die kinderen enig idee hadden van wat tering is, zouden ze zich misschien een paar keer bedenken. Maar,' besloot Henrik lachend, 'helaas mag je kinderen tegenwoordig niet meer slaan.'

Twee uur later herhaalden Jacob en Henrik hun theorieën over de zaak-De Wahl, terwijl Anna Kulin luisterde en een paar aantekeningen maakte in haar notitieblok.

Ze was zoals gewoonlijk te laat de vergaderkamer binnen gekomen en was gaan zitten met een afgemeten 'goedemorgen' tegen de rechercheurs rond de tafel. Ze had papier uit haar aktetas gehaald, Jacob Colt aangekeken en gevraagd of er nieuws was in de zaak-De Wahl.

Jacob had zijn hoofd geschud. 'Helaas niets waar we wat aan hebben. De Wahls blazoen lijkt – in elk geval in de ogen van de wet – smetteloos.'

De officier keek hem even scherp aan en Jacob verwachtte een opmerking over discriminatie van homo's, maar die bleef uit.

'Hij staat in geen enkel register, behalve dat hij een vergunning had voor twee jachtgeweren,' vervolgde Colt. 'Hij had in zijn nieuwe baan nog geen vijanden weten te maken. Zijn buren mochten hem graag en de gesprekken met zijn ouders en vrienden hebben geen aanwijzing gegeven dat hij bij conflicten betrokken zou zijn geweest.'

Jacob zweeg even en verzamelde moed voor wat hij wist dat er komen zou.

'Al met al betekent dat dat ik persoonlijk op dit moment nog maar drie theorieën overheb.'

'Laat maar horen.' Kulin keek hem niet eens aan, maar bleef notities in haar blok krabbelen.

'Eén.' Colt stak zijn duim omhoog. 'Het was een daad van waanzin.

Iemand die geestelijk gestoord is, holde naar De Wahl toe, misschien wel met het doel om hem te beroven, werd bang van een getuige of zoiets, en vluchtte.'

'Beetje twijfelachtig, misschien, vind je niet?' De ironie in haar stem was niet te missen.

'Misschien.' Jacob knikte. 'Maar ik probeer alle denkbare scenario's hier op te sommen, en ik heb wel gekkere dingen gezien. Wat er wellicht tegen spreekt, is dat de ziekste moordenaars meestal blijven staan wachten totdat wij hen komen inrekenen.' Hij stak zijn wijsvinger omhoog. 'Twee. De moordenaar komt toch uit kringen vrij dicht rond De Wahl, maar we hebben de juiste kring nog niet gevonden. We moeten doorgraven, verder teruggaan in de tijd. Er kan een oud wraakmotief zijn dat jarenlang heeft liggen broeien, iets uit zijn diensttijd, weet ik veel.'

Anna Kulin schreef een regeltje, keek op en wachtte. Jacobs middelvinger ging omhoog, en hij keek er goed voor uit dat hij die niet in de richting van de officier van justitie richtte. 'Drie: er kan verband bestaan tussen de moord en De Wahls seksuele geaardheid. We hebben, zoals je weet, goede redenen om te denken dat hij van SM-spelletjes hield en in die kringen zijn er mensen die uit veel harder hout gesneden zijn dan De Wahl zelf. Hij kan meer minnaars hebben gehad dan alleen Barekzi. Een van hen kan de relatie hebben ontdekt, wist mogelijk dat de jongen de nacht bij De Wahl doorbracht, werd jaloers, wachtte De Wahl de volgende ochtend op en vermoordde hem.'

De officier van justitie slikte en wachtte op het vervolg.

'Het zou bepaald niet de eerste keer zijn dat jaloezie in combinatie met seks of ontrouw aan de basis van een moord ligt,' zei Jacob. 'Ik denk niet dat homoseksuele sadomasochisten méér geneigd zijn tot moord dan andere mensen. Maar ook niet minder. Het is dus een mogelijkheid waarmee we rekening moeten houden.'

Anna Kulin zat met haar ellebogen op tafel en hield een hand gedeeltelijk voor haar mond. Haar blik was gefixeerd op de muur ergens achter Jacobs schouder. Ze zei niets.

'Dit is lastig,' merkte Henrik Vadh op. 'Als Jacobs eerste theorie onverhoopt steek zou houden, moeten we een van de duizenden geestelijk gestoorde mensen vinden die de samenleving vrij op straat laat rondlopen. De kans dat dat lukt is zeer gering.'

Colt knikte. 'We gaan enerzijds door op theorie twee: we graven dieper in De Wahls leven. Maar tot nu toe heeft dat niets opgeleverd. Niklas?'

Niklas Holm, die diep in gedachten verzonken zat in zijn stapels computerprints, keek op. 'Eh... Wat?'

'De Wahl. Graven. Verder terug.'

'Ja, ja, natuurlijk, ja.' Niklas Holm glimlachte. 'Daar zou ik niets op tegen hebben, maar ik betwijfel of jullie me laten doen wat ik zou willen. De Wahl heeft zijn opleiding gedeeltelijk aan de UCLA in Los Angeles gehad en gedeeltelijk in Cambridge in Engeland. Het is natuurlijk een zwaar en vervelend karwei om naar Californië en Engeland te gaan om al zijn studiegenoten te spreken, maar ik ben wel bereid om –'

Anna Kulin stak een hand op. Ook nu kon er geen glimlachje af.

'Dank je wel, Niklas. Fijn dat je bereid bent offers te brengen voor het recht.'

Bitch! dacht Holm. Ze kan verdorie ook totaal niet tegen een geintje, waar het ook over gaat. Wat een geluk dat ze geen rechercheur is! Stel je voor dat je die hier elke dag in de gang tegen kon komen – allemachtig!

De officier dacht even na. 'Wat is er nog meer te onderzoeken in zijn verleden?'

Holm keek in zijn papieren. 'De basisschool natuurlijk. Acht maanden in dienst. Drie jaar op het internaat van het Sandsiöö College, die kakschool, weet je wel. Verder zou ik het niet weten. De Wahl deed blijkbaar niet aan sport, aan verenigingsleven of zo.'

Anna Kulin schreef in haar blok.

'De derde theorie is ook geen gelopen koers,' vervolgde Colt. 'Ik weet niet goed waar we zouden moeten beginnen met zoeken naar een moordenaar die een liefdesrelatie of seksuele verhouding heeft gehad met De Wahl.'

Jacob en Henrik zaten allebei onbewust te wachten op een nieuwe aanval van Anna Kulin. Daarom was haar antwoord des te verrassender. 'Ik ook niet,' zei ze met een zucht, en ze sloeg haar notitieblok dicht.

24

Woensdag 21 februari

Christopher Silfverbielke keek verveeld naar het scherm van zijn computer. *Ik heb mijn eigen record weer verbeterd. Hoe vaak moet je jezelf bewijzen? Dit kan me geen barst schelen. Ik wil het grote geld. Ik wil plezier.*

Hij had het gevoel dat het leuke tussendoortje naar Berlijn alweer jaren geleden was, en dat er al maanden verstreken waren sinds hij zich had vermaakt met drank en vrouwen. Maar zijn doel was niet langer om zes uur te hoeven opstaan, om zeven uur op kantoor te zijn en zijn superioriteit als trader te bewijzen en dat had hij nog niet bereikt. De concurrenten zaten als een troep sledehonden achter hem aan, de beurs was een tijdlang erg onrustig geweest en hij had al zijn concentratie nodig om aan de top te blijven. Ergo: geen drank, geen coke, geen vrouwen. *Shit.*

Hij hing onderuit in zijn fauteuil, die nog naar nieuw leer rook. Dat was een van de extravaganties die Martin Heyes hem een week na hun functioneringsgesprek als bonus had moeten meegeven in een onderhandeling die Heyes allesbehalve prettig had gevonden.

Deze keer had Silfverbielke de toon gezet. Hij wilde geen leiding geven aan een groepje traders. Hij wilde geen verantwoordelijkheid dragen voor andermans tactiek en rendement. Hij wilde doorgaan met zijn werk en beloofde dat hij voor goede resultaten zou blijven zorgen. In ruil daarvoor wilde hij geen salaris van honderddertigduizend kronen, maar van honderdvijftigduizend. Hij wilde een hogere bonus, een krachtiger trading-pc, een beter handelssysteem, een snellere backoffice en betere afstemming. Als hij dat niet kreeg, dan moest hij Martin Heyes – tot zijn grote spijt – bedanken voor de tijd hier en naar de concurrent gaan die hem een aanbod had gedaan.

Heyes vloekte inwendig. De opdracht van de directeur was glashelder geweest: *Geef hem wat hij wil hebben. Geef hem exact – wat – hij – verdomme – wil – hebben! Je moet ervoor zorgen dat die knaap blijft, Martin. Ik hoop dat je dat begrijpt.*

Hij hield een krachtterm maar met moeite in. Het was uit oogpunt van bedrijfsresultaat geen enkel probleem Christophers salaris te verhogen van negentigduizend tot honderdvijftigduizend kronen, en ook niet hem een hogere bonus te geven wanneer hij goed presteerde. Maar als die regeling bekend werd in de wandelgangen van Craig International Brokers, liep hij het risico eindeloze discussies te moeten voeren met een serie traders die vonden dat ze even grote sterren waren als Silfverbielke en die hij er dan aan moest herinneren dat resultaat en beloning hand in hand gingen.

Als hij Silfverbielke onder druk zette, bestond de kans dat zijn toptrader vertrok en dan zou de directeur kwaad worden. Verdomme!

Christopher had zijn voorstel vriendelijk glimlachend gedaan. Heyes had zonder succes geprobeerd hem te ontlokken wie de concurrent was die hem probeerde weg te kopen.

Hij had ingestemd met alle details van Christophers plan, hem laten beloven dat hij zijn mond zou houden en verslag uitgebracht aan de directeur. En Christopher was het een paar dagen later gaan vieren.

De verkoper van de exclusieve Bentley-garage aan de Strandväg was natuurlijk zeer voorkomend geweest. Silfverbielke had verklaard dat hij een gloednieuwe Continental GT wilde bestellen, volgens hem een van de mooiste Bentley-types. De wagen, die bijna drie ton woog, had vierwielaandrijving, een zesversnellingsautomaat en een 552 pk motor, die het monster in 4,8 seconden van nul tot honderd kon laten accelereren en een topsnelheid van 318 kilometer per uur mogelijk maakte.

Een bezit dat bij zijn stand hoorde, en dat bovendien – dacht Christopher met een geamuseerd glimlachje – mooi zou passen bij de handschoenen die hij in Berlijn op kosten van Johannes had gekocht en bij de Bentley-wijn waarvan hij af en toe een paar dozen bestelde.

Het karretje moest op een paar centen na twee miljoen kosten. Met de contanten uit Berlijn kon Christopher één miljoen cash op tafel leggen. De verkoop van de BMW die thuis in de garage stond plus een paar voordelige leningen zouden voor de rest zorgen.

'Christopher?'

Silfverbielkes gepeins werd onderbroken en hij keek op. Pernilla Grahn stond glimlachend in de deuropening.

Ze had het zorgvuldig gepland. Extra aandacht besteed aan haar make-up, een slank afkledend jurkje aangetrokken dat tot vlak boven de knie kwam zonder dat het vulgair leek. Aangevuld met zwarte kousen en die leuke zwarte laarzen die ze een tijdje geleden had gekocht.

Het plan was eenvoudig, maar in haar ogen gewaagd. Ze zou Christopher zo ver krijgen dat hij haar uitnodigde voor de lunch of – als dat niet lukte – hem zelf uitnodigen. Waar het lunchgesprek toe zou leiden wist ze natuurlijk nog niet, maar als het aan haar lag...

Hij glimlachte haar toe en spreidde zijn armen. 'Wauw! Wat ben je mooi! Wat een prachtige jurk! Leuke laarzen ook, sexy.'

Pernilla voelde dat ze een beetje bloosde. Ze schraapte haar keel. 'Eh... Ja, ik vroeg me af...'

Silfverbielkes telefoon rinkelde. Glimlachend stak hij een vinger naar haar op ten teken dat ze even moest wachten. 'Christopher Silfverbielke.'

Ze zag dat zijn glimlach verstarde toen hij vervolgde: 'Hé, hallo, Johannes, alles goed? Wat zei je? Lunchen? Ja hoor, dat klinkt als een uitstekend idee. Heb je Hans al gesproken? We moeten het nog over een paar dingen hebben, dus waarom niet? Als jij een tafel bij Sturehof regelt, zien we elkaar daar over...' hij wierp een snelle blik op zijn horloge, '...zullen we zeggen een uur? Goed, afgesproken.'

Christopher keek weer op en zag tot zijn verbazing dat Pernilla verdwenen was. Hij haalde zijn schouders op. Ze zou wel terugkomen als het belangrijk was. Terwijl hij zich vooroverboog naar zijn computerscherm en een paar commando's intoetste op het toetsenbord dacht hij geamuseerd even over haar na. Was het toeval dat ze in een ongewoon kort jurkje en met zwarte kousen en hoge laarzen naar zijn kamer was gekomen?

Natuurlijk niet.

Hij ging even door op het idee. Misschien moest hij haar vragen vanavond over te werken. Een beetje met haar spelen. Haar op haar bureau tillen en haar diep in de ogen kijken. Ze zou zich niet verzetten, natuurlijk niet. Aan de andere kant: ze was te saai, een veel te gemakkelijke prooi gezien haar huidige situatie. Bovendien had hij geen zin om zich in te laten met mensen van zijn werk. Niemand mocht vat op hem krijgen.

Niemand.

Johannes zat al aan een tafeltje te wachten toen Silfverbielke restaurant Sturehof binnen kwam. Even later was het drietal herenigd en bestudeerden ze de menukaart onder het genot van een glas zeer droge champagne.

'Hoe gaat het met je, Johannes?'

Kruut keek verbaasd op. Christopher klonk vriendelijker dan hij lange tijd had gedaan, helemaal niet ironisch; hij leek oprecht geïnteresseerd.

'Nou, best hoor.' Johannes deed zijn best om ontspannen te klinken. 'Ik krijg binnenkort waarschijnlijk nieuwe, zwaardere verantwoordelijkheden.'

Silfverbielke knikte nadenkend. 'Dat klinkt geweldig. Maar het staat me eigenlijk niet zo goed bij welke verantwoordelijkheden je momenteel precies hebt.'

Vanuit zijn ooghoek zag Christopher dat Hans Ecker deed alsof hij met zijn hand een hoestbui afschermde, terwijl hij in feite een brede grijns verborg.

'Ik heb... Je zou kunnen zeggen dat ik een soort controller ben.'

Silfverbielke hield zijn hoofd een beetje scheef. 'Een sóórt controller? Hoe bedoel je dat, Johannes?'

'Ach, ik bedoel natuurlijk controller. Ik... Ik ben controller... Dus,' stamelde Kruut.

'En wat voor nieuwe, spannende taken krijg je nu?' Christopher keek hem nog steeds vriendelijk glimlachend aan.

Johannes Kruut dacht terug aan het gesprek van de vorige dag met zijn vader. Dat was allesbehalve opbeurend geweest. John Kruut had kort en goed gezegd dat het niet langer kon dat Johannes voor een volledig salaris in een kamertje duimen zat te draaien. Kruut senior had besloten zijn zoon nog een kans te geven, en hij hoopte dat dat een uitdaging voor hem zou zijn. De firma Johnssons Mekaniska in Linköping maakte deel uit van de constructiedivisie van het Kruut-concern. Johnssons was een gezond bedrijf, dat John Kruut vijf jaar eerder had overgenomen. Het had een kleine veertig man personeel, een omzet van ruim vijfendertig miljoen kronen per jaar en draaide met een leuke winst. John Kruut was er echter van overtuigd dat het resultaat kon worden verbeterd door een paar vrij eenvoudige ombuigingen, die de effectiviteit zouden verhogen en de overheadkosten zouden verlagen.

Aan Kruut junior nu de eer om deze maatregelen uit te voeren.

Johannes had bedrukt gekeken. Het was al heel lang geleden dat hij echt had moeten werken en hij voelde zich op zakelijk gebied een beetje roestig. Hij had bovendien nog vers in het geheugen hoe het de vorige keer was afgelopen en daar was hij niet trots op.

'Maar papa, zou het niet beter zijn als ik mijn opleiding eerst nog wat zou aanvullen? Ik zou misschien wat moeten doorstuderen...'

'Johannes, je bent klaar met studeren!' John Kruut sloeg met zijn vuist op tafel. 'Je hebt de opleiding die je nodig hebt en een stagiair zou kunnen doen wat jij nu doet. Het wordt tijd om je mouwen op te stropen en te laten zien dat je een echte Kruut bent. Wat zou opa wel niet hebben gezegd?'

Later op de dag had een secretaresse hem een dikke map vol informatie bezorgd, met een briefje van zijn vader erbij, waarop stond: 'Johannes, lees je in in het bedrijf, ga er op bezoek en kom dan met concrete voorstellen voor geleidelijke efficiencyverbetering, om te beginnen bij het management. Hoe kunnen we de overhead et cetera verlagen? Officieel neem je de zaken met ingang van maandag over.'

Johannes pakte zijn glas en nam een slok champagne. 'Ik word met ingang van maandag directeur van een middelgroot constructiebedrijf. Het ligt in Linköping, dus de kans bestaat dat ik er regelmatig heen moet.'

Silfverbielke lachte hartelijk. Hij keek Ecker aan en hief zijn glas. 'Hans, dan stel ik voor dat we proosten en Johannes feliciteren met zijn benoeming tot directeur!'

Ecker moest zijn uiterste best doen om het niet uit te schateren. Hij beheerste zich en lachte instemmend. 'Proost, Johannes, en succes!' En hij dacht bij zichzelf: ...en zorg vooral dat je niet moe wordt van al die lange reizen naar Linköping!

Het drietal bestelde, dronk meer champagne en praatte over koetjes en kalfjes. Silfverbielke voelde zich plotseling ontspannen en in een goed humeur. Het was een geslaagde ochtend geweest, met zeer succesvol afgesloten handel, en eigenlijk hoefde hij zich vandaag niet meer bij Craig te laten zien. Maar al de eerste slokken van de edele bubbels hadden hem ten aanzien van Pernilla Grahn op andere gedachten gebracht. Misschien moest hij na een lange lunch teruggaan, nog een uurtje werken en haar dan mee uit eten vragen. Eens lekker gepijpt worden kon geen kwaad.

Hans Ecker keek Christopher aan. 'Ook proost op jou, Chris! Ik heb me laten vertellen dat jij er laatst een flinke verbetering uit hebt weten te slepen.'

Silfverbielke glimlachte. 'Ik weet niet precies waar je op doelt, maar jij ook proost. Hoe gaat het met jou?'

'Goed, dank je. Wel erg druk momenteel. We zijn met diverse fusies bezig en er wordt links en rechts geboden. Ik moet morgenmiddag even naar Londen en daar blijf ik dan het weekend over.'

Silfverbielke knikte begrijpend, met gefronste wenkbrauwen. 'En je was vorige week ook al in Parijs en Brussel, toch, of was dat de week daarvoor?'

'De week daarvoor. Brussel is trouwens een vreselijke rotstad, ook al is het dan de hoofdstad van de eu. Alle Belgen zijn lelijk en eten vette patat met mayonaise, bah!' Ecker hield zijn wijsvinger en zijn middelvinger tegen zijn lippen alsof hij bijna moest overgeven.

Johannes Kruut lachte. 'Klinkt niet erg aantrekkelijk. Maar wat vindt Veronica ervan dat je zo vaak op reis bent?'

'Wat denk je?' Ecker slaakte een diepe zucht. 'Ze is heel lastig op het ogenblik. Soms vraag ik me echt af of ik hiermee door wil gaan of dat ik haar maar zal dumpen en...'

Wat hij verder zei verdween voor Johannes in een mist. Hij had Veronica Svahnberg een paar keer ontmoet en wat Johannes betrof was het heel simpel: Veronica was alles wat een man zich maar kon wensen. Ze was blond, had blauwe ogen, een lief gezicht en een geweldig sexy lichaam. Bovendien was ze geestig en intelligent. En vast fantastisch in bed. Johannes bloosde licht toen hij eraan dacht dat hij wel eens over haar had gefantaseerd.

'Dumpen? Waarom dat?' Johannes kon er niets aan doen, het ontglipte hem.

Juist op dat moment kwam de serveerster met de voorgerechten en ze zwegen alle drie totdat ze hun borden had neergezet.

Toen ze weg was dronk Hans Ecker wat champagne, deed zijn ogen dicht en maakte smakkende geluidjes om aan te geven hoe lekker hij die vond. 'Johannes, Veronica is geweldig in alle opzichten, maar ze is net als alle andere vrouwen als ze tegen de dertig lopen: ze wil een huis met meer kamers, als je begrijpt wat ik bedoel. Ze is min of meer bij me ingetrokken en wil niet eens een gezamenlijk huis in Östermalm hebben, maar wil dat we een huis zoeken in Djursholm, of nog erger: in Danderyd. En bovendien wil ze kinderen. Ze heeft de pil weggesmeten en ik durf bijna niet meer met haar naar bed!'

Ecker zweeg en dacht terug. Toen hij terug was uit Berlijn, had een vervelend, branderig gevoel hem duidelijk gemaakt dat hij in Duitsland een geslachtsziekte had opgelopen. Christopher had zijn belofte gestand gedaan en hem snel twee doosjes pillen bezorgd die het euvel gegarandeerd zouden verhelpen. Als Hans vier, vijf dagen geen seks met Veronica had, zouden er geen problemen komen.

Maar er waren wel problemen gekomen. Veronica leek wel een krolse kat toen hij thuiskwam en Hans twijfelde er niet aan dat dat grotendeels kwam door haar wens om in verwachting te raken. De eerste twee avonden had hij aan haar aanvallen weten te ontkomen, maar de derde hadden ze zich vol laten lopen met chardonnay en toen ze eenmaal in bed lagen, had Veronica hem zonder meer verleid. Uit puur zelfbehoud had hij voor het zingen de kerk uit weten te komen. Maar toch. Had hij haar opgezadeld met chlamydia? De vrees werd steeds sterker; hij was ongerust. Hoe moest hij dat uitleggen?

'Maar beter kan toch niet?'

Hans Ecker werd uit zijn overpeinzingen gerukt door Johannes' vrolijke kreet. Hij keek op.

'Ik bedoel: Veronica is toch alles wat een man zich maar kan wensen, of niet? Als ik jou was, had ik maar al te graag kinderen met haar gekregen en een leuk optrekje gekocht in Djursholm. Daar droom je toch van, Hans?'

Ecker keek snel even naar links. Christopher Silfverbielke zat rustig van zijn voorgerecht te eten en nipte af en toe aan zijn champagne. Hij knikte naar Hans. 'Absoluut. Helemaal met Johannes eens! Daar droom je van, Hans, daar droom je van.'

Lulijzer! dacht Ecker. Je droomt er om de dooie dood niet van en je zou nooit in mijn situatie terecht zijn gekomen!

'Heus, Chris? Wil je met me ruilen?' Hans viel aan op zijn voorgerecht.

Silfverbielke kauwde langzaam en deed alsof hij nadacht. 'Ik zal er eens over nadenken, Hans.' Intussen vormde zich een gedachte in zijn brein. *Dat zal ik echt doen. Misschien moet ik het zelfs opvatten als een vriendschappelijke uitnodiging?*

Ecker lachte hartelijk en Johannes keek hen verbaasd aan. Hij begreep niet wat voor spelletje ze speelden.

Silfverbielke vertelde terloops over de nieuwe auto die hij had besteld. Johannes en Hans keken hem met open mond aan.

'Dat is een auto van twee miljoen, Chris!' riep Hans uit. 'Ben je niet goed wijs? Nou moet ik ook een andere nemen, dit kan niet!'

Johannes zag er ietwat onzeker uit. 'Cool, Chris, een Bentley is echt cool. Maar ik blijf toch maar even bij Lexus; die is ook best cool.'

Het drietal ging over op de tweede gang, een warm gerecht. Ze hadden al besloten dat ze ook bij de rest van de maaltijd champagne zouden blijven drinken. Hans Ecker had ongeveer dezelfde analyse gemaakt als Christopher en geconcludeerd dat hij die middag niet meer naar de zaak terug hoefde. Johannes Kruuts analyse zei hem dat hij alle tijd had om aan te treden in zijn nieuwe rol als bedrijfsmanager en dat hij niet van plan was zichzelf een paar gezellige uren te onthouden met de enige echte vrienden die hij had, alleen maar omwille van het directeur-zijn.

Tegen halfdrie 's middags hadden de drie voor ruim zesduizend kronen aan champagne op, en de stemming was uitstekend. Om hen heen was het restaurant zo goed als uitgestorven en ze konden in alle rust praten, onder het genot van koffie, cognac en petitfours.

Hans en Johannes stelden allebei bij zichzelf vast dat Christopher Silfverbielke buitengewoon goedgehumeurd was. Hij was zoals gewoonlijk onberispelijk gekleed. Zijn gesteven, witte overhemd contrasteerde sterk met zijn zwarte kostuum, maar zijn zijden stropdas in een tint tussen violet en duifgrijs verzachtte het contrast.

De serveerster had al begerige blikken op Christopher geworpen, had Johannes gezien.

'Mijne heren!' Christopher hief zijn glas om te proosten. Johannes en Hans vroegen zich in stilte af hoe het kwam dat hun vriend altijd twee keer zoveel kon drinken als zijzelf zonder dronkener te worden dan zij.

'Ik stel voor,' vervolgde Christopher terwijl hij snel weer even aan zijn champagne nipte, 'dat we zo snel mogelijk nadat Hans terug is uit het land van The Queen bij elkaar komen voor een goed dinertje, bijvoorbeeld in Gamla Stan, om wat plannen te smeden.'

Hij haalde zijn mobiele telefoon uit de binnenzak van zijn colbert en keek in zijn agenda. 'Wat vinden jullie van... zaterdag 3 maart?'

Ecker grijnsde. 'Schitterend idee, Chris. Het zou mij wel goeddoen om een avondje te ontsnappen aan mijn werk en aan mijn veeleisende vrouw of samenlevingspartner of hoe je haar noemen wilt.'

'Afgesproken dan.' Christopher knikte. 'Wil directeur Kruut het op zich nemen om een tafel voor ons te bestellen in, zeg, Den Gyldene Freden?'

Johannes haalde een Palm Pilot uit zijn zak en begon te noteren. 'Yes sir, dat regel ik!'

Ecker stak zijn duim op. 'Super! Ik heb geen lol meer gehad sinds we in Berlijn waren. Jij, Johannes?' Zonder op antwoord te wachten, vervolgde hij: 'Laten we iets spannends verzinnen! Heb jij ideeën, Chris?'

Johannes' hart sloeg sneller. Sinds ze uit Berlijn terug waren had hij zowel overdag als 's nachts heel wat uren lopen piekeren over wat daar was gebeurd. Was het een droom of was het werkelijkheid? Had hij al die heerlijke dingen die hij zich herinnerde en die er in zijn agenda en in de camera van zijn mobiel zaten zelf meegemaakt? Had Christopher echt een hoer vermoord of was dat maar een grap? Was het auto-ongeluk op de terugweg echt zo ernstig als hij dacht of was het maar een klein botsinkje geweest?

Werkelijkheid, droom, gedachte en fantasie waren samengevloeid in een nevel die hij niet meer kon – of misschien niet meer wilde – onderzoeken en ophelderen. Het enige wat hij zeker wist, was dat het onwerkelijk voelde, dat het een van de heftigste dingen was die hij zijn hele leven had meegemaakt. Dat hij meer wilde. Meer spanning, meer feest, meer coke, meer vrouwen. En hij wist heel goed dat Christopher en Hans zijn toegangsbiljet tot meer spanning vormden.

Het gesprek met zijn vader de vorige dag – en de nieuwe straf in de vorm van een veeleisende directeursbaan – had zijn humeur gedeeltelijk bedorven, maar hij dacht toch dat het nuttige met het aangename te verenigen moest zijn.

Wanneer hij in de spiegel keek besefte Johannes Kruut dat hij achtentwintig jaar was, akelig veel geld had en dat alles voor hem openlag. Zijn vader en diens concern niet te na gesproken – Johannes zou wellicht genoodzaakt zijn om voor de goede zaak even zijn beste beentje voor te zetten, al was het alleen maar om de erfenis veilig te stellen – maar om van onvergetelijke ervaringen te kunnen genieten moest hij bij zijn vrienden zijn.

Silfverbielke veegde zijn mond af met het linnen servet. 'Ideeën,' zei hij nadenkend, 'jawel, ik heb wel een paar goede ideeën. En we moeten aan ons puntensysteempje denken. Er zit per slot van rekening twintig miljoen in de pot voor de winnaar.'

Ecker wreef zich in de handen. 'Die zouden goed van pas komen voor een huis in dat ellendige Djursholm, als ik daar dan toch heen moet. En dan zou ik me ook afvragen of ik het bedrijf niet beter vaarwel zou kunnen zeggen en voor mezelf zou moeten beginnen. Waarom zou ik de rest van mijn leven bezig zijn geld te verdienen voor iemand anders?'

'Gelijk heb je,' zei Christopher, en hij knikte. 'En waar zou jij het geld voor gebruiken als je de pot wint, Johannes?'

Kruut dacht na terwijl hij kauwde en zijn mond spoelde met champagne.

Eigenlijk zouden twintig miljoen kronen zijn leven niet beter of slechter maken.

Nadat hij zes miljoen kronen in hun gezamenlijke fonds had geïnvesteerd, had hij nog ruim elf miljoen over. Het grootste deel daarvan had hij – op aanraden van zijn vader – bij een gedegen fondsbeheerder ondergebracht, die het kapitaal met bijna veertig procent had weten te vermeerderen. Dus was zijn vermogen gestegen tot meer dan vijftien miljoen. Omdat hij goed van zijn salaris kon leven en zijn kapitaal de afgelopen jaren niet had hoeven aanspreken, was er alle reden om aan te nemen dat hij binnen een paar jaar goed zou zijn voor meer dan twintig miljoen. Bovendien had hij – leuke herinnering aan Berlijn – het ronde bedrag van negenhonderdduizend kronen in contanten in zijn kluis opgeborgen.

'Eigenlijk heb ik het geld natuurlijk niet nodig,' zei hij aarzelend, 'maar...'

'Maar?' Ecker boog zich voorover en keek hem afwachtend aan.

'Eh... Maar ik vind het te gek wat we aan het doen zijn, dat puntensysteem. Geweldig idee, Chris!'

Silfverbielke knikte. 'Maar hoe bedoel je dat je geen geld nodig hebt, Johannes? Iedereen heeft toch meer geld nodig?'

Johannes' blik vloog heen en weer tussen zijn beide vrienden. 'Eh, nou ja, jullie weten dat ik kapitaal heb van mijn opa, en daar kom ik eigenlijk niet aan. Ik kan goed rondkomen van mijn salaris en ben tevreden met wat ik heb.'

'Tevreden?' Ecker klonk stuurs. 'Hoe kun je nou verdomme tevreden zijn?'

'Sorry, ik moet even naar het toilet,' onderbrak Silfverbielke hen, en hij stond op. Hij verliet de tafel snel, terwijl hij zijn hand discreet in de rechterzak van zijn colbert liet glijden.

Hij sloot het toilet zorgvuldig af, ging op zijn hurken zitten en haalde een plastic zakje uit zijn zak. Hij maakte de toiletbril goed schoon, legde keurig een kort lijntje, rolde een bankbriefje op en snoof de coke snel in zijn neusgaten op. Hij veegde een paar overgebleven, microscopisch kleine korreltjes op zijn handpalm, deed de bril omhoog en spoelde het bankbiljet door.

Silfverbielke leunde tegen de koele wand, deed zijn ogen dicht en haalde zijn handen door zijn haar. *Eigenlijk heb ik het geld natuurlijk niet nodig.* Kruuts woorden echoden door zijn hoofd. Allemachtig, die knaap heeft nooit tegenslag gehad, nooit zonder geld gezeten, nooit hoeven vechten. Hij weet er geen zak van hoe het is om gekleineerd, uitgelachen, gemangeld te worden, hoe het is om elke dag voor je bestaan te moeten vechten. En hij heeft geen flauw idee hoeveel plezier je kunt hebben voor twintig miljoen. Ik moet uitzoeken hoe die jongen van boven in elkaar zit, hoe hij denkt. Hij kan een probleem worden.

De gedachten raasden door zijn hoofd en hij glimlachte toen hij voelde dat de cocaïne begon te werken en alles in een helderder licht zette. *Ik moet mijn werk- en zakenprincipes ten aanzien van Pernilla Grahn herzien.*

Hij haalde zijn mobiel uit zijn zak en toetste haar verkorte nummer in. 'Pernilla, met Christopher...'

'...interessant vanuit een ander perspectief, bedoel ik. Ook al is kapitaal niet per se een waarde op zichzelf, het is wel interessant om te zien hoeveel vrijheid je voor twintig miljoen kunt kopen, toch?' Hans Ecker keek Johannes glimlachend aan.

'Waar hebben jullie het over?' vroeg Silfverbielke nieuwsgierig toen hij weer aan tafel ging zitten.

'Ik zei net tegen Johannes dat twintig miljoen kronen je wel een hoop vrijheid verschaffen.'

'Dat mag je gerust zeggen,' zei Christopher instemmend. 'Je hebt tot nu toe dan geen grote sommen nodig gehad, dat kan nog wel komen, Johannes. Het is misschien niet zo leuk om je hele leven op je vaders voorwaarden te werken, hè?'

Kruut keek nadenkend, maar zei niets.

Chris had gelijk, zoals gewoonlijk. En natuurlijk begreep Johannes heel goed hoeveel lol je kon hebben voor twintig miljoen kronen. Het probleem was altijd dat hij, behalve Hans en Chris, nooit iemand had om lol mee te maken. En hoe plezierig was het om in je eentje te ontbijten in Monte Carlo of te lunchen in Parijs? Aan de andere kant: met een pak miljoenen zou hij elke auto kunnen kopen die hij maar wilde, kunnen wonen waar hij maar wilde, de meisjes kunnen krijgen die hij maar wilde. Twintig miljoen plus zijn eigen, zeg achttien, binnenkort. Achtendertig. Een goede beheerder zou hem minstens tien procent per jaar kunnen geven. Drie komma acht miljoen. Twee komma zes na aftrek van belasting. Als hij de hele boel niet het land uit smokkelde en ergens in het buitenland parkeerde, natuurlijk. Of de helft in Zweden en de helft...

'Johannes, ben je nog wakker?'

Kruut schrok. 'Sorry, Chris, ik zat gewoon even te denken. Maar ja, je hebt gelijk. Het zou gaaf zijn om een groter huis te hebben, een lauwere auto, en champagne en vrouwen bij het ontbijt!'

Een lauwere auto? Idioot. Auto's zijn niet 'lauw' en je rijdt al een Lexus GS 430 *voor zevenhonderdduizend kronen!* Silfverbielke deed zijn best om kalm te blijven. *Zoek uit wat hij wil, verdomme. Of we op hem kunnen rekenen of niet. Zonder omwegen. Volledig.*

'Er is alleen één ding waar ik over heb nagedacht, en dat zijn natuurlijk de risico's.' Kruut liet zijn stem wat dalen en keek om zich heen. Hij keek twijfelend. 'Wat moet je zeggen als de politie plotseling zou bellen en –'

Silfverbielkes afwerende hand bracht hem tot zwijgen.

'Rustig maar, Johannes. In de eerste plaats hebben we geen sporen achtergelaten die naar ons kunnen leiden, en we zijn ook niet van plan dat nog te doen. In de tweede plaats zoekt de politie niet in eerste instantie in de buurt van het Stureplan of in flats in Östermalm naar criminelen. Die zoeken ze liever in Alby, Fittja of waar dat schorem ook maar woont. En in de derde plaats is het heel simpel om je uit een verhoor te kletsen.'

Hans Ecker boog zich geïnteresseerd voorover. 'Hoe bedoel je, Chris?' mompelde hij.

Silfverbielke hield zijn hoofd een beetje scheef. 'Ze zwemmen nou niet bepaald in de Nobelprijswinnaars of raketgeleerden op het politiebureau. Hoe slim ben je als je voor dertigduizend per maand op boeven gaat jagen in plaats van zo te leven als wij doen? Ik ben ervan overtuigd dat je iedere politie-inspecteur tijdens een verhoor om de tuin kunt leiden, als je maar goed genoeg voorbereid bent en je hoofd koel houdt. Het zou heel interessant zijn om het eens te proberen.'

Is hij niet goed snik? Hij gaat toch niet het risico nemen om de politie uit te dagen? Ecker voelde zich plotseling koud worden. *Zou hij zich dan toch moeten bedenken? Zich distantiëren van Christophers spelletjes? Zijn vriend zorgde wel voor wat opwinding in de veel te grote sleur van het bestaan, maar toch. Er stond veel op het spel, er was veel te veel te verliezen.*

'Chris, je bent toch niet van plan...'

'Rustig maar, Hans! Ik zei niet dat ik het zou doen, natuurlijk niet. Ik zei dat ik vrij zeker weet dat ik het zou kúnnen doen, en goed ook!'

Christopher liet zijn stem dalen en keek Johannes strak aan. 'Dus wat we moeten weten, Johannes, is of we echt op je kunnen rekenen bij ons spelletje. Wil je meedoen en lol hebben of niet?'

Hans Ecker fronste bezorgd zijn voorhoofd. *Waar was Chris verdomme op uit? Je kon toch maar beter geen slapende honden wakker maken. We hebben Johannes nodig voor het fonds – voorlopig in elk geval. We kunnen geen kroon aanraken zonder zijn instemming, en het idee van het puntensysteem was toch schitterend.*

Johannes knikte. 'Ik doe mee, Chris. We hebben toch een hoop lol samen, we zijn soms net de Drie Musketiers...'

Ja, dacht Silfverbielke. Met één verschil. *De kans is groot dat het er binnenkort maar twee zijn, als jij geen kerel wordt.*

Hij glimlachte Kruut vriendelijk toe. 'Dat wist ik toch, Johannes. Op jou kun je vertrouwen!'

Christopher gaf Hans snel een blik van verstandhouding. *We zijn er. Nou gaan we door!*

Ecker leunde achterover en nam een slok champagne. Hij had het gevoel dat hij geen keus had, als hij tenminste zijn vriendschap en zijn trots wilde behouden.

25

Zeven uur later lag Christopher Silfverbielke languit op het grote bed in een kamer in het Grand Hotel; hij luisterde geamuseerd naar de geluiden uit de badkamer. Ze had de kraan in de wastafel flink laten stromen om te voorkomen dat hij haar kon horen plassen. *Flauwekul.* Nu kon hij haar met een beetje inspanning horen woelen in het make-uptasje dat hij in haar handtas had gezien.

Je hoeft je niet meer op te maken. Kom hier en zuig me af!

Met een zucht pakte hij zijn champagneglas van het nachtkastje. Hij had twee flessen Moët op de kamer laten brengen. Dat zou meer dan voldoende moeten zijn voor hun in- en uitwendig gebruik. Hij had haar tijdens het eten flink volgegoten, en het zou prettig zijn als ze nog even wakker bleef.

Pernilla Grahn was buiten zichzelf geweest van geluk toen Christopher 's middags had gebeld en haar had uitgenodigd om mee uit te gaan eten. *De serre van het Grand!* Jeetje, ze was nog nooit in het Grand Hotel geweest, laat staan dat ze er had gegeten. Een voorgerecht alleen al kostte meer dan wat zij in een hele maand aan eten uitgaf! Ze had na het werk naar huis willen rijden om zich om te kleden, maar Christopher had uitdrukkelijk gezegd dat ze mooi en sexy was zoals ze was en dat hij haar juist in deze kleren wilde zien.

Daarom was ze naar haar flat in Farsta geracet, had een douche genomen en haar benen en oksels zorgvuldig geschoren. Ze had nieuwe make-up opgedaan, schoon ondergoed aangetrokken en de jurk en de laarzen die ze de hele dag al aanhad. Ze had zichzelf in de spiegel gekeurd voordat ze de flat verliet, waar Patrik voorlopig uit getrokken was terwijl ze twee nieuwe woningen zochten. Haar spiegelbeeld en haar bonzende hart vertelden haar dat ze er perfect uitzag. En Patrik kon naar de pomp lopen. Nu ging het om Christopher. Misschien, misschien... Ze wist dat wat er nu ging gebeuren tegen beter weten in was, maar niets ter wereld kon haar tegenhouden.

Christopher had al op haar zitten wachten toen ze kwam. Het eten was gewoon fantastisch, evenals de wijn en de andere drankjes. Ze genoot van de witte tafelkleden, de kaarsen, de bediening en de aandacht van de obers. Dit was de wereld waarin Christopher altijd verkeerde en waarvoor zij haar rechterarm zou geven als ze dat ook mocht, al was het maar een week.

Hij was even galant en gezellig als anders, praatte over van alles en nog wat, maar vermeed zorgvuldig de vervelende details over haar verbroken relatie. Het viel Pernilla op dat hij af en toe zijn blik over haar lichaam liet gaan; daar kreeg ze vlinders van in de buik.

Na het dessert had hij het haar uitgelegd. Wegens een plotselinge waterlekkage in zijn huis vanmorgen was hij gedwongen geweest zijn intrek te nemen in het Grand, terwijl een bedrijf zijn appartement saneerde en de loodgieters hun werk deden. Het was verdomd irritant en hij had niet eens kleren of toiletartikelen kunnen meenemen, maar in tandenborstels en schone overhemden kon het hotel wel voorzien.

'O, Christopher, wat vervelend! En zoiets is nog heel duur ook. Denk je dat je het op de verzekering kunt verhalen?'

Hij glimlachte naar haar. 'Dat denk ik niet, helaas. Het was geen gewone waterleiding, maar... eh... mijn aquarium is gebarsten.'

'Je aquarium? Maar daar zich toch niet zo veel water in?'

'Drieduizend liter.'

'O jee...'

Lieve hemel, wat een oen! Ruikt ze geen onraad als ik beweer dat ik een aquarium had ter grootte van een olietank? Is er een Nobelprijs voor domheid? Wie heeft dat stuk onbenul aangenomen?

'Eerst had ik goudvissen en piranha's bij elkaar...'

'Ja, ja...' Ze knikte geïnteresseerd.

'Maar dat ging niet zo goed, dus ben ik overgegaan op alleen maar piranha's.'

'O! Maar die zijn toch levensgevaarlijk? Wat is ermee gebeurd?'

Silfverbielke kreeg opeens zin om haar een pak op de billen te geven. Hij glimlachte bedroefd. 'Ze zijn doodgegaan.'

'O! Zomaar?'

'Jazeker. Dat doen vissen, hè, als ze niet in het water kunnen zwemmen. Doodzonde, ik hield echt van ze. Ik heb ze al jaren en dan is het net of je een hond hebt. Je leert elkaar kennen, komt elkaar nader.'

'Ja, dat begrijp ik heel goed. Maar wat doe je er nu mee? Piranha's zijn toch vast heel groot? Je kunt ze toch niet... Ik bedoel, je gooit ze toch niet zomaar in de vuilnisbak?'

'Vriezer.'

'Hè?'

'Ik heb ze in de vriezer gestopt. Dan eet ik er af en toe een. Piranha's zijn een heerlijke vis, vooral als je ze een beetje paneert.'

Pernilla Grahn giechelde onzeker en dronk nog wat wijn. 'Als een soort vissticks, bedoel je?'

Jesses! Ik kan haar niet meer aanhoren. Hoog tijd om hier iets van te maken. En als ze zo achterlijk blijft doen, moet ik haar doden; een andere mogelijkheid is er niet.

Silfverbielkes mobiel ging. Een sms'je van Helena. *Hoi, het is hier zo saai. Wil je zien, gauw. Wat ben je aan het doen? K&K, je Helena.*

Hij antwoordde snel: *Heb heerlijke fantasieën over jou, natuurlijk!*

Pernilla Grahn keek hem nieuwsgierig aan. 'Was het belangrijk? Het werk, misschien?'

Hij zette zijn mobiel uit. 'Niets belangrijks. Wat denk je, zullen we de avond afronden met een glaasje champagne op mijn kamer?'

Pernilla bloosde.

Ze kwam de badkamer uit en zag hem op het bed liggen. Hij had zijn colbertje uitgetrokken, zijn stropdas afgedaan en het bovenste knoopje van zijn overhemd losgemaakt. Het liefst had ze zich boven op hem gestort, maar ze wilde dat hij het initiatief nam, graag zo gauw mogelijk.

Van de drankjes en de wijn was ze behoorlijk draaierig geworden, maar ze nam toch dankbaar het glas aan dat hij haar aanreikte. 'Hm...' zei ze smakkend, '...champagne is zóóó lekker!'

'Ja, hè? Ik heb trouwens een idee voor een verrassende smaaksensatie.'

Pernilla keek hem vragend aan. Plotseling stond hij op van het bed en kwam naar haar toe. Zonder iets te zeggen trok hij haar naar zich toe en kuste hij haar.

Ze zuchtte diep, deed haar ogen dicht en sloeg haar armen om zijn hals. Heftige gevoelens en plotselinge opwinding raasden door haar lichaam toen ze zijn handen over haar rug heen naar haar billen voelde gaan.

Christopher liet zijn hand langs haar bovenbenen omhooggaan, onder haar jurk, terwijl hij haar de adem bleef benemen met zijn kussen.

Hij wachtte gretig tot zijn vingers de bovenkant van een kous zouden voelen, maar...

Wat? *Een panty!* Was dit een grap of was ze kinky?

Hij trok haastig haar jurk omhoog, zocht de zoom van haar panty en trok die een stukje omlaag. Hij trok zijn mond even van de hare af om een blik naar beneden te kunnen werpen.

Wit slipje. Een wit slipje bij een zwarte panty onder een zwarte jurk? Wat zou er nog meer komen – een rode beha? Dit grietje moest echt nog veel leren.

Zijn perverse brein ging meteen aan de haal met de kleding die hij kinky vond. Hij voelde dat hij stijf werd en ging met zijn hand verder op zoek onder haar slipje.

Haar!

Silfverbielke kon zich niet heugen wanneer hij de laatste keer naar bed was geweest met een vrouw die niet al haar haar had afgeschoren. De pornomode had sinds een paar jaar veel navolging gekregen en de 'heuvelbebossing' was steeds kleiner geworden om ten slotte geheel te verdwijnen.

Hij trok haar jurk over haar hoofd en stelde vast dat haar beha in elk geval wit was. Toen hij zag dat ze een gewone slip aanhad en geen normale string, kende zijn opwinding geen grenzen. *Kinky!*

Hij kuste haar weer wild en voelde hoe haar handen zijn lichaam betastten. Ze bevrijdde hem uit zijn broek en overhemd en hapte naar adem toen ze voelde hoe hard hij onder zijn boxershort was. Haar handen trokken het snel uit en zochten naar zijn geslacht.

'Oef!' Ze hijgde in zijn oor. 'Wat zacht!'

Ik zal je laten proeven hoe zacht. Hij trok haar naar achteren, naar het bed, ging liggen en trok haar over zich heen. Hij greep gauw de fles Moët en begon te gieten. Ze keek met ingehouden adem toe hoe hij de champagne langzaam over zijn stijve lid goot. Toen pakte hij haar met zijn andere hand zacht maar beslist om haar nek en leidde die naar beneden.

Een paar keer trok hij haar mond opzij om die met champagne te vullen, en hij hoorde haar wellustig smakken. Hij kwam klaar en beduidde met zijn hand dat ze door moest gaan en hem weer stijf moest krijgen.

'Kleed me uit!' Ze wierp zich op haar rug en stak haar armen naar hem uit.

Nee, nee, ik heb andere plannen.

Ze protesteerde zachtjes, en maakte verbaasde geluidjes. Hij liet haar haar beha en haar laarzen aanhouden, trok haar panty een stukje omlaag en duwde haar slipje wat opzij. Toen ging hij naar binnen.

'Moet je...' ze hapte naar adem, '...mijn slipje niet uitdoen...?'

Hij stootte een paar keer hard toe. 'Nee,' fluisterde hij, 'het kietelt zo lekker.'

Ze vrijden kort en hevig. Hij hoorde een paar keer dat ze bijna klaar-kwam, maar lette er niet op en concentreerde zich op zijn eigen genot. Toen hij op haar neerkeek en haar beha, haar grote, witte onderbroek, haar schaamhaar en haar panty zag, kon hij zich niet meer inhouden. Kreunend leegde hij zich in haar, trok zich toen snel terug en rolde op zijn rug.

Hij hoorde haar hijgen van teleurstelling. 'O, Christopher, nog even alsjeblieft, ik verlang er zo naar... Ik ben... nog niet klaar!'

Silfverbielke zwaaide afwerend met zijn hand, grimaste een paar keer hevig en kreunde luid van de pijn.

'Wat is er?' vroeg ze verschrikt.

'Mijn rug!' steunde hij. 'Een oud kwaaltje, niks om je druk over te maken.'

'Ach, nee toch! Kan ik iets doen? Ik bedoel, moet ik...'

Hij schudde zijn hoofd. 'Nee, hoor, het gaat zo wel over. Geef me al-leen nog maar wat champagne. En vergeet niet zelf ook wat te nemen.'

Minder dan een halfuur later hadden de alcohol, de spanning en de vermoeidheid hun werk gedaan. Pernilla Grahn lag met licht gespreide benen op haar rug, diep in slaap, nog altijd met haar panty een stukje omlaag getrokken en haar slipje wat opzij geduwd.

Silfverbielke speelde een poosje met zijn mobiele camera in het schijnsel van de bedlampjes, waste zich toen stilletjes in de badkamer en kleedde zich al even stilletjes aan. Hij wierp een laatste blik op de kamer voordat hij die uit ging. Het was leuk geweest om die slip mee te nemen, maar je kon nu eenmaal niet alles hebben in deze wereld.

Bij de receptie mompelde hij iets over erg vroeg uitchecken de vol-gende ochtend, betaalde alles contant en stopte de rekening in zijn zak. Op straat bleef hij even staan om de koele nachtlucht in te ademen.

Toen nam hij een taxi naar huis.

Pernilla Grahn keek ongerust in Christophers kamer naar binnen.

Leeg.

Wat was er gebeurd? Waarom was hij midden in de nacht verdwenen zonder iets te zeggen? Was hij ziek?

De uren leken haar wel jaren en ze beet nerveus op een nagel terwijl ze ongeconcentreerd probeerde te werken. Elke twintig minuten vond ze wel een reden om even de gang op te lopen om te zien of hij er al was. Haar hart begon sneller te kloppen toen ze opeens licht in zijn kamer zag branden.

'Christopher!' Ze sloeg haar handen tegen haar borst. 'God, ik was toch zo ongerust over je!' Ze deed een paar stappen de kamer in en liet haar stem dalen.

'Wat is er gebeurd? Toen ik wakker werd was je weg.'

Silfverbielke, onberispelijk gekleed als altijd, glimlachte naar haar. Het viel hem op dat ze dezelfde kleren aanhad als de vorige avond. Ze had dus uitgeslapen en had voor haar werk niet meer naar huis kunnen gaan.

Hij werd weer serieus. 'Het was mijn moeder. Ze belden vanuit het ziekenhuis. Ik heb de hele nacht zitten waken op de intensive care. Het spijt me, maar –'

'Ach, nee toch, wat akelig!' Pernilla sloeg haar hand voor haar mond. 'Hoe is het met haar?'

'Het is het hart. Ik geloof dat haar toestand nu stabiel is, maar je weet het nooit. Ze is oud en... Als ik vandaag eerder wegga, weet je waarom.'

'Ja, natuurlijk, ik begrijp het.' Ze aarzelde even. 'Christopher, dank je wel voor het eten en de heerlijke avond! Het was zo... Je was fantastisch! Ik hoop... Wat denk je, spreken we nog eens af?'

Hij knipoogde naar haar en glimlachte vaag, maar antwoordde niet.

'En hoe is het trouwens met je rug? Heb je nog pijn?'

'Nee hoor, dat is over. Maar als je me nu wilt excuseren, ik moet aan het werk. Ik ben al een beetje laat.'

'Ja, sorry, natuurlijk. En als ik je ergens mee kan helpen, zeg je het maar!'

Hij bedacht zich. 'Ja, nu je het zegt...'

Silfverbielke haalde zijn agenda uit zijn zak en bladerde erdoorheen. Hij ging met zijn wijsvinger over een pagina en keek er nadenkend naar. 'Ik zie dat we allebei zijn vergeten wat overuren te noteren voor de interne verantwoording. Of...' hij keek haar glimlachend aan, '...misschien moet je het onderuren noemen, want we waren hier al zo vroeg in de ochtend. Ik heb het over 15, 16 en 17 januari, toen we een tijdje heel hard hebben doorgewerkt.'

Pernilla knikte en pakte een blocnote en een pen van zijn bureau. 'Volgens mijn aantekeningen ben ik maandag de 15e om 06.35 uur binnengekomen, en toen was jij er al. Allemachtig, je moet midden in de nacht zijn opgestaan!'

Ze glimlachte naar hem. Ze kon zich totaal niet herinneren dat ze op die dagen zo vroeg had gewerkt, maar als Christopher het zei, was het vast wel zo en dan had hij haar ook de opdracht daartoe gegeven. Gezien haar salaris had ze absoluut niets tegen een klein extraatje. Ze maakte snel een aantekening, terwijl hij voorlas uit zijn agenda. 'De volgende dag waren we hier op dezelfde tijd en woensdag kwamen we wat later, ongeveer om halfacht. Noteer jij dat voor ons?'

'Natuurlijk. Ik zal het meteen doen en ik stuur het ook naar de salarisafdeling!'

Toen ze zijn kamer uit was, pakte Silfverbielke de telefoon en toetste een vertrouwd nummer in. 'Dag mams, met Christopher! Alles goed?'

Hij hoorde haar kittige lachje aan de andere kant van de lijn.

'Ja hoor, dank je, het gaat goed. Ik ben blij dat ik op mijn leeftijd nog zo gezond mag zijn. Gaat het met jou ook goed?'

'Prima, mama. Ik wilde vandaag na het werk even langskomen en kijken of ik je ergens mee kan helpen.'

'O, Christopher, wat ben je toch zorgzaam. Bel maar even als je komt, dan zal ik iets lekkers voor je maken. En als je vuile was hebt, neem je die ook maar mee!'

Het soort kleren dat ik draag moet gestoomd worden, mama.

'Dank je wel, mamsje, ik bel vanmiddag voordat ik kom.' Christopher hing op, leunde achterover en dacht na. Hij had een heel leuk idee gekregen, maar de uitvoering daarvan vereiste nogal een uitrusting.

Waar haalde hij een snelle auto, een paar kilo explosieven en drie machinegeweren vandaan?

26

'Heb je even tijd?'

Jacob Colt keek op. Niklas Holm leunde tegen de deurpost met een stapel prints in zijn hand.

'Natuurlijk, ga zitten!'

Holm ging op een van de bezoekersstoelen aan de andere kant van het bureau zitten en bladerde wat door zijn papieren.

Colt bekeek hem terwijl hij wachtte tot Niklas iets zou zeggen. Hij mocht Holm graag en wilde soms wel dat hij hem kon klonen. De knaap was als laatste op deze afdeling gekomen, maar hij had al van heel wat talenten blijk gegeven. Hij was computer- en internetfreak en expert in onderzoek met behulp daarvan. Maar hij was ook fit en sportief en wist zich bovendien te gedragen in betere kringen. Met wat oefening zou hij beslist een scherpe ondervrager worden, maar Jacob had hem voorlopig voor de computer harder nodig dan in de stad. Daarom had Holm voornamelijk binnenshuis gewerkt en daar leek hij niets op tegen te hebben.

Niklas keek op. 'Ik heb nog eens goed naar De Wahls achtergrond gekeken. Ik ben nog niet helemaal teruggegaan naar de basisschool en ik heb alles overgeslagen wat met de UCLA en Cambridge te maken heeft, omdat mevrouw de officier geen zin heeft om vliegtickets voor me te kopen.'

'Zwaar klote.' Colt grijnsde. 'We moeten maar kijken hoe deze zaak zich verder ontwikkelt, maar voorlopig blijven we maar thuis. Wat heb je gevonden?'

'Om te beginnen met zijn dienstplicht: daar kwam ik een interessant detail tegen. In de stukken staat dat De Wahl acht maanden in Kungsängen heeft gelegen. Dat vond ik een beetje al te kort klinken, want zo'n knaap is toch geknipt voor een officiersopleiding. Dus ik heb gebeld, en ik kreeg een majoor te pakken die blijkbaar al zijn halve leven in dat regiment zat. Het interessante was dat hij De Wahls naam herkende, ook al is het al zo veel jaren geleden. Hij groef in zijn archieven daarginds en belde terug...'

Colt boog zich geïnteresseerd naar Holm toe. 'Ja?'

'Geen officiersopleiding voor De Wahl.' Niklas Holm glimlachte. 'Hij heeft zelfs geen acht maanden volgemaakt als dienstplichtig soldaat. Al na een paar weken werd er een klacht tegen De Wahl ingediend omdat hij aan twee jongens had gezeten met wie hij een kamer deelde. Er volgde een onderzoek en op directe vragen of hij homo was antwoordde De Wahl bevestigend.'

'Maar dat gaf toch niet? Het werd in die tijd toch ook al als discriminerend beschouwd om iemand af te keuren op grond van zijn seksuele geaardheid?'

Holm knikte. 'Jazeker. Hij werd ook niet weggestuurd wegens zijn seksuele geaardheid, maar wegens seksuele intimidatie. Je mag in het leger niet aan je maten zitten, ongeacht hun geslacht en hun seksuele geaardheid. Maar nu komt het interessante...'

Niklas bladerde snel door zijn printjes. 'De majoor was nogal nijdig toen hij dit vertelde, want toen hij het opzocht in de stukken, kwam ook de herinnering terug. Het was de bedoeling dat Alexander de Wahl naar huis zou worden gestuurd op grond van de seksuele intimidatie. Maar kennelijk was zijn vader goed bevriend met een van de hoogste commandanten van het regiment en De Wahl senior wilde niet dat zijn zoon uit het leger werd gegooid omdat hij een flikker was!'

Colt knikte. 'Dus...?'

'Dus ze kregen bevel om de hele kwestie in de doofpot te stoppen en er werden twee valse versies in omloop gebracht. Officieel deed De Wahl acht maanden dienst als gewoon dienstplichtige en hij ging naar huis met een goed getuigschrift. Maar in werkelijkheid werd hij al na een maand met groot verlof gestuurd en mondeling verspreidde men het gerucht dat hij was afgekeurd wegens een of ander knieletsel.'

Jacob floot. 'Dus meneer De Wahl senior speelde toneel toen Magnus en Henrik daar waren. Toen deed hij alsof hij er niet van op de hoogte was dat zijn zoon homo was, hoewel hij dat dus maar al te goed wist. Ik weet zeker dat Henrik dat heel leuk vindt om te horen.

'En zo zie je maar hoe belangrijk het is dat je vader de juiste vrienden heeft,' mompelde hij. 'Maar wat deed De Wahl junior in de tijd dat hij eigenlijk in dienst had moeten zitten?'

'Het ziet ernaar uit dat hij een half sabbatical in Los Angeles had voordat hij aan de UCLA begon. Ik kan me goed voorstellen hoe hij zich amuseerde in de clubs in Beverly Hills en met zijn cabrio in de zon reed.'

Colt trok een vies gezicht. 'Het spijt me om te horen dat hij bovendien mijn oude school heeft bezoedeld, alleen maar door daar te zijn. Maar goed, wat heb je nog meer gevonden?'

'Nou, ik ben nog wat verder teruggegaan in de tijd en ben gaan wroeten in De Wahls tijd op het internaat van het Sandsiöö College.'

'"Die kakschool" noemde je dat onlangs toch?' Jacob lachte.

Holm knikte. 'Inderdaad, ik kan het niet anders zeggen. Dat is een wereld die ik maar moeilijk kan accepteren, ook al ben ik anders altijd nogal een voorstander van privatisering, vrije scholen en zo.'

'Ik denk dat we daar nog veel meer van te zien krijgen, of we dat nu willen of niet,' antwoordde Jacob. 'Want de zogenaamde verzorgingsstaat wordt in razend tempo afgebroken, kijk maar wat er nog over is van de gezondheidszorg. En dan hebben we het nog niet eens over de psychische gezondheidszorg.'

Niklas schudde somber zijn hoofd. 'Praat me er niet van. Ik word doodsbenauwd als ik denk aan al die zieke types die tegenwoordig maar vrij in de stad mogen rondlopen in plaats van verzorgd te worden. Raar dat er niet nog meer gebeurt dan er al gebeurt. Maar terug naar Sandsiöö. Daar waren ze lang niet zo coöperatief als de majoor, maar –'

Colt onderbrak hem. 'Hoezo?'

'Er is op dat soort scholen een zeer lange traditie om alles onder de pet te houden, wat er ook gebeurt. Leerlingen die gepest of mishandeld worden weten dat ze nog meer te verduren krijgen als ze klikken. Het getreiter tiert welig, onder andere in de vorm van oude inwijdingsrituelen, die in feite pure vernedering zijn. De docenten en de rector kijken een andere kant op en laten het gebeuren. Naar buiten toe houden ze de rijen gesloten en zwijgen ze. Ongeacht wie er vragen stelt en waarom.'

Nu was het Jacobs beurt om somber zijn hoofd te schudden. 'Het lijkt toch een goede kweekvijver voor mensen die ons land en onze bedrijven moeten gaan leiden.'

'Nee, het is ongezond. Maar ik heb ze in elk geval zo ver gekregen me lijsten te sturen van Alexander de Wahls jaargenoten. Ik heb ze opgespoord; de meesten hebben nu goede banen in het zakenleven, sommigen zijn in de politiek gegaan of zijn hoge rijksambtenaren geworden. Enfin, ik hoefde niet zo heel veel telefoontjes te plegen om een vrij compleet beeld te krijgen.'

'En hoe ziet dat eruit?'

'Dat ziet er zo uit dat ons slachtoffer bepaald een sadistische smeerlap was!'

Christopher Silfverbielke wachtte tot zes uur 's avonds voordat hij het privénummer van Hans Ecker draaide. Nadat de telefoon zes, zeven keer was overgegaan, net toen hij wilde ophangen, werd de telefoon aangenomen en klonk aan de andere kant van de lijn de stem die hij had verwacht.

'Met het huis van Hans Ecker, met Veronica.'

'Hallo Veronica, met Christopher.'

Veronica Svahnberg voelde de adrenaline door haar lichaam jagen en haar hart sloeg op hol. Ze kwam net onder de douche vandaan en stond naakt aan de telefoon, terwijl er waterdruppeltjes van haar blonde haar vielen en plasjes vormden op de tegelvloer in de hal voor de badkamer.

'Hallo Christopher.' Onbewust liet ze haar stem dalen tot iets wat bijna fluisteren leek. 'Dat is lang geleden.'

'Oudejaarsavond, hè? Misschien al veel te lang geleden...' Hij lachte zacht en alleen al het geluid van zijn stem maakte dat ze huiverde van lust en verlangen. 'Het zou heel leuk zijn om je weer te zien.'

Veronica voelde dat ze opeens een droge mond kreeg. Het was alsof ze niet meer kon praten. Ze wachtte op het vervolg.

'Gaat het goed met je?'

'Wat? Eh... Ja hoor, dank je, het gaat goed met me, goed hoor.'

Het duizelde haar. Beelden van Christopher van oudejaarsavond, kwamen haar voor de geest. Haar gevoelens toen. De geur van zijn aftershave. Haar reactie...

'Dat klinkt goed. Is Hans misschien in de buurt?'

'Nee, Hans zit in Londen. Hij is vandaag weggegaan en komt pas maandagochtend terug.'

'Wat handig.' Christopher liet zijn stem nog verder dalen.

Veronica's hoofd tolde. 'Wat? Hoe bedoel je?'

Had ze het echt goed gehoord? Hoe kwam het toch dat ze zich slap en draaierig voelde zodra ze zijn stem hoorde? Irritant. En... fijn.

'Ach ja, natuurlijk, wat dom van me! We hebben gisteren samen geluncht en toen vertelde hij me dat hij weg zou gaan!' Christopher lachte. 'Hoe kon ik dat nou vergeten? Nou ja, het was niet belangrijk. Ja, ja, dus dan ben je nu helemaal alleen in de grote stad?'

'Eh... Ja, zo zou je het kunnen zeggen.'

'Is dat niet een beetje jammer?'

Ze deed alsof ze aarzelde. 'Hoe bedoel je?' Ze besefte dat ze klonk als een idioot, die alleen maar steeds dezelfde vraag herhaalde.

'Ik bedoel dat we misschien samen uit eten moeten gaan. Het is zo vervelend om in je eentje te eten, vind je niet?'

'Ja, dat wel.'

'Zullen we nu gaan of onmiddellijk?' Silfverbielke klonk als een jongetje dat kattenkwaad wil uithalen en Veronica Svahnberg was ervan overtuigd dat hij dat ook precies was.

Ze probeerde zich te vermannen en haar gevoelens te analyseren, iets wat ze nog talloze keren zou herhalen. Christopher was een gevaarlijk type, hij was de verpersoonlijking van alles waar een vrouw zo ver mogelijk vandaan moest blijven. Tegelijkertijd was hij onweerstaanbaar. Hij kreeg haar aan het trillen en aan het fantaseren als ze alleen maar aan hem dacht.

Zwart, gevaarlijk, verboden water. Geen zwemvest. Geen reddingsboot in de buurt. Alleen een idioot springt in zulke omstandigheden in het water.

'Zo snel mogelijk, vind ik.' Ze merkte dat haar stem hees klonk.

'Leuk.'

Veronica probeerde helder te denken. 'Serieus, Christopher, wat ben je van plan? Mijn vriend en aanstaande man is op zakenreis naar Londen en alsof het toeval is, belt een van zijn beste vrienden en...'

'...nodigt je uit om wat te eten. Dat is toch wat we van plan zijn, of dacht jij aan iets anders, Veronica?'

Zijn stem klonk plagend en als hij op dit moment voor haar had gestaan, had ze hem met plezier een klap gegeven.

'Als je het een probleem vindt om met me te gaan eten, is het misschien beter om het maar helemaal te vergeten?'

Rotzak!

'Zo bedoelde ik het niet.' Ze zuchtte. 'Je weet wel wat ik bedoel, Christopher. Natuurlijk wil ik graag met je gaan eten. Maar het is misschien niet zo'n geweldig idee om samen gezien te worden in een van de restaurants in de buurt van het Sureplan.'

Het was even stil. Toen zei hij: 'Dan heb ik een geweldig idee, Veronica.'

Ze wachtte in stilte.

'Wil je vanavond of morgen uit eten?'

Veronica twijfelde geen seconde. 'Vanavond.'

'En niet aan het Stureplan, als ik je goed begrijp?'

Hou op met dat kat-en-muisspelletje, je weet precies wat ik wil!

'Inderdaad. Liefst helemaal niet in een restaurant, want dan kunnen ze ons zien en dat is misschien niet zo goed.'

'Maar Veronica, wat is het probleem?' Silfverbielke klonk onschuldig. 'Mijn beste vriend is op zakenreis, ik zorg voor zijn aanstaande vrouw, zie erop toe dat ze goed eet en een gezellige avond heeft en breng haar weer naar huis. Ik heb er geen problemen mee dat Hans daarachter komt. Jij wel?'

'Ja.' Ze twijfelde niet.

Ze hoorde hem weer zacht lachen. 'Ik begrijp het. Dan doen we het anders.'

Veronica luisterde naar zijn voorstel. Eén: ze aten bij haar thuis, maar hij maakte het klaar. Twee: ze aten in het appartement van Hans Ecker, en ook dan kookte Christopher. Drie: ze aten bij Christopher. Wat wilde ze?

'Bij jou. Wanneer zal ik komen?'

Veronica had haar besluit al genomen en niet alleen voor het eten. Maar het was onverstandig het in Hans' flat te laten gebeuren, en de afgelopen maanden was ze maar zo zelden in haar eigen huis geweest dat dat bijna ongezellig leek.

'Schikt het je om acht uur?'

Ze keek snel op haar horloge, dat op het tafeltje in de hal lag.

'Dat komt heel goed uit. Moet ik iets meenemen?'

Silfverbielke was even stil.

'Ja. Dezelfde geur als op oudejaarsavond. En dan heb ik het niet over je parfum.'

Veronica deed haar ogen dicht en hapte naar adem. Ze haalde zich weer voor de geest hoe ze in die prachtige jurk uit het toilet kwam, hoe hij haar opving, de weg versperde, fluisterde, plaagde – zich ongetwijfeld bewust van alle reacties die hij bij haar teweegbracht. *Ik maak je af, Christopher. Maar dan wel met mijn lichaam!*

'Mag ik je adres? Ik heb nog nooit eerder het voorrecht gehad bij jou thuis te worden uitgenodigd.'

'Linnégata 27.' Hij gaf haar de code van de buitendeur. 'Heb je nog speciale wensen?'

'Ik vertrouw op jou.'

Weer dat zachte lachje. 'Dat kan bepaalde risico's met zich meebrengen.'

'Ik weet het.'

'Goed, tot acht uur dan.'

'Tot dan.' Veronica Svahnberg hing op.

Ze droogde zich af, plakte haar haar met behulp van gel naar achteren en maakte zich vrij zwaar op. Toen liep ze naar de kast, trok een paar huidkleurige nylonkousen aan, een wijnrode, getailleerde zijden jurk en een paar bijpassende schoenen met zeer hoge hakken.

Verder niets.

Ze rookte nerveus, terwijl ze op de taxi wachtte. De gedachten tolden weer door haar hoofd. *Was dit slim? Helemaal niet. Kon ze het laten? Nee. Waren er risico's? Misschien. Moest je altijd zo verdomde verstandig zijn? Nee. Ging het om loyaliteit? Niet meer, niet per se. Misschien ging het ook om plannen en... business as usual.*

Een week nadat ze Hans had verleid toen hij uit Berlijn was teruggekomen, had ze gemerkt dat er iets mis was. Een bezoek aan de gynaecoloog had duidelijk gemaakt dat ze chlamydia had.

Veronica Svahnberg was nooit van haar leven ontrouw geweest en ze begreep heel goed waar de geslachtsziekte vandaan kwam. Hans had er in Berlijn met een of ander mormel op los geneukt.

Fine. Veronica had zo haar mening over mannen in het algemeen en ze was elke illusie over het vinden van de ware jakob inmiddels kwijtgeraakt. Voor een deel was ze wel bereid te accepteren hoe mannen in elkaar zaten, een ander deel verafschuwde ze. Maar ze begreep dat het leven in veel opzichten een spel was, tenminste als je in het rijkere segment wilde verkeren.

Verbitterd? Nee. Realistisch? Ja. Mannen waren smeerlappen. Mannen deden dingen. Mannen wilden altijd meer.

Nu was Hans vreemdgegaan. Ze wilde er geen groot punt van maken. Helemaal geen punt, eigenlijk. Ze had haar besluit genomen. Hans Ecker was in allerlei opzichten een goede partij. Ze mocht hem graag; ze hadden het leuk samen. Hij was scherpzinnig, zag er goed uit, had een goede baan en zou binnen enkele jaren een nog betere krijgen. Hij zou een goede vader zijn van hun kinderen en het entreebiljet tot een prettig leventje in de sociale klasse waartoe ze wilde behoren.

Veronica vroeg de gynaecoloog een recept uit te schrijven en zei niets tegen Hans. Ze ging ervan uit dat hij voor zichzelf zou zorgen, want hij zou toch wel hebben gemerkt dat hij iets had opgelopen?

Ze was niet van plan een scène te maken, te roepen, te schreeuwen of het uit te maken. Maar ze stelde vast dat hij hierdoor de regels had herschreven en dat hij haar in haar ogen de vrijheid had gegeven waarnaar ze verlangde.

Gelijke rechten voor iedereen.

Glimlachend zette ze haar wijsvinger op de bel bij de deur van Christopher Silfverbielke.

Drie uur later lag Veronica Svahnberg naakt naast Christopher op zijn grote tweepersoonsbed, op de kousen en schoenen waarvan hij had gezegd dat ze ze aan moest houden na.

Alles was snel en hitsig gegaan en heerlijk geweest. Minder dan een halve minuut nadat ze was binnengekomen, waren ze in vurige zoenen verstrengeld. Daarna had ze in de hal op de vloer gelegen, met haar strakke zijden jurk tot boven haar buik opgetrokken en met hem over zich heen als een wild dier. Haar haar was in de war geraakt en haar benen hadden getrild toen hij haar naar de gedekte tafel bracht, waar kaarsen in zilveren kandelaars een warm licht wierpen op kreeft, champagne, kaas, olijven, parmaham, ganzenlever en andere lekkernijen.

'Je moet het me niet kwalijk nemen, maar het ging nogal snel, dus ik heb niet meer zelf kunnen koken.'

Zijn ogen in het halfdonker. Christopher naakt, voordat hij zich hulde in een grote, krijtwitte ochtendjas van heel dikke badstof.

Het daaropvolgende uur had hij haar voorzien van delicatessen, champagne, wijn, sterkedrank, amusante verhalen en gelach, allemaal met zachte klassieke muziek op de achtergrond. Daarna had hij haar hand gepakt, haar diep in de ogen gekeken, haar naar de slaapkamer gebracht, haar jurk over haar hoofd uitgetrokken en haar een lijntje coke aangeboden. Ze had complimenten gekregen voor haar lichaam en voor het feit dat ze naakt was onder haar jurk. Vervolgens had hij haar op het bed gelegd en een tijdje dingen met haar gedaan die ze nog nooit had meegemaakt.

Ze was flink aangeschoten, vertrouwde hem – om redenen die ze zelf niet eens begreep – en liet hem doen wat hij wilde.

Veronica had afwisselend een blinddoek en handboeien om gekregen. Ze had zacht gelachen in het donker en zich overgegeven, gehijgd, gekreund, geschreeuwd en ze was een paar keer de controle over haar lichaam volledig kwijtgeraakt.

Tegen het eind van hun spelletje had ze gehijgd dat ze geen voorbehoedsmiddelen had gebruikt en hij had haar al even hijgend verzekerd dat hij een condoom om had. Verdoofd door de drank en de cocaïne had ze het verschil niet gevoeld en hem vertrouwd.

Glimlachend had Christopher, in het donker, zijn zaad in haar geloosd. Nu lag ze ontspannen op haar rug, met haar nek op zijn blote arm, te genieten van de klassieke muziek op de achtergrond en ze voelde dat ze weg begon te dommelen.

'Ik had nooit gedacht...' fluisterde ze, '...dat ik iemand dát met me zou laten doen!'

'Het leven zit vol spannende verrassingen.' Door zijn gefluister reageerde haar lichaam weer. 'Hoe voelde het?'

'Goed. Ik wil meer, maar niet nu...'

Even stilte. Veronica probeerde zich met haar gedrogeerde hersens te concentreren. 'Chris, was dit nou wel een goed idee? Houden we het stil? Verandert het iets?'

Gefluister in het donker. 'Wie weet of het een goed idee is of niet, op de lange duur? Je kunt je gevoelens niet sturen.'

Veronica knikte met haar ogen dicht.

Christopher speelde met zijn wijsvinger over haar lippen. 'Dit is ons geheim, hè?'

Ze knikte.

'En alleen jij bepaalt, wij bepalen, of er meer komt of niet.' Hij prikte plagend met de top van zijn wijsvinger in haar blote buik.

Veronica zuchtte zwaar. 'Neem me...' fluisterde ze confuus, '...nog een keer zoals je net deed!'

Silfverbielke glimlachte in het donker en draaide haar op haar buik.

27

'Je bent erbij!'

Jacob Colt hield zijn dienstwapen stevig in zijn handen en mikte op de borst van de man. De lange, donkerharige man stak langzaam zijn handen op. Tot Jacobs verbazing glimlachte hij vaag. 'Ik neem aan dat het nu afgelopen is...'

Colt knikte. 'Henrik, doe hem handboeien om.'

Vadh deed een paar snelle stappen naar voren, trok de man de armen op de rug en deed de handboeien om zijn polsen. Toen liepen ze naar de auto, zetten de man op de achterbank en reden naar het politiebureau.

Eindelijk. De zaak-De Wahl was opgelost, de moordenaar was opgepakt. En Colt een held in de sensatiebladen, misschien?

Hij werd wakker doordat een zachte wijsvingertop over zijn lippen streek, zijn wang streelde en zich over zijn kin en zijn blote borst omlaag kietelde.

Koning Moeheid was in gevecht met Prins Opwinding. De koning was hard op weg om te winnen, maar toen landden de eerste kussen op zijn buik en werd het warme dekbed opzij getrokken. Hij kon zijn ogen niet open krijgen, maar genoot toen hij de vochtige warmte voelde die hem omsloot.

Aan de ontbijttafel glimlachte hij haar toe. 'Kun je me één reden geven waarom je me niet elke ochtend zo wakker maakt?'

Melissa zette twee vers gekookte eieren voor hem neer. Ze had net gedoucht, had haar ochtendjas aangetrokken en haar donkere haar – nog nat van het douchen – viel omlaag en omlijstte haar gezicht.

'Waarom jíj míj niet elke ochtend zo wakker maakt, Klaas Vaak.'

Colt grijnsde. 'Sorry, baby, ik wou dat ik nog twintig was en geen zorgen had, maar ik beloof je dat ik gauw revanche neem!'

Melissa lachte hem toe, maar hij zag ook iets anders in haar ogen. 'Die belofte hoor ik nu al jaren, Jacob. Hoe gaat het nou écht met je?'

Hij ademde diep in door zijn neus en keek door het raam naar het pad buiten. Hij tilde zijn kopje op en snoof de lekkere geur van verse koffie op.

Tja. Hoe ging het nou echt met hem? Meestal wel goed. Maar op dit moment niet. De frustratie over de zaak-De Wahl verzuurde zijn hele bestaan. Hij wilde zijn werk op het politiebureau achterlaten, maar wist dat dat onmogelijk was.

'Ik weet het niet. Wel goed, denk ik. Ik zou nooit van mijn leven jou, onze kinderen, ons leven, ons huis, willen ruilen voor een ander leven, dat weet je! Maar mijn werk? Ik weet het niet. Soms is het moeilijk te aanvaarden dat er niet één ware gerechtigheid is. Dat het niet gaat om wie gelijk hééft, maar om wie gelijk kríjgt. Dat gangsters vrijuit gaan omdat wij geen haartje en geen getuige hebben, ook al hebben we maanden als beesten gewerkt om te bewijzen wie wat heeft gedaan.'

Melissa hield het dampende kopje koffie met beide handen vast. Ze zei niets, ze wachtte af.

Jacob haalde zijn handen over zijn gezicht en deed zijn ogen dicht. 'Soms weet ik echt niet wat goed of fout is, in welke maatschappij we leven, waarom het is geworden zoals het geworden is.'

Hij deed zijn ogen open en keek haar aan.

'En er zijn dagen waarop ik besef dat het nu niet erger is dan veertig jaar geleden, ook al denken we dat wel. Toen waren er ook verkrachters, rovers, dieven, moordenaars en pedofielen. De statistieken tonen aan dat het vandaag procentueel gezien niet zo veel erger is, zoals wij denken. Misschien is het alleen de moderne informatiemaatschappij die ons doet geloven dat het zo veel erger is.'

Ze dronk nog wat koffie, lachte hem liefdevol toe en bleef wachten. Jacobs gevoel voor goed en kwaad was een van de redenen waarom ze voor hem gevallen was toen ze elkaar leerden kennen op de UCLA. In haar geboorteplaats Savannah heersten een eenvoud en een conservatisme waarmee ze opgegroeid was en die haar haar eerste gevoel van veiligheid in het leven hadden bezorgd. De dingen waren al met al niet zo ingewikkeld – hóórden niet zo ingewikkeld te zijn. Goed was goed en fout was fout. Gemeen en jaloers zijn, liegen, stelen, roven, verkrachten, moorden hoorde niet, mocht niet, moest niet.

Simpel. Hoewel?

De samenleving die ze zag toen ze opgroeide, veranderde – ook in Georgia – in iets heel anders dan de normen die haar ouders, haar familie en haar vrienden haar in haar kindertijd hadden ingeprent.

Misschien bood Jacobs levensfilosofie toen ze hem ontmoette haar juist dáárom een nieuw, sterk gevoel van veiligheid. Een filosofie die haar toen sterk en gelukkig maakte. En die hem nu van binnenuit opvrat, nu hij dag in dag uit zag dat wat hij ook als kind had geleerd niet meer gold, niet meer werkte. Dat verstandige rechtvaardigheid werd ingeruild voor onverstandige onrechtvaardigheid, en dat die voor de wet beide evengoed standhielden.

Melissa zag dat dit inzicht hem elke dag pijn deed, en ze wilde wel dat ze er iets aan kon doen.

Maar ze zag geen alternatief. Je kon mondiale ontwikkelingen en gebeurtenissen niet in een handomdraai veranderen, en je kon een man die zijn halve leven politieman was geweest niet vragen zijn baan op te zeggen en buschauffeur te worden.

'*I know, honey, and I love you!* Mag ik je er daarom aan herinneren dat het binnenkort onze trouwdag is?'

Jacob worstelde met zijn slechte geweten. De eerste tien, vijftien jaar had hij de hoogtijdagen net zo goed bijgehouden als Melissa. Daarna had hij het laten verslappen, en had zij het overgenomen. Ontelbare keren had hij zich afgevraagd hoe dat kwam, en altijd was hij tot dezelfde conclusie gekomen. Gemakzucht en misschien valse veiligheid. Hij hóéfde het niet bij te houden, dat deed zij wel. Hij nam een slok koffie en glimlachte naar haar. 'Dat wist ik wel degelijk, schat, en ik heb een plannetje. Wat dacht je van een gezellig etentje op een romantisch plekje?'

'En wanneer is onze trouwdag?' Ze glimlachte en stak een veelbetekenende wijsvinger naar hem op.

Het antwoord kwam prompt. '3 maart! Denk je dat ik dat niet meer weet?' Hij gaf haar een knipoogje.

'Oké, test doorstaan. Ik stel voor dat we het contract met een jaar verlengen!' Melissa wierp hem een kushandje toe.

Colt schudde zijn hoofd. 'Dan wil ik de onderhandelingen heropenen. Ik wil meteen minstens een drie- of vijfjarig contract. Liefst een contract voor het leven!'

Zijn mobiel piepte.

Christopher Silfverbielke glimlachte. Helena bleef maar volhouden met sms'en. Hij moest er binnenkort wel even heen. Ze was haar leven wel zat en hij had indruk op haar gemaakt, maar de kans bestond toch dat op een dag iemand anders het benzinestation binnenliep en zijn plaats innam.

Hij was verbaasd toen hij het bericht las. *Ben je bezet of kan ik je bellen? Zoen, V.*

Hij was vroeg opgestaan en toen hij zijn flat verliet, lag ze nog steeds naakt en op haar buik te slapen in zijn grote bed. Even was hij in de verleiding geweest om haar, voordat hij wegging, nog een keer te nemen. Maar hij had het druk en hij was ervan overtuigd dat er meer kansen zouden komen. Misschien dit weekend al. Hij antwoordde: *Oké, bel maar.*

Christopher had het bericht nog maar net kunnen wissen of de telefoon trilde alweer.

'Goedemorgen,' zei hij zacht. 'Lekker geslapen?'

Ze schoot in de lach. 'Jazeker, maar dat was niets vergeleken met hoe lekker het daarvoor was!' Ze aarzelde. 'Misschien iets té lekker, gevaarlijk lekker. Bedankt voor gisteren, voor alles!'

'Geen dank.' Hij wachtte tot Veronica de volgende stap zou zetten. Ze klonk een tikkeltje gegeneerd, maar kon zich blijkbaar niet inhouden. 'Zien we... Ik bedoel, wil je nog eens afspreken?'

'Nou en of. Wanneer?'

'Je weet hoe de zaken ervoor staan. We hebben niet zo veel kansen. Hans komt maandagochtend thuis en –'

'Vanavond dus, of morgenavond, of allebei?' onderbrak hij haar.

Veronica hapte naar lucht. 'Je bent niet goed snik!' fluisterde ze hees. 'Alle... allebei!'

'Goed. Zeg maar hoe laat het je schikt en waar.'

'Bij jou. Zeven uur?'

'Prima. Ik zorg voor eten. Maar wat zeg je als Hans je belt?'

'Hij belt niet.' Even hoorde hij bitterheid in haar stem. 'Ik bel hem en zeg dat ik het hele weekend bij een vriendin blijf slapen omdat ik me alleen voel. Dan krijgt hij een slecht geweten en belt niet vaker dan noodzakelijk. Bovendien heb ik zo'n idee wat hij uitspookt als hij op reis is. Daar weet jij misschien meer van.'

Christopher deed zijn ogen dicht. 'Nou begrijp ik niet helemaal wat je bedoelt.'

'Hans heeft me chlamydia bezorgd toen hij terugkwam van jullie tripje naar Berlijn.'

Shit. Zelfs die kleinigheid had Hans dus niet netjes kunnen afwikkelen. Nou ja, daar profiteerde Christopher nu waarschijnlijk van. *Moet antibiotica gaan gebruiken, dat ik die ellende niet zelf ook oploop.*

'Veronica, het spijt me, ik weet niet goed wat ik moet zeggen. Ik had er geen idee van dat hij daar iets opgelopen had. Maar hij is volwassen, net als wij, en hij is verantwoordelijk voor zijn eigen daden.'

'Precies. En in mijn ogen heeft hij mij daardoor dezelfde rechten gegeven als zichzelf.'

Christopher lachte zacht. 'Ik begrijp het. Tot zeven uur.'

'Nog één ding, en dat is belangrijk. Toen ik bij jou wegging, ging ik naar de flat van Hans om andere kleren aan te trekken. Terwijl ik daar was, belde er iemand van de recherche en die vroeg naar Hans. Ik zei dat hij in Londen was en toen die politieman vroeg om zijn mobiele nummer, moest ik dat wel geven. Heb jij enig idee waar het over gaat?'

Silfverbielke verstijfde. De gedachten tolden door zijn hoofd. *De verkeerscontrole? Kon haast niet; daar zou de recherche van Stockholm niet over bellen. De muts op de Strandväg of de hoer in Berlijn? Bestaat niet, ze hadden geen DNA van Hans. Het verkeersongeluk in Duitsland? No way. Waar ging het over?*

Hij deed verbaasd. 'Geen idee. Het kan natuurlijk iets met zijn werk te maken hebben, oplichting of zoiets. Maar als Hans ergens van verdacht wordt, kan ik me niet voorstellen dat ze van tevoren bellen om hem te waarschuwen.'

Veronica herademde. 'Goed om te horen, dan vergeet ik het maar weer. Hij zal het wel vertellen als hij zelf meer weet. Tot vanavond.' Haar stem werd hees. 'Ik verheug me erop...'

'Ik ook!'

Jacob Colt stak nieuwsgierig zijn hoofd om de deur bij Niklas Holm. 'Hoe is het, joh, kom je ergens met die patsers?'

Holm grijnsde. 'Vast wel, maar het duurt allemaal even. Toen ik jou informeerde had ik al een heel stel jaargenoten van De Wahl gesproken, en die vertelden allemaal ongeveer hetzelfde. Dat hij een hautaine, arrogante zak was, die opschepte over zijn vaders vermogen en er niet voor terugdeinsde anderen te kleineren en te vernederen. Hij was heel openhartig over zijn biseksualiteit en misbruikte blijkbaar ook een aantal van de jongere jongens op school. Daar wisten veel mensen van, maar niemand durfde te protesteren of er iets tegen te doen. Enerzijds was het een erezaak om niet te klikken, anderzijds had de vader van De Wahl zo veel invloed dat hij gemakkelijk een andere leerling van de school had kunnen laten verwijderen als hij dat had gewild.'

'Verdomme!' Colt trok een grimas. 'En verder?' Hij bedacht zich. 'Of nee, wacht, we gaan naar mijn kamer. Neem je stukken mee. Ik wil dat Henrik dit ook hoort, dan hoeft het later niet nog een keer.'

'Oké, ik kom eraan.'

Op Colts kamer gaf Niklas een korte samenvatting van wat hij Jacob de vorige ochtend had verteld. Colt vulde aan wat Niklas hem net had verteld.

'...en bovendien draaide De Wahl dus om de homoseksualiteit van zijn zoon heen toen Magnus en jij daar waren.' Jacob herhaalde de details die Niklas Holm over de diensttijd van Alexander de Wahl had opgediept.

Henrik Vadh zat zoals gewoonlijk gemakkelijk achterovergeleund met zijn vingertoppen tegen elkaar en zoals zo vaak met zijn ogen geconcentreerd dicht.

'Dacht ik al,' mompelde hij. 'De reactie van meneer De Wahl leek toen al niet erg oprecht. Misschien draait hij wel om meer details heen...'

Plotseling stond Sven Bergman in de deuropening.

'Ik meende de naam De Wahl te horen. Mag ik erbij zijn?'

Zonder het antwoord af te wachten, kwam hij binnen, leunde tegen de muur en sloeg zijn armen over elkaar.

Holm vervolgde: 'Verschillende studiegenoten van De Wahl gaven hetzelfde beeld. Als ik het goed begrijp, had De Wahl twee slachtoffers die hij vaker pestte en lastigviel dan anderen. De ene heette Fredrik Hahne, en of De Wahl er indirect de oorzaak van was of niet weet ik niet, maar Hahne blijkt al een jaar nadat hij van Sandsiöö af kwam zelfmoord te hebben gepleegd.'

Colt zuchtte diep. 'Geweldig. En wie was de ander?'

'Een knaap die Christopher Silfverbielke heet en die een jaar jonger was dan De Wahl. Die twee zijn in hun tijd op Sandsiöö een paar keer flink slaags geraakt. De Wahls vroegere klasgenoten wisten niet of het een sterk verhaal was of niet, maar ze hadden gehoord dat bankdirecteur Herman de Wahl – de vader van Alexander dus – de vader van Silfverbielke had geruïneerd door hem zijn bedrijf af te pakken, wat ertoe had geleid dat Silfverbielke senior zelfmoord pleegde.'

Vadh deed zijn ogen open. 'Gezellige familie, die De Wahls. De helft van de mensen die in hun buurt komt pleegt later zelfmoord, zo te horen. Aan de andere kant verbaast me dat ook niets. Herman de Wahl was een van de arrogantste vlerken die ik in lange tijd heb ontmoet.'

'Dat begreep ik al, ja,' zei Jacob glimlachend. 'En ik denk dat je hem binnenkort weer zult ontmoeten, of in elk geval met een telefoontje gaat vereren. Maar eerst wil ik horen wat Niklas verder heeft gevonden.'

Holm knikte. 'Er waren verschillende verhalen in omloop over de ruzie tussen Alexander de Wahl en die Silfverbielke. Het is moeilijk uit te zoeken wat feiten en wat sterke verhalen zijn, want er waren maar zelden of nooit getuigen aanwezig bij wat er gebeurde. Maar dat De Wahl Silfverbielke lange tijd heeft bespot en hem ook ooit op het schoolplein heeft afgeranseld terwijl zijn vrienden hem vasthielden lijkt wel zeker. Verder gaan er geruchten dat Silfverbielke zich heeft gewroken doordat hij De Wahl tijdens een wandeling besloop en een pak slaag gaf. Een ander gerucht wil dat De Wahl zich op zijn beurt weer heeft gewroken door Silfverbielke te verkrachten terwijl anderen hem vasthielden, in een weekend toen de school min of meer verlaten was...'

Henrik Vadh en Jacob Colt zaten allebei een tijdje in stilte na te denken over wat ze net te horen hadden gekregen.

'Tja,' zei Vadh, 'ik weet niet wat ik moet geloven. Dat ze elkaar de hersens inslaan klinkt heel aannemelijk, maar zo'n verkrachting?'

Colt haalde zijn schouders op. 'Je weet het nooit. Maar aan de andere kant is het al heel lang geleden. Als die Silfverbielke zich zou hebben gewroken, waarom heeft hij het dan niet eerder gedaan?'

'Je kent toch het oude spreekwoord?' vroeg Holm. 'Wraak is een gerecht dat je het best koud kunt opdienen.'

Jacob knikte. 'We kunnen in dit geval niets uitsluiten. Heb je nog meer?'

'Ja. Tijdens zijn drie jaren op Sandsiöö deelde Silfverbielke een kamer met twee studiegenoten, ene Jean van der Laan en een zekere Hans Ecker. Van der Laan, die in Nederland geboren was, maar in Zweden opgegroeid, verhuisde een paar jaar later met zijn familie terug naar Nederland. Ik heb hem zelfs opgespoord: hij woont nu in Rotterdam. Hij was heel aardig en welwillend, maar zei dat het al zo lang geleden was dat hij zich alleen nog maar kon herinneren dat het niet boterde tussen De Wahl en Silfverbielke. Over verkrachting had hij nooit iets gehoord.'

Henrik Vadh knikte. 'Ook al ben je kamergenoten, als je slachtoffer van een homoseksuele verkrachting bent is dat misschien niet het eerste wat je vertelt.'

'Of juist wel,' antwoordde Colt. 'Hoe beschamend het ook is, je hebt in zo'n omgeving toch trouwe wapendragers nodig. En als je wordt aangevallen, vertel je dat toch aan degenen die je het meest vertrouwt?'

'Geen idee,' zei Holm. 'Ik heb nooit een voet in een internaat gezet. Ik heb er geen verstand van wat voor regels daar gelden en hoe je je gedraagt.'

'Nee,' zei Colt. 'En hoe zat het met die andere kamergenoot?'

Niklas Holm bladerde weer door zijn stukken. 'Hans Günther Ecker, geboren in zevenenvijftig. Nou, Silfverbielke en hij zijn heel wat samen opgetrokken. Ze hebben een paar jaar samen op de Handelshogeschool gezeten. Ik heb hem geprobeerd te bellen, maar hij was blijkbaar op zakenreis naar Londen. Hij komt maandag terug. Moet ik hem op zijn mobiel achterhalen?'

'Ja, ik vind van wel,' zei Colt. 'Zeg maar dat we een paar vragen hebben in verband met de kwestie-De Wahl, en maak een afspraak met hem voor volgende week. We praten met hem voordat we Silfverbielke zelf spreken. Dat kan interessant zijn. Wat doen die heren?'

'Stureplan-types, allebei. Ecker is senior-makelaar bij iets wat Fidelis Effectenmakelaars heet –'

'Hans Ecker?' onderbrak Sven Bergman hem. 'Zijn smoel heb ik een paar keer in *Dagens Industri* gezien...'

Colt keek hem stomverbaasd aan. 'Lees jij *Dagens Industri*? Ga je van branche veranderen?'

'Je weet nooit.' Bergman grijnsde.

Niklas Holm vervolgde: 'Silfverbielke is *prop trader* bij een bedrijf dat Craig International heet.'

'*Prop trader*, wat is dat in vredesnaam?' vroeg Vadh.

Holm glimlachte. 'Een effectenmakelaar is iemand die geld voor klanten beheert bij een bank of een effectenhandel. Maar een *proprietary trader* werkt met het eigen geld van de effectenmakelaars. Hij doet zaken op de beurs, natuurlijk om winst te maken en het bedrijfskapitaal te vergroten.'

'Zo eentje die met andermans geld speelt, dus.' Vadh trok een grimas. Colt lachte. 'Nou niet jaloers worden, Henrik. Koop een paar aandelen in een aandelenfonds en jij gaat er ook op vooruit. Mijn fonds is de laatste tijd behoorlijk opgeknapt.'

Hij wendde zich weer tot Niklas Holm. 'Oké. Ga achter Ecker aan en laat me weten wanneer we hem kunnen spreken, liefst begin volgende week. Geef me het nummer van die Silfverbielke, dan bel ik die later zelf. Henrik, ik wil dat jij je vriend De Wahl senior belt.'

Vadhs mond verstrakte zich tot een smal streepje en Jacob vervolgde grijnzend: 'Ik wist wel dat je daar blij mee zou zijn. Vraag hem of dat verhaal klopt dat hij de vader van Silfverbielke heeft geruïneerd.'

Tien minuten nadat hij de kamer van Colt had verlaten, had Henrik Vadh het nummer van Herman de Wahl ingetoetst en hem aan de lijn gekregen.

'Agent Vadh? Ik dacht dat ik had gezegd dat wij klaar waren met elkaar. U hebt de informatie gekregen die u nodig hebt.'

'Inspectéúr Vadh. En we zijn nog lang niet klaar. We hebben informatie gekregen dat u vijftien, zestien jaar geleden een zakelijke transactie hebt uitgevoerd met een zekere Olof Silfverbielke.'

'Daar kan ik me niets van herinneren!' De Wahl onderbrak hem iets te snel om natuurlijk over te komen, vond Henrik Vadh. Henrik bladerde in de stukken die hij van Niklas had gekregen. Die had zijn huiswerk zoals gewoonlijk goed gedaan en had de kern van het verhaal in heldere, verhalende tekst opgeschreven.

'Laat me uw geheugen dan een beetje opfrissen, meneer De Wahl. Olof Silfverbielke en zijn bedrijf hadden een grote lening uitstaan bij uw bank. Plotseling en zonder waarschuwing vooraf eiste u de lening op, en daarna nam u het hele concern van Silfverbielke over voor één kroon.'

'Er is geen reden voor u om daarin te gaan wroeten!'

Vadh trok geamuseerd een wenkbrauw op toen hij De Wahls reactie hoorde. 'O nee? Ik probeer de moord op uw zoon op te lossen en alle informatie die –'

'Doe dat dan, en haal geen zaken overhoop waar u niets mee te maken hebt. U hebt geen verstand van zaken. Doe uw werk, anders bel ik persoonlijk het hoofd van de Nationale Recherche!'

Interessant. Eerst lijkt hij ongevoelig ondanks de moord op zijn zoon. Bovendien doet hij alsof hij niet weet dat zijn zoon homo is, ook al is dat van belang voor het onderzoek. En als je je verdiept in zijn zaken is het belangrijker om die te verdoezelen dan mee te werken aan de oplossing van de moord.

Vadh tekende een figuurtje op zijn notitieblok. 'Dat lijkt me een uitstekend idee. Hij kon ons misschien wat meer middelen verschaffen om de moordenaar van uw zoon te vinden. Ik kom graag bij u terug als ik meer vragen heb. Goedemiddag!'

Zijn mobiel begon te trillen en Silfverbielke keek even op het display voordat hij opnam.

'Hé, Hans, hoe is het met *good old England?*'

'Prima. Ongewoon goed weer voor de tijd van het jaar, maar ik bel eigenlijk niet om je de weerberichten te geven.'

'O nee?'

'Chris, ik werd net gebeld door een smeris van de recherche in Stockholm.'

Silfverbielke deed zijn best oprecht verbaasd te klinken. 'Wat? Waarom? Wat heb je nu weer uitgehaald?'

'Geen zier, voor zover ik weet. Hij zei dat het ging over de moord op Alexander de Wahl. Meer wilde hij niet zeggen. Ik vroeg natuurlijk of ik ergens van verdacht werd...'

Silfverbielke verstijfde. *De muts?* Had hij een verkeerde inschatting gemaakt? Had de politie om een of andere reden Hans' DNA toch al?

'Ja?'

'...maar hij verzekerde me dat dat niet zo was. Het ging niet om een verhoor, maar een paar rechercheurs willen me begin volgende week een paar vragen stellen. Ze zeiden dat het over Sandsiöö ging.'

Waarom Hans? Als ze om een of andere reden hadden achterhaald wat er op Sandsiöö was gebeurd, konden ze hem dat toch zelf vragen?

'Hm, ja, dat klinkt raar. Wat heb je gezegd?'

'Dat ik vóór woensdag geen afspraak met hen kon maken. Het leek me goed als wij elkaar voor die tijd nog even zien.'

Silfverbielke klonk heel rustig toen hij antwoordde: 'Goed idee. Maar ik denk niet dat het iets is om je ongerust over te maken.'

Ecker aarzelde. 'Chris, ik weet dat ik het je een tijdje geleden al heb gevraagd, maar... Heb jij iets met die moord te maken? Je weet, dat er te veel op het spel staat om...'

'Hans...' Christopher slaakte een hoorbare zucht. 'Je begrijpt toch wel dat dat niet zo is. Hoe dom denk je dat ik ben? Ik was op de dag dat het gebeurde op kantoor. Bovendien was ik die verknipte ellendeling allang vergeten toen ik over hem in de krant las!'

'Ja, oké... Goed. Ik wilde het alleen maar even zeker weten. Eh... Hoe gaat het verder trouwens?'

'Uitstekend. Ik heb gisteren een paar goede zaken gedaan en een aantrekkelijke jongedame gelukkig gemaakt!'

'*Nice.* Vertel.'

Silfverbielke glimlachte toen hij eraan dacht dat Veronica hem na het gesprek van deze ochtend al vier sms'jes had gestuurd. Het laatste luidde: *Kan niet ophouden te denken aan wat je met me hebt gedaan. Heerlijk! Meer! V.*

'Valt niet zo veel over te vertellen. Een knappe, slanke blondine, die ik in het East heb opgepikt.'

'Klinkt als Veronica,' grapte Hans.

'Ja, nou je het zegt, ze doet me inderdaad een beetje aan haar denken. Maar dit grietje lijkt wat wilder dan jouw beschrijvingen van Veronica. Ze is een beest!'

'Jesses, ik word nog jaloers!'

'Jaloers? Je zit toch in Londen? Zo veel vrouwen als je maar wilt, daar!'

'Ja, maar zo duur als de pest. Hier is het niet genoeg als je er een paar drankjes in giet of ze een lijntje geeft. Ik had er vannacht een, die kostte me bijna duizend pond!'

'Oef! Maar ze was het waard, hoop ik?'

Ecker lachte zacht. 'Nou en of. Maar Chris, ik moet gaan. We spreken elkaar later. Wat doe je dit weekend?'

'Ik denk dat ik die jongedame nog een keer zie.'

'Smeerlap!' Ecker grinnikte. 'Blij dat het mijn zus niet is.'

'Bedankt voor het compliment. En wat doe jij dit weekend?'

'Officieel: meer business. Officieus: meer vrouwen, coke, drank.'

'Gelijk heb je. We spreken elkaar als je weer thuis bent. Dinsdag lunchen?'

'Afgesproken. Regel jij een tafel in het Riche? En geen Johannes, hè?'

'*Me fix*. En nee: geen Johannes.'

'Pas goed op jezelf.' Ecker hing op.

Silfverbielke bleef lang peinzend met zijn mobiel in zijn hand zitten. *Was dit toeval of werd het net al aangetrokken?*

Als dat zo was, was het te vroeg, veel te vroeg.

28

Weer een sms'je. Silfverbielke las: *Nog maar een paar uur... V.*

Hij klikte door de berichtenmap, las geamuseerd de laatste drie sms'jes van Helena en schreef een paar lieve en tevens prikkelende antwoorden. Toen draaide hij zich weer naar het scherm van zijn pc en werkte nog een paar uur geconcentreerd door. Hij berekende risico's, calculeerde, kocht kortetermijnposities, nam snelle besluiten en haalde winsten binnen.

Tegen het eind van de middag stond Pernilla Grahn tegen zijn deurpost geleund.

'Hallo!'

Christopher keek haar vragend, met een vaag glimlachje, aan.

'Hallo!'

'Eh... Valt je iets op?'

Ze heeft haar haar zeker geknipt of een nieuwe jurk gekocht. Hoe kan ik dat nou verdomme bijhouden?

Hij spreidde zijn armen uit in een verontschuldigend gebaar en liet zijn stem dalen.

'Pernilla, je hebt zulke mooie benen dat het enige waar ik aan kan denken is dat je schitterende kousen aanhebt. Het zijn stay-ups, hè?'

Pernilla leek van haar stuk gebracht en keek naar beneden. 'Eh... Nee, het is een gewone panty. Maar Christopher, ik heb mijn haar geverfd, zie je dat niet? Het is helemaal rood!'

Hij glimlachte breed. 'Ach ja, nou zie ik het, sorry! O, wat mooi!'

'Vind je dat echt?'

'Ja, echt.' Hij knikte overtuigend. 'Geweldig. Prachtig kleurtje. Daardoor zie je er nog eleganter uit!'

'O, wat lief van je, dank je wel! Wat ga je dit weekend trouwens doen?' Ze hield haar hoofd een beetje scheef.

Me suf neuken met een vrouw die drie keer zo mooi is als jij, die weet hoe ze zich hoort te kleden en die iets heeft wat in elk geval op intelligentie lijkt.

Zijn glimlach verdween snel en hij zuchtte. 'Tja, ik zit met mijn moeder. Ze is weer slechter geworden.'

'Och, nee toch! Wat vervelend. Ligt ze nog in het ziekenhuis?'

Nee, ze is aan het bowlen in Barcelona, muts. Jesses, ik moet dit stuk onbenul er snel uit gooien!

'Ja, ze ligt helaas weer op de intensive care. Ik zal daar wel een groot deel van het weekend zitten te waken. We zijn heel close met elkaar.'

Pernilla zag er teleurgesteld uit, maar ze knikte. 'Ik begrijp het. Dus er is geen kans dat we... Ik bedoel, misschien alleen maar even snel ergens lunchen of zo?'

'Het spijt me, liefje,' zei hij hoofdschuddend, 'maar ik zou het mezelf nooit vergeven als er iets gebeurde en ik zat niet aan haar bed. Ze lijkt veel rustiger als ik haar hand vasthou.'

Een traan welde op in Pernilla's rechteroog en ze veegde hem weg. 'Je bent zo goed, Christopher. Ik hoop echt dat je moeder gauw beter wordt! Misschien kunnen we volgend weekend lunchen?'

Volgend weekend werk jij hier niet meer, ben je hier nooit geweest.

Hij knikte ernstig. 'Ik hoop het. Fijn weekend, Pernilla!'

Op het moment dat hij haar voetstappen hoorde wegsterven in de gang, pakte hij de telefoon en toetste een nummer in.

'Ha, Johannes! Met Christopher. Hoe is 't?'

Zonder naar het antwoord te luisteren liet hij zijn stem dalen en vervolgde: 'Zeg, ik heb een interessant voorstel voor je. Heb je niet een ontzettend goede secretaresse nodig, nu je directeur bent geworden?'

Een paar uur later deed Christopher Silfverbielke zijn deur open voor een mooi opgemaakte Veronica Svahnberg met naar achteren gekamd haar. Ze had een heel kort, zwart, strak jurkje aan, zwarte laarzen en zwarte kousen. Hij begreep dat dat alles was.

Ze glimlachte plagerig naar hem en likte snel met het puntje van haar tong over haar bovenlip.

Silfverbielke trok haar snel naar binnen en deed de deur dicht. 'Kreng!' fluisterde hij in haar oor en hij beet haar zachtjes in haar oorlel.

Ze hapte hevig naar adem en hijgde: 'Neem me!'

Hij begon met een herhaling – zij het wat hardhandiger – van het welkom dat ze de vorige avond op de vloer van de hal had gehad.

De volgende vijfenvijftig uren waren één lange orgie van eten, champagne, cocaïne en wilde, tamelijk gewelddadige seks.

Toen ze hem toevallig een keer zorgvuldig met haar blik volgde, deed Silfverbielke een condoom om. Meteen daarna maakte hij haar gek met zijn mond. Tegelijkertijd trok hij het condoom van zich af en liet hem onder het bed verdwijnen.

Om kwart over drie in de nacht van zondag op maandag trok ze het zwarte jurkje weer aan in afwachting van de taxi. Haar haar zat in de war, en doordat ze gehuild had van pijn en genot was haar mascara uitgelopen.

Silfverbielke boog zich voorover, kuste haar in haar nek en voelde haar huiveren.

'O, Christopher, je maakt me gek! Ik wil alleen maar meer hebben. Wat heb je met me gedaan?'

'Niets.' Hij probeerde onschuldig te kijken. 'Maar hoe leg je aan Hans uit hoe je aan die rode plekken op je achterwerk komt?'

Veronica Svahnberg kreeg een kleur. 'Ik zeg dat ik ongesteld ben en doe een grote onderbroek aan. Dan wil hij niet meer weten of zien. Maar wanneer kunnen we weer afspreken?'

'Dat weet ik net zomin als jij. We moeten nu voorzichtig zijn. We willen niet dat er iets misgaat, hè? Wanneer gaan jullie overigens trouwen?'

Ze beet op haar lip en keek hem aan, en hij zag dat er tranen glinsterden in haar ogen.

'Ik weet het niet,' fluisterde ze, 'we hebben nog niets afgesproken. Soms lijkt het of hij niet wil en soms weet ik zelf niet wat ik wil, en... Het is allemaal zo'n rommeltje. Eigenlijk wil ik jou hebben, diep vanbinnen! Wat moet ik doen, Christopher?'

Ze begon te huilen en hij vloekte inwendig. *O, verdomme, kun je niet gewoon rustig neuken zonder dat je ook psycholoog, bemiddelaar en weet ik wat nog meer moet zijn? Ik moet haar eruit zien te krijgen!*

Hij omhelsde haar hard en fluisterde: 'Je moet nu naar beneden gaan, liefje, als je niet wilt dat je taxi weer wegrijdt. Maar maak je niet druk, alles komt goed. Ik weet dat Hans van je houdt, echt. Hij zeurde er in Berlijn over hoe graag hij wil dat jullie een huis kopen en kinderen nemen.'

Veronica keek hem met glanzende ogen aan. 'Heeft hij dat echt gezegd?'

'Gezegd? Hij zeurde er zo over dat we hem moesten vragen om erover op te houden!'

Christopher lachte. 'Dus, smeer hem nu, liefje; we spreken elkaar morgen weer. Welterusten!'

Ze gaf hem een paar kussen op zijn mond en verdween toen de trappen af.

29

Zaterdag 24 februari

'Verdomme, wat doet mijn arm zeer! Wiens idee was dit eigenlijk?'

'Het jouwe.' Henrik Vadh grijnsde naar hem en nam een flinke slok uit zijn flesje water.

Jacob Colt masseerde zijn rechterarm en trok grimassen. 'Ik dacht dat de pijn hier minder zou worden door het squashen.'

'Ik heb ergens gelezen dat je voor elke tien jaar dat je ouder wordt twee keer zo hard moet trainen om in vorm te blijven.'

'Dank je, Henrik, jij bent een echte vriend.' Jacob Colt probeerde Vadh kwaad aan te kijken.

Ze bevonden zich in de kleedkamer van de Rackethal in Sollentuna. Ze hadden een badmintonbaan gehuurd voor een uur en zich volledig in het zweet gespeeld.

Henrik Vadh kleedde zich uit, nam een flacon douchecrème mee en liep naar de douches. Jacob volgde zijn voorbeeld.

Onder de douche keek hij steels naar Vadh en stelde vast dat zijn collega fysiek beter in vorm leek dan hijzelf. Geen vijf kilo te veel daar, geen beginnend oudemannenbuikje. *Ik moet beter mijn best doen, meer trainen. Misschien naar een sportschool gaan. Of een hond kopen.*

Colt deed zijn ogen dicht, boog zijn hoofd naar achteren en liet het hete water over zich heen spoelen. Was psychisch evenwicht noodzakelijk om je zodanig te ontspannen dat je goed kon trainen? Zou hij zo'n evenwicht kunnen bereiken en zijn werk loslaten als hij naar huis ging?

Misschien hadden de beste rechercheurs altijd een zaak, sporen, gedachten in hun achterhoofd. Of was het juist andersom? Dat je geschift was als je een zaak zo persoonlijk opnam dat die 's nachts en in het weekend mee naar huis ging?

Ze droogden zich stevig af en maakten een werkverdeling. Het was Jacobs beurt om voor de wijn te zorgen, en Henriks beurt om te bedenken wat ze zouden eten, het te kopen en klaar te maken. Melissa en Gunilla waren die avond vrijgesteld en mochten zich luxevrouwtjes voelen, zich laven aan de wijn en babbelen. Afspraak om acht uur bij de Colts aan de Hollywoodväg.

Afgesproken.

Jacob stelde geamuseerd vast dat ze in de keuken al een net zo goed duo vormden als op de afdeling. Ze hadden niet veel woorden nodig om iets te laten gebeuren; de een wist wat de ander dacht, welke associaties hij had, wat hij deed.

De politiefilosofie kwam weer op terwijl ze de champignons en de uien in de pannetjes fruitten en de ossenhaas in bladerdeeg een eigen leven leidde in de oven. Jacob ventileerde de gedachten die hij na het badmintonnen onder de douche had gehad.

Henrik Vadh trok verbaasd een wenkbrauw op. 'Ik dacht dat we dat al lang geleden hadden afgehandeld?'

'Dat hebben we ook!' Jacobs stem gaf aan dat hij geïrriteerd was, over zichzelf en zijn gedachten, zijn tekortkomingen. 'Maar toch, er zijn altijd dagen dat overwegingen terugkomen.'

'Ik denk geen moment dat je daar de enige in bent. En zoals ik al eerder heb gezegd: de rechercheur die een gewurgd kind van twaalf uit zijn hoofd kan zetten alleen maar omdat het vrijdag vijf uur is, is geen mens!'

'Ik weet het. En het gaat nu niet eens om moord op een kind. Het ergert me alleen zo vreselijk dat we niks steekhoudends vinden, niks wat ons verder brengt.'

Henrik nam een slok wijn en gaf Jacob een vriendschappelijk tikje op de schouder.

'Geduld, beste Holmes, geduld. Je kent mijn filosofie.'

Die kende Jacob inderdaad. Henrik Vadh was ervan overtuigd dat verreweg de meeste misdaden niet werden opgelost door mazzel, fouten van anderen of toevalligheden, maar door langdurig, hardnekkig en zeer zorgvuldig politiewerk. 'We hebben een enorm voordeel vergeleken met de dader,' zei hij altijd. 'Wij hebben alle tijd van de wereld om erachter te komen wat er is gebeurd en wie het heeft gedaan. En hij kan de loop der gebeurtenissen naderhand niet meer veranderen. Ook al is er wel eens een kluns die het probeert of die zijn sporen probeert uit te wissen.'

Vadh had gelijk, dat wist Jacob best. Maar toch. Externe factoren zoals druk van buitenaf of van de pers konden hem een stress bezorgen waardoor hij soms een tijdje niet logisch kon denken of effectief kon werken. Vadh had daar geen last van, maar hij kreeg dan ook niet de druk en de wijsneuzige vragen van lummels van journalisten die nog niet droog waren achter de oren. Of moest zich door gesprekken worstelen met een hoofdcommissaris van de Nationale Recherche die niet wist hoe moeilijk het was om écht een diender te zijn.

'Schenk jij de wijn maar vast in; dit is bijna klaar.'

Jacob knikte, pakte de flessen wijn die hij eerder al had opengemaakt en bracht ze naar de gedekte tafel in de woonkamer. Op de bank zaten Melissa en Gunilla verdiept in een zo te horen zwaar filosofisch gesprek over de kinderen, het leven – alles.

'Hoe gaat het met de dames? Proost, trouwens!'

'Het is wel eens een stuk slechter geweest!' zei Gunilla Vadh lachend, en ze hief haar aperitiefglas. 'Je hebt Henrik even goed aan het werk gezet, hoop ik?'

'Yes, ma'am, Henrik is een rots in de branding. Als we met pensioen gaan stel ik hem aan als fulltime kok!'

Melissa lachte. 'Ik denk dat Jacob wie dan ook moeiteloos in de keuken aan het werk kan zetten.'

'Dat is niet eerlijk!' Colt probeerde er gekwetst uit te zien. 'Bedoel je dat ik niet goed kan koken?'

'Inderdaad!' Melissa stak haar duim op. 'Chili con carne à la Jacob zou ongeëvenaard zijn als je er maar aan dacht er tenminste een blik bonen in te doen. En schat: een beetje gehakt zou ook geen kwaad kunnen.'

Colt probeerde een beledigd gezicht op te zetten, wat hem slecht lukte, dus hij gaf haar maar een kushandje en ging terug naar de keuken.

'Wat denk je van die nieuwe aanwijzingen, Henrik?'

Vadh stond met zijn rug naar hem toe en concentreerde zich op de inhoud van drie pannen. 'Hebben we het nu over De Wahl?'

'Ja.'

Henrik draaide zich om met zijn wijnglas in zijn hand. Hij dacht een paar tellen na, en antwoordde toen: 'Ik denk er veel over na. Ik heb het idee dat we met Barekzi van het begin af aan op het verkeerde been zijn gezet. Het ging te snel en te makkelijk. Toen dat op niets uitliep, hadden we ineens niets meer. Maar Niklas heeft verrekt goed spitwerk verricht en heel wat interessants opgediept. Als maar de helft van wat hij heeft gevonden klopt, zijn er toch een paar mensen met een goed motief om De Wahl dood te slaan. Ik ben heel nieuwsgierig wat die Ecker en Silfverbielke voor kerels zijn. Ik hoop dat je het goedvindt dat ik bij de gesprekken met hen ben.'

'Nee, het spijt me, Henrik. Ik heb besloten dat jij die dag beneden in de garage politieauto's moet wassen. Neem je me in de maling? Als er iemand is die erbij moet zijn als we hen horen, ben jij het wel. Ik ken niemand die scherper is in verhoortechnieken, als het tenminste niet om Herman de Wahl gaat.'

Jacob barstte in lachen uit. Henrik Vadh keek hem somber aan. 'Wil je een ei naar je kop?'

'Ho, ho, ho!' Jacob stak bezwerend zijn armen op. 'Ik weet dat niemand hem beter had aangepakt dan jij, Henrik, en ik begrijp dat hij niet de aardigste kerel is die we deze maand hebben gesproken. Dus we richten ons nu op de nieuwe heren?'

'Herman de Wahl verbergt iets, dat weet ik vrij zeker.' Henrik Vadh deed niet eens een poging om de afschuw in zijn stem te verbergen. 'Maar ik denk niet dat hij iets met de moord te maken heeft. Ik heb er echt goed over nagedacht, maar het lijkt me te vergezocht dat hij zijn eigen zoon uit de weg zou hebben geruimd, en ik vind het moeilijk er een geloofwaardig motief voor te vinden. Dus voorlopig blijft hij alleen maar een arrogante klootzak.'

'Dat staat genoteerd. Wat denkt u, maître, is het al tijd om op te dienen?'

Vadh keek om zich heen naar de pannen op het fornuis en wierp een blik in de oven. 'De tomaten zien er mooi gaar uit, dus laten we onze hongerige dames maar eens verrassen!'

Ze brachten het eten binnen en kregen complimenten voor de wijze van opdienen, en voor de menukeuze. Ze lieten het zich allemaal goed smaken en proostten op alles, van gezondheid en voorspoed tot een toekomstige gezamenlijke vakantie.

'Hebben jullie al plannen voor de zomer?' vroeg Gunilla.

Jacob en Melissa zwegen gelijktijdig en de Vadhs keken hen vragend aan.

'Is er iets niet in orde?' vroeg Henrik voorzichtig.

Melissa keek veelbetekenend naar Jacob. Hij zuchtte en veegde zijn mond af met zijn servet. 'Ja en nee, eigenlijk niet. Maar het zit zo. We hadden van de zomer naar Georgia willen gaan om Melissa's familie op te zoeken, als we genoeg geld hebben. *So far so good.* Maar een maand geleden kwam Stephen thuis en...'

Jacob aarzelde, alsof hij niet wist hoe hij verder moest.

Melissa keek hem onderzoekend aan en nam het toen van hem over. 'Stephen kwam een maand geleden thuis en stelde zijn... vriend aan ons voor.'

Ze was even stil om het bericht te laten bezinken. Dat had niet gehoeven, merkte ze.

'Ja, en?' zei Gunilla opgewekt.

'Nou ja, hij is dus homo.'

'Ja, dat zijn jongens die een vriend hebben toch meestal?'

Jacob glimlachte naar Gunilla Vadh. 'Gunilla, fijn om te horen dat jij het zo opvat, maar zo simpel is het niet voor iedereen.'

Henrik keek vragend.

'Het gaat om mijn familie,' verduidelijkte Melissa. 'Ik kom uit een extreem conservatieve staat, waar gay zijn bepaald niet wordt geaccepteerd. Mijn ouders houden natuurlijk van Stephen, maar we maken ons zorgen over wat ze ervan zullen vinden als ze dit horen. Tegelijkertijd houden we natuurlijk van Stephen en maakt het ons niet uit hoe hij leeft, als hij maar gelukkig is. Want we beseffen dat je niet op een ochtend wakker wordt en besluit homo te worden alleen maar omdat dat leuk is. Maar zoals ik al zei: niet iedereen begrijpt dat even goed.'

Henrik knikte nadenkend zonder iets te zeggen.

'Betekent dat dat jullie van de zomer niet naar Savannah gaan?' vroeg Gunilla.

Jacob en Melissa keken elkaar snel even aan. 'We hebben nog niet echt een besluit genomen,' antwoordde Jacob. 'Hadden jullie een ander idee?'

30

Maandag 26 februari

'Hoe is het, Chris, alles goed?'

Johannes Kruut was beter gekleed dan anders en leek in topvorm.

Silfverbielke trok discreet zijn stropdas recht en keek om zich heen. Hij had voorgesteld dat ze elkaar zouden zien in Villa Källhagen, en Johannes was vrolijk akkoord gegaan zonder dat hij begreep wat Christopher wilde.

Ik wil in de buurt van het Stureplan niet gezien worden in een onder-onsje met Johannes. Niet goed voor mijn reputatie.

Ze bestudeerden de kaart en bestelden.

Christopher glimlachte. 'Ja, hoor, heel goed. En met jou?'

Kruut haalde zijn schouders op. 'Tja, je weet, je bent directeur of niet. Ik heb het heel wat drukker dan voorheen.'

'Ik begrijp het, maar op de lange termijn is het toch goed voor je?'

'Zeker. Maar in een familiebedrijf gaat het toch erg om wat pa ervan vindt, als je begrijpt wat ik bedoel.'

Ik begrijp het. Pa vindt dat je een waardeloze drol bent die eens wat moet gaan doen voor de kost. Jij vindt het leven gemakkelijker als dat niet hoeft.

Christopher knikte. 'Daarom belde ik je vrijdag eigenlijk, Johannes. Weet je, ik heb een secretaresse, Pernilla, die niet alleen vreselijk goed en aardig is, maar ook nog onvoorstelbaar sexy, maar...'

Silfverbielke sloeg zijn ogen veelbetekenend ten hemel en Johannes' gezicht klaarde op. Christopher stopte midden in de zin en Kruut keek vragend.

'Ja? Maar wat, Chris?'

Silfverbielke zuchtte en keek bedroefd.

'Geloof me, het meisje is echt super en verdient beter dan bij ons te zitten. Als het aan mij lag, was ze allang tot hoofd van het secretariaat benoemd. Pernilla is slim, leuk, heeft alles onder controle en is, zoals ik al ze, niet alleen mooi, maar ook sexy. Maar er is iets misgegaan tussen mijn baas – die overigens een gevoelloze smeerlap is – en haar, en hij is degene die de beslissingen neemt, snap je?'

'Je bedoelt dat ze in een onrechtvaardige val zit?'

'Ik had het zelf niet beter kunnen uitdrukken.' Silfverbielke had al zijn zelfbeheersing nodig om geen mes in de tafel te steken. *Onrechtvaardige val? Zijn er dan rechtvaardige vallen, idioot?* Hij keek langs Kruut en vervolgde: 'En toen bedacht ik dat jij misschien een meisje met hersens nodig hebt, nu je zwaardere taken hebt gekregen. Het zal niet veel kosten om haar de overstap te laten maken, dat kan ik je verzekeren. En natuurlijk zal ik er last van hebben dat ik haar kwijtraak, maar in deze situatie moet ik denken aan wat goed is voor haar, want ze heeft echt veel voor me gedaan.'

Om nog maar te zwijgen over wat ik voor haar heb gedaan.

Christopher bekeek Johannes aandachtig om een reactie aan hem af te lezen. Kruut leunde glimlachend achterover. 'Klinkt me in de oren als een loepzuivere deal, Christopher. Geef me haar doorkiesnummer maar, dan zal ik haar wat complimenten maken en haar het gevoel geven dat ze geheadhunt wordt, weet je wel. Om hoeveel geld gaat het?'

'Peanuts. Ik geloof dat ze bij ons een kleine vijfentwintigduizend kronen krijgt, plus overuren. Gratis gezondheidszorg en misschien nog een kleine pensioenverzekering, maar dat stelt niet veel voor. Geef haar dezelfde voorwaarden en zeven-, achtentwintigduizend per maand, dan heb je een heel loyale bondgenoot en iemand die altijd achter je zal staan.' Silfverbielke knipoogde veelbetekenend.

'En misschien nog meer, als je begrijpt wat ik bedoel. Jij bent helemaal haar type!'

31

Woensdag 28 februari

'Welkom, gaat u zitten!'

Hans Ecker maakte een uitnodigend gebaar naar de comfortabele bezoekersfauteuils.

Jacob Colt ging zitten. Henrik Vadh bleef een paar tellen staan en bestudeerde de kamer. Groot, strak en chic ingericht. Klassiek zonder patserig te zijn.

'Ik heb uw namen niet helemaal meegekregen.' Ecker keek hen onderzoekend aan.

'Jacob Colt, commissaris van de recherche. En dit...' – hij gebaarde naar Henrik – '...is inspecteur Vadh.'

Het oude trucje had al heel vaak gewerkt. De aardige, maar wat hooghartige commissaris stelde zijn collega voor als een aanhangsel. Als dan verrassend genoeg bleek dat Vadh de man met de zweep was, was het vaak al te laat.

Hans Ecker knikte. 'Tja, ik werd vorige week gebeld door uw collega. Hij zei dat het iets te maken had met de moord op Alexander de Wahl, waar ik natuurlijk over heb gelezen in de kranten. Een vreselijke geschiedenis, maar ik begrijp niet goed hoe ik daarbij kan helpen.'

'Gewoon routine.' Jacob glimlachte naar Ecker. 'U begrijpt dat we in een moordonderzoek elk klein spoortje volgen. In dit geval willen we kijken of we iemand uit De Wahls tijd op Sandsiöö kunnen vinden die reden heeft om een hekel aan hem te hebben.'

Ecker probeerde geschokt te kijken. 'Maar u denkt toch niet dat ik...'

Hij voerde het toneelstukje op dat Christopher en hij hadden afgesproken tijdens de lunch in Riche, de vorige dag. Ze hadden de zaak een paar keer doorgesproken, gewikt en gewogen, allerlei scenario's en conclusies uitgeprobeerd. Chris was de hele tijd doodkalm en beheerst geweest.

'Rustig maar, ik heb die geschiedenis in de kranten gevolgd. Eerst leek het alsof ze een moordenaar hadden, maar dat werd al heel snel ontkracht. Die smerissen zijn waarschijnlijk net zo stompzinnig geweest als anders.'

Silfverbielke nipte van zijn champagne en vervolgde: 'Dit heeft niets met ons te maken. Die smerissen moeten alleen maar bewijzen dat ze de onderste steen boven hebben gehaald voordat ze dit laten zitten en verder in het duister tasten. Dus rustig nou maar. Per slot van rekening ben ík interessant voor ze, omdat ik ooit met De Wahl heb gevochten. Jij niet.'

Christophers theorieën hadden Hans gerustgesteld. Ze hadden samen geluncht en waren daarna allebei naar hun kantoor teruggegaan. En nu. Die aardige commissaris in de ene stoel en zijn zwijgzamere, wat merkwaardige slippendrager in de andere. Ecker ontspande al een beetje. Waarschijnlijk had Christopher gelijk gehad. Dit werd een eitje.

Colt glimlachte naar hem en schudde geruststellend zijn hoofd. 'Nee, we denken niet dat u iets met de moord te maken hebt. Maar u hebt tegelijk met Alexander de Wahl op Sandsiöö gezeten, of niet?'

Hans Ecker knikte. 'Dat klopt. Hij was een jaar ouder en was dus een jaar eerder begonnen dan ik, maar we hebben er twee jaar gelijktijdig op school gezeten.'

Even stilte. Colt keek in zijn notitieblokje en knikte weer. 'Hm, juist ja. Kende u vrienden van Alexander de Wahl?'

'Dat kan ik niet zeggen.' Ecker schudde zijn hoofd. 'Er zaten waterdichte schotten tussen de groepen op school, weet u. Normaal gesproken ging je om met degenen met wie je samen woonde en studeerde – met je jaargenoten dus. Het was ongebruikelijk privé om te gaan met iemand die ouder of jonger was.'

'Gold dat ook voor Alexander de Wahl?' Henrik Vadhs vraag kwam onverwacht en Ecker schrok. Hij vond de stem van de man dun, scherp, lang niet zo vriendelijk als die van de commissaris.

Hij vermande zich. *Tactiek?*

Ecker krabde op zijn hoofd en deed alsof hij nadacht om een half minuutje te winnen. 'Eh... Ik neem aan van wel, ja.'

'Dat neemt u aan? U weet het niet meer?'

Ecker glimlachte. 'Neem me niet kwalijk, maar we hebben het over iets van veertien jaar geleden. Sindsdien is er heel wat belangrijks gebeurd, dus de details uit die tijd staan me niet meer zo helder voor de geest.'

Colt, de vriendelijke, nam het weer over. 'Dat begrijpen we best. Het is niet makkelijk om je alles te herinneren. Maar we hebben heel wat eensluidende informatie dat Alexander de Wahl op school met jongere jongens omging. Hij was homo, dat weet u misschien?'

Gevaarlijke vraag? Nee.
'Ja, die geruchten heb ik wel gehoord, dat herinner ik me nog wel. Er werd gezegd dat hij homo was en... Nu ik erover nadenk kan het wel zijn dat ik heb gehoord dat dat iets met die jongere jongens te maken had, maar dat heb ik niet meer scherp. Er werd in die tijd niet over zulke dingen gesproken, zeker niet op Sandsiöö. Het was een gesloten, heel speciaal wereldje.'

De commissaris knikte begrijpend. Hij glimlachte weer, sloeg zijn ogen neer en bladerde door zijn notitieblok. *Hij doet me denken aan een Engelse commissaris in een slechte politieserie, behalve dan dat hij niet zo dik en oud is. Maar hij is niet zo snugger. Chris had gelijk. Geen gevaar te duchten.*

'Ja, ja.' Ecker vond dat de commissaris onzeker klonk toen hij doorging: 'En met wie ging u zelf op school om?'

Ecker leunde achterover in zijn leren fauteuil. 'Nou ja, met studiegenoten uit mijn jaar, die in hetzelfde studentenhuis woonden, in dezelfde vleugel als ik.'

'Jean van der Laan was een van hen, begreep ik?' Nu hield de commissaris zijn hoofd scheef en glimlachte. *Is die gast gestoord of alleen maar volkomen onschadelijk?*

'Hm, inderdaad, Jean, ja. Een Nederlander. We deelden een kamer, maar we zijn nooit bevriend geraakt. Hij was een beetje apart, nogal op zichzelf. U weet wel, zo'n jongen als je alleen daar aantreft...'

Colt knikte en maakte een aantekening.

Hans Ecker begon zich te vervelen en keek even snel op zijn horloge. Hoeveel van die bullshitvragen hadden ze nog? Hij had werk te doen en bovendien – hij glimlachte inwendig sluw – begon hij de kritiek te begrijpen dat de Zweedse politie zo ineffectief was. Deze knapen leken niet erg slim, en als dat alles was wat de recherche van Stockholm te bieden had, dan...

'Christopher Silfverbielke was ook uw kamergenoot op Sandsiöö. Hij had een vete met De Wahl. De Wahls vader had Christophers vader slinks van zijn levenswerk beroofd en daarmee indirect aangezet tot zelfmoord, nietwaar? En dat draaide erop uit dat Alexander de Wahl Christopher verkrachtte toen die een keer een weekend alleen achterbleef op jullie kamer. Hoe reageerde u daarop?'

Ecker schrok en het lukte hem niet zijn reactie te verbergen. De inspecteur in de stoel naast de commissaris was weer tot leven gekomen en had de zinnen uitgespuugd die Eckers wereld op z'n kop zetten. Verkrachting? Wat was dat voor flauwekul? De Wahl was wel een vuile flikker, maar...

'Hoe reageerde u daarop?' De inspecteur fixeerde hem met een blik die Ecker niet kon waarderen. De stem van de man was hard op een manier die aangaf dat hij geen leugens als antwoord zou dulden.

Hans Ecker merkte tot zijn ergernis dat zijn ene hand, die lange tijd nonchalant met een pen had gespeeld, begon te trillen.

'Ik begrijp niet goed wat u...'

'Wat begrijpt u niet?' Vadh glimlachte – vuil, vond Ecker – en staarde naar de pen in Eckers hand. Toen keek hij hem recht aan. 'Het is toch geen geheim dat Alexanders vader Olof Silfverbielke heeft geruïneerd en tot zelfmoord heeft gedreven? U wilt me toch niet vertellen dat Christopher daar nooit iets over tegen u heeft gezegd? En beweert u ook dat Christopher voor u verborgen heeft gehouden dat hij door De Wahl is verkracht?'

Ecker deed zijn best om heel stil te blijven zitten en er normaal uit te zien, maar bereikte daarmee eerder het tegenovergestelde. Even leek de kamer om hem heen rond te draaien en zijn gedachten tolden door zijn hoofd. *Hoezo verkrachting? Zou die smeerlap van De Wahl Christopher hebben geneukt? Allemachtig, dat had hij toch nooit overleefd!*

Zonder dat hij er erg in had, zat hij opeens kaarsrecht op zijn stoel en hij staarde voorbij de rechercheurs naar een punt op de muur achter hen.

Dat had hij toch nooit overleefd. Ecker voelde dat zijn voorhoofd vochtig werd.

'Dit zou u toch wel moeten weten...'

Vadh keek Ecker strak aan. De vriendelijke commissaris leek helemaal te hebben afgehaakt. Hij zat in zijn stoel met neutrale blik door het raam achter Hans naar buiten te kijken.

'...omdat jullie op Sandsiöö drie hele jaren een kamer hebben gedeeld...'

Christopher, verdomme! Als maar een derde hiervan waar is, waarom heb je dan niks gezegd? Ik had je misschien kunnen helpen! En... Wat moet ik nou verdomme zeggen?

'...en bovendien hebben jullie daarna nog een paar jaar samen op de Handelshogeschool gezeten!'

De man met de scherpe stem liet hem geen seconde los met zijn blik. Ecker voelde zijn tong aan zijn gehemelte plakken. Hij wilde de kamer uit gaan, water drinken. Hij wilde Christopher bellen. Nu.

Hij vermande zich en schudde zijn hoofd. 'Als dat allemaal waar is, weet ik er in elk geval niets van!'

Vadh leek niet te luisteren. Hij ging door: 'En als ik het goed begrijp gaan jullie nu ook nog regelmatig met elkaar om, zowel zakelijk als privé?'

'Hm, ja, we zien elkaar af en toe via ons werk. Maar één ding wil ik toch wel benadrukken, en dat is dat Christopher een alleraardigste vent is, een heel betrouwbare vriend. Hij zou geen vlieg kwaad doen!'

Vadh sloeg meteen toe.

'Hoe kunt u hem op dit moment een heel betrouwbare vriend noemen als u alleen nog maar zakelijk met elkaar omgaat?'

Er viel een langdurige stilte. Ecker probeerde zich te concentreren. Vadh deed alsof hij in zijn notitieblok keek en aantekeningen maakte. Colt glimlachte ontwapenend naar Ecker, terwijl hij elke beweging in het gezicht van de man nauwkeurig waarnam.

Hans Ecker verborg iets.

'Wat is dat voor gezwets? Daar klopt geen bal van. Waar haalden ze dat vandaan? Ik denk dat ze alleen maar wat verzinnen in de hoop dat iemand zich verspreekt.'

Silfverbielke zag er woedend uit.

Hans Ecker had gebeld en Christopher gevraagd na het werk naar de pianobar Anglais te komen. Na een stevige whisky voelde hij zich al wat beter.

Maar niet helemaal goed.

Ecker haalde zijn schouders op. 'Ik kan alleen maar zeggen wat ze tegen mij zeiden, Chris. Dat De Wahls vader de jouwe heeft kapotgemaakt en tot zelfmoord heeft gedreven. Ze beweerden dat De Wahl jou had verkracht in een weekend waarin de meeste anderen naar huis waren.'

'Astrid Lindgren is er niets bij!' siste Silfverbielke. 'Ik heb wel een paar keer geknokt met die smeerlap, maar je denkt toch niet dat ik hem boven op me had laten zitten? Het was al erg genoeg dat hij die kleine jongetjes in Vleugel 1 neukte.'

Ecker schrok. Hij greep zijn whiskyglas en nam een ferme slok. Het was dus waar dat De Wahl de jongere jongens had gepakt. Het was waar dat hij in een vete met Christopher verwikkeld was om redenen die Hans destijds niet begreep. Het was waar dat er weekends waren geweest – heel wat weekends, feitelijk – waarin Van der Laan en hijzelf allebei weg waren, terwijl Chris op school was gebleven. Wat had – puur theoretisch – De Wahl en zijn aanhang ervan kunnen weerhouden Christopher te overvallen, tot moes te slaan en te verkrachten? *En als het was gebeurd, zou Christopher het dan ooit, aan wie ook, hebben verteld of hebben toegegeven? Nooit van zijn leven.*

Hans Ecker voelde zich misselijk, verontschuldigde zich en ging naar de wc.

Had Chris De Wahl dan toch vermoord? Hij was cynisch genoeg geweest om in Berlijn een hoer om te brengen, hij had die toestand met dat grietje op zijn kamer angstaanjagend koel afgehandeld en hij had hen er in koelen bloede toe gebracht een klein meisje aan haar lot over te laten wier vader, waarschijnlijk dood, bekneld zat in een autowrak. Had Hans zich laten misleiden? Had hij zich totaal voor de gek laten houden door een Christopher die in de loop der jaren zo ontzettend was veranderd? En in dat geval: wat betekende dat voor hun vriendschap, hun relatie? Voor de toekomst! Voor het fonds?

Hans Ecker voelde dat hij moest overgeven en stortte zich in de richting van de wc-pot. Hij kokhalsde en kotste een paar keer. Toen kwam zijn maag in zoverre tot rust dat hij zichzelf bij de wastafel kon schoonmaken en naar de bar terug kon gaan.

Silfverbielke zat rustig op de barkruk met zijn mobieltje in zijn ene hand en een glas champagne in de andere.

In de loop van de dag had hij diverse sms'jes gehad van Veronica en Helena. Het spelletje met het meisje in Gränna amuseerde hem en hij nam zich voor gauw tot actie over te gaan.

Het spelletje met Veronica was anders, en wond hem aanzienlijk meer op, in allerlei opzichten. Zij was verboden terrein en daardoor dubbel zo interessant. Maar dat niet alleen, ze had een dubbel karakter dat hem intrigeerde.

Uiterlijk was ze afdelingshoofd van een gerenommeerd Zwitsers verzekeringsbedrijf, een koele, professionele zakenvrouw tegen wie niemand het zelfs maar zou wagen iets onfatsoenlijks te fluisteren.

Toen ze bij hem op de vloer lag, was ze volkomen onderworpen, bedelde om meer en liet hem doen wat hij wilde.

Silfverbielke schreef haar een plagerig sms'je.

Kon ik je maar de vaste hand geven die je nodig hebt. Wanneer mag ik je weer laten proeven?

Hij kon nog net op het verzendknopje drukken voordat Hans terugkwam.

Christopher keek op.

'Hoe is het?'

Ecker had moeite hem aan te kijken. 'Goed, hoor.'

'Mooi zo.' Christopher keek hem op een onprettig doordringende manier aan, en zei toen: 'Ik heb er nog eens over nagedacht. Ik denk dat de politie in het duister tast en dat ze nu elke strohalm aangrijpen. Er is al veel tijd verstreken na de moord en ze hebben geen verdachte. De kranten en de familie van De Wahl zitten er bovenop en zetten ze onder druk. Nou zijn ze wanhopig bezig om met nieuwe sporen te komen, of die nou ergens op slaan of niet.'

Hans Ecker leunde achterover, deed zijn ogen dicht en dacht na. Het klonk niet helemaal logisch; er waren nog veel te veel vragen. En waar stond Christopher eigenlijk?

Hij deed zijn ogen open en zag dat Christopher naar hem keek. Hij vond dat zijn vriend er nog steeds killer, harder uitzag dan anders, ook al glimlachte hij.

'Ze belden mij kort nadat ze klaar waren met jou,' zei Silfverbielke. Hij bracht zijn champagneglas naar zijn mond en nam een slok, en vervolgde toen: 'Ze willen me morgenmiddag om drie uur spreken.'

Ecker keek hem aan. 'En wat heb je gezegd?'

Christopher Silfverbielke stopte zijn mobieltje in zijn zak voor hij antwoordde.

'Dat ze welkom zijn.'

32

'Wel alle... Begint de spits nu al om halfdrie 's middags? De mensen hebben het te goed, ze verdienen te veel geld. Ik heb ergens gelezen dat zo'n economiegoeroe beweert dat, dankzij de zegeningen van het kapitalisme, de drie-urige werkdag veel sneller komt dan we dachten. Maar hij zei ook dat we daar niet gelukkiger van worden, want hoe meer we in minder tijd en met minder inzet verdienen, hoe meer we gaan werken. Zo belangrijk is werken in ons leven.'

Jacob Colt stuurde zijn BMW door het verkeer van het politiebureau op Kungsholm naar het Stureplan. De grootste uitdaging van de dag zou waarschijnlijk zijn daar een parkeerplaats te vinden.

'Bovendien krijg ik steeds meer het idee dat de bobo's van het zakenleven niet helemaal normaal zijn vanboven,' vervolgde hij. 'Ze willen een gezin en tegelijkertijd willen ze carrière maken. Ze werken zeventig, tachtig uur per week of meer, en dan ook nòg in de weekends. Ze spelen met miljoenen, maar hebben geen tijd om hun kinderen welterusten te zeggen, want die slapen al als Papa Directeur thuiskomt.'

'En,' vulde Vadh aan, 'als ze dan later met hun gezin op een luxe vakantie naar een eiland in de Stille Oceaan zijn, hebben ze hun laptop bij zich en zitten op hun kamer te werken terwijl de anderen in de zon zitten. Wat een geluk!'

Ze waren even stil, en toen vervolgde hij: 'Ja, dat is allemaal wel zo, maar het zal jou en mij in elk geval nooit overkomen. Een miljoenensalaris niet, een drie-urige werkdag niet en meer betaling voor minder werk ook niet.'

Colt grijnsde. 'Wij werken voor het verkeerde bedrijf, zo simpel is het. We hadden – hoe zei Holm ook weer dat het heette? – *prop trader* moeten worden.' Hij krabde peinzend aan zijn wang. 'Maar wat moeten we hier nu van denken?'

'Tja,' Vadh haalde zijn schouders op, 'je weet nooit. Maar iets zegt me dat Hans Ecker gisteren aan de ene kant heel erg verbaasd was en aan de andere kant ons niet wilde vertellen wat zijn werkelijke relatie met Silfverbielke is.'

'Je bedoelt hoe hij reageerde toen je vertelde over de zelfmoord van Olof Silfverbielke, de verkrachting en zo?'

'Hm-mm. En waarom zou hij moeten verbergen dat Silfverbielke en hij vrienden zijn en privé met elkaar omgaan als daar verder niks over te verbergen valt? Maar ik denk dat het gesprek van vandaag minder zal opleveren. Ik ben er vrij zeker van dat de heren elkaar even bijgepraat hebben na ons gesprek met Ecker gisteren.'

'Vast wel.' Colt draaide de Birger Jarlsgata in en reed de BMW rustig in de richting van het Stureplan. 'Bovendien heb ik zo'n vreemd zesdezintuiggevoel over Silfverbielke, dat hij uit veel harder hout gesneden is dan Ecker.'

Vadh keek hem aan. 'Waarom denk je dat?'

'Ik weet het niet. Zijn achtergrond misschien. Hij heeft het moeilijker gehad, of dat van die verkrachting nou waar is of niet. We weten dat hij gepest werd. We weten dat De Wahl senior zijn vader heeft geruïneerd en dat zijn vader zelfmoord heeft gepleegd. Silfverbielke junior is waarschijnlijk een *fighter*, die er meer voor heeft moeten doen om zo ver te komen dan anderen.'

Henrik Vadh dacht lang na. 'Ik denk dat je gelijk hebt. Zullen we ongeveer net zo openen als gisteren, maar dan neem ik het iets eerder en iets harder over? Ik denk dat dat vrij goed zou kunnen werken.'

'Laten we het maar uitproberen. Kijk of je ergens een parkeerplaats ziet; dat is hier meestal nogal een crime.'

Christopher Silfverbielke had Pernilla Grahn verteld dat hij bezoek zou krijgen van twee agenten en dat ze zich daar geen zorgen over hoefde te maken. Het zou natuurlijk kunnen dat ze informatie wilden hebben waar hij haar om moest vragen, maar...

Ze had gebabbeld dat dat helemaal niets gaf en dat ze hem graag van dienst zou zijn. Pernilla was niet zo dom dat ze niet begreep dat Christopher degene was die haar had aanbevolen voor de topbaan die haar was aangeboden bij die jonge directeur, Johannes Kruut. Hij had heel aardig geklonken en wilde haar bovendien ruim drieduizend kronen per maand meer betalen. Drieduizend!

'Welkom! Als u met mij meeloopt...' Pernilla glimlachte en bracht Jacob Colt en Henrik Vadh naar Christophers kamer.

Silfverbielke stond op toen ze binnenkwamen. Hij liep om zijn bureau heen en stak zijn hand uit. Toen iedereen zich voorgesteld had en was gaan zitten, boog Christopher zich over zijn bureau, vouwde zijn handen en glimlachte. 'Waar kan ik u mee van dienst zijn?'

'Zoals ik al zei toen ik gisteren belde, gaat het over de moord op Alexander de Wahl.'

Terwijl Jacob het gesprek inleidde, werkte Vadhs brein hard om zich een indruk te vormen van Christopher Silfverbielke. Hij had Holms achtergrondmateriaal nauwgezet bestudeerd en begrepen dat de man ontzettend goed was in wat hij voor de kost deed. Hij was alleenstaand en had geen naaste familie, behalve een bejaarde moeder. Hij was blanco in alle registers en niets in zijn inkomen was ongeoorloofd of duidde op onregelmatigheden.

Vadh liet zijn blik door de kamer gaan. Schoon, fraai en discreet. Anders dan in het kantoor van Hans Ecker was hier zelfs geen spoor van een *personal touch*. Geen foto, geen ingelijst diploma aan de muur. Geen van die persoonlijke prulletjes die altijd op een bureau of in een boekenkast stonden. Zelfs geen aktetas op de grond. Alleen maar rijtjes keurige ordners met onopvallende teksten op de etiketten.

Silfverbielke was zeer elegant gekleed zonder dat het opzichtig was. Donkergrijs kostuum, wit overhemd en stropdas met een discreet patroontje. Zijn haar was keurig naar achteren gekamd in het kapsel dat tegenwoordig het enige alternatief leek te zijn voor een kale schedel als van een concentratiekampgevangene.

De man glimlachte vaak naar Jacob Colt, maar Vadh zag ook een staalgrijze blik die allesbehalve prettig was.

'Puur routine, zogezegd. We proberen de informatie bevestigd te krijgen die we al hebben.' Jacob knikte rustig naar Silfverbielke. 'Kende u Alexander de Wahl?'

Christopher leunde achterover, vouwde zijn handen voor zijn buik en keek alsof hij even nadacht, terwijl hij de lucht tussen zijn lippen door liet ontsnappen. 'Dat,' zei hij lijzig, 'kun je niet echt zeggen, vind ik. We hebben een paar jaar samen op Sandsiöö gezeten, maar hij was een jaar ouder en je ging niet veel om met mensen van andere jaren. Later heb ik natuurlijk van alles over hem gelezen in de financiële bladen, maar meer ook niet.'

'Nee?' Vadh bekeek hem nauwkeurig, boog voorover en haalde een stapeltje papier uit de aktetas die hij bij zich had.

'Nee.' Silfverbielkes stem was kalm, constaterend.

Jacob Colt keek uit het raam, terwijl Henrik in de papieren tuurde alsof hij naar belangrijke informatie zocht.

Try harder, boys, dacht Silfverbielke. Dat heb ik in de bioscoop al gezien. Eerst de *good guy*, dan de *bad guy*. Met een beetje mazzel komt de good guy aan het eind terug en biedt me een sigaret aan om me alles te laten bekennen. Gaap.

'Ik had een heel andere indruk uit de getuigenverklaringen die we hebben gekregen.' Vadh staarde hem kil aan.

Christopher trok zijn wenkbrauwen op en glimlachte vaag. *Ja, ja. Laat maar eens zien wat je hebt...*

'Om te beginnen heeft een serie oud-leerlingen van Sandsiöö verteld dat er zeker twee jaar een vete heeft bestaan tussen De Wahl en u. Er wordt gezegd dat u door De Wahl in elkaar geslagen bent terwijl zijn vrienden u vasthielden. Er is ook informatie dat u zich later een keer op een avond in het bos bij de school zou hebben gewroken door De Wahl zelf een pak slaag te geven.'

Henrik Vadh bekeek Silfverbielkes gezicht aandachtig. Geen enkele verandering.

'O, zeggen ze dat?' antwoordde hij geamuseerd. 'Nou, wat het eerste betreft hebben ze volkomen gelijk. De Wahl was in allerlei opzichten een onaangename vent, die zijn eigen klasgenoten en een groot aantal jongere jongens treiterde. Het klopt ook dat hij me een keer een paar klappen heeft gegeven. Maar die dingen gebeuren op dat soort scholen; dat is als het ware bij de prijs inbegrepen en dat onthou je later allemaal niet. Ik was het eerlijk gezegd vergeten totdat u het zei.'

Vadh reageerde meteen. 'En de informatie dat u De Wahl in het bos een pak slaag hebt gegeven?'

Christopher antwoordde snel. Iets té snel, vond Vadh.

'Dat is natuurlijk alleen maar opschepperij, ook al lijkt het wel vleiend voor me. Ik besteed geen tijd en energie aan dat soort mensen – als ik er niet toe gedwongen word, natuurlijk.'

Daar! Een trilling in zijn oogspier. *Als ik er niet toe gedwongen word...*

'Ik ben trouwens helemaal niet van het soort dat mensen een pak slaag geeft. Ik vind geweld in het algemeen een teken van gebrek aan intelligentie.'

Colts gezicht lichtte op. 'Daar ben ik het helemaal mee eens! Ik wou dat meer mensen er zo over dachten.'

Silfverbielke kon niet nalaten even met zijn vingertoppen over zijn voorhoofd te strijken. *Is die idioot echt commissaris? Hij zou beter de huisman van Pernilla Grahn kunnen zijn. Betaal ik via de belasting zijn salaris?*

'Gedwóngen, zei u?' Vadh keek hem onderzoekend aan. 'Dwong Alexander de Wahl u wel eens ergens toe?'

'Nee. Wat zou dat hebben moeten zijn?' Silfverbielkes stem klonk nog steeds lijzig, bijna nonchalant.

'Een homoseksuele verkrachting.'

Een trilling – en nog een.

Zonder dat hij er iets aan kon doen, speelde het hele scenario zich nogmaals af op Christophers netvlies. De woede welde in hem op en hij moest al zijn zelfbeheersing aanspreken. Hij had behoefte aan iets te drinken, maar het zou volkomen misplaatst zijn nu om water te vragen. *Volhouden. Jij bent slimmer dan deze jongens.*

'Een ho-mo-sek-su-e-le ver-krach-ting?' Silfverbielke beklemtoonde elke lettergreep. Hij zag er geamuseerd uit. 'Nee, zoiets is echt niet gebeurd.'

Weet je het zeker? dacht Vadh. Voel je kont er nog eens op na. Ik laat je er vroeg of laat nog wel in lopen.

Er was iets helemaal mis; dat voelde hij al. De man was te goed, te beheerst. Iemand die nooit te maken had gehad met een homoseksuele verkrachting, zou heel anders hebben gereageerd op zo'n vraag.

Beetje aandringen.

'Vreemd...' mompelde Vadh, en hij keek in zijn paperassen.

Dat werkte.

Silfverbielke boog voorover en toen Vadh opkeek, zag hij dat zijn glimlachje was verdwenen.

'Wat vindt u vreemd?'

Vadh rommelde nog wat tussen zijn papieren zonder Silfverbielke aan te kijken. 'Verschillende klasgenoten van De Wahl zeggen dat hij u – met behulp van jongens die u vasthielden – op uw kamer verkrachtte in een weekend dat er maar weinig leerlingen op school waren.'

Een diepe zucht van Silfverbielke maakte dat Vadh opkeek en nog een fractie van een seconde een trilling in zijn ene oog zag.

'Dan hebben de klasgenoten van De Wahl het mis.' Nu klonk Christopher haast verveeld.

'Helaas komt er in deze branche nogal wat jaloezie voor, weet u. Ik wil niet opscheppen, maar ik ben vrij goed in wat ik doe. Als ik moest reageren op alles wat de mensen over me zeggen, zou ik niet meer aan werken toekomen.'

Hij leunde weer achterover en zag er net zo ontspannen uit als eerder.

Henrik Vadh begon plotseling te twijfelen. Had hij het toch mis? De trillingen in zijn oog konden toch ook een heel andere oorzaak hebben en de man liet zich niet provoceren door de trucjes waardoor anders iedereen die zich schuldig voelde uit zijn vel sprong.

'En wat is uw commentaar op de informatie dat Herman de Wahl uw vader heeft geruïneerd en hem tot zelfmoord heeft gedreven?' Colts eerste opmerking sinds lange tijd leidde tot een reactie bij Silfverbielke.

Henrik Vadh meende te zien dat de man verstijfde en hij keek scherp naar zijn handen, die hij nog steeds voor zich gevouwen had. Werden ze een fractie witter?

'Pardon?'

Jacob boog zich voorover. 'Wij hebben informatie dat Herman de Wahl in zijn rol van bankdirecteur uw vader ertoe bracht plotseling en onverwacht zijn bedrijf voor één kroon aan de bank over te doen. En dat hij daar zo gedeprimeerd van raakte dat hij zichzelf later van het leven beroofde.'

'Ja, die versie heb ik ook gehoord. En...' Silfverbielke keek opeens bedroefd, '...misschien was het ook beter geweest als het waar was.'

Vadh fronste zijn voorhoofd. 'Hoe bedoelt u? De informatie over de bank en het bedrijf klopt toch?'

'Jazeker, maar er ontbreken een paar stukjes. Ik wil het u gerust vertellen, maar uit consideratie met mijn moeder zou ik dankbaar zijn als u er geen ruchtbaarheid aan geeft.'

Colt knikte. 'Ga door.'

'Toen mijn vader werd gedwongen zijn bedrijf aan de bank over te doen, was hij al zwaar gedeprimeerd. Het begon hem te veel te worden dat alle zakelijke principes waarvoor hij had gewerkt de grond in werden geboord door de keiharde concurrentie van de lagelonenlanden. Hij vocht om de zaak op koers te houden, maar hij vond het gewoon niet meer leuk.'

Silfverbielke trok een grimas. 'Maar dat was niet de hele waarheid. Er waren ook andere problemen. Het huwelijk van mijn ouders was al jaren slecht en werd op den duur een pure ramp. Mijn vader dronk steeds meer en wist dat overdag te verbergen, maar mijn moeder zag het en minachtte hem daarom. Ik was toen natuurlijk nog veel thuis, dus ik zag en hoorde veel van wat er tussen hen voorviel.'

Henrik Vadh maakte aantekeningen. Colt luisterde aandachtig en knikte naar Silfverbielke om door te gaan.

'Op een avond hoorde ik ze door de muur heen opgewonden ruzie-maken. Ik sloop erheen en luisterde stiekem. Het bleek dat mijn moeder een verhouding was begonnen met een andere man.'

Christopher zuchtte zwaar. 'Sorry, maar het is best moeilijk om dat hele verhaal weer op te halen.'

'Dat begrijp ik,' zei Vadh, 'maar het is belangrijk voor ons om een duidelijk beeld te krijgen.'

Silfverbielke knikte. 'Hoe dan ook, daarna leek mijn vader de weg een tijdje helemaal kwijt te zijn. Hij raakte zwaar aan de drank en ik verdenk hem ervan dat hij een paar zakelijke fouten maakte. Hij deed het tegen-over mij anders voorkomen, maar ik kan me eigenlijk wel voorstellen dat het uit oogpunt van risico-inschatting terecht was dat De Wahl mijn vaders lening opeiste.'

'Sprak uw vader hier veel over met u?' vroeg Colt.

'Toen het gaande was helemaal niet. Maar zoals u waarschijnlijk weet, is hij later met een soort ziekteverlof of vervroegd pensioen gegaan en in die twee jaar probeerde hij een paar keer zelfmoord te plegen, en uit-eindelijk lukte het. Ik heb toen veel tijd met hem doorgebracht, thuis, maar ook wanneer hij op de intensive care lag. Hij vertelde het verhaal van zijn bedrijf en de bank, maar het klonk eigenlijk vooral alsof het een opluchting voor hem was dat hij alles kwijt was, dat hij de beslissing niet zelf had hoeven nemen. Want wat hem echt had geknakt was dat mijn moeder hem ontrouw was geweest. Ze had die relatie wel verbro-ken en was bij mijn vader teruggekomen, maar hij is er nooit overheen gekomen. Hij had sterke principes op het gebied van moraal en loyaliteit, en dat juist degene van wie hij het meest hield hem in de steek liet, was hem te veel. Hij kon het leven gewoon niet meer aan.'

Christopher Silfverbielke haalde diep adem en liet de lucht langzaam weer ontsnappen. Hij bleef heel stil zitten en keek bedroefd naar bene-den.

'Zei hij iets wat aangaf dat hij kwaad was op Herman de Wahl, of ver-bitterd?' vroeg Vadh.

Silfverbielke schudde zacht zijn hoofd, met zijn ogen nog steeds neergeslagen. 'Nee, dat zou ik me dan wel herinneren. Het leek eerder dat hij opgelucht was dat hij overal vanaf was, de druk, de ongerustheid over de toekomst.'

Colt keek nadenkend. 'Maar waarom was hij dan ongerust? Hij dacht toch dat hij een goed lopend en goed geleid bedrijf had?'

'Voor mijn vader zou ik willen dat dat waar was, maar daar ben ik niet zo zeker van. Er lagen steeds allerlei gevaren op de loer in de vorm van onverwachte en harde concurrentie, en als het bedrijf er zo goed voor stond, had de bank nooit zo hard ingegrepen, daar ben ik van overtuigd.'

'Hoe is uw relatie met uw moeder nu?' vroeg Vadh.

Silfverbielke aarzelde een paar tellen. 'Nou... Wel goed, zou ik zeggen. Ze is toch mijn moeder en ik heb niet het recht haar te veroordelen voor wat ze deed. Ik weet wel dat dát indirect mijn vaders dood heeft veroorzaakt, maar het is nu eenmaal niet meer terug te draaien.'

Colt keek Vadh even aan. 'Ja, Henrik, dan zijn de meeste van onze vragen wel beantwoord?'

Ze willen dat ik nu ontspan. Silfverbielke deed zijn best om er nog steeds aangedaan en ernstig uit te zien. *Maar ik denk dat ze het spelletje 'er komt nog wat' willen doen.*

'Ja, ik denk het wel. Maar er is nog één ding, alleen maar voor de vorm. Waar was u op de ochtend van 15 januari van dit jaar?'

Christopher fronste zijn voorhoofd en keek hem verbaasd aan. 'Dat weet ik niet zo uit mijn hoofd. Wat voor dag was dat?'

'Een maandag.'

'Ja, ja. Nou, dan lijkt het me een redelijke veronderstelling dat ik ofwel onderweg was naar mijn werk ofwel daar al was. Ik begin 's maandags meestal vroeg. Over welk tijdstip hebben we het?'

'Ongeveer kwart voor zeven tot kwart over zeven. Toen werd Alexander de Wahl vermoord.'

Geen reactie van Silfverbielke. Geen trillingen.

'Ik begrijp het. Ik zal het even checken.' Hij pakte de telefoon en drukte een snelkiesnummer in. 'Hoi Pernilla, met Christopher. Wil je de kloktijden van 15 januari even printen en hier brengen alsjeblieft?'

Een paar minuten later kwam Pernilla zijn kamer binnen. 'Hier is de print, Christopher,' kwebbelde ze. 'Dat was die week dat we zo vreselijk

veel hebben overgewerkt. Op maandag was je er al om vijf over halfzeven, maar ik was er toen zelfs al.'

Ze legde de print op zijn bureau.

'Dank je wel, Pernilla, dat was alles.' Hij gaf haar een vriendelijk knikje.

Perfecte show, stuk onbenul, zonder dat je het in de gaten had.

Hij pakte de print, wierp er een blik op en overhandigde hem aan
Henrik Vadh. 'We klokken hier hoe laat je binnenkomt en weggaat, uit
veiligheids- en salarisoverwegingen. Hier hebt u een lijst van iedereen
die in dezelfde groep werkt als ik.'

'Dank u.' Vadh pakte het stuk aan en bestudeerde het nauwkeurig.
Toen knikte hij naar Jacob om aan te geven dat het feest was afgelopen.
Voor deze keer.

33

'Schat, wat was dat heerlijk! *Love you!*'

Melissa boog zich over de tafel en in het kaarslicht schitterden haar
ogen meer dan anders.

Jacob had een tafel besproken in restaurant Grill aan de Drottninggata, en ze hadden genoten van een voorrecht en een hoofdgerecht, met
een paar goede wijnen erbij.

'Ja, dat was niet verkeerd, hè?' Jacob glimlachte naar haar.

Hij speelde peinzend met het zoutvaatje op het witte tafelkleed, en
zijn glimlach verdween.

'Wat is er?' Melissa klonk opeens ongerust.

Jacob aarzelde. 'Het oude liedje: het wordt me gewoon af en toe te
veel op het werk. Ik kan niet goed ontspannen als ik vrij heb. Dat gedoe
met die bankier, weet je wel, waarbij we het gewoon lijkt alsof we in de
modder zwemmen. En soms vraag ik me af of de hele wereld gek is geworden, of dat het altijd zo erg is geweest.'

'Jacob, mensen zijn altijd al grof geweest en alles wat ze nu doen, deden ze vroeger ook. Groepsverkrachting en beestachtige moorden zijn
geen nieuwe uitvindingen, ook al willen de sensatiebladen ons dat wel
doen geloven. Maar ik denk dat het gevoel van onveiligheid van de mensen is toegenomen, terwijl ze in allerlei opzichten meer veiligheid hebben dan ooit.'

Jacob zuchtte. 'Je hebt gelijk. Mensen hebben betere communicatie-
middelen, meer politie en betere gezondheidszorg en medicijnen dan
vroeger. Oorlogsdreiging is er hier in Scandinavië nauwelijks. We hebben betere opleidingen, mensen zijn gezonder en leven langer dan vroeger. Maar tegelijkertijd zijn de mensen die het voor het zeggen hebben
met hun volle verstand bezig het hele sociale stelsel af te breken. Het is
te duur en we moeten in de toekomst voor onszelf zorgen, op zijn Amerikaans. Ik sprak laatst een arts en die zei dat hij ervan overtuigd is dat
alles binnen een paar jaar uit particuliere verzekeringen moet worden
betaald. Dan weet je wel hoe het afloopt...'

Ze knikte.

'Ik las onlangs dat meer dan vijftig miljoen Amerikanen te arm zijn
om een ziektekostenverzekering te kunnen nemen. Ik heb zelf gezien
waar dat toe kan leiden. Bij ons in Georgia waren er heel wat mensen
die geen geld hadden om naar de dokter te gaan.' Melissa huiverde.
'Maar kunnen we het niet over iets leukers hebben? En Jacob, ik denk
dat je moet proberen je werk los te laten als je vrij hebt. Je wilt toch
niet zo'n verbitterde speurneus worden als waarover ik in mijn thrillers
lees?'

Hij werd aangestoken door haar lach. 'Die zit. Proost, schat, op weer
een goed jaar voor ons!'

Terwijl ze hun glas hieven kwam de ober met het dessert en de koffie.
'Wat denk je, zullen we de avond maar thuis voortzetten?' Melissa
wierp Colt een veelbetekenende blik toe.

'Goed plan. En laat ik nou toevallig eerder vandaag een fles champagne hebben gekocht en koel gelegd! Ik zal even betalen, dan gaan we.'

Melissa keek snel even op haar horloge. 'Het is al laat en het is zaterdag. Hoe gaan we naar huis? Ik weet niet of ik om deze tijd met het
openbaar vervoer wil.'

'Dat doen we ook niet. We maken een lekker wandelingetje naar de
Sveaväg en daar nemen we een taxi.'

'Dat klinkt goed. Heb je trouwens nog over de vakantie nagedacht?'

Colt schudde zijn hoofd. 'Ik heb natuurlijk wel wat zitten piekeren over Savannah. Ik zou er heel graag heen willen, maar ik weet met de beste wil van de wereld niet hoe we dat met Stephen en jouw ouders moeten rijmen. En verder is het natuurlijk een kwestie van geld: vier vliegtickets naar Georgia, en eten, drinken en uitstapjes zijn ook niet voor niks.'

'Ik geloof dat er voor beide problemen een oplossing is, Jacob.'

Hij keek haar vragend aan.

'Elin belde gisteren,' vervolgde Melissa. 'Ze vertelde dat ze van de zomer niet mee kan of wil. Ze zei het niet, maar ik heb het idee dat ze een vriend heeft en verliefd is. Ze moest extra studeren en een vakantiebaantje nemen om geld te verdienen, zei ze. Ze is al groot, Jacob.'

'En Stephen?'

'Die heb ik vandaag gebeld. Hij is gelukkig met zijn leven en heeft het naar zijn zin. En het gelukkigst was hij omdat hij een stageplaats voor drie weken heeft gekregen bij een ontwerpbureau in Milaan. Dus hij kon ook niet mee als we naar Savannah wilden.'

'Dan gaan alleen jij en ik dus? Is dat niet een laffe oplossing?'

Melissa glimlachte. 'Noem het maar zoals je wilt, mr. Colt. Het is in elk geval een kans op een mooie reis voor ons tweetjes. Ik zou er echt graag heen willen om mijn vader en moeder weer eens te zien. Je weet nooit hoelang ze nog leven.'

'Je hebt gelijk, laten we daar maar verder over doordenken.' Jacob knikte nadenkend en stond op van de tafel. 'Laten we nu maar naar huis gaan en het gezellig maken!' Hij boog zich voorover en kuste haar.

'Ze doet verdomme niks anders dan zeuren over "een huis kopen" en "kinderen krijgen"!'

Hans Ecker dronk zijn whisky in één teug op en zette het glas met een klap op tafel, terwijl hij zijn antwoord op Silfverbielkes vraag afmaakte. 'Ik vond het best toen we er vrijblijvend over praatten, maar nu meent ze het bloedserieus en ik weet niet of ik daar wel aan toe ben. Er gebeurt op het ogenblik veel op het werk en er kunnen zich binnenkort interessante kansen voordoen.'

Silfverbielke hield zich gedeisd. Hij had gemerkt dat Ecker al dronken en bovendien uit zijn humeur was toen hij naar Den Gyldene Freden kwam, waar ze met z'n drieën hadden afgesproken om te eten. En omdat hij de vrienden een nieuw plan wilde voorleggen, wilde hij hem niet plagen.

Johannes Kruut keek Ecker wantrouwend aan en dacht dat hij er alles voor over zou hebben om in Hans' schoenen te staan. Aan de andere kant voelde Johannes dat het hem mee zat, en dat hij nu ook aan de beurt kwam. Hij kon zich nu directeur noemen en daar werd je bij de vrouwen niet minder populair van; daar had hij al tekenen van gezien.

Christopher klopte Hans op de schouder. 'Kalm aan, jongen, je weet toch hoe vrouwen zijn. Dit soort geklets komt en gaat in vlagen. Ze kan ook zomaar zelf een betere aanbieding krijgen en dan kiest ze voor haar carrière. Maar wilde je zelf je appartement trouwens ook niet inruilen voor een huis?'

Ecker zwaaide met zijn hand om de ober duidelijk te maken dat hij nog een whisky wilde. 'Ja, dat kan best. Maar als ik de stad uit ga, dan niet naar Täby of Sollentuna of zoiets. En Lidingö gaat zo verschrikkelijk achteruit, dat is een echt *white-trash*-oord. Ik wil alleen naar Djursholm, of eventueel naar Danderyd. De rest is niks!'

Silfverbielke trok een verbaasd gezicht. 'Nou, en?'

'Nou, daar heb je veel meer kapitaal voor nodig dan ik op dit moment heb!'

'Dan komt het misschien goed uit dat ik een idee heb dat kan zorgen voor wat spanning in het bestaan en voor wat geld?'

Johannes Kruut was snel. 'Chris, bedoel je dat je eindelijk een steenrijk grietje hebt gevonden dat we met je kunnen delen?'

Het zal niet gebeuren dat ik een grietje met jou deel, Johannes.

Christopher nam royaal de tijd om van zijn voorgerecht te proeven. 'Niet echt, Johannes. Ik denk dat het beter is dat we onze vrouwen voor onszelf houden, maar het geld dat er binnenkomt delen, als je begrijpt wat ik bedoel.'

Kruut fronste zijn wenkbrauwen. 'Eh... Waar denk je dan aan?'

Silfverbielke veegde zijn mond af met het witte servet en nam een slok van zijn koude chardonnay. 'Een paar weken geleden zat ik in Grodan...'

Hij was na zijn werk naar Grodan gegaan om in alle rust lekker te eten, wat te drinken en over een paar zaken na te denken. Toen hij zat te eten en verstrooid wat door de avondkranten bladerde, hoorde hij opeens een stem.

'Hé, Chris! Dát is lang geleden!'

Toen hij opkeek, zag hij een bekend gezicht naar hem glimlachen. Het duurde een paar tellen voordat hij de man thuis kon brengen. Christopher stond op en stak zijn hand uit. 'Calle! Ik geloof dat wij elkaar na de Handelshogeschool niet meer hebben gezien?'

Calle Rehnberg lachte. 'We zijn elkaar wel eens tegengekomen bij een of andere chique economische lezing, maar verder niet. Hoe gaat het met je? Mag ik trouwens gaan zitten of wacht je op iemand?'

'Nee, hoor, ga gerust zitten!' Christopher maakte een uitnodigend gebaar. Hij nam zijn oud-studiegenoot snel op.

Rehnberg was destijds vlees noch vis, gewoon een goeie vent die bij hem op school zat, maar meestal met een andere groep omging dan Christopher, Hans en Johannes. Christopher had gehoord dat Calle bij verschillende financiële instellingen had gewerkt voordat hij bij de Skandinaviska Enskilda Bank terecht was gekomen.

'Ik ben *prop trader* bij Craig,' zei Silfverbielke. 'Dat bevalt best, dus ik blijf er nog even, als ik ergens anders geen interessante aanbieding krijg. En wat doe jij op het ogenblik?'

Rehnberg liet zijn wijsvinger over het menu glijden.

'Ik... Heb jij al besteld, trouwens?'

'Hm-mm, het wordt vis vandaag.'

'Verstandig. Ik denk dat ik dat ook maar doe.'

Ze wenkten een serveerster en bestelden.

'Ik ben na verloop van tijd bij de SEB terechtgekomen en daar zit ik nog,' vervolgde Rehnberg. 'Het duurt vrij lang om op te klimmen, maar als je het goed doet, krijg je op den duur een mooie baan. Maar...' hij zuchtte diep, '...op het ogenblik ben ik net op een pure strafexpeditie gestuurd...'

Silfverbielke bracht zijn wijnglas naar zijn mond en trok zijn wenkbrauwen vragend op.

'Dat klinkt niet zo best.'

Rehnberg grijnsde. 'Nou ja, vergeleken met mensen die om zes uur 's morgens bij de bushalte in de rij moeten staan om in de keuken van een kinderdagverblijf te gaan werken is het niet zo erg, maar toch. De baas van een van onze vestigingen op Arlanda is er van de ene op de andere dag mee opgehouden – iets met zijn hart. Ze hadden niet zo gauw een geschikte opvolger, dus tijdens de sollicitatieprocedure moest ik daar inspringen.'

'O ja, dat is natuurlijk een stukje rijden, elke dag.'

'Dat niet alleen, het is oersaai! Het enige wat er zo ongeveer gebeurt is dat mensen geld komen opnemen of wisselen. Je behandelt op zo'n vliegveld natuurlijk geen verzoeken om grote leningen en je voert geen interessante beurstransacties uit.'

Silfverbielke schudde meelevend zijn hoofd. 'Niet de meest stimulerende baan van de wereld, denk ik.'

'Niet bepaald. Ik zit er nu al drie maanden en het spannendste is nog om uit te rekenen of het geldtransport op een ander tijdstip komt dan de vorige dag!'

'En?'

'No way.' Rehnberg greep naar zijn hoofd. 'Echt, ik heb het uitgerekend. Drie op de tien keer komen ze niet om kwart voor vier, maar om kwart over drie. Slim, hè?'

'Maar dat is toch krankzinnig! Ik snap wel dat het niet jouw probleem is, maar zouden ze niet wat voorzichtiger moeten zijn?'

'Ze zouden wel meer moeten.' Rehnberg grijnsde weer. 'In de eerste plaats zouden ze in beter beveiligde wagens moeten rijden dan in die blikjes die je met een blikopener open zou kunnen krijgen. Het zijn gewone Mercedes-busjes, van dun staal en met slechte motoren! In de tweede plaats zou het mooi zijn als de geldlopers wat alerter waren. Ze komen binnen, halen de koffer met geld en sjokken weer naar de auto zonder om zich heen te kijken.'

Rehnberg zweeg even, terwijl de serveerster hun eten op tafel zette en wijn bracht.

'Ik liep een keer uit pure nieuwsgierigheid met die knaap mee naar de auto. Zijn maat deed de deur open, ze zetten de koffer in een vak achterin, en daar zag ik al een stuk of vijf, zes andere koffers liggen. Toen zwaaiden ze en reden weg. En bovendien drukt het logo van de firma zoiets uit als "Hallo! Hier zijn wij met een paar miljoen, kom ons beroven!" Ik snap niet dat ze niet op z'n minst rondrijden in onopvallende auto's!'

Silfverbielke lachte. 'Dat klinkt inderdaad bizar, zeg. Maar dan worden ze af en toe zeker wel overvallen?'

Calle Rehnberg knikte. 'Ja, er zijn de afgelopen jaren wel een paar overvallen geweest bij Arlanda. Maar de grootste was op een wagen die geld ging halen voor een wisselkantoor. Ze haalden het geld pal naast het vliegtuig en bij zulke transporten zit het niet eens in koffers, maar ligt het daar open en bloot. Ik meen dat ze ervandoor gingen met iets tussen de veertig en zestig miljoen kronen.'

Christopher trok zijn wenkbrauwen op. 'Ja, dan wordt het wel de moeite waard.'

'Hm-mm...' Rehnberg proefde van de vis en spoelde die weg met wijn. '...maar dan moet je wel hulp van binnenuit hebben. Toen was het duidelijk werk van insiders. De politie weet heel goed wie het waren, maar ze krijgen ze niet te pakken!'

'Waarom niet?'

'Ze kunnen het geld niet vinden. De buit is nog altijd verdwenen. En niet alleen de buit.'

Christopher keek verbaasd naar Rehnberg, die doorging: 'Het is echt een interessant verhaal. De jongens die die roof hebben gepland en uitgevoerd, hadden een knaap in de arm genomen die tot taak had de buit meteen na de overval mee te nemen, het geld eerlijk te verdelen en het op verschillende veilige plekken te verbergen. Daarvoor zou hij zelf een aandeel krijgen. Dat deed hij in principe wel, maar hij verdween met een beetje meer geld dan de bedoeling was. De rovers verspreidden het gerucht dat ze hem wilden pakken en zetten een beloning van een paar miljoen op zijn hoofd. De vent vluchtte met zijn vriendin naar Turkije en daarvandaan nam hij contact op met de Zweedse politie.'

Christopher Silfverbielke at en dronk, terwijl hij geamuseerd naar het verhaal luisterde. Intussen kwam er een idee in hem op.

'De politie probeerde de man uit te leggen dat hij zou worden vermoord en bood hem een nieuwe identiteit aan in ruil voor samenwerking,' vervolgde Rehnberg. 'Zijn vriendin hapte toe en kwam terug naar Zweden. Zij leeft nu onder een andere, beschermde identiteit. Maar die kerel wilde stoer doen en dook onder bij vrienden in Finland. Het probleem was alleen dat die Finse vrienden die miljoenenbeloning wel aantrekkelijk vonden.' Rehnberg glimlachte veelbetekenend.

'Dus die verlinkten hem, bedoel je?' vroeg Christopher.

Calle knikte. 'De politie weet het zeker, via verklikkers, maar ze hebben het lichaam nooit gevonden en dat zal er ook wel nooit meer van komen. Dus wat is het resultaat? Geen geld, geen dader, niks. De rovers lachen de politie uit, en die kan niets doen. Maar reken maar dat de politie ze in de gaten houdt en als ze het geld willen gaan uitgeven, hebben ze een probleem!'

'Dat zal best,' zei Christopher. 'En zestig miljoen breng je ook niet zomaar naar het buitenland om te wisselen.'

'Nee, vooral niet nu de hele bankwereld zo zenuwachtig is. De yanks hebben voor een hysterische stemming gezorgd met hun theorieën over hoe Al Qaida achter elke struik terreurgeld verstopt en witwast. En er is natuurlijk geen bank van enige naam die op de zwarte lijst van de Verenigde Staten terecht wil komen.'

Ze zetten hun gesprek tijdens het eten en nog een tijdje langer voort. Christopher praatte lang over het Stureplan, de financiële wereld en vrouwen, en wist het gesprek toen – schijnbaar toevallig – weer op waardetransporten te krijgen. In vijftien minuten verklapte Rehnberg, zonder dat hij er erg in had, een heleboel details over gewoonten, koffers, bedragen en routes van de waardetransporten. Veel meer dan Christopher in weken tijd zelf had kunnen achterhalen. *Dank je wel.*

'Maar de reden dat die wagens niet vaker overvallen worden, moet toch zijn dat de geldlopers flink bewapend zijn?' Silfverbielkes oog viel plotseling op een opvallend mooi meisje dat door het restaurant liep. *Stureplan-type. Slet. Zou ik moeten...* Maar intussen luisterde hij gespannen naar Rehnbergs onthullingen.

Calle Rehnberg grijnsde. 'Ben je mal? In het beste geval lopen ze rond met een paar belachelijke gasblaffers en zelfs al hadden ze echte wapens, dan zouden ze toch nooit schieten. Ze zijn doodsbenauwd, die kerels en ze hebben duidelijke instructies dat ze zich altijd moeten overgeven en hun geld moeten afstaan en niet hun leven riskeren. Dus als je eenmaal de auto in komt, is het geen probleem om de poen te krijgen. Het is lastiger om zo'n koffer open te krijgen zonder dat de verfpatronen opengaan en de bankbiljetten ruïneren. Maar ik heb gehoord dat die verfpatronen vaak niet goed zijn, dat ze niet opengaan. Dus je weet nooit...'

'En dat vertelde hij allemaal zomaar?'

Hans Ecker sloeg zijn ogen ten hemel en nam een slok wijn.

Het drietal had een driegangendiner genuttigd en was juist klaar met het dessert. Ze nipten aan hun restje cognac.

'Ja, hij was zo vriendelijk dat te doen,' zei Christopher glimlachend.

'Allemachtig!' Kruut klonk verbaasd over de loslippigheid van de bankier.

'Als ik hem goed begrijp zit er niet zo verschrikkelijk veel geld in die wagens,' vervolgde Silfverbielke. 'Het varieert van een half miljoen tot vijf, zes miljoen, afhankelijk van waar ze zich bevinden op hun route, op hoeveel plaatsen ze al zijn geweest. Maar het zou wel een kick geven en ons een paar leuke punten bezorgen.'

Hij nipte aan zijn wijn en liet de woorden bij zijn vrienden bezinken.

Na een korte stilte zei Hans Ecker: 'Waar denk je aan, Chris?'

'Aan een leuke middag, natuurlijk! Het zou toch vermakelijk zijn om een waardetransport te beroven?'

Kruut zag er opeens nerveus uit. 'Het zou helemaal te gek zijn, maar is het risico om gepakt te worden niet enorm?' Hij bedacht snel wat zijn vader wel niet zou zeggen als zijn zoon gearresteerd zou worden wegens een beroving. Op dat gesprek zat hij niet te wachten. Johannes keek vragend naar Hans.

Eckers ergernis over Veronica was ondanks het lekkere eten nog niet helemaal over en nu voer hij weer uit. 'Je bent verdomme krankzinnig, Chris! Ik heb geen zin om in de nor te belanden omdat er iets fout gaat bij zo'n operatie. Verzin maar wat anders!'

'Rustig aan, heren!' Silfverbielke lachte zacht en hij keek om zich heen. Hij liet zijn stem dalen. 'Ik weet vrij zeker dat mijn plan jullie zal bevallen, en natuurlijk worden we niet gepakt. Ik heb net zo weinig zin om een paar jaar vast te zitten als jullie. Maar vergeet niet dat we het doen voor de kick, niet voor het geld. Want als we het geld al te pakken krijgen zonder het onbruikbaar te maken, is het toch een marginaal bedrag dat voor ons niet erg interessant is.'

Ecker keek Christopher woedend aan, terwijl zijn beschonken brein zijn gedachten probeerde te ordenen. Natuurlijk was het volkomen waanzinnig om een waardetransport te beroven, vooral als dat toch geen behoorlijk kapitaal opleverde waar je iets aan had. Aan de andere kant voelde hij zich gefrustreerder dan ooit. De druk die Veronica op hem uitoefende, maakte hem bang. Samenwonen, trouwen, een huis, kinderen – het was te veel in één keer. Hij had behoefte aan compensatie, aan een ventiel. En dat ventiel heette Christopher.

Hij probeerde kalm te worden en leunde naar voren op zijn ellebogen.

'En hoe had je je dat voorgesteld?' zei hij zacht.

Christopher bekeek hem geamuseerd. 'De vraag is of je meedoet of niet, Hans. Anders heeft het geen zin dat ik mijn tijd verspil met het aan jou uit te leggen.'

Ecker knikte. 'Ik eh... Ik doe mee. Maar ik moet de garantie hebben dat we niet worden gepakt.'

'Een overval op een geldtransport wordt niet met garantie geleverd, Hans. Andere gebeurtenissen in het leven trouwens ook niet. Vertrouw maar op mij, oké?' Silfverbielke keek Johannes aan. 'En jij?'

Johannes slikte. 'Ja, hoor, op mij kunnen jullie ook rekenen. Maar wat moet ik doen?'

'Dat leg ik later uit. Maar ik vind dat we nu maar ergens anders heen moeten gaan en één of twee borrels moeten nemen. Wat zeggen jullie daarvan, heren?'

'Uitstekend idee. Ik heb zin om straalbezopen te worden,' gromde Ecker. 'Ik word kwaad als ik aan mijn aanstaande luxevrouwtje en haar gezeur denk. We hadden een discussie van twee uur voordat ik hierheen ging, en die eindigde ermee dat ik tegen haar zei dat ze maar een keer in haar eigen huis moest gaan slapen en de deur achter me dichtsmeet. Ik moet hierover nadenken.'

Silfverbielke knikte begrijpend. 'Ik ga nog even naar het toilet en dan gaan we. Als jullie voor de rekening zorgen, betaal ik de drankjes in de volgende zaak.'

Op de wc haalde Christopher zijn nieuwe prepaidmobiel uit zijn zak. Hij schreef snel een sms'je. *Niet leuk om alleen te zijn? Ik heb een slaapplaats in de aanbieding.*

Hij zocht Veronica's nummer op en drukte op VERZENDEN. Voordat hij klaar was op het toilet trilde zijn mobieltje. *Ik kom! Hoe laat?*

Silfverbielkes vingers werkten snel. *Weet ik niet. Na middernacht. Misschien 2 u.*

Dertig seconden later: *Prima. Laat me weten wanneer je uit de stad komt, dan vertrek ik meteen. Verlang naar je. V.*

Hans en Johannes zaten al te wachten met hun jassen en handschoenen aan. Silfverbielke trok snel zijn jas aan en ze liepen de koude avondlucht in. Zodra ze op de Österlånggata kwamen struikelde Ecker. Hij was merkbaar dronken en Christopher begreep dat zijn kwaadheid op Veronica steeds groter werd.

'Verwende trut,' mopperde hij, terwijl hij zijn best deed om zijn evenwicht te hervinden.

Kruut schoot op hem af en ondersteunde hem. 'Pas op, Hans, het is spekglad op deze keien.'

Silfverbielke bekeek de scène geamuseerd. 'Wat denken jullie ervan om naar de Skeppsbro te gaan, daar een taxi te nemen en naar het Stureplan te gaan? Het is te ver en te koud om te lopen.'

'Goed idee!' zei Ecker. 'Als we Veronica daar maar niet tegen het lijf lopen. Ik wil haar nu even niet zien!'

Je zult haar niet tegen het lijf lopen, vriend. Ze zit thuis op mij te wachten.

Silfverbielkes gezicht was ondoorgrondelijk in het licht van de straatlantaarn. 'Rustig maar, Hans, laat dat nou maar zitten. Het komt allemaal goed. Ze is een geweldige meid en ik weet zeker dat jullie het alleen maar tijdelijk oneens zijn. En die discussie heeft er toch niks mee te maken dat je na ons reisje naar Berlijn een probleempje had?'

'Je bedoelt die chlamydia? Nee, dat viel wel mee. Ik heb gedaan wat je zei en die pillen geslikt. Ze heeft er gelukkig niets van gemerkt.'

'Mooi zo. Zullen we dan maar gaan?'

Het drietal liep langzaam over de Österlånggata. Het was een paar graden onder nul en de kinderkopjes waren bedekt met een dun laagje ijs.

Ze kwamen bij de Pelikansgränd, sloegen rechts af en liepen in het halfdonker voorzichtig de smalle, omlaaglopende steeg door. Na een stukje hoorden ze voor zich geluid. Er kreunde iemand.

'Verdomme, godverdomme, verdomde shit. Kan niemand me wat duiten geven... Fuck...'

Bijna onder aan de helling, aan het eind van de steeg, lag een man met zijn rug tegen een stevige houten deur. Hij had een verwarde haardos, een onverzorgde baard, droeg grove schoenen, een vuile broek en een al even smerig, zwaar gehavend gewatteerd jack. De man, die moeite had zijn blik te fixeren, stonk naar drank, urine, zweet en braaksel.

Christopher bleef voor hem staan. 'Zo te zien zijn de zaken de laatste tijd niet zo best gegaan?'

Kruut schoot hikkend in de lach. Ecker bleef staan en wiebelde zacht heen en weer, terwijl hij steeds kwader ging kijken.

'Wakletsjenou, lul? Hebbie wat poen?' brabbelde de man op de grond. Silfverbielke tikte met zijn keurig gepoetste schoen zacht tegen de voet van de man.

'Denk je echt dat je geld waard bent? Waarom zou ik als hardwerkend man jou geld geven zonder dat je werkt? Ik zou ook wel halve dagen willen liggen zuipen, maar zo zit de wereld niet in elkaar, snap je?'

Hij gaf een welgemikte trap tegen het scheenbeen van de man, die het uitschreeuwde: 'Au! Wat doe je verd...'

Plotseling knapte er iets bij Hans Ecker. De agressie die hij de hele avond had opgebouwd explodeerde. Hij schoof Johannes opzij, liep op de man af en gaf hem een flinke schop midden op zijn borst.

'Klootzak! Dat ligt hier maar te bedelen, terwijl andere mensen zich uit de naad werken. Je hebt zelfs in je broek gepist, viezerik!'

Er volgde nog een schop in zijn buik. De man jammerde: 'Niet doen... Hou op... Gek...'

'Gek?' brulde Ecker woest. 'Scheld me niet uit, idioot. Ik zal je leren!'

Hij gaf een snelle schop tegen de ribben van de man, waarbij hij zelf bijna zijn evenwicht verloor.

Kruut besefte dat hij achter lag. Hij kwam dichterbij en gaf de dronkaard een trap tegen zijn bovenbeen. 'Dáár, hufter!' Hij liet er nog een paar harde schoppen tegen zijn benen en zijn maag op volgen en lachte nerveus toen hij de man hoorde kreunen van de pijn.

Er kwamen gevoelens in Johannes op die hij nog nooit eerder had ervaren en die hem bang maakten en opwonden tegelijk. Hans en Chris hadden gelijk! Die ondergezeken smeerlap had het recht niet de samenleving hier tot last te liggen zijn en dan had hij ook nog het lef bij andere mensen om geld te bedelen! De woede welde in hem op en hij trapte de man een paar keer stevig tegen zijn buik en benen.

Silfverbielke stond rustig met zijn armen over elkaar in het donker te kijken wat er gebeurde. *Als je in deze wereld iets gedaan wilt krijgen, moet je het zelf doen, maar vanavond krijg ik toch een beetje hulp bij het schoonmaken.*

'Ik zal je leren, smeerlap!' Ecker trok zijn handschoenen uit en probeerde ze in zijn jaszakken te stoppen. De ene bleef belandde erbuiten en viel op de glimmende straatstenen.

Hij deed snel een stap naar voren en gaf de man een klap in zijn gezicht.

'Goed zo, Hans, geef die hufter wat hij verdient. We zijn dat soort tuig zat!' Kruut liep opgewonden heen en weer en schopte de liggende man af en toe tegen zijn benen.

Tussen de klappen door uitte de man zwakke protesten. 'Laat me verd... Niet doen... Hou op!'

Maar Ecker had zijn zelfbeheersing verloren. Hij roffelde een snelle serie rechts-links-rechtse vuistslagen afwisselend op buik, borst en gezicht van de man. Die stak moeizaam zijn armen op in een soort afweerbeweging en plotseling wist hij krachten vrij te maken voor een schreeuw.

'Help, ze vermoorden me!'

Sven Bergman bleef staan en verstijfde. Hij en zijn vriendin Johanna hadden bij wijze van uitzondering besloten eens uit eten te gaan, en ze hadden een paar uur doorgebracht in een van die gezellige Italiaanse restaurants in Gamla Stan, de oude stad. Nu liepen ze verzadigd, voldaan en beschaafd aangeschoten arm in arm over de Österlånggata om via een kleiner straatje naar de Skeppsbro te lopen, waar ze een taxi zouden kunnen vinden.

De schreeuw kwam uit een steegje niet ver weg, en Sven liep snel die kant op. Johanna ging achter hem aan. 'Svenne!' zei ze ongerust. 'Bemoei je er niet mee alsjeblieft. Je hebt vrij!'

Zonder naar haar te luisteren sloeg Bergman de hoek van de Pelikansgränd om en tuurde naar beneden. In een paar tellen begreep hij wat er aan de hand was. Twee mannen sloegen en schopten in op een liggende man, een derde keek toe.

Hij had geen keus.

'Politie!' riep hij. 'Hou op!' Hij draaide zich snel om naar Johanna. 'Bel 112 en zeg dat ik hier snel politie en een ziekenwagen nodig heb!'

Toen liep hij zo snel de helling af als hij kon zonder uit te glijden. Hij had liever een paar collega's bij zich gehad, maar dat was nu eenmaal niet zo.

'Tijd om te vertrekken, kom op. Jij ook, Hans!' Silfverbielkes stem klonk vastberaden. Hij draaide zich om en rende weg, op de voet gevolgd door Johannes, om de hoek van de Pelikansgränd met de Gaffelgränd en het kleine stukje verder naar de Skeppsbro.

Maar Ecker was nog niet klaar. Hij gaf de man nog een serie slagen tegen zijn hoofd en zag hoe diens schedel elke keer tegen de gevel sloeg. In blinde woede haalde hij met zijn vuist nog een keer vanaf zijn heup uit tegen de kin van de dronkenlap. Het hoofd schoot naar achteren en kwam tegen een scherpe ijzeren pin die een decimeter uit de muur stak.

Een kreun van pijn werd gevolgd door een eigenaardig gerochel. Toen zweeg de dronkaard en bleef zijn hoofd in een rechte hoek hangen. Alsof het plotseling ergens op was gespietst.

Ecker keek vlug even naar rechts. Als in een waas had hij het woord 'politie' gehoord, en toen hij de man zag die op hem af kwam, begreep hij dat hij snel moest zijn.

Misschien was het al te laat.

Hij draaide zich gauw om en verdween om de hoek van de steeg. Rechts van zich zag hij de Gaffelgränd, maar ook al was hij dronken, hij begreep dat die smeris hem te pakken zou hebben voordat hij bij de Skeppsbro was. Van Christopher en Johannes was geen spoor te zien. Hij kon maar één ding doen.

Vechten.

Hij drukte zich snel tegen een portiekdeur die in het donker lag en wachtte tot hij de stappen en de snelle ademhaling van zijn achtervolger hoorde. Hij balde zijn linkervuist en hield zich met zijn rechterhand vast aan een spijl.

Toen de politieman de hoek om kwam, slingerde Ecker zich naar voren en sloeg hem uit alle macht in zijn gezicht.

Sven Bergman was totaal onvoorbereid toen Ecker links van hem opdook. Er zat veel kracht achter de klap. Hij gaf een kreet en voelde een enorme pijnscheut, alsof iemand hem met een mes in zijn gezicht had gestoken. Hij wankelde achterover en zag de lange, zwart geklede man als in een mist.

Het duizelde Bergman en hij vervloekte zijn stomheid. Hij was ervan overtuigd geweest dat ze alle drie naar de Skeppsbro zouden vluchten en dat hij hen hardlopend kon achtervolgen tot er versterking arriveerde.

Hij deed zijn best iets te zien, terwijl hij warm bloed uit zijn neus over zijn wang voelde stromen. Kijken, kijken, verdomme! Onthou zijn gezicht. Hoe lang is hij?

Instinctief greep Sven met zijn handen naar het gezicht van de ander. Hij kromde zijn vingers en krabde.

De aanvaller gaf een schreeuw van pijn. 'Au! Wat krijgen we nou? Kom maar op, klootzak!'

Nog een vuistslag op zijn kaak wierp Sven achterover, en hij verloor bijna zijn evenwicht, maar met een krachtinspanning wist hij zichzelf op de been te houden. Zijn aanvaller werd opeens gedeeltelijk beschenen door het zwakke schijnsel van een straatlantaarn, en Sven kreeg heel even een vaag beeld van zijn gezicht.

Hij deinsde instinctief achteruit en hief een arm op om zichzelf te beschermen, maar het ging te snel. Hij voelde een verschrikkelijke pijn toen de vuist zijn gezicht raakte. Toen werd hij door twee handen bij de kraag van zijn jas gegrepen en met grote kracht een meter naar achteren gegooid, tegen de stalen plaat die om een of andere reden tegen de huismuur was bevestigd. Bergman zakte tegen de muur in elkaar terwijl hij de man weg hoorde rennen.

Toen werd alles zwart.

Johanna had 112 gebeld en hysterisch geroepen dat ze politie en een ziekenwagen moesten sturen. De vrouw van de alarmcentrale had geprobeerd haar te kalmeren om meer gegevens te krijgen, maar Johanna had alleen maar gehakkeld dat haar vriend politieman was en dat hij was overvallen. Toen had ze haar mobieltje in haar zak gestopt en was zo snel mogelijk de hellende steeg door gelopen.

Helemaal aan het eind daarvan zag ze Sven achterover wankelen en weer achter een muur uit het zicht verdwijnen. Ze holde zo hard als ze kon en probeerde niet uit te glijden. 'Laat hem met rust, smeerlappen!' brulde ze, terwijl ze haar ene hand ter ondersteuning tegen de muur hield.

Juist toen ze de hoek om kwam, zag ze dat de lange, donkere man in zijn lange overjas Sven tegen de muur smeet.

'Néé!' schreeuwde Johanna.

Even keken de aanvaller en zij elkaar aan en een beeld van zijn gezicht prentte zich vast in haar hersens. Ze zag nog net dat hij bloed op zijn wang had toen hij zich omdraaide en wegrende door de Gaffelgränd.

Hans Ecker rende zo hard als hij in zijn beschonken toestand maar kon. Hij struikelde, viel en kwam met een kreet van pijn op zijn knie terecht, stond op en holde via de Gaffelgränd door naar de Skeppsbro, sloeg links af en hinkte zo snel mogelijk verder. Hij hijgde van de inspanning, zijn hoofd barstte haast en de knie waarop hij was gevallen bonsde hevig. Hij voelde onder zijn broek iets warms langs zijn been stromen.

Opeens hoorde hij sirenes en door zijn waas heen zag hij in de verte blauwe zwaailichten naar de binnenstad toe komen. Hij bleef staan en keek in paniek om zich heen. Waar waren Christopher en Johannes? Zijn wang deed zeer. Hij ging er met zijn vingers overheen, voelde en bekeek zijn hand. Hij bloedde. Verdomme, die klootzak had hem in zijn gezicht gekrabd.

Ecker voelde in zijn zak en vond een zakdoek. Hij spuugde erin en maakte zijn wang zo goed mogelijk schoon.

De sirenes en de zwaailichten kwamen dichterbij.

Hij was bijna op de Slottsbacke en liep snel naar een muur die diepe schaduwen over de straat wierp. Tegen de muur gedrukt en met ingehouden adem haalde hij zijn mobieltje uit zijn zak en drukte op de snelkiestoets van Christopher.

'Politiecentrale, wat is er aan de hand?'

Zijn hart sloeg over en instinctief drukte hij het knopje in om het gesprek te beëindigen.

Hoe had hij de politie nou kunnen bellen?

Hij checkte de gesprekkenlijst en plotseling drong het tot hem door. Hij toetste het nummer nog een keer in en hoorde een geamuseerde stem antwoorden: 'Met Christopher.'

Ecker ademde zwaar. 'Rotzak! Als je me dat nog een keer flikt, vermoord ik je! Verdomme, Chris, dit is foute boel. Ik kreeg ruzie met die smeris en ik heb hem neergeslagen. Die klootzak heeft me ook nog in mijn gezicht gekrabd. Toen kwam zijn vriendinnetje de hoek om rennen en toen ben ik hem gesmeerd, maar ik weet niet of ze me heeft gezien!'

Eckers stem ging verloren in het geluid van twee ambulances en drie politiewagens die met loeiende sirenes over de Skeppsbro reden.

'Ze zijn hier op volle sterkte,' fluisterde Ecker.

'Waar ben je?' Silfverbielkes stem klonk kalm, beheerst.

'Ik sta bij een muur onder aan de Slottsbacke. Waar zijn jullie?'

Silfverbielke kon de paniek in zijn stem horen.

'Wacht even...' Hij knipoogde veelbetekenend naar Kruut dat die moest blijven zitten en liep snel naar het toilet van Café Opera, ging een lege wc in en deed de deur op slot.

'Waarom geef je geen antwoord? Waar zijn jullie?' Eckers stem sloeg haast over.

'Rustig! Ik kon niet antwoorden. Ik stond op een verkeerde plek. Wij zijn in een café, maar zoals de zaken er nu voor staan, lijkt het me geen goed idee dat je hierheen komt.'

Ecker kermde van de pijn. 'Hier kan ik in elk geval niet blijven staan, verdomme. Ik heb een verschrikkelijke pijn in mijn knie en mijn gezicht bloedt. Wat moet ik nou doen, verdomme?'

Silfverbielke dacht snel na. Dit was niet best. Er stonden grote zaken te gebeuren, en het kwam slecht uit dat ze een dronkenlap een paar op-lawaaien hadden verkocht en dat er – allemachtig, hoe groot was die kans eigenlijk – een smeris opdook terwijl ze daar volop mee aan de gang waren.

'Dit moet je doen. Loop over de Skeppsbro naar de binnenstad, ga naar de opera en neem daar een taxi, liefst zo'n vrije taxi van een of andere Turk. Absoluut niet een van Taxi Stockholm, Kurir of Taxi 020. Ga achterin zitten en probeer je zo weinig mogelijk te laten zien. Laat hem naar een adres op twee of drie straten van je flat rijden. Betaal contant en loop het laatste stukje. Wij gaan hier over vijf minuten weg en zien je bij jou thuis. Oké?'

Ecker aarzelde. 'Maar als iemand me ziet?'

'Je hebt geen keus! Wil je daar blijven staan terwijl die smerissen half Gamla Stan afzetten omdat een van hun collega's in elkaar geslagen is? Ga daar verdomme weg, nu het nog kan. Er zijn op zaterdagavond een heleboel wankelende mensen met bloed op hun gezicht in de stad. Niemand zal zich je herinneren. Het belangrijkste is dat je de taxi niet helemaal naar je eigen voordeur laat rijden en dat je niet met een kaart betaalt, snap je?'

Het bleef lang stil. Opeens hoorde Silfverbielke geluiden die op snikken leken.

'Hans, ben je er nog?'

Gehuil, gesnik. Dan, bijna fluisterend: 'Ja...'

Twee discrete signaaltjes op Silfverbielkes mobiel gaven opeens aan dat hij een sms'je had ontvangen.

'Hans, verdomme, even flink zijn nou! Ga daar weg en neem die taxi, dan zien we elkaar zo. De rest komt goed, heus!'

'Maar stel dat ze –'

'Geen gemaar nou! Schiet op, anders zijn we er allemaal bij!'

'Oké, ik ga.'

'Goed. Tot zo.'

Silfverbielke verbrak de verbinding en drukte toen op TONEN. *Hoe gaat het met je? Duurt het nog lang? Ik wacht, verlang. V.*

Hij antwoordde: *Moet om 2 uur thuis kunnen zijn. Sms je als het zover is. Je komt aan de beurt.*

Johanna zat op haar knieën naast Sven, toen de zwaailichten van de hulpvoertuigen de steeg verlichtten en de straatstenen ziekelijk blauw kleurden. Ze boog zich over zijn gezicht, nam het tussen haar handen en schudde hem heen en weer. Terwijl de tranen haar over haar wangen liepen, riep ze: 'Sven, geef antwoord! Geef nou antwoord! Je mag niet doodgaan!'

Voorzichtige handen trokken haar opzij, zodat het ambulancepersoneel eerste hulp kon verlenen. Een arts van een zojuist gearriveerde ziekenwagen baande zich snel een weg naar hen toe, knielde naast Sven Bergman en pakte zijn hand om zijn pols te voelen. Hij keek Johanna aan.

'Wat is er gebeurd?'

Johanna trilde over haar hele lichaam. Een van de ziekenbroeders legde een deken over haar schouders en rug terwijl ze probeerde uit haar woorden te komen.

'Svenne probeerde ze te laten ophouden met die man in elkaar slaan,' – ze wees achter zich – 'en toen werd hij zelf neergeslagen. Een man sloeg hem in zijn gezicht en gooide hem hier toen tegen de muur!'

De arts knikte en pakte zijn stethoscoop. 'En je man is politieman?'

'Mijn vriend... Ja.'

'Ga maar in de ziekenwagen zitten, dan brengen we hem zo snel mogelijk naar het ziekenhuis.'

'Maar – leeft hij nog wel?' Johanna's stem sloeg over. 'Ik moet weten of hij nog leeft!'

De dokter keek snel naar een van de ziekenbroeders, die begrijpend knikte en een kalmerend middel ging pakken.

'Ja, hij leeft. Maar veel meer kan ik op dit moment helaas niet zeggen, want hij heeft een paar flinke tikken gekregen.'

Een andere arts kwam naar hen toe en ook hij knielde naast Bergman. 'Hoe gaat het hier?'

'Hij redt het wel. Hoe was het met hem daar?'

De andere arts schudde zijn hoofd.

Johanna sloeg haar hand voor haar mond. 'Bedoelen jullie dat hij... dood is?'

De arts knikte.

De ambulancebroeders hielpen haar op de been en zetten haar in de warmte van de ziekenwagen, waar ze een kalmerend spuitje kreeg. Johanna zag dat het in de Gaffelgränd en de Pelikansgränd nu wemelde van politie, ambulancepersoneel, artsen en auto's met blauwe zwaailichten. Ze hadden de man die in elkaar geslagen was afgedekt. Ze voelde de wagen waar zij in zat even schommelen toen de ziekenbroeders de brancard met Sven naast haar schoven.

De ziekenwagen draaide snel achteruit de Skeppsbro op en de bestuurder zette de sirenes aan. De andere ziekenbroeder, die naast Johannes zat, zette een zuurstofmasker op Bergmans neus en nam zijn bloeddruk op.

'Ga maar gauw,' zei hij tegen de chauffeur. 'De bloeddruk is niet goed.'

Johanna boog zich voorover, pakte Svens hand en kuste hem op zijn wang.

'Lieve God...' fluisterde ze. 'Lieve God, laat hem niet doodgaan!'

34

Zondag 4 maart

Silfverbielke wierp een snelle blik op zijn horloge.

Het was halfeen 's nachts.

De stemming in de grote woonkamer van Ecker was bedrukt. Slechts gekleed in boxershort lag Hans Ecker onderuitgezakt in een stoel, met een glas whisky in zijn hand, terwijl Johannes Kruut verpleegkundige speelde en de kras op Hans' wang en de flinke schaafwond op zijn knie met watten en een desinfecterend middel schoonmaakte.

'Ik vind dat het er zo heel goed uitziet,' zei Johannes.

Silfverbielke knikte, liep naar het raam en keek uit op de lege straat. 'Morgen krijg je een paar uitstekende huidzalfjes van me te leen. Die kras op je wang verdwijnt binnen een paar dagen. Je moet er een goede verklaring voor bedenken en in elk geval naar je werk gaan. Het zou in deze situatie misschien geen goede indruk maken als je wegbleef.'

'Hoe bedoel je, verdomme?' Ecker schrok en ging moeizaam rechtop zitten.

'Eigenlijk niks. Ik kreeg alleen *bad vibes* omdat dit zo kort komt nadat de politie ons heeft verhoord. Ze hebben natuurlijk geen reden om jou, Johannes of mij te verdenken, maar toch... Weet je of die smeris je heeft gezien?'

Ecker dacht zwijgend na. 'Geen idee. Je weet hoe het gaat in het heetst van de strijd. Het enige waar ik aan dacht was dat ik hem neer moest slaan omdat ik bij hem weg moest rennen, maar het was behoorlijk donker daar in die steeg, dus ik denk het niet.'

'Nee, en waarom zouden ze ons verdenken?' merkte Johannes op. 'Wie zei er ook weer dat je criminelen moest zoeken onder het schorem in Alby, niet onder de fine fleur in Östermalm?'

Silfverbielke lachte en schonk zichzelf een grote whisky in, waar hij onmiddellijk een slok van nam. *Ik moet hier weg. Ze wacht op me. Ik ga met haar spelen en hier denk ik morgen wel verder over na.*

Vijfenveertig minuten later pakte Silfverbielke, trouw aan zijn nieuwe gewoonte, Veronica Svahnberg op de vloer van zijn hal. Daarna zorgde hij ervoor dat ze een lijntje coke in haar mooie neus kreeg.

Nog later, toen ze naakt naast elkaar in bed lagen, vroeg Veronica: 'Waarom duurde het zo lang voordat je hierheen kwam? Ik neem aan dat je weet dat Hans en ik ruzie hebben gehad?' Ze nam een flinke slok van de champagne die Christopher had ingeschonken.

'Hm-mm, ik weet het. Tja, Hans had wat... eh... gedoe in de stad, en ik heb hem geholpen.'

Veronica kwam een stukje overeind, leunde op haar elleboog en keek hem onderzoekend aan. 'Gedoe in de stad? Hoe bedoel je? Hij heeft het toch niet met een ander aangelegd, hè?'

'Nee, nee, dat niet. Je moet het hem zelf maar vragen als jullie elkaar weer zien; het stelde niet veel voor. Wij hebben echt wel iets belangrijkers te doen samen!'

Hij kwam half overeind, duwde haar op haar rug en ging schrijlings op haar zitten.

Ze zetten hun spelletjes in bed voort tot tegen de ochtend, toen ze uitgeput onder het dekbed in slaap vielen.

Christopher glimlachte in het donker voordat hij in slaap viel. Veronica had gemerkt dat hij geen condoom om had, maar hij had haar gerustgesteld. 'Ik kon er geen meer kopen toen ik hierheen ging. Maar het geeft niet, schatje, ik kom nooit in je. En bovendien geloof ik dat ik onvruchtbaar ben.'

In haar beschonken toestand knikte ze alleen maar en ze ging weer liggen.

De activiteiten van de politie in de Pelikansgränd en de Gaffelgränd gingen tot de volgende ochtend door. Toen de alarmcentrale berichtte dat er een collega in elkaar geslagen was, reageerden er zo veel auto's op de oproep dat de centrale er een volgorde in moest aanbrengen. Niettemin reden er meer naar de plaats des onheils dan er naartoe gedirigeerd waren.

Een van hen was een inspecteur, Patrik Holmberg. Het was hem al gauw duidelijk wie het slachtoffer was. Hij belde Jacob Colt onmiddellijk thuis op en probeerde het vervolgens zonder succes op diens mobiel. Toen belde hij naar het huis van Henrik Vadh in Upplands-Väsby.

Het kostte Vadh minder dan een kwartier om naar Gamla Stan te rijden en intussen belde hij zijn mobiele telefoon warm. Hij kreeg Magnus Ekholm al snel te pakken. Die reed naar de stad. Janne Månsson was niet te bereiken en toen besloot Henrik Holm te bellen ook al was onderzoek vanuit het bureau diens specialiteit.

Bij de technische recherche had hij geluk. Christer Ehn nam meteen op en toevallig had Björn Rydh besloten dit weekend in Stockholm te blijven in plaats van naar de westkust, naar huis te gaan. Allebei beloofden ze zo snel mogelijk naar Gamla Stan te komen.

Toen Henrik Vadh ter plaatse kwam, legitimeerde hij zich, passeerde de afzetting en zocht Patrik Holmberg op.

'Hallo. Bedankt dat je me hebt gebeld. Wat is hier gebeurd?'

Vadh keek om zich heen. Bij het afzetlint aan het begin van de Peli-kansgränd bij de Österlånggata stond een schare nieuwsgierigen. Het leken vooral dronken, luidruchtige jongeren.

'Voorlopig weten we nog bijna niets. De patrouilles die het eerst ar-riveerden vonden daarginds een man – kennelijk een dakloze – in elkaar geslagen.' Hij wees. 'Bergman lag hier op de hoek, tegen die metalen wand daar en zijn vriendin zat op haar hurken naast hem.'

Vadh stak een hand op en onderbrak hem. 'Waar is ze nu?'

'Ze is met Bergman meegegaan in de ziekenwagen. Ik geloof dat die naar het Karolinska Ziekenhuis ging.'

'Wacht even.'

Henrik Vadh pakte zijn mobiel en belde naar huis.

'Gunilla, Sven Bergmans vriendin Johanna is met de ziekenwagen meegegaan naar het ziekenhuis. Ze zijn in het Karolinska Ziekenhuis. Wil jij daarheen gaan en haar steunen als ik ervoor zorg dat er over tien minuten een politiewagen komt om je te halen?'

Hij luisterde zwijgend en knikte toen. 'Goed. Regel ik. Tot straks. Dag, schat.'

Vadh toetste een snelkiesnummer in op zijn mobiel en regelde bij de centrale vervoer voor zijn vrouw. Toen wendde hij zich weer tot Holm-berg.

'Zijn er getuigen?'

Holmberg schudde zijn hoofd. 'Nee, alleen de vriendin van Bergman en ik heb niet met haar kunnen praten. Ze was zo geschokt dat het am-bulancepersoneel haar iets kalmerends moest geven.'

'Je bent hier al een tijdje. Heb je een theorie?'

'Ja, eigenlijk wel. Of liever, het is pure speculatie. Omdat de dode daar lag,' – hij wees weer – 'en Bergman hier, zou ik me kunnen voorstellen dat Bergman en zijn vriendin over de Österlånggata liepen en iemand zagen die deze man aftuigden. Bergman zal er wel op afgerend zijn, en toen ging het mis.'

Vadh knikte peinzend. 'Zou kunnen. Ik zal het straks bij Johanna na-vragen.'

Ze werden onderbroken door stemmen achter zich en toen Vadh zich omdraaide, zag hij dat zijn halve team ongeveer gelijktijdig was gearri-veerd.

'Wat vreselijk, zeg!' zei Holm verontwaardigd.

Ekholm stemde met hem in. 'Verschrikkelijk tuig, maar we krijgen ze wel te pakken, vroeg of laat!'

'Waarom zeg je "ze"?' vroeg Vadh geïnteresseerd. 'Tot nu toe hebben we geen idee of het er één was of meer.'

Magnus Ekholm haalde zijn schouders op. 'Ik kon me niet inhouden en heb vanuit de auto, terwijl ik hierheen reed, het Karolinska gebeld om te horen hoe het met Svenne ging. Ik heb Johanna even snel gesproken.' Hij vertelde wat er gebeurd was, zoals Johanna het aan de telefoon kort had weergegeven.

'Dan hebben we heel wat te doen.' Björn Rydh hield nadenkend zijn baard vast en bekeek de omgeving. 'Het is best een stuk vanaf de Österlånggata hierheen en ook nog een stuk naar de Skeppsbro.' Hij keek Christer Ehn aan. 'Heb je spullen bij je?'

Ehn wees naar een koffertje dat naast hem stond. 'Ik heb het noodkoffertje meegenomen dat ik altijd thuis heb staan, maar daar komen we natuurlijk niet ver mee. Ik heb naar de avonddienst gebeld en ze hebben beloofd dat ze ervoor zouden zorgen dat iemand onze wagen hier meteen heen rijdt.'

'Mooi zo.' Rydh knikte. 'Laten we maar eens beginnen met rond te kijken.'

Henrik Vadh was even stil. Toen zei hij: 'Goed. Björn en Christer, jullie doen wat jullie kunnen. Niklas, vraag de geüniformeerde collega's de jeugd die daar bij de afzetting staat te gillen dubbel te checken, zodat we geen eventuele getuige missen.' Hij keek op naar de donkere gevels. 'Zo te zien zijn hier geen woningen, alleen maar kantoren, maar je weet het nooit. Magnus en Niklas gaan de deuren langs, helemaal vanaf de Österlånggata tot hier, en neem dat huis aan de Österlånggata dat hierop uitkijkt ook mee. Vraag aan Holmberg daar of jullie een paar man uniformdienst mee kunnen krijgen, dan gaat het sneller. Ga door zo lang jullie maar kunnen. Ik blijf hier nog even, dan ga ik naar het ziekenhuis en ga daar zitten wachten tot Sven bijkomt.'

Rydh stak een vinger op om zijn aandacht te trekken. 'Heb je er iets op tegen dat ik daar straks ook naartoe kom?'

Henrik Vadh schudde zijn hoofd. 'Je bent welkom, Björn. Ik weet zeker dat Svenne heel blij is om je te zien als hij zijn ogen weer opendoet.'

Een paar minuten later zat Björn Rydh op zijn hurken op straat, raapte voorzichtig een dunne leren handschoen op van de grond en deed hem in een plastic zak.

'Met een klein beetje geluk,' mompelde hij, en hij voegde eraan toe: 'En dat hebben we op dit moment wel nodig.'

Hij kreeg plotseling een unheimisch gevoel toen hij bedacht dat Sven Bergman in elkaar was geslagen. Hij staarde een tijdlang afwezig in de verte. Wat gebeurde er toch?

Henrik Vadh sprong in zijn auto en reed de oude stad uit naar het Karolinska Ziekenhuis in Solna. Plotseling schoot hem iets te binnen.

Het zou deze keer misschien goed zijn om de zaak wat op te stoken, om te kijken of ze iemand tot een fout konden verleiden.

Hij keek tijdens het rijden zorgvuldig om zich heen en na een paar minuten viel zijn oog op een van de weinige telefooncellen die er in Stockholm nog waren.

De straten waren verlaten en hij kon vlak voor de cel parkeren. Hij stopte er een kaart in, pakte de hoorn van de haak en toetste het nummer van een sensatiekrant in.

'*Kvällspress*, nieuwstips, Anders Blom.'

Vadh trok een grimas. Blom was een van de ergste persmuskieten van alle lokale kranten. Een zalvend, vleiend type, dat nergens voor terugdeinsde om een primeur binnen te halen voor de voorpagina. Hij trok zich niets aan van slachtoffers en publiceerde rustig namen en foto's van mensen voordat er was vastgesteld of ze ergens schuldig aan waren. Zijn gedrag had heel wat veroordelingen tot gevolg gehad door de Raad voor de Journalistiek en de krant had ook een paar keer een schadevergoeding moeten betalen aan benadeelden. Aan de andere kant hadden zijn sensatieverhalen de losse verkoop van de krant zozeer bevorderd dat ze ongetwijfeld miljoenen in het laatje hadden gebracht.

'Er is rotzooi getrapt in Gamla Stan...' begon Vadh.

'Misschien kun je me eerst vertellen hoe je heet en me een nummer geven waarop ik je kan bereiken? Je weet toch dat je geld kunt krijgen als je tip zo goed is dat ik er een artikel van kan maken?'

Vadh onderbrak hem. 'Luister! Ik wil geen geld hebben. Ik wil alleen maar dat je hierover schrijft. Wil je het horen of moet ik anders de *Nyheter* maar bellen?'

'Ik luister.' Stilte.

'Rond middernacht is een man door drie andere mannen doodgeschopt in de oude stad. Een rechercheur die toevallig voorbijkwam en probeerde in te grijpen werd ook in elkaar geslagen en is naar een ziekenhuis gebracht.'

Blom onderbrak hem opgewonden. 'Hoe weet je dat allemaal? Was je erbij? Wie ben je? Zijn er andere getuigen? Weet je wie de man was die is doodgeschopt? En wie is die rechercheur?'

'Stil! Of je luistert en schrijft of ik hang op. Je mag precies weten wat ik nu zeg en de rest moet je zelf maar proberen uit te vogelen. Het enige wat ik kan zeggen, is dat ik uitstekende contacten bij de politie heb, dus ik weet waar ik over praat.'

Henrik hoorde de journalist aan de andere kant van de lijn opgewonden ademhalen.

'Ga door!'

Op de redactie zwaaide Anders Blom woest met zijn vrije arm in de lucht om de aandacht van de chef van de avonddienst te trekken. Hij krabbelde een paar zinnen op een papiertje en gaf hem dat. De chef las het, fronste zijn voorhoofd, liep gauw naar een telefoon en tikte het nummer van de afdeling fotografie in. Hij hoopte vurig dat de fotografen niet al naar huis waren, maar dat er nog iemand was die naar de oude stad kon gaan. Nu hadden ze nog de kans de concurrentie voor te blijven.

'Ik heb geen idee wie die dode man is, waarschijnlijk een dakloze of een alcoholist. De politieman heet Sven Bergman en werkt onder commissaris Colt van de recherche. Er zijn een paar zeer geloofwaardige getuigen die drie mannen hebben gezien, en de politie heeft een goed signalement van de man die het actiefst was bij de schoppartij. Bovendien is er technisch bewijs gevonden op de plaats van de moord...'

Henrik Vadh gaf de journalist nog een paar feiten en hing toen op, ondanks Bloms protesten, en liep terug naar de auto.

Het was een losse flodder, maar misschien lukte het.

Sven Bergman werd wakker van een doffe pijn die ergens in zijn middenrif begon en naar boven trok. Zijn hoofd bonkte, zijn neus deed zeer en zijn kaak stond gewoon in brand. Hij liet zijn tong door zijn mond gaan en vond dat zijn gebit op sommige plaatsen raar aanvoelde. Zijn benen deden zeer en...

Moeizaam deed hij zijn ogen open, hij haalde langzaam en diep adem. Hij zag een wit plafond, witte muren, apparaten en toen – Johanna.

'Svenne, schat!' Ze boog zich naar hem toe, glimlachte en streelde hem zacht over zijn wang. 'O, wat heerlijk dat je eindelijk wakker bent! Ik was zo bezorgd, ik werd er gek van. Hoe voel je je?'

Hij had zo'n droge mond dat hij geen antwoord kon geven. Ze hielp hem een glas vruchtensap met een rietje naar zijn mond te brengen.

'Vreselijk!' antwoordde hij met schorre stem. 'Alsof ik door een vrachtwagen ben overreden of zo.'

Johanna knikte. 'Dat was ook wel ongeveer zo.'

'Hoe laat is het?' kraste Sven. 'En wat voor dag is het? Hoelang lig ik hier al?'

'Niet zo lang als je denkt.' Ze keek op haar horloge. 'Het is bijna tien uur op zondagochtend. We zijn hier tussen twaalf uur en halfeen vannacht gekomen.'

'Ben je hier de hele tijd al? Je moet doodmoe zijn!'

Ze glimlachte. 'Ik dacht dat jullie politiemensen oog hadden voor detail. Je ziet misschien dat ik dezelfde kleren aanheb als het meisje met wie je gisteravond hebt zitten eten?'

Bergman probeerde terug te glimlachen, maar dat deed erg zeer en hij kreunde. 'Jesses, wat doet dat zeer. Hoe gaat het eigenlijk met me?'

Johanna werd weer serieus. 'Ik denk dat je een beschermengel hebt, Svenne. Volgens de dokter had je wel dood kunnen gaan toen je tegen die stalen plaat aan de muur werd gesmeten. Hij zegt dat je een lichte hersenschudding hebt, een kleine fractuur in je achterhoofd, een gebroken neus en een zwaar gekneusde kaak. Je hebt waarschijnlijk een tand verloren en je hebt flinke schaafwonden op je benen.'

Bergman was een paar tellen stil. 'Wanneer mag ik naar huis?' fluisterde hij.

'Zo gauw mogelijk, hoop ik, schat...' – ze boog zich voorover en kuste hem op zijn wang – '...maar het belangrijkste is dat je weer beter wordt. Ik geloof dat de dokter straks met je komt praten, maar er zijn ook anderen die je willen spreken. Henrik en zijn vrouw Gunilla zijn hier, en Björn Rydh ook. Ze zijn alleen even een kop koffie gaan halen. Ze komen zo weer terug.'

De deur ging open en het drietal kwam binnen. Hun gezichten klaarden op toen ze zagen dat Sven bij kennis was. Ze pakten stoelen en gingen naast zijn bed zitten.

Henrik Vadh legde zijn hand op die van Sven. 'Sven, wat fijn dat het niet erger is afgelopen, al is dit rot genoeg. Ik heb Jacob gebeld, maar ik krijg hem niet te pakken. Hij zou gisteravond met Melissa uit gaan eten voor hun trouwdag, weet ik. Maar je kunt erop rekenen dat we de onderste steen boven halen om dit op te lossen!'

Bergman knikte voorzichtig. 'Ik heb in elk geval één stoot kunnen uitdelen; dat weet ik nog wel.'

'Hoe bedoel je?'

'Ik heb de klootzak in zijn gezicht gekrabd voordat hij me een klap gaf!'

Henrik draaide zich om en keek Björn Rydh even aan. 'Wat denk je, Björn, is er een kansje?'

Rydh knikte. 'Misschien wel. Ik zal eens gaan vragen of ik hier wat spullen mag lenen. Sven, ik wil kijken of ik sporen van zijn huid onder je nagels kan vinden.'

Bergman glimlachte en vertrok zijn gezicht. 'Ik zal het gewilligste slachtoffer zijn dat je ooit hebt meegemaakt, Björn.'

De deur ging open en een ernstige man van een jaar of veertig kwam binnen, gevolgd door een verpleegster. Hij stak een hand uit naar Sven. 'Dag Sven, ik ben Jan Berger. 'Hoe voel je je?'

'Klote.'

Berger knikte naar hem en hij bestudeerde een paar formulieren op een klembord. 'Dat is niet zo gek. Je hebt een flinke aframmeling gehad. En zoals ik al tegen je vriendin heb gezegd: je hebt vast een beschermengel gehad. Je hebt een lichte hersenschudding en een kleine fractuur in je achterhoofd. Je neus stond een beetje scheef toen je binnenkwam, dus ik heb mijn best gedaan die recht te zetten toen je van de wereld was. Uit de röntgenfoto's blijkt dat je kaak gekneusd is door de klappen, maar hij is niet kapot. Je hebt wel een tand verloren, maar dat moet je later maar met je tandarts regelen. Verder kom je verbazend goed uit alle onderzoeken, als je bedenkt wat er is gebeurd.'

Bergman liet de informatie even op zich inwerken.

'Wanneer denk je dat ik naar huis kan?'

Dokter Berger streek met zijn hand over zijn kin. 'Ik zou je hier voor de zekerheid nog een dag of twee, drie ter observatie willen houden. Maar dat staat nog niet vast. Laten we het maar van dag tot dag bekijken. Ik begrijp dat je graag gauw weer aan het werk wilt, maar ik zou je toch aanraden je een paar weken ziek te melden.'

Toen Berger de kamer uit was en de verpleegster een paar bekertjes met pillen op het tafeltje naast Svens bed had gezet, praatten de bezoekers nog een tijdje door. Gunilla Vadh sprak zacht met Johanna, terwijl Sven, Henrik en Björn Rydh doornamen wat er was gebeurd. Björn deed een paar plastic handschoenen aan, bestudeerde Svens nagels en schraapte er een voor een met behulp van een tandenstokertje alles onderuit wat hij maar kon vinden, en stopte dat in een kunststof buisje met schroefdop dat hij van de verpleegster had gekregen.

Henrik leunde voorover en vertelde zacht aan Sven dat hij de *Kvälls-press* had gebeld. 'Ik heb erover getwijfeld, maar ik had maar één kans. Het was toen of nooit. Als ik Blom goed inschat gaat hij dit breed uitmeten. Misschien wordt er iemand zenuwachtig of begaat er iemand een fout.'

Bergman vond het best. 'Ik denk dat je groot gelijk hebt, Henrik. Het kan in elk geval geen kwaad. En met een beetje geluk geeft het ons een aanwijzing...'

Sven voelde de vermoeidheid door zich heen gaan. Hij deed zijn ogen dicht en probeerde zich te herinneren wat er die nacht was gebeurd. Fragmenten regen zich aaneen tot grotere brokken, die weer met andere samenvielen. Maar er waren nog steeds veel gaten en hij besefte zuchtend dat sommige daarvan misschien nooit zouden worden gevuld.

Johanna zou door het echtpaar Vadh naar huis worden gebracht om uit te rusten en dan zou ze 's avonds weer naar het ziekenhuis terugkomen. Björn Rydh beloofde dat hij de monsters die hij onder Svens nagels uitgehaald had de volgende ochtend in ijltempo naar het NFL zou brengen en voorrang zou vragen voor de DNA-proeven – en die zou hij zeker krijgen.

Toen ze afscheid namen en op het punt stonden de deur uit te gaan, flitste er plotseling iets door Svens brein heen.

'Henrik!'

Vadh draaide zich om. 'Ja?'

'Eerst wist ik het niet zeker, maar nu wel!'

'Wat?'

'Die idioot die me in elkaar sloeg...'

Henrik Vadh wachtte zwijgend op het vervolg.

'Die heb ik eerder gezien!'

`35`

Op zondag, kort na de lunch, bekeek Veronica Svahnberg haar blote, roodgestriemde achterwerk in de grote spiegel in Christophers badkamer.

Ze had erom gesmeekt en hij had het weer gedaan.

Toen ze uit de badkamer kwam, stond hij daar met zijn mobieltje aan zijn oor en een bezorgde blik in zijn ogen. Veronica keek hem vragend aan.

'Ja, mams, ik begrijp het. Doet het veel pijn? Ga maar op bed liggen en hou je heel rustig, dan kom ik zo snel mogelijk. Dag, lieverd!'

Hij deed alsof hij op het rode knopje drukte en keek Veronica aan. 'Niet zo best, mijn moeder heeft weer last van haar hart. Ik moet er meteen heen!'

'Ach! Ik begrijp het. Eh... Het is goed. Ik kleed me gauw aan en neem op straat wel een taxi. Ik kan thuis wel douchen.'

Ze kusten elkaar in de deuropening, en toen ging ze weg. Veronica keek hem diep in de ogen. 'Wil je... nog een keer?'

Hij keek haar aan. 'Je bent mijn slavin, Veronica.'

Ze knikte zwijgend.

'Jij kunt je eigen leven leiden en ik het mijne,' vervolgde hij, 'maar we zullen nooit helemaal zonder elkaar kunnen.'

Tranen welden op in haar ogen. Ze beet op haar lippen, draaide zich om en ging weg.

Silfverbielke leunde tegen de deur, deed zijn ogen dicht en zuchtte. Hij wist niet goed of hij het nog leuk vond of niet.

Maar ze was goed. Echt goed. En ze deed wat hij zei.

Zo'n vrouw had hij nodig.

Ze had hem gevraagd ditmaal harder te slaan en dat had hij gedaan. Hij had met verbazing gezien tot welke enorme orgasmes de combinatie van onderworpenheid, genot en pijn haar bracht.

Nog altijd naakt liep hij naar de kamer die hij als kantoor gebruikte en ging achter de pc zitten. *Kvällspress* had het al. De koppen schreeuwden hem in vette, zwarte letters toe: GRUWELIJKE MOORD VANNACHT – AGENT ZWAARGEWOND!

Silfverbielke grijnsde. Als het ging om het opdienen van akelig nieuws en daar geld aan verdienen, konden die persratten er wat van. De helft van de kopers van de krant zou waarschijnlijk denken dat de agent degene was die de moord had gepleegd.

Hij verstijfde. Welke moord? Hans en Johannes hadden die dronkenlap een paar keer geschopt en Hans had hem nog een paar meppen verkocht, maar moord? Was die ouwe viezerik van die klappen doodgegaan? Nou ja, de wereld zou er niet veel slechter van worden, maar het zou wel tot allerlei complicaties kunnen leiden.

Christopher las het hele artikel en wat hij las beviel hem niet. Dat het voor een deel pure leugens waren begreep hij wel. De man die naar hen toe was komen rennen had Johannes en hem niet goed kunnen zien; daar was hij van overtuigd. Maar technisch bewijs? Wat zou dat moeten zijn?

Hij stond op, liep naar de hal, bekeek zijn jas nauwkeurig en controleerde of zijn handschoenen er nog waren. Hij inspecteerde zijn schoenen even zorgvuldig en ging toen de slaapkamer in om zijn overhemd en zijn kostuum te onderzoeken. Er was niets kapot, er ontbrak nog geen knoopje. Zijn zakdoek zat nog in zijn broekzak.

Moet het toch allemaal lozen, alleen al voor de zekerheid. Verdomme!

Het was een kasjmieren kostuum en het had een klein vermogen gekost. De jas was op maat gemaakt door een kleermaker aan Savile Row in Londen en was ook niet gratis geweest. Maar hij kon zich geen risico's veroorloven.

De rest van het artikel was vooral vulling en hij begreep dat de journalist maar heel weinig informatie had gekregen. Aan de andere kant had hij het waarschijnlijk niet met zo veel zekerheid durven schrijven als hij geen betrouwbare bron had.

Een van hen drieën had dus sporen achtergelaten.

Híj niet.

Christopher pakte de telefoon en toetste het nummer van Hans in.

Toen het drietal zondagmiddag laat in Sturehof bij elkaar kwam, in de eerste plaats om de kater te verdrijven met een paar bloody mary's, had Christopher al een hele rondreis achter de rug.

Hij had zijn jas in een plastic zak gestopt, zijn kostuum in een andere en zijn schoenen in een derde. Een vuilcontainer in Upplands-Väsby

had de zak met de jas gekregen, een soortgelijke metalen bak in Sollentuna had het kostuum opgeslokt. Op weg terug naar de stad was hij gestopt in Solna, had zijn schoenen zo ver mogelijk weggegooid in het
Råstameer en daarna zijn handschoenen in het centrum van Solna in
een afvalbak gepropt.

Christopher zag dat Hans Eckers handen een beetje trilden. 'Hoe gaat
het met je, Hans?'

'Kon beter. Heb je het gelezen?'

'Hm-mm.'

Kruut zat er zwijgend bij en schoof onrustig op zijn stoel heen en
weer. Christopher keek hem aan. 'Heb jij het ook gelezen?'

Johannes knikte ongelukkig. 'Ja, maar het was niet de bedoeling hem
te doden!'

'Ssst!' Silfverbielke fronste zijn voorhoofd en keek snel om zich heen.
Ze waren vrijwel alleen in dit deel van het restaurant, maar hij nam
liever geen risico's. De jongens maakten een geschokte indruk. Hij moest
ze zien te kalmeren. De vraag was of Kruuts zenuwen hiertegen bestand
waren.

Toen ze eten hadden besteld, en wijn, en alle drie nog een bloody mary, zei Silfverbielke: 'Volgens mij is er geen reden tot ongerustheid. Als
het alleen die dronkenlap was geweest, had de politie zich er niet druk
om gemaakt. Het was pech dat die smeris ineens opdook, maar daar is
niets meer aan te doen. Achteraf kun je van alles vinden over wat we
hadden kunnen en moeten doen, maar het is nu eenmaal zoals het is.'

Hij laste een stilte in. Ecker zat als verstijfd voor zich uit te staren.
Kruut zag er nog steeds ongelukkig uit en liet zijn blik tussen zijn beide
vrienden heen en weer dwalen.

'In het artikel,' vervolgde Silfverbielke, 'staat dat de politie technisch
bewijs heeft gevonden. Dat kan ik haast niet geloven, maar...'

'Mijn ene handschoen is weg.' Eckers opmerking was kort en droog.

'Wat zei je?' Christopher boog zich voorover.

'Ik zei dat mijn handschoen weg is. Ik heb mijn handschoenen uitgetrokken toen ik die dronkenlap op zijn kanis wilde slaan en heb ze in
mijn zakken gestopt. Maar toen ik bij het paleis stond en jullie had gebeld, en ze weer aan wilde trekken, was er een weg.'

'Maar die kun je daar toch hebben verloren? Of op de Skeppsbro, toen
je wegrende?'

Ecker trok een grimas. 'Jazeker. Of vlak naast die dronkenlap of die smeris. Wie weet?' Hij haalde zijn schouders op en keek om zich heen in het restaurant. 'Hoe groot is de kans dat die smerissen dit met ons in verband brengen? Wat denk jij, Chris?'

'Wat bedoel je met "ons"?' vroeg Johannes snel. 'Jíj hebt toch...'

Ecker stak een hand op. 'Alles goed en wel, Johannes. Chris heeft hem één keer geschopt, maar jij hebt me flink geholpen toen ik eenmaal bezig was. Weet je niet meer dat je hem hebt geschopt?'

'Eén keer, misschien, zachtjes maar...' zei Kruut zielig.

'Meerdere keren, en hard. Johannes, jij zit er net zo ver in als ik. Wie of wat de dood van die ellendeling heeft veroorzaakt weten we niet. Maar dat maakt ook geen reet uit: hij is dood.'

Silfverbielke knikte. 'Ik denk dat de kans klein is, om niet te zeggen nihil. Het enige wat me een beetje ongerust maakt, is dat de smeris die je hebt neergeslagen blijkbaar samenwerkt met die twee die ons hebben verhoord. Er stond in een artikel op de website dat hij werkt voor commissaris Colt.'

'Jullie hebben verhoord?' vroeg Kruut. 'Ik heb niks gehoord over een verhoor! Waar heeft hij jullie over verhoord?'

'Niks om je druk over te maken, Johannes. Het ging over een kleinigheid op Sandsiöö, je weet wel, dat internaat waar Hans en ik op hebben gezeten. Het was eigenlijk geen verhoor, eerder een paar routinevragen. Maar in verband daarmee hebben Hans en ik allebei die smeris Colt ontmoet. Dat was die man die er vooral zwijgend bij zat en zo ongeveer verstandelijk gehandicapt leek.'

Op Eckers ernstige gezicht brak een glimlach door. 'Verstandelijk gehandicapt, jij bent me er een, Chris! Maar serieus, bestaat de kans dat ze ons vinden?'

Christopher streek over zijn kin en dacht na. 'Over dat technische bewijs en dat DNA hoeven we ons geen zorgen te maken. Het maakt niet uit wat ze hebben gevonden, als er maar geen papiertje met je naam in die handschoen zat, snap je?'

Ecker schudde zijn hoofd. Het kostte hem moeite helder te denken. *Allemachtig, ik vond Chris een monster toen hij die hoer in Berlijn had omgebracht. Nu heb ik zelf iemand gedood. Godverdomme! Hoe kan dat?*

Hij werd met een schok tot de werkelijkheid teruggebracht doordat Silfverbielke doorging: 'Goed. Want hoeveel DNA ze ook van die plek af kunnen schrapen, geen van ons zit in de DNA-bank van de politie. Dus eindigt het in een doodlopend spoor. Er waren geen andere getuigen, dus het enige risico kan zijn dat die smeris je goed genoeg heeft kunnen zien om je te kunnen identificeren. Denk je dat dat kan?'

Ecker haalde zijn schouders op. 'Zoals ik vannacht al zei: je weet hoe het gaat in het heetst van het gevecht. Ik kan me niet alles herinneren, maar het ging zo snel dat ik denk dat hij me niet goed heeft kunnen zien. Ik heb hem een paar flinke meppen gegeven, tegen de muur gegooid en ik ben hem gesmeerd.'

Christopher keek naar de schram op Hans' wang. 'Maar hij kwam wel zo dichtbij dat hij je kon krabben?'

'Ja, maar toen had ik hem al een paar oplawaaien verkocht. Ik denk dat hij toen al behoorlijk in het wilde weg graaide, instinctief reageerde, gewoon alles greep wat hij maar kon. Maar ik had niet het idee dat hij me aangaapte...'

Kruut keek opgelucht. 'Nou, ons heeft hij in elk geval niet gezien, hè Chris? Wij waren toen al een heel eind weg.'

'Ja, het was hartstikke fijn, zeg, dat jullie er gewoon vandoor gingen en mij in de steek lieten!' schamperde Ecker.

'Doe normaal, Hans.' Silfverbielkes stem was opeens ijskoud. 'Ik blijf niet staan knokken als de politie op me afkomt. Jij had ook eerder kunnen stoppen. Maar bekijk het eens van de vrolijke kant. Je hebt zo wel een hele hoop punten verzameld. Ik vind het wel vijftien punten waard dat je die dronkenlap hebt omgelegd, en tien dat je die smeris hebt neergeslagen. Johannes krijgt er tien voor zijn schoppen. Dat betekent dat hij nu vijftig punten heeft, jij staat tweede met vijfenveertig, en ik heb er dertig.'

Onwillekeurig ontspande Ecker. 'Oké, dat klinkt goed. Het ziet ernaar uit dat je achteropraakt, Chris.'

'Er komt wel een gelegenheid om dat recht te zetten,' zei Silfverbielke glimlachend. *Als jullie wisten wat ik heb gedaan, was de strijd al beslist, mannen. Maar we zijn nog niet klaar.*

Johannes zweeg, kennelijk zwaar in gedachten verdiept.

'Waar denkt directeur Kruut aan?' vroeg Ecker half ironisch, en hij nam een slok van zijn bloody mary. Hij kon het niet zo goed hebben dat Kruut er laf vandoor was gegaan, maar toch punten kreeg voor zijn aandeel. Nou ja, zoals Chris al zei: dat zou later wel worden rechtgezet.

Kruut nipte aan zijn drankje. 'Ik zat gewoon een beetje te denken over wat je allemaal kunt doen met twintig miljoen.'

'Leuk,' zei Silfverbielke.

'Niet te hard van stapel lopen,' zei Ecker. 'We zijn er nog niet. Je staat wel voor, maar ben je bereid ver te gaan en risico's te nemen om aan de leiding te blijven?'

Kruut aarzelde even, en antwoordde toen: 'Ja. Heb je nog ideeën, Chris?'

Silfverbielke knikte. 'Ja, hoor, maar daar gaan we het hier niet over hebben. Ik stel voor dat we naar mijn huis gaan, iets drinken en een paar richtlijnen opstellen. Maar voordat ik het vergeet: voor de zekerheid zouden jullie alle kleren die jullie vannacht aanhadden weg moeten doen: kostuums, jassen, schoenen, handschoenen, de hele handel. Ik ben de mijne al kwijt.'

'Maar het was mijn beste pak!' Kruut zag er ongelukkig uit.

Christopher keek hem vermoeid aan. 'Het was ook mijn beste pak, en ik heb niet eens aan de lol meegedaan. Alles heeft zijn prijs, Johannes. Áls die smeris je op een dag onverhoopt te pakken krijgt, wil je dan dat er DNA uit die steeg overeenkomt met dat van een haartje op jouw kostuum of met huidschilfers uit je handschoenen?'

Kruut schudde zwijgend zijn hoofd.

'Goed. Doe wat ik zeg! En smijt het niet allemaal thuis in je eigen vuilnisbak, maar wees een beetje vindingrijk!'

'Hoe vindingrijk ben je zelf geweest?' vroeg Ecker.

Silfverbielke haalde zijn schouders op. 'Tumba, Tullinge, Farsta. Drie verschillende containers.'

Ecker floot. 'Goed werk. Ik denk dat ik vanavond ook maar eens een stukje ga rijden. Ga je mee, Johannes?'

'Ja, graag, dat klinkt goed.'

Silfverbielke wenkte de serveerster en vroeg om de rekening.

De drie gingen Silfverbielkes flat binnen en trokken hun jassen en schoenen uit. Toen ze in de woonkamer kwamen, liep Christopher meteen naar het barkastje en schonk voor alle drie een whisky in. Hans Ecker hield stil bij de opening naar de slaapkamer en floot. 'Oei, is het hier heftig toegegaan? Allemachtig, wat ziet het eruit!'

Plotseling snoof hij. De geur kwam hem bekend voor, maar hij kon hem niet thuisbrengen. 'Heb je hier vannacht een grietje gehad, Chris? Hoe heb je dat voor elkaar gekregen? Je was toch de halve nacht bij mij?'

Silfverbielke stond met zijn rug naar hem toe bij het barkastje. Hij schudde zijn hoofd. 'Ben je mal? Ik was zowat dood toen ik thuiskwam. Nee, ik heb alleen geslapen, maar ik weet dat het er daar een beetje chaotisch uitziet. Ik heb het bed al een paar dagen niet opgemaakt en ik heb een paar nachten onrustig geslapen.'

Ecker lachte. 'Je moet een vrouw nemen, Christopher, eentje zoals Veronica. Die kan opruimen.'

Ze kan nog veel meer, dacht Silfverbielke. Zijn antwoord klonk plagend: 'O, dat klinkt weer beter. Hebben jullie het bijgelegd?'

'Ach, ja, we hebben vandaag heel lang gepraat. Ik bedoel, ze is helemaal gek op me en ik hou ook van haar, dus we moeten die verhuisplannen toch maar eens gaan uitvoeren. Maar verdomme, wat zal ik de binnenstad missen!'

'Geeft niks, Hans, je kunt altijd bij mij logeren als we uitgaan en gaan feesten,' zei Johannes.

Goed zo, dacht Silfverbielke, want hier kun je niet slapen. Het zou een beetje lastig worden, alle drie in hetzelfde bed.

Christopher zette koffie en het drietal ging in de woonkamer rond de salontafel zitten.

'Jullie weten misschien nog wat ik gisteravond tijdens het eten vertelde?' vroeg Silfverbielke.

Kruut knikte. 'Je bedoelt die geldtransporten? Ik heb er wat over nagedacht. Het klinkt interessant!'

'Doe jij ook nog steeds mee, Hans?' vroeg Christopher.

Er speelden zich herhalingen af in Eckers brein. *Dit is idioot. Ik zou eruit moeten stappen; ik heb te veel te verliezen! Maar Chris lijkt alle risico's onder controle te hebben en hij is per slot van rekening niet degene die de fout in is gegaan. En we zijn nog nergens voor gesnapt.*

'Wat dacht je?' Ecker grijnsde. 'Jullie kunnen op me rekenen. Ik heb kapitaal nodig, nu ik een nieuw optrekje moet kopen.'

Silfverbielke glimlachte. 'Daar zou ik maar niet te veel op hopen. Zoals ik al zei: de koffertjes zelf zijn het kritieke punt. Er zitten ampullen met verf in en meestal gaan die kapot als je de koffers openmaakt. Er zal er af en toe wel een zijn die niet werkt en dan houden we er wel een paar stapeltjes bankbiljetten aan over. Maar nogmaals: we doen dit voor de kick.'

'Hoeveel punten levert het op?' vroeg Johannes.

'Dat hangt er een beetje van af wie wat doet, en wie zich onderscheidt, op welke manier dan ook.' Christopher keek Johannes doordringend aan. 'Ben je soms van plan op Securitas-bewakers te gaan schieten, Johannes?'

Johannes zei niets. Sinds Christopher over de geldtransporten had verteld, had hij er veel over nagedacht. Hij voelde de adrenaline door zijn lichaam stromen, alleen al bij het idee dat hij – Johannes – in een zwarte overall, met een bivakmuts op en met een zwaar machinegeweer in zijn handen op een weg zou staan. Hij had in dienst met een AK5 geschoten en hij was de beste van zijn eenheid geweest, dus dat zou niet zo'n probleem zijn.

De gebeurtenissen van de laatste tijd hadden zijn zelfvertrouwen versterkt. Hij was begonnen zich wat gedurfder te kleden en hij had meer geluk gehad met de meisjes die hij op eigen kracht mee uit had genomen en had versierd. Hij begon zich steeds meer een winnaar te voelen en als hij nu alleen nog maar zijn vader ervan kon overtuigen dat hij een sterke, daadkrachtige directeur was, had hij alles voor elkaar.

Dat ze met z'n drieën inmiddels drie doden op hun geweten hadden, probeerde hij zo goed mogelijk te verdringen, of in elk geval te bagatelliseren. Die vrouw was toch maar een hoer. Ze was een directe bedreiging en bovendien was ze Christophers probleem, niet het zijne. Die kerel in die Opel had levensgevaarlijk gereden en dat was puur een ongeluk. En de man in Gamla Stan zou nooit aan een paar simpele klappen zijn doodgegaan als hij geen waardeloze dronkenlap, geen loser was geweest.

Urenlang had Johannes, terwijl hij in zijn bed naar rockmuziek lag te luisteren en naar het plafond lag te staren, zich afgevraagd hoe ver hij bereid was te gaan als het er echt op aankwam. Heel ver. Veel verder dan hij een halfjaar geleden zou hebben gedacht.

'Tja, zeg nooit nooit,' antwoordde Johannes uiteindelijk, en hij glimlachte naar Christopher.

'Daar heb je gelijk in,' zei Christopher. 'Maar het verwonden van mensen als het niet absoluut noodzakelijk is maakt geen deel uit van het plan. Toch hebben we wel wapens en zo nodig. En daar komen jullie in beeld, heren. Nu komen we bij de taken waarmee je punten kunt verdienen.'

Ecker keek geïnteresseerd. 'Wat had je voor ons in gedachten?'

'Mijn werkverdelingsvoorstel is als volgt: ik zorg voor de planning en ik zoek uit hoe de Securitas-wagens rijden, welke vaste gewoonten ze hebben. Hans, jij zorgt voor drie AK5's of vergelijkbare wapens, munitie en drie geschikte pistolen met munitie. Trek je er niks van aan als ze serienummers of zo hebben. We ontdoen ons er later op een veilige plek weer van. Verder zorg je voor een kilo springstof en lont.'

'Maar hoe moet ik verd...?' Ecker zweeg en dacht na. 'Wacht, ik geloof dat ik een manier weet...'

Silfverbielke keek Kruut aan. 'Johannes, jouw taak is zorgen voor ongeveer tweehonderd voetangels en een auto jatten die het goed doet, maar oud genoeg is om geen startonderbreker te hebben. Een oude Ford Sierra of zo. We moeten hem netjes kunnen starten zonder contactsleuteltje. Problemen?'

Johannes trok zijn voorhoofd in een diepe plooi. 'Voetangels, wat zijn dat in vredesnaam? Bedoel je Spaanse ruiters?'

'Nee, Johannes, ik bedoel *voetangels.*' Silfverbielke zuchtte diep. 'Spaanse ruiters zijn iets heel anders, veel groter. Die werden vroeger in de oorlog gebruikt om de aanvallende cavalerie tegen te houden. Voetangels zijn kleine, scherpe metalen dingen die je op de weg strooit om auto's een lekke band te bezorgen...'

Kruuts gezicht lichtte op. 'Oké, oké, dan hebben we het over hetzelfde. Ik denk niet dat dat een probleem is. Ik ken iemand die een smederij heeft en die af en toe wat te diep in het glaasje kijkt. Hij zou die voetangels moeten kunnen regelen. En die auto – tja, ik heb toch niet voor niks vier jaar op de hts gezeten. Dat zou geen probleem moeten zijn.'

'Mooi. Maar denk erom: ik wil dat je ook een nummerbord jat van een ongeveer even oude auto van hetzelfde merk en met dezelfde kleur. We moeten wisselen, als je begrijpt wat ik bedoel.'

Kruut knikte. 'Jazeker.'

'Ik stel voor,' vervolgde Silfverbielke, 'dat jullie zo gauw mogelijk met de voorbereidingen beginnen.'

Ecker keek hem aan. 'Wanneer had je gedacht om...'

'In principe zo snel mogelijk. Die wagens rijden op alle doordeweekse dagen, dus zeg het maar. Ik heb een of twee weken nodig om een beetje verkenningswerk te doen, dan ben ik er klaar voor.'

'En hoe wordt de puntenverdeling?' vroeg Johannes.

'Mijn voorstel is dit: jullie krijgen twintig punten omdat jullie al het materiaal verzorgen...' Hij zweeg. 'O ja, ik vergeet iets. We hebben ook drie zwarte, sterke, royale overalls nodig en drie bivakmutsen. Dat moet een van jullie regelen.' Hij vervolgde: 'Mijn puntenverdeling is als volgt: als alles lukt en we gaan ervandoor met een koffer onbeschadigd geld, krijg ik dertig punten voor de planning en de uitvoering. Als het om een of andere reden mislukt, krijg ik niks.'

Kruut rekende snel. 'Dat betekent dat de stand zeventig-vijfenzestig-zestig wordt, als het lukt?'

'Klopt.'

Ecker haalde zijn schouders op. 'Klinkt wat mij betreft oké.'

'Ik zou iets willen hebben wat me de kans geeft mijn voorsprong te vergroten,' zei Kruut met een grijns.

Silfverbielke dacht een paar tellen na. 'Vind jij dat goed, Hans?'

Ecker knikte.

'Goed, dan doen we het zo dat jij ook de springstof en de lont mag regelen, Johannes, en dat Hans alleen de wapens verzorgt. Dan trekken we er vijf punten af bij Hans en die geven we aan jou. *Fair enough?*'

Kruut knikte. 'Dan komen we als alles goed gaat op vijfenzeventig-zestig-zeventig?'

'Klopt.'

'Okidoki,' zei Kruut glimlachend.

Silfverbielke zuchtte. 'Johannes, alleen jongeren en wanhopige alleenstaande vrouwen op een datingsite zeggen "okidoki". Let een beetje op je taal, alsjeblieft.'

Ecker barstte in lachen uit. 'Is meneer Silfverbielke nu ook al taalpurist geworden?'

'Dat was ik altijd al. Ik heb genoeg van álle verloedering, van al dat domme geklets, van al die mensen die in goedkope joggingpakken rondlopen en die alsmaar dommer worden van de rotzooi die de tv ze voorschotelt. Het zijn verliezers en helaas zullen ze het hele land overnemen voordat we er erg in hebben, om nog maar te zwijgen van alle zwartjakkers. Iemand moet er paal en perk aan stellen voordat het land helemaal naar de verdoemenis gaat, en ik ben een van hen.'

'Gelijk héb je.' Hans knikte. 'En nou we het toch hebben over het vermijden van het plebs: wat doen we met de tennisweek in Båstad?'

Christopher keek Johannes vragend aan.

'Geen probleem,' antwoordde Kruut. 'Zoals jullie nog wel zullen weten, heb ik vorig jaar heel snel nadat we daar waren geweest, geprobeerd een hotel te boeken. Maar toen al zat alles vol. Ik heb het nog een paar keer geprobeerd, maar zonder succes. Maar het komt wel goed. We hebben een zomerhuis aan zee in Torekov, op maar dertien kilometer van Båstad. Op taxiafstand dus. Ik heb het mijn vader gevraagd en het is goed. We mogen het huis lenen.'

Silfverbielke en Ecker keken elkaar snel aan.

'Hoe groot is dat huis, Johannes?'

'Ik weet niet precies, honderdtachtig vierkante meter of zo. Er zijn in elk geval vier behoorlijke slaapkamers, een woonkamer, een keuken, een badkamer en een apart toilet.'

Ecker haalde opgelucht adem en glimlachte. 'Oké! Ik dacht dat het zo'n hutje met een buitenplee was, maar ik was vergeten dat het het zomerhuis van directeur Kruut was. Maar dit klinkt chic en goed, want ik wil liever geen bed delen met Chris.'

'Het klinkt uitstekend,' zei Silfverbielke glimlachend. 'Dat doen we.'

Johannes wierp even een blik op de klok. 'Ik geloof dat het tijd wordt om te gaan, als we ook ons kledingwegwerprondje nog willen maken, wat jij, Hans? En morgen is het weer een werkdag ook. Ik moet naar Linköping en directeurtje spelen.'

'O, verdomme!' Ecker ging rechtop zitten op de bank. 'Ik kan vandaag niet rijden. Ik heb een borrel gehad voordat ik naar de Sturehof ging; daar heb ik twee bloody mary's gedronken en nu heb ik hier twee grote whisky's gehad. In deze omstandigheden kan ik maar beter niet blazen!'

Kruut lachte. 'Rustig maar, Hans, ik rij wel. Ik heb in de Sturehof maar één bloody mary gehad en een druppeltje wijn. Bovendien staat bijna mijn hele glas whisky hier nog.' Hij hield zijn glas omhoog om het te laten zien.

'Mooi!' Ecker zuchtte opgelucht. 'Ik heb alleen wat tijd nodig. Ga jij eerst maar naar huis om je spullen op te halen, dan bel ik je op mijn mobiel als ik klaar ben.'

Toen Johannes weg was, voelde Christopher zijn mobiel twee keer trillen. 'Momentje.' Hij stond op en ging naar de wc. Hij deed de deur op slot, pakte zijn mobiel en las: *Wil je gauw weer zien, maar slaap weer bij Hans. Wat nu? V.*

Hij drukte op BEANTWOORDEN. *Is er iets mis met lunches?* Hij sloot af met een smiley, en verzond het bericht.

Het antwoord kwam onmiddellijk. *Morgen?*

Hij schreef: *Prima. Bij mij?*

Zijn mobiel trilde weer. *Ik kom om 12.15 en heb maar max. 45 min.*

Christopher glimlachte en schreef terug: *Dat is genoeg.*

Hij stopte zijn mobiel in zijn zak, spoelde het toilet door en ging terug naar de woonkamer. Ecker zat nog op de bank en zijn glas whisky was al leeg.

'En, Hans, hoe voel je je nu?'

Ecker zuchtte. 'Ik weet het niet, Chris. Ergens ben ik ontzettend blij dat het weer goed is met Veronica. Ik heb thuis een pak geld in een plastic doos, er zit meer geld aan te komen in het fonds en op mijn werk kunnen zich de komende maanden ook een paar mogelijkheden voordoen.' Hij nam een slok whisky uit het glas van Johannes. 'Aan de andere kant ben ik natuurlijk verschrikkelijk geschrokken van wat er vannacht is gebeurd. Begrijp je hoeveel ik te verliezen heb als ze me pakken? Dan stort mijn hele leven als een kaartenhuis in!'

Christopher knikte. 'Maar dat gaat niet gebeuren, Hans. Je denkt dat die politieman je niet herkende, en hoe zouden ze je anders moeten vinden, of Johannes, of mij?'

Even stilte. Toen zei Hans: 'Ik hoop dat je gelijk hebt.'

'Ik weet zeker dat ik gelijk heb. Gooi die kleren weg en smeer je goed in met die crème die ik je in de Sturehof heb gegeven. Dan is die schram morgen al vrijwel weg. Als iemand ernaar vraagt, zeg je dat je je bij het scheren hebt gesneden. Of dat de kat van je zus je heeft gekrabd, of zoiets. Niemand zal zich er druk om maken. En dat je je knie geschaafd hebt is niet te zien, toch?'

Ecker knikte instemmend. Hij keek op zijn horloge. 'Dan moet ik maar gaan, als ik met Johannes mee wil. Maar ik dacht nog ergens anders aan: wil jij van de zomer nog altijd zo graag gaan varen in Griekenland?'

'Jazeker!'

'Wilde je dan een vriendin meenemen? Want ik neem Veronica mee.'

'Dat weet ik nog niet. Ik heb geen vaste vriendin, zoals je weet. Maar dat maakt niet zo veel uit, toch? In elk geval nu niet.'

Ecker schudde zijn hoofd. 'Helemaal niet. Ik wilde alleen alvast een boot en een hotel en zo reserveren. Met het vliegtuig kunnen we nog wel een paar weken wachten tot je het zeker weet. Maar ik neem een boot die groot genoeg is voor ons allemaal, met flinke roeven voor en achter.'

'Dat klinkt uitstekend. Maar ik kan maar een dag of tien weg. Dus ik stel voor dat we de eerste twee nachten in een hotel zitten, dan een week zeilen en dan nog een nachtje in een hotel tot rust komen voordat we terugvliegen. Waarvandaan wilde je vertrekken?'

Ecker haalde zijn schouders op. 'Dat weet ik nog niet, maar Chania op Kreta schijnt wel goed te zijn. Ik heb gehoord dat daar een behoorlijk botenaanbod is. En,' – hij grijnsde plagerig naar Christopher – 'daar gaan ook chartervluchten heen. Dat is goedkoper!'

'Dat is níét leuk, mijn beste Hans!' Christopher priemde met een vinger naar hem. 'Je weet dat ik geen charter wil. We nemen gewoon een lijnvlucht van de sas naar Athene. En dan zal er wel niet veel anders op zitten dan dat we met een of andere tzatzikimaatschappij naar dat eiland doorvliegen. Maar dat regel jij toch allemaal?'

'Yes. Het lijkt me geweldig om weer eens met je te zeilen, Chris!'

Silfverbielke glimlachte. 'Mij ook.'

Toen Hans weg was, was Christopher in een bijzonder goed humeur.

36

Dinsdag 13 maart

'Goedemorgen, schat, tijd om op te staan en de realiteit onder ogen te zien...'

Melissa kuste hem voorzichtig op zijn wang.

Colt trok haar warme, naakte lichaam dichter naar het zijne toe.

'*Oh, no, mister*, daar hebben we nu geen tijd voor. Als je fit genoeg bent voor seks, ben je zéker fit genoeg om aan het werk te gaan!'

Ze trok zich plagerig terug en stapte uit bed. Hij bleef nog even liggen en keek naar haar terwijl ze naar de kast liep om haar ochtendjas te pakken. Ze was nog altijd slank en welgevormd, met een platte, mooie buik. Ook al was ze al negenenveertig en had ze twee bevallingen achter de rug, hij vond haar borsten mooier dan ooit. Ze waren nu wat zwaarder en de kleur van de tepels was na de bevallingen een tint donkerder geworden. Hij hield ervan ze te strelen, te kussen...

Jacob Colt zette die gedachten van zich af toen hij merkte dat hij stijf werd onder het dekbed. Hij trok het van zich af, liep linea recta naar de douche en zette de koude kraan aan.

Zodra hij had vernomen wat er met Sven was gebeurd, had hij die in het ziekenhuis opgezocht. Jacob was ontdaan toen hij zijn collega zag en hoorde wat er was gebeurd. De dokter was van mening veranderd en wilde Bergman nog een paar dagen in het ziekenhuis houden, en het was wel duidelijk dat Sven een flink tijdje met ziekteverlof zou zijn.

Omdat Sven opeens slachtoffer van mishandeling én getuige van moord was, moest hij bovendien losgemaakt worden van alles wat met het onderzoek te maken had.

Een goede diender minder op de afdeling.

Colts woede werd steeds groter. Sommige dingen doe je niet. Een van die dingen is een politieman aanvallen.

En ik ga die klootzak pakken die Bergman in elkaar heeft geslagen.

In de dagen na zijn eerste bezoek aan het ziekenhuis had Jacob elke avond een lange wandeling gemaakt, frisse lucht opgesnoven en zijn gedachten de vrije loop gelaten.

Hij was van de Hollywoodväg naar de golfbaan van Sollentuna gelopen en had vervolgens het verlichte pad van enkele kilometers door het bos genomen. Elke keer als hij iemand met een hond tegenkwam – die mensen zagen er vaak onbeschoft fit en gezond uit – bedacht hij dat hij misschien gewoon een hond moest kopen. Dan zou hij wel meer móéten bewegen.

'Hoe voel je je nu over Sven?' vroeg Melissa aan de ontbijttafel.

'Beroerd! Het had ook mij kunnen overkomen. Stel je voor dat we in Gamla Stan waren gaan eten in plaats van aan de Drottninggata – ik durf er haast niet aan te dénken! En ik ben natuurlijk verschrikkelijk gefrustreerd. Ook in deze zaak staan we met lege handen.'

Jacob en Henrik hadden Johanna gevraagd naar het politiebureau te komen om te kijken naar foto's van bekende geweldplegers. Uren had ze gezichten in alle soorten en maten bekeken: smalle, brede, grove, fijne, mooie. Mannen met zwart haar, borstelige wenkbrauwen en dikke neuzen. Blonde mannen met blauwe ogen en een smal mondje. Roodharige mannen met...

Ze raakte uitgeput van al het kijken. Henrik Vadh zat geduldig naast haar, haalde koffie voor haar en wachtte op enige vorm van reactie.

'Niemand die je herkent?' vroeg hij geregeld.

Elke keer had ze haar hoofd geschud. Ergens in haar brein was een beeld – hoe diffuus ook – opgeslagen van de man die Svenne had neergeslagen. Ze kon zich heel goed herinneren dat hij lang was en donker haar had. Maar verdere details ontbraken.

'Lijkt een van deze mannen niet op degene die je zag?' hield Henrik Vadh aan. 'Want als je iemand vindt die op hem lijkt, kunnen we die als basis gebruiken voor onze technici om een compositietekening te maken.'

Johanna schudde haar hoofd. 'Jammer genoeg niet.'

Henrik was, op z'n zachtst gezegd, gefrustreerd. Het was al tien dagen geleden dat Bergman was neergeslagen. Sven Bergman kon zich absoluut niet herinneren waar hij zijn aanvaller van herkende. Het buurtonderzoek ter plaatse had niets opgeleverd. Björn Rydh had laten weten dat het NFL zo tot over zijn oren in het werk zat, dat hij geen voorrang had kunnen krijgen voor de DNA-monsters uit de oude stad. Daarom wilde hij ook wachten met het verslag van zijn eigen technische onderzoek.

Thuis op de Hollywoodväg keek Melissa Jacob over haar koffiekopje heen aan. 'Je bent niet de enige die gefrustreerd is. Ik heb Gunilla de afgelopen week een paar keer gesproken en zij zegt dat Henrik door het huis rondloopt als een onrustig dier.'

Jacob nam een slok koffie. 'Ik zal proberen het beest een beetje tot rust te brengen. Over een uur hebben we een vergadering.'

Toen Jacob op het politiebureau was en naar de lift liep, kwam hij een collega tegen van de afdeling Fraude. 'Hallo, Colt. Ik hoorde van je collega Bergman. Vreselijk!'

Colt knikte. 'Wacht maar, we krijgen die schoft vroeg of laat wel te pakken.'

Jacob had even de tijd om op zijn werkkamer de post door te nemen en de gele post-itbriefjes te bekijken die zich hadden verzameld in de week dat hij er niet was. Een korte notitie deelde hem mee dat Anna Kulin was aangesteld als leider van het vooronderzoek ten aanzien van de man in de oude stad en de mishandeling van Sven Bergman.

Jacob zuchtte en verfrommelde de notitie.

Toen hij de vergaderkamer binnen kwam zat iedereen al op zijn plaats, tot zijn verbazing ook Anna Kulin.

Zodra Jacob was gaan zitten, nam zij het woord. 'Fijn dat Sven er nog zo goed van af is gekomen. Het had ook helemaal verkeerd kunnen gaan. Dat een politieman wordt aangevallen is een grove bedreiging van de democratie, en van de hele samenleving die we proberen te beschermen. We moeten alles doen wat we kunnen om deze zaak op te helderen. Dat is een belangrijk signaal.'

Jacob keek haar aan. 'Waar beginnen we?'

Henrik Vadh stak een potlood omhoog. 'Ik wil wel van start gaan.'

Kulin knikte.

'Een theorie is dat het een reeks ongelukkige toevalligheden is geweest. Maar toch ook weer niet, want Björn heeft iets te vertellen wat op het tegendeel duidt. Maar voordat hij dat doet, wil ik even de grote lijnen schetsen.'

Henrik vertelde dat de recherche er niet in geslaagd was getuigen op te sporen en de uniformdienst ook niet. Het buurtonderzoek in de buurt had niets opgeleverd, vooral omdat de meeste panden daar kantoren waren, die op zaterdagavond verlaten waren. Ze hadden navraag gedaan bij alle grote taxibedrijven, maar niemand had rond dat tijdstip een opgewonden of bloedende passagier meegenomen uit de omgeving van de Skeppsbro. Het resultaat van navraag bij de buschauffeurs die over de Skeppsbro reden was al even mager.

Colt knikte. 'Duidt misschien op iemand met veel zelfbeheersing; iemand die vooruit kan denken. Het zou niet zo slim zijn om bloedend in een taxi te springen als je net een man hebt vermoord en een agent in elkaar hebt geslagen.'

'Maar denk je dat de dader besefte dat de man dood was?' vroeg Magnus Ekholm.

'Misschien niet, weet ik het?' Colt spreidde zijn handen. 'Misschien was het allemaal puur toeval, zoals Henrik al zei. Maar ga door, wat hebben jullie verder?'

'De dode...' – Vadh keek in zijn stukken – '...is Erkki Lahtinen, geboren 1944 in Turku, Finland. Lahtinen is al in Zweden sinds 1974. Hij heeft hier zeventien jaar in diverse garages gewerkt, maar kreeg rugletsel en zat in de WAO. Blijkbaar is hij in die tijd ook gaan drinken, en daarna ging het bergafwaarts. Hij is een oude bekende van het maatschappelijk werk, en de afgelopen vier jaar was hij niet meer op een vast adres ingeschreven. Hij heeft schulden – onbetaalde huur en zo – ter hoogte van ruim dertigduizend kronen. Geen vrouw, geen kinderen. Geen familie in Zweden; Finland heb ik nog niet gecontroleerd.'

Colt blies lucht uit tussen zijn lippen door. 'Moeilijk een motief te vinden, dus.'

'Hm-mm. Wie vermoordt met voorbedachten rade een dakloze dronkenlap die alleen maar schulden heeft? Aanvankelijk was mijn theorie – en eigenlijk is die nog steeds – als volgt. Drie mannen gaan van Gamla Stan naar de city. Ze hebben misschien alleen door de oude stad gelopen, of ze zijn er wezen eten of drinken. Toevallig besluiten ze via de Pelikansgränd naar de Skeppsbro te gaan, en vandaar door te lopen naar de city. Lahtinen lag al bij de deur in de steeg te zuipen; we hebben een bijna lege fles naast hem gevonden. Toen de drie mannen voorbijkwamen, ontstond er om een of andere reden een ruzie met Lahtinen. Misschien bedelde hij om sigaretten of om geld voor drank, weet ik veel. Ze werden kwaàd op hem, gaven hem een paar trappen en toen escaleerde de hele zaak en verloren ze hun zelfbeheersing.'

Henrik Vadh laste even een stilte in en vervolgde toen: 'Ongelukkigerwijze liep Sven toevallig in de buurt, en hij hoorde Lahtinen schreeuwen. Toen Sven riep dat hij van de politie was, sloegen twee van de mannen onmiddellijk op de vlucht. De derde besloot, om redenen die ik niet begrijp, door te gaan met trappen en slaan. Toen Sven dicht bij hem was, begreep de man dat hij niet kon ontkomen en besloot hij dan maar te blijven staan en te vechten.'

'Dat klinkt niet onwaarschijnlijk,' zei Anna Kulin, die gewoontegetrouw ijverig aantekeningen had gemaakt in een notitieblok.

'Maar je zei toch dat er ook informatie is die daartegen spreekt?' Ze keek Vadh vragend aan.

Henrik knikte. 'Ja, er zijn een paar dingen waar ik in elk geval geen jota van begrijp. Wil jij dat toelichten, Björn?'

Alle gezichten draaiden zich naar Björn Rydh. Hij had zijn zaakjes zoals gewoonlijk uitstekend georganiseerd en zijn stukken in keurige stapeltjes voor zich gelegd. Hij liet zijn ogen over de verzamelde politiemensen gaan.

'Om te beginnen dan de sectie. Laszlo heeft de lijkschouwing verricht, en Magnus en ik waren erbij.' Rydh knikte naar Magnus Ekholm. 'In het kort, en in begrijpelijke taal: Lahtinens algemene gezondheidstoestand was ronduit droevig. Hij was zwaar aan de drank en zijn lever en andere organen waren ernstig aangetast. Laszlo heeft een kanker gevonden die zich al aan het verspreiden was in de richting van de longen, dus waarschijnlijk had hij toch niet lang meer geleefd. Hij heeft een flink pak slaag gehad, is tegen zijn benen en zijn buik geschopt. Er waren een paar ribben gebroken en zijn milt was gescheurd. Waarschijnlijk zou hij aan de combinatie van zijn verwondingen en de kou zijn overleden, ook als hij de laatste trappen niet had gekregen. Maar de uiteindelijke doodsoorzaak was toch dat zijn hoofd achterover is geslagen tegen een ijzeren pin, die door zijn schedel zijn hersens in drong.'

Anna Kulin trok snel haar schouders op, alsof ze huiverde. Björn Rydh keek haar even aan en vervolgde toen: 'Bij het technisch onderzoek vonden we op de gevel en op de ijzeren pin bloed dat – niet erg verrassend – van het slachtoffer bleek te zijn. Verder is er geen bloed gevonden, daar niet en op de plaats waar Sven is neergeslagen niet.'

Kulin beduidde hem dat hij door moest gaan.

'In de buurt van het slachtoffer zijn ook heel wat sigarettenpeuken gevonden, maar die waren zo nat of bevroren dat ze vast niet vers waren en hier dus niets mee te maken kunnen hebben. Ze moeten daar al dagen hebben gelegen. Ik ben het nagegaan, en het had de uren voorafgaand aan de mishandeling niet geregend.'

'Daarentegen...' – Rydh liet zijn blik weer over de anderen gaan – '...hebben we iets anders gevonden wat heel interessant is. Vlak naast het lichaam van Lahtinen lag een leren handschoen, maat XL, van een exclusief merk. Daarvan hebben we DNA kunnen veiligstellen. Op de kleren van Lahtinen heb ik ook nog twee haren met hetzelfde DNA gevonden. Toen Sven bovendien vertelde dat hij zijn aanvaller in het gezicht had gekrabd, heb ik materiaal onder zijn nagels uit gehaald, en die gaven hetzelfde DNA.'

Anna Kulin staarde Rydh aan. 'Heb je een match gevonden?' vroeg ze.

Jacob ging kaarsrecht zitten.

Björn Rydh knikte. 'Ja, maar niet in het register van bekende daders, maar in het andere. Het DNA dat we in Gamla Stan hebben gevonden, is identiek aan het DNA op de muts die we op de Strandväg hebben gevonden in verband met de moord op Alexander de Wahl. En daarmee ook identiek aan het DNA dat gevonden is bij de vermoorde prostituee in Berlijn.'

'Wel alle...!' Colt vloog bijna op uit zijn stoel. 'Wat zeg je daar, Björn? Kan het geen vergissing zijn?'

Iedereen om de tafel was even verbaasd als Colt. Björn Rydh schudde ernstig zijn hoofd. 'Dat was ook míjn eerste reactie toen ik het NFL sprak. Maar ze zijn volledig zeker van hun zaak. Er is geen enkele twijfel. Het is hetzelfde DNA!'

'En welke conclusies moet ik daaruit trekken?' Colt klonk confuus.

Björn Rydh glimlachte vriendelijk en antwoordde rustig: 'Hoe zou ík dat moeten weten? Ik ben maar een simpel Göteborgertje.'

Iedereen om de tafel, inclusief Anna Kulin, barstte in lachen uit en de sfeer ontspande een beetje.

Een halfuur later kwamen de rechercheurs bij elkaar op Jacobs kamer. Jacob vroeg waar Janne Månsson was.

'Vakantie,' antwoordde Niklas Holm. 'Met een charter naar Mallorca gegaan. Als dat maar goed gaat...' mopperde hij.

Colt lachte. 'Je bedoelt dat de bevolking daar niet bestaat uit blonde mensen die al twintig generaties lang oer-Zweeds zijn?'

'Zoiets, ja.'

'Tja,' zei Colt, 'misschien wordt het een verrijkende culturele ervaring voor hem. Ik ben ervan overtuigd dat we er levendige beschrijvingen van krijgen als hij weer terug is. Is hij in z'n eentje?'

Holm knikte. 'Ik geloof dat hij nog geen nieuwe vriendin heeft, als hij dat al wil.'

'Nou ja, dat zien we te zijner tijd wel,' antwoordde Jacob. 'Ter zake. Ik weet niet wat ik hiervan moet denken. Hoe kunnen we hetzelfde DNA vinden op de Strandväg, in Berlijn en in Gamla Stan? En de kerel is niet geregistreerd! Wat impliceert dat? Is er hier een scherp brein aanwezig?'

'Het probleem,' zei Magnus Ekholm, 'is dat we niet weten of er verband bestaat tussen de muts op de Strandväg en de moord op De Wahl. En in principe kunnen we er ook niet zeker van zijn dat deze kerel de prostituee in Berlijn heeft vermoord alleen maar omdat zijn DNA in die kamer is gevonden. Want op haar lichaam is een ander DNA gevonden.'

Henrik Vadh krabde zich op het hoofd. 'Als we er even van uitgaan dat er een verband bestaat, dan hebben we om te beginnen twee goede mogelijkheden. Ofwel we zoeken een joggende Duitser die eerst op de Strandväg was, toen naar Berlijn ging en daarna terugkwam naar Stockholm, zich netjes aankleedde en Lahtinen doodschopte. Hoogst onwaarschijnlijk.'

Hij vervolgde: 'Ofwel het gaat om een Zweed die over de Strandväg jogde, om een of andere reden een reisje naar Berlijn maakte en toen terugkwam naar Stockholm.'

Colt knikte. 'We weten dat de muts op de Strandväg van een duur merk was. Blijkbaar had onze man genoeg geld om naar Berlijn te gaan. We weten dat hij keurig gekleed is en zich dure leren handschoenen kan veroorloven. We hebben dus niet te maken met de eerste de beste speedfreak uit Flemingsberg.'

'Precies,' zei Henrik Vadh. 'En zo heeft Kulin nog een reden om Barekzi helemaal van de lijst van verdachten te schrappen. Hij is wat te klein om te voldoen aan het signalement, en hij zal ook wel niet in Berlijn met hoeren aan de rol zijn geweest.'

Jacob Colt zuchtte. 'Nee, ik denk dat we terug zijn bij af. Maar om te beginnen moeten we bepalen of onze vriend Lahtinen opzettelijk heeft gedood of dat het gewoon toeval was. Niklas, ik wil dat jij Lahtinen nog eens goed natrekt. Ga voor de zekerheid na of hij niet een bijbaantje in de garage van Barekzi in Huddinge heeft gehad of iets dergelijks. En kijk in het bedrijvenregister na of hij geen stroman van een of andere lege firma kan zijn geweest of zo. Want het komt toch af en toe voor dat gewetenloze types dronkaards inhuren om voor een paar briefjes van honderd aktes te ondertekenen. Als we zoiets vinden, geeft dat natuurlijk mogelijk een motief. Maar waarom zouden ze hem op een zaterdagavond op de openbare weg omleggen als er massa's mensen op de been zijn?'

'Oké. Ik zal voor de zekerheid ook even checken bij de collega's in Turku; je weet maar nooit,' zei Holm.

'Goed,' antwoordde Colt. 'Maar als je niets bijzonders vindt, ga ik er-van uit dat dit – zoals Henrik het uitdrukt – een reeks ongelukkige toe-valligheden is geweest. Desalniettemin blijft dat steeds terugkerende DNA maar rondspoken. Maar zonder match in het goede register en geen verdachte. We hebben twee van De Wahls medescholieren van die in-ternaatschool gehoord, maar ik vind dat dat niet veel heeft opgeleverd om op door te gaan. Wat zeg jij daarvan, Henrik?'

Vadh schudde zacht zijn hoofd. 'Silfverbielke maakte een geloofwaar-dige indruk, vind ik, en wat hij zei is ook eigenlijk niet in tegenspraak met wat we al wisten; het zijn alleen maar variaties op een thema en hij zal het wel beter weten dan wij. Die Ecker heeft iets te verbergen, daar ben ik zeker van. Maar dat hoeft natuurlijk niks met ons onderzoek te maken te hebben.'

'Nee,' zei Colt. 'Bovendien – van die twee is Silfverbielke degene die een motief zou hebben gehad om De Wahl te vermoorden, en hij heeft een alibi, volgens de secretaresse en blijkens de computergegevens.'

'Dus wat nu?' vroeg Henrik Vadh.

Colt dacht even na. 'We halen onze knappe koppen bij elkaar en be-ginnen opnieuw met de zaak-De Wahl.'

Hij keek naar Holm. 'Niklas, intussen wil ik dat jij nog wat dieper in het verleden van De Wahl graaft. We moeten nog steeds de buitenlandse opleidingen buiten beschouwing laten, maar kijk maar eens of je nog verder terug kunt gaan. De basisschool? Verenigingen? Vroegere banen? En check hem ook in het bedrijvenregister. Haal de onderste steen bo-ven, oké?'

Toen iedereen de kamer uit was, keek Jacob in zijn telefoonlijst, vond het nummer en toetste het in. In het koeterwaals aan de andere kant van de lijn verstond hij alleen het woord 'Amsterdam', totdat er kwam 'Angela van der Wijk.'

'Hallo, met Jacob.'

'Jacob! Wat leuk om je te horen! Ik vroeg me al af waarom je zo stil was.'

Colt vertelde in het kort hoe het met het onderzoek in Zweden ging, wat Sven Bergman een week geleden was overkomen en dat er weer DNA was gevonden.

Angela klonk ontzet. 'Wat verschrikkelijk! Hoe gaat het nu met je col-lega?'

'Het gaat langzaam maar zeker beter. Maar ik vraag me één ding af. Heeft jouw Duitse vriend Weigermüller iets gevonden in het onderzoek op Renate Steiner, die prostituee?'

'Niet dat ik weet. Ik heb hem onlangs gesproken, maar hij zei er niets over. Maar het is beslist interessant voor hem om te weten van jouw nieuwe DNA-spoor. Waarom bel je hem niet rechtstreeks?'

'Omdat mijn schoolduits nog slechter is dan jouw Zweeds!'

Angela lachte. 'Leukerd! Maar oké, als je me de informatie mailt, zal ik hem meteen bellen om het na te vragen, en dan bel ik je terug.'

'Dank je wel.'

Minder dan een uur later ging de telefoon en had Jacob Angela opnieuw aan de lijn. Ze zuchtte.

'Het spijt me, Jacob, maar Wulf heeft helemaal niets nieuws te melden. Hij tast in het duister en bovendien heeft hij een nieuwe zaak op zijn bordje, met hogere prioriteit.'

'Daar was ik al bang voor, maar vragen staat vrij, hè? Hoe is het trouwens met jou?'

Angela kreunde. 'Druk, druk, druk! De commissaris en de pers zitten achter me aan en ik heb hier een bijzondere zaak. Het lijkt wel of we hier twee seriemoordenaars hebben die samenwerken.'

Ze praatten nog even door en beloofden vervolgens, zoals altijd, contact te houden.

Jacob leunde achterover, legde zijn armen achter zijn hoofd en deed zijn ogen dicht. Hij dacht aan Angela. Hoe haar leven moest zijn sinds haar man en haar kinderen waren overleden. Hoeveel ze werkte. En nu twee seriemoordenaars...

Twee.

Hij ging rechtop zitten en staarde naar het computerscherm. Een moordenaar op de Strandväg en tegelijkertijd iemand anders die op een meter of tien van de plaats delict DNA achterlaat – hetzelfde als in Berlijn en in de Pelikansgränd. Twee DNA's bij de vermoorde Renate Steiner in Berlijn. Drie mannen in de steeg in de oude stad.

Had hij zich de hele tijd vergist? Zat hij niet achter één moordenaar aan, maar achter twee?

Of... drie?

37

Veronica Svahnberg beet afwezig op een nagel en keek over het scherm van haar pc uit het raam naar de Karlaväg. Ze was vervuld van tegenstrijdige gevoelens en wist niet goed hoe ze daarmee moest omgaan. Met een zucht stelde ze vast dat gevoelens en logica lang niet altijd samengingen.

Waar was Hans mee bezig? Ze had plichtsgetrouw geprobeerd zondagavond twee weken geleden naar hem toe te gaan, maar hij was met smoesjes gekomen. Ze had gevraagd of er iets bijzonders was gebeurd – Christopher had gezegd dat Hans 'gedoe' had gehad in de stad – maar dat had hij ontkend. Op maandagmiddag had hij gebeld en met een stem vol liefde voorgesteld om elkaar te zien. Toen was het haar beurt geweest om een excuus te verzinnen. Slechts een paar uur daarvoor had ze een korte, heftige ontmoeting met Christopher. Ze had zomaar een taxi naar zijn flat genomen om te lunchen. Hij had haar opgewacht in de hal, haar wild gekust, haar met haar gezicht tegen de muur gedrukt en haar van achteren genomen. Hard, brutaal – precies zoals ze het lekker vond.

Christopher had de laatste tijd gevoelens in haar opgeroepen die ze jarenlang vol schaamte had verborgen en onderdrukt. Hij had fantasieën verwerkelijkt die ze al lang had, maar nooit aan iemand had durven bekennen en al helemaal niet aan Hans.

Want wie wil er nou trouwen met een slet?

Toen ze Hans op dinsdag zag, was haar een schrammetje op zijn wang opgevallen, en ze had gevraagd hoe dat kwam. Hij zei nonchalant dat hij zich slordig had geschoren.

Was dat zo? Of had hij achter haar rug een verhouding met een andere vrouw?

Hij had met haar willen vrijen, maar ze had gezegd dat ze moe was. Hun seksleven stagneerde trouwens. Als zij wilde, wilde hij niet of kwam hij niet klaar. Hij zei dat dat kwam doordat hij gespannen en nerveus was in verband met zijn werk, maar het klonk als een slecht excuus. En de paar keer dat het wel lukte, wist hij het altijd buiten haar vagina te doen. Irritant.

Ze had haar geheugen geraadpleegd toen ze in haar eigen flat in bed lag. Ze had de halve nacht liggen prakkiseren, over zichzelf en over haar leven met Hans. Hoeveel vragen ze ook stelde en hoeveel antwoorden ze ook bedacht, ze kwam steeds tot dezelfde conclusie.

Veronica Svahnberg was in Lidingö opgegroeid als enig kind van een vader die een eigen bedrijf had en een moeder die accountant was. Ze had een degelijke opleiding gehad en daarna bijzonder snel carrière gemaakt, eerst bij een bank en daarna in het verzekeringswezen. Ze had goede vooruitzichten en wist heel goed dat uiterlijk belangrijk was als er werd besloten wie er promotie zou maken.

Niet in de laatste plaats daarom was Hans Ecker een goede partij geweest en dat was hij nog steeds. Hij wist zich te gedragen, zag er goed uit, had al een respectabele baan en zou ongetwijfeld nog verder carrière maken. Samen konden ze een mooi leven opbouwen, in bijvoorbeeld Danderyd of Djursholm. Kinderen nemen.

Pling! Een nieuw mailbericht. Haar leidinggevende baan bij Sigma vereiste een hoog tempo en een perfect overzicht van haar taken. Op sommige dagen had ze het uitstekend naar haar zin, maar de laatste tijd voelde ze zich verward en ongeconcentreerd.

Dat was de schuld van Christopher. Hij kon naar de hel lopen!

Haar gevoel zei Christopher. Haar gezonde verstand zei Hans. Ze had besloten voor Hans te kiezen, er het beste van te maken en Christopher niet meer te zien.

Na dat besluit was ze de afgelopen twee weken nog drie keer heimelijk onder lunchtijd bij hem in zijn appartement geweest. Die ontmoetingen waren steeds begonnen met wilde seks en geëindigd met een rood gestriemd achterwerk, betraande ogen, trillende benen en een geluksroes die haar beangstigde.

Ze kon het niet laten. Hij was haar Meester.

De gedachte aan de ongeremde, verboden seksualiteit die hij in haar had opgeroepen, maakte Veronica bang, maar wond haar ook op. Ze genoot van de dingen die hij deed, ook al wist ze in haar hart wel degelijk dat het ziekelijk was.

Nu al wist ze dat ze niet zou kunnen wachten tot Hans weer op reis ging. Waarschijnlijk zou ze niet eens tot volgende week kunnen wachten.

Veronica Svahnberg pakte haar mobiel en schreef een sms'je. *Heb je harde hand nodig. Wanneer?*

Het duurde niet lang voordat twee piepjes aangaven dat er antwoord was.

Wanneer IK wil.

Hans Ecker zat op zijn kantoor in diep gepeins verzonken. Met een zucht constateerde hij dat het weekend waarschijnlijk gedeeltelijk verloren zou gaan aan knuffelen met Veronica en gedeeltelijk aan zo'n onvermijdelijke bezoekje aan zijn ouders in de villa bij Uppsala. Nou ja, je kon niet elk weekend evenveel lol hebben.

Hij had zijn besluit ten aanzien van Veronica en hun toekomst genomen. Hij hield niet zo veel van haar als je misschien hoorde te doen van iemand met wie je wilde trouwen, kinderen krijgen en een huis kopen. Aan de andere kant vroeg hij zich soms af of hij ooit zo veel van iemand had gehouden, of hij wel in staat was om zo veel van iemand te houden.

Veronica was lief en attent. Ze stelde wel hoge eisen aan hun levensstandaard en hun financiën, maar dat deed hij eerlijk gezegd zelf ook. Ze was intelligent, mooi en een goede partij. In bed was ze behoorlijk, ook al vond hij dat ze de laatste tijd wat vreemd had gedaan en hem iets te vaak had afgewezen.

Een vervanger vinden zou tijd kosten en lastig zijn. Vrijen was één ding, een levenspartner vinden was iets heel anders. Ze kenden elkaar goed genoeg om het samen vol te houden, en waarom ook niet? Verdomme! Hij moest gewoon doorzetten. Het kon toch niet verkeerd zijn? Hij was al over de dertig en Veronica was hard op weg erheen. Hij begreep heel goed dat haar biologische klok niet alleen doortikte, maar zelfs doorraasde, en dat de kans bestond dat ze hem zou verlaten om haar geluk ergens anders te zoeken als hij niet deed wat ze wilde.

Tegelijkertijd beangstigde het idee om kinderen te krijgen hem enorm. Het was op een bepaalde manier vast wel leuk, maar het zou hun leven zo veranderen, zo beperken. Ze zouden niet meer het sociale leven kunnen leiden dat ze nu hadden, niet meer zo vaak uit of op reis kunnen gaan. En vaderschapsverlof – was dat een grap? Hij wist nu al hoe zijn directeur zou kijken als hij dat alleen maar vóórstelde.

Nee, het zou beter zijn om nog even te wachten met kinderen, ten minste totdat ze waren verhuisd en gewend waren in een huis te wonen in plaats van in een appartement. Sinds hij uit Berlijn terug was, had hij steeds weten te vermijden dat hij in Veronica klaarkwam als ze vrijden. Hij was ervan overtuigd dat ze niets had gemerkt en hij was van plan die tactiek nog een tijdje vol te houden.

Hij begon maar weer eens op internet te zoeken naar advertenties voor vrijstaande huizen. Het was ontzettend zonde dat hij nog niet voldoende kapitaal kon ophoesten, want er waren schitterende panden te koop voor tien, vijftien miljoen kronen, en dan zou hij rechtstreeks het milieu binnen wandelen waar hij graag met Veronica en later eventueel met kinderen gezien zou worden.

Danderyd dan maar.

Terwijl hij internet verder afzocht dacht hij na over zijn andere project. Aan wapens komen was niet zo moeilijk gebleken als hij had gedacht. Hij had anoniem een paar keer zijn voelhoorns uitgestoken op dubieuze websites en antwoord gekregen. Het leek vooral een kwestie van geld, aan wapens was geen gebrek.

Het enige wat hij nog niet had opgelost, was hoe de feitelijke overhandiging en de betaling in hun werk gingen. Jongens die in Stockholm in wapens handelden accepteerden meestal geen creditcard en zelfs als ze dat wel zouden doen, was dat niet slim. Het moest cash gebeuren en hij had geen zin anderen bij deze transactie te betrekken. Hij had geen keus. Als de deal rond was, zou hij er zelf heen moeten om de spullen op te halen. Misschien was er een soort anonieme overhandiging te regelen, waarbij de partijen elkaar niet tegenkwamen. Misschien kon hij ergens een pak met geld achterlaten en tegelijk een pak met wapens meenemen? Hij zou het voorstellen.

Johannes Kruut verveelde zich toen hij zijn Lexus over de E4 terugreed naar Stockholm. Hij was drie dagen in Linköping geweest om te laten zien wie er vanaf heden directeur was van Johnssons Mekaniska.

In een van die ontelbare bestuurscursussen die hij had gevolgd had een Amerikaanse managementgoeroe uitgelegd dat het belangrijkste wat een pas aangetreden directeur moest doen, was meteen te laten merken wie hier nu de leiding had, liefst met onmiddellijke, krachtige maatregelen.

Johannes had die boodschap ter harte genomen, en was zijn nieuwe carrière gestart door het gehele managementteam, bestaande uit drie personen, op staande voet te ontslaan. Vervolgens had hij zijn adjunct-directeur de opdracht gegeven 'daadkrachtige en competente mensen' te rekruteren die 'niet uit het stenen tijdperk' kwamen.

De adjunct-directeur knikte, maar keek uiterst bezorgd.

Vier lange werkdagen lang had Johannes het bedrijf doorgelicht en geprobeerd te achterhalen wat er mis was. Hij realiseerde zich dat hij niet helemaal begreep hoe het bedrijf eigenlijk in elkaar zat. Wat voor fijnslijperijen zijn vader in zijn hoofd had om de effectiviteit van het bedrijf te verhogen kon hij niet echt bedenken, en eerlijk gezegd kon het hem ook niet veel schelen.

Hij stelde vast dat Johnssons Mekaniska bezig was in het eerste kwartaal van het jaar een leuk resultaat te halen, zoals gewoonlijk, ook al was het iets slechter dan in de overeenkomstige periode van het vorige jaar.

Daarbij liet hij het. Winst was winst en tot dusver ging alles goed. Hij logeerde in het Radisson sas en bracht de avonden champagne drinkend door in de betere restaurants van de stad, terwijl hij probeerde met vrouwen in contact te komen. Het champagne drinken ging uitstekend. Het versieren minder.

Hij zette het volume van de stereo hoger. In het weekend zou hij deels gaan feestvieren, deels wat rommelen om aan materiaal voor de beroving van het waardetransport te komen.

Johannes had regelmatig nagedacht over de beroving in het algemeen en over zijn rol in het bijzonder. Op sommige dagen stonden alle lichten op rood als hij daaraan dacht en wat er zou gebeuren als er iets misging. Maar hij hield zichzelf voor dat alles wat Christopher tot nu toe had gedaan goed was afgelopen en dacht aan de miljoenen die er op hem lagen te wachten als hij zijn taken goed uitvoerde.

Hij had een afspraak gemaakt met de alcoholistische smid die tot taak zou krijgen tweehonderd voetangels te maken, en hij wilde nu alvast wat door de voorsteden rijden en op parkeerplaatsen uitkijken naar een oude Ford of iets dergelijks.

Waar hij een kilo springstof en lont vandaan moest halen, had hij nog niet uitgezocht, maar er was altijd wel een idioot op een bouwplaats die wat wilde bijverdienen. Serieus: hoe intelligent was je als je in de bouw werkte in plaats van in de zakenwereld? Kruut glimlachte.

Mariana Granath bladerde door de verslagen om haar geheugen op te frissen en begon aan een nieuwe pagina met de datum van vandaag. Toen keek ze op.

Christopher Silfverbielke staarde onder de tafel naar haar benen.

'Christopher –'

Hij onderbrak haar. 'Ik ben echt dol op benen. Weet je, Mariana, ik ben al verliefd op vrouwenbenen zolang ik me kan herinneren. En kousen. Echte kousen dan. En hoge hakken. Wat kan dat betekenen? Puur psychologisch, bedoel ik.'

Mariana zuchtte. 'Christopher, we zouden het vandaag niet hebben over benen of schoenen. We zouden praten over de tijd voordat je op de internaatschool zat, weet je nog? Dat hebben we vorige keer afgesproken. Of wil je liever praten over de tijd daarna, over... je diensttijd misschien?'

Silfverbielke bleef alleen maar zwijgend naar haar zitten glimlachen. Het viel haar op hoe knap hij was en hoe stijlvol tot in elk detail. Geen haartje stond de verkeerde kant op, en er was geen spoor van baardgroei te zien. Wit overhemd, champagnekleurige stropdas met bijpassend pochetje, een heel donker grijs kostuum dat vast op maat was gemaakt en een klein fortuin had gekost. Zwarte sokken en goedgepoetste schoenen.

Ze realiseerde zich dat ze zich afvroeg wat hij daaronder droeg. Een boxershort natuurlijk. Een paar potentiële minnaars van haar waren de afgelopen jaren verbaasd afgedropen nadat Mariana bij het uitkleden had gezien dat ze blauwgestreepte sportsokken droegen of een geelgespikkelde slip of een roze boxershort met konijnenoortjes erop. Nou ja! Hadden ze tegenwoordig dan helemaal geen smaak of zelfkritiek meer?

Christopher Silfverbielke wel. Die had alles. Verdomme!

'...Over benen en kousen...'

Mariana schrok op uit haar overpeinzingen. Dit ging helemaal de verkeerde kant op. Ze moest absoluut de controle over het gesprek terugkrijgen.

'Sorry, Christopher, ik zat even aan iets anders te denken. Wat zei je?'

Hij glimlachte nog steeds. 'Ik zei dat ik wil praten over benen. En kousen. En nergens anders over, vandaag.'

Mariana Granath boog zich voorover, vouwde haar handen en keek hem rustig aan.

'Nou, dan doen we dat, Christopher. Laten we praten over benen en kousen. Waar wil je beginnen, en waarom?'

Haar geamuseerde gezicht beviel Silfverbielke niet. Even voelde hij zich dom, alsof de rollen opeens waren omgedraaid.

Ellendig kreng.

38

Hij had zijn huiswerk gedaan en zich zorgvuldig voorbereid.

Al een paar weken eerder was hij voor het eerst naar de toonzaal van Autoropa aan de Narvaväg gegaan om alvast naar het speelgoed te kijken. Het feit dat hij nog niet zo lang geleden de mooiste Bentley die er bestond had besteld, verhinderde hem niet om staande voor de Ferrari iets te voelen wat nog het meest leek op seksuele opwinding.

Wil ik hebben! Moet ik hebben!

Hoe dan ook.

Het prijskaartje gaf echter aan dat het, in elk geval voorlopig, op een andere manier zou moeten.

Drie miljoen en nog een beetje, voor een zomerauto. Tenminste, met de accessoires die hij wilde hebben. Zonder de op maat en met de hand gemaakte koffers van Louis Vuitton kon hij wel leven, maar er waren andere snufjes die wel heel aantrekkelijk waren als je een Ferrari uitzocht.

Toen de wagen in februari vorig jaar op de Geneva Motor Show werd gepresenteerd, had hij de foto's in de autobladen gezien. De eerste zou in juni naar Zweden komen en daarna zou Autoropa er naar verwachting ongeveer tien stuks per jaar van verkopen.

De Ferrari 599 GTB was de laatste in de reeks V12 Berlinetta's en hij moest de 575 Maranello vervangen, die op zijn beurt in de plaats van de 550 Maranello was gekomen. Hoewel zijn voorgangers ook schoonheden waren, was de 599 toch een stuk fraaier, vond Silfverbielke. Schoonheid en macht in schitterende harmonie.

Geen wagen waarvan er dertien in een dozijn gingen. *Iets voor mij.* De V12 leverde 20 pk bij 7600 toeren. Omdat het chassis en de carrosserie van aluminium waren, was de macht van de wagen bijna griezelig hoog: 2,6 kilo per pk.

Een monster.

Het had hem enigszins verbaasd dat het zo druk was in de showroom van Autoropa. De zaak was vol mensen, van wie de meesten – hij bekeek hen met afschuw – goedkope types waren die nooit, maar dan ook nooit, de kans zouden hebben om een Ferrari-sleuteltje te krijgen.

De showroom bevond zich op de begane grond van een gewoon huurpand, waar ook een garage was. De doorgang van de garage naar de straat was nauw en Christopher zag dat de verkopers een paar keer op een haar na een kras maakten in de lak van de zijspiegels van de rode volbloeden als ze die in en uit reden. Bovendien werd de inrit vaak geblokkeerd door foutparkeerders, die het stopverbod aan de Narvaväg negeerden en hun blik daar achterlieten. De Ferrari-mensen vervloekten hen, maar konden niet anders dan hun kostbaarheden op straat parkeren.

Handig!

Al drie maanden eerder had hij, op een avond toen hij met Hans Ecker mee naar huis ging, gezien dat een van Eckers buren een rode Ferrari had. Die stond bedekt met een dikke laag stof in de garage van het appartementencomplex, met de achterkant naar de muur. Waarschijnlijk maar een 275 GTB, maar toch: een Ferrari. Hij had nieuwsgierig gevraagd van wie die was en als antwoord gekregen dat hij van een rijke, excentrieke man was, die de wagen alleen 's zomers een paar weken gebruikte, als het heel mooi weer was.

Drie dagen later had hij rond de tijd dat de mensen uit hun werk komen wat rondgehangen bij de garagedeur van Ecker en hij had niet lang hoeven wachten. Een vrouw had nonchalant een Mercedes de grote garage in gereden zonder de deur achter zich dicht te doen. Christopher was naar binnen geslopen en was onbeweeglijk blijven staan totdat ze de auto op slot had gedaan en de garage had verlaten. Het kostte hem minder dan drie minuten om naar de Ferrari te sluipen, de achterste kentekenplaat eraf te schroeven en die onder zijn jas te verstoppen. Toen was hij rustig de garage uit gewandeld en naar huis gegaan. Eindelijk zou de nummerplaat nu worden gebruikt.

Op vrijdagmiddag was hij wat eerder uit zijn werk gegaan en naar Autoropa gewandeld. Net als de vorige keer waren er veel te veel mensen in de zaak. Een verkoper was blijkbaar met een auto weg, en een andere doolde rond om vragen te proberen te beantwoorden terwijl hij telefoneerde.

Silfverbielke hoorde een zwaar gegrom op straat, draaide zich om en keek door het raam.

Daar kwam hij aan.

Een klant die een testrit met de 599 had gemaakt, parkeerde de wagen aan de overkant en slenterde naar binnen. Hij keek zoekend om zich heen naar de verkoper en keek geïrriteerd op de klok. Met een grimas legde hij de sleutel op een balie, draaide zich op zijn hakken om en ging weg.

Christopher keek snel rond. De verkoper was verdwenen in zijn kantoor aan de andere kant van de zaal, misschien om de telefoon weer op te nemen. En bovendien hingen er twee mannen in de deuropening die antwoord wilden op hun vragen.

Met een paar snelle passen liep Christopher naar de balie, legde als het ware toevallig zijn hand op de sleutel en stopte hem in zijn zak, terwijl hij met zijn andere hand een folder pakte. Daarna liep hij rustig de straat op, pakte zijn mobiele telefoon en belde Johannes Kruut.

'Ha, Christopher, wat leuk! Hoe is 't?'

'Uitstekend, dank je. Ik had een idee; wat dacht je ervan om even een biertje met me te gaan drinken? Ik heb even niks te doen. Ik heb straks een vergadering, maar –'

'Prima!' onderbrak Johannes hem. 'Gaan we naar Grodan? Ik kan je wel even oppikken!'

Silfverbielke dacht snel na. Hij wist een café op een paar blokken van waar hij nu was, en het was cruciaal dat Kruut zijn auto goed neerzette.

Hij legde uit dat hij naar een café in de buurt wilde en Johannes riep uit: 'Geen probleem. Ik kan daar over tien minuten zijn.'

Silfverbielke hing op en keek om zich heen. De volgende minuten bewaakte hij nauwgezet de vierkante meter asfalt voor de inrit van de garage voor Autoropa. Toen Kruut kwam stapte hij de straat op en wenkte hem naar de lege plek.

Hij keek op zijn horloge. Tien voor zes.

'Maar hier kan ik toch niet blijven staan? Het is voor een garagedeur!'
Silfverbielke glimlachte hem vol overtuigingskracht toe. 'Dat kan best,
Johannes. Ik was net binnen en sprak iemand van de garage. Ze gaan
over tien minuten dicht en er hoeft niemand meer in of uit. En wij zijn
ook maar een uurtje weg of zo.'

Ze liepen naar een café en Silfverbielke trakteerde op een biertje.

Johannes Kruut was blij. Het was bepaald niet gewoon dat Christopher belde en vroeg of ze samen een biertje zouden gaan drinken. Hij
kon zich niet herinneren wanneer zij met z'n tweeën uit waren geweest,
zonder Hans.

'Je wilde misschien even praten over ons aanstaande avontuur?' Johannes nam een slok bier en leunde vergenoegd achterover. 'Dit heb ik
tot nu toe gedaan...'

Silfverbielke maakte een afwerend gebaar en zei zacht: 'Ik denk dat
we de details maar later moeten bespreken, Johannes.' Hij keek om zich
heen. 'Er zijn hier binnen veel te grote oren. Ik wilde gewoon alleen
maar een biertje met je drinken.'

Hij babbelde wat over koetjes en kalfjes en keek toen op zijn horloge.
'Het spijt me, joh, maar als ik op tijd wil zijn voor mijn vergadering
moet ik nu gaan.'

Kruut knikte ijverig. 'Ik begrijp het, Chris, ik kan je wel een lift geven.'

'Dank je wel, maar dat hoeft niet, het is hier vlakbij. Het was echt
leuk. Ik hoop dat we het gauw nog een keer kunnen doen.'

Johannes kwam overeind. 'Dat hoop ik ook, Chris. Bel vanavond gerust als je niks te doen hebt, ik ben vrij.'

Waarom verbaast me dat nou niet? dacht Silfverbielke en hij stak een
hand op en verliet het café.

Johannes Kruut liep fluitend terug naar zijn auto, blij en trots dat hij
Christophers vriend was. En zonder te beseffen dat hij alleen maar nodig
was geweest voor het parkeren.

Hij had zorgvuldig een weekendtas met het hoogstnoodzakelijke voor
één overnachting ingepakt voor een leuk weekendje Kopenhagen. Ondergoed, een pak van Armani, overhemden, stropdassen, de biografie
van Henry Kissinger, cocaïne, een zwart zijden sjaaltje dat als blinddoek
kon dienen, twee paar handboeien en een zweep met verschillende

strengen. Hij completeerde zijn bagage met een ploertendoder, vijftien-
duizend kronen in contanten en een fles absint.

Op zaterdagochtend nam hij een snelle douche, kleedde zich aan en liep
toen snel van de Linnégata naar de Narvaväg, ging linksaf en keek naar
de rode schoonheid. De straat was vrijwel verlaten en Autoropa was nog
niet open. Zonder aarzelen liep hij naar de Ferrari, deed hem van het
slot en stapte in, nadat hij zijn weekendtas op de passagiersstoel naast
zich had gegooid.

Hij kon zich levendig voorstellen hoe de verkopers van Autoropa vrijdagmiddag hadden gevloekt toen ze geen auto's meer in de garage konden zetten omdat Kruuts wagen de ingang blokkeerde en hoe ze bovendien van elkaar aannamen dat een ander de sleutel van de 599 had
opgeborgen. Er waren immers nogal wat sleutels om in de gaten te houden.

Je kunt mensen niet genoeg verachten, dacht hij. Als ik een Ferrari
van vier miljoen bezat, zou ik er wel voor zorgen dat hij niet werd gestolen.

Christopher Silfverbielke keek op zijn horloge. Hij had royaal de tijd
voordat de mensen van Autoropa kwamen. Hij startte en nam de E4
naar het zuiden. Hij maakte een omweggetje naar het industriegebied
Västberga, waar hij in een uitgestorven straat stopte en de nummerplaat
van de Ferrari verruilde voor de plaat die hij eerder in Eckers garage
had gestolen. Hij betwijfelde ten zeerste of een doorsneepolitieman het
verschil tussen een 275 en een 599 zou kennen, áls ze het kenteken al
zouden controleren. Hij ging weer achter het stuur zitten, draaide de E4
op, reed een paar afslagen voorbij en nam toen impulsief een besluit en
sloeg af.

Silfverbielke nam een slok koffie en keek door het raam. Terwijl hij een
laat en voor zijn doen zeer ongewoon zaterdagontbijt nuttigde bij
McDonald's in Alby had er zich een hele groep allochtone jongens rond
de rode volbloed op de parkeerplaats verzameld. Ze bekeken hem geïmponeerd.

*Zwartjakkers. Kijk maar goed, want dichterbij komen jullie nooit. Er
zijn ontzettend weinig Ferrari's in Irak.*

Hij nam een laatste slok koffie en trok een vies gezicht. Hij stond op, gooide de rest van het eten in een vuilnisbak en liep naar buiten terwijl hij de sleutels uit zijn zak haalde.

'*Cool wheels*, man!' zei een van de buitenlanders bewonderend, en hij maakte een *gang sign*. 'Hoeveel kosten?'

Silfverbielke keek hem lang en minachtend aan. 'Meer dan jouw familie in acht generaties heeft verdiend! Leer Zweeds!' zei hij, en hij wendde zijn blik af en sprong in de auto. Twintig tellen later reed hij met gierende banden van de parkeerplaats af. In de achteruitkijkspiegel zag hij een heel scala aan obscene gebaren, die hem echter niet in het minst verontrustten.

Wees blij dat ik jullie in leven laat.

Toen hij Södertälje voorbij was, koerste hij met honderdvijftig à honderdzestig kilometer per uur naar het zuiden. Toen hij de politiewagen in Östergötland zag, deed hij niet eens moeite om te remmen.

De vorige keer was een beetje leuk geweest. Deze keer zou het ontzettend leuk worden.

'Ik heb goed nieuws, Ove!'

De auto van de verkeerspolitie stond geparkeerd op een controleplaats aan de E4. Hun dienst zou er over een goed uur op zitten en de collega's hadden besloten tot passieve oplettendheid, indien er niets onvoorziens gebeurde. Het zou dom zijn om nu verder naar het zuiden te rijden als ze straks op tijd terug wilden zijn, de auto wilden wegzetten en zich om wilden kleden.

Bertil Adolfsson glimlachte naar zijn collega. Ove Hultman keek vragend terug.

'Ik word vader! Ingela is in de vijfde maand. Ik wilde het niet eerder zeggen, want we hebben het al eerder geprobeerd en toen ging het niet goed, toen kreeg ze een miskraam.'

Hultman schraapte zijn keel. 'Ach god, daar wist ik niks van. Dus jullie zijn aan het testen geweest en zo, denk ik?'

'Nou en of, en dat is niet leuk, dat kan ik je wel vertellen. We zijn zelfs een paar keer in het Sophiahem in Stockholm geweest. En daar word je geacht je achter een dun wc-deurtje af te rukken met een smerig pornoblaadje, terwijl er voor de deur twee verpleegsters met elkaar staan te geinen en wachten tot je met je kwakje in een potje naar buiten komt. Verdomme, wat vernederend!'

Hultman huiverde en knikte begrijpend. 'Ja, bah, dat zal niet zo leuk zijn geweest. Maar is nu alles in orde?'

Adolfsson glimlachte. 'Ja, nu zeggen de dokters dat alles in orde is. Niet te geloven, Ove: ik word vader!'

'Gefeliciteerd, Bertil, hartstikke leuk! Dat hebben jullie echt verdiend. Nou heb je iets om naar uit te kijken. Ik weet waar ik over praat, hè?'

Bertil Adolfsson knikte glimlachend. Hultman en zijn vriendin hadden een kind van drie en een tweeling van ruim een jaar, en het was geen geheim op het politiebureau dat ze daar hun handen vol aan hadden. Meer dan eens had de auto van de verkeerspolitie halt gehouden bij de supermarkt omdat er met spoed een voorraad luiers moest worden gekocht, die dan gauw in werktijd, met ieders welwillende medewerking, naar het rijtjeshuis van de Hultmans werd gebracht. Ove was een goede agent en een goede vriend.

'Maar ik zie er ook wel een beetje tegenop, natuurlijk,' ging Adolfsson door. 'Het is toch een grote verantwoordelijkheid en ik word al wit om de neus als ik aan de bevalling denk.'

Hultman stelde hem gerust. 'Ach joh, dat valt wel mee. Van tevoren lijkt het akelig, maar als het eenmaal zo ver is, is het prachtig, gewèèèldig, geloof me, Bertil!'

Adolfsson knikte nadenkend. 'Tja, dat zal wel, maar toch –'

Ze werden onderbroken door een snel naderend, brullend motorgeluid. In een reflex richtte Hultman het laserapparaat op de snelweg.

Als hij ook maar het geringste vermoeden had gehad dat de bestuurder van de rode Ferrari dezelfde man was als ze ruim een maand geleden hadden aangehouden in een Mercedes, had Ove Hultman misschien anders gereageerd.

'Verdomme! Hoe hard ging dat?' Adolfsson keek naar Hultman, die de laser aflas. Hij zette de auto in de versnelling, zette de zwaailichten aan en draaide in afwachting van het antwoord de snelweg op.

'Honderddrieënzestig!' antwoordde Hultman opgewonden. 'Geef gas, man!'

Christopher Silfverbielke zorgde ervoor dat hij steeds op dezelfde, behoorlijke afstand van de politiewagen bleef, terwijl hij regelmatig in de achteruitkijkspiegel keek en mogelijkheden, uitdagingen en oplossingen overwoog. Het moest leuk zijn, maar er niet op uitdraaien dat hij door politiewagens, wegversperringen en helikopters werd omringd.

Intelligentie. Planning. Winnen is een kwestie van slimmer zijn. Weten wat je doet.

Triest. Het leven moest af en toe ook pokeren zijn. Inzetten, bluffen, je bod verhogen, de tegenstander in de kaart kijken.

Hij twijfelde geen seconde dat hij de mannen in de politiewagen achter hem in de kaart kon kijken. Als ze slimmer waren, waren ze toch zeker geen verkeersagent geworden?

Maar toch. Hij wilde niet gepakt worden.

Hij ging iets harder rijden en vergrootte daardoor zijn afstand tot de zwaailichten. Zo kon hij zichzelf de paar seconden extra geven die hij nodig had om de afslag bij Ödeshög en de bochten te nemen.

'We moeten in elk geval versterking oproepen.' Ove Hultman greep naar de microfoon.

Adolfsson greep het stuur steviger vast. 'Wacht even! Hij slaat af. Misschien geeft hij het op. Laat zijn gegevens maar natrekken.'

Hultman drukte op de zendknop van zijn microfoon. '50 voor 2128, over.' Hij kreeg meteen antwoord en vervolgde: 'Wil je even natrekken...'

De stem die uit de politieradio kwam was zakelijk, constaterend. '2128, Ferrari 275 GTB, rood, eigendom van Eriksson, Claes Roland, in Stockholm. Geen strafbare feiten. Over.'

'Begrepen, over en uit.' Hultman hing de microfoon weer op.

Op de rotonde na de afrit liet Silfverbielke de Ferrari even stapvoets gaan voordat hij op zijn gemak richting Ödeshög reed. De weg was goed; het wegdek was grotendeels droog, maar hier en daar zat nog wat ijs. De lucht was blauw, de zon scheen en deed zijn best om de kleine vlekjes sneeuw die er nog op de akkers en grasvelden lagen weg te branden. Het broeikaseffect, dacht Silfverbielke. Dat had misschien toch ook voordelen. Hij had de pest aan sneeuw, ijs en kou, en van hem mocht het best het hele jaar warm zijn. Als hij dat in de kroeg zei, kwam er altijd wel een of andere slimmerik met het politiek correcte commentaar dat hij over tweehonderd jaar niet meer zou lachen, als mensen uit arme, hete landen om te overleven enorme volksverhuizingen naar het noorden zouden beginnen. Silfverbielke stelde daar dan tegenover dat hij over tweehonderd jaar onder de grond zou liggen, dus dat het hem geen barst kon schelen of de negers dan over elkaar heen struikelden om naar Scandinavië te komen.

De politiewagen kwam nu dichterbij en terwijl hij met negentig kilometer per uur over de vijftigkilometerwegen door het dorp reed, liet hij hem nog meer naderen.

Maar niet lang.

Na Ödeshög veranderde de weg steeds opnieuw. Scherpe bochten werden afgewisseld met lange rechte stukken waarop Christopher de Ferrari moeiteloos tot tegen de tweehonderd trok, voordat het weer tijd werd om te remmen voor de volgende bocht. Hij zag glimlachend dat de politie-Volvo vervaarlijk overhelde bij het harde remmen en kreeg opeens een idee.

Zodra hij over de top van een heuvel en dus uit zicht was, remde hij hard zodat de politieauto hem kon inhalen. Voor hem lag een recht stuk weg van een paar honderd meter. De weg lag aan beide kanten op een steil talud, dat afliep naar onder water gelopen en gedeeltelijk bevroren akkers. Langs de kant van de weg stonden hier en daar grote telefoonpalen van bruin hout en kleine groepjes berkenbomen. De grote, met mos bedekte rotsblokken naast de weg waren zo scherp dat je er liever niet tegenaan zou komen.

Toen de blauw-witte Volvo weer in de achteruitkijkspiegel verscheen, trapte hij het gaspedaal een stukje in, maar hij liet de agenten nog steeds op zich inlopen. Zijn scherpe blik nam de weg voor de Ferrari zorgvuldig op. Hij zag dat het wegdek helemaal droog was, op twee of drie grote plakken ijs na. Het was gewoon een kwestie van timen. Zijn gehandschoende handen grepen het stuur steviger vast, hij keek steeds vaker in de achteruitkijkspiegel en telde af. *Drie, twee, één – nu!* Hij verplaatste razendsnel zijn rechtervoet van het gaspedaal naar de rem en drukte dat in. De banden van de Ferrari jankten over het asfalt en Christopher werd zo hard tegen de veiligheidsriem geperst dat het zeer deed aan zijn borst.

'Verdomme!' Bertil Adolfsson trapte het rempedaal tot op de bodem in en had het gevoel dat hij op een spons trapte. Hij begreep dat hij bezig was met volle vaart achter op een luxewagen te rijden, en de vraag schoot door hem heen hoe hij dat moest uitleggen in het rapport dat er te zijner tijd moest worden geschreven.

Dan was er nog die ijsplak waar de politieauto overheen reed. Als Bertil Adolfsson niet instinctief had gereageerd, maar aldoor het rempedaal was blijven intrappen, goed had gestuurd en verder alles aan de ABS en het antislipsysteem had overgelaten, had hij waarschijnlijk meer kans gehad. Maar in plaats daarvan dacht hij instinctief aan wat hij ooit tijdens zijn rijlessen had geleerd over gevaarlijke remmanoeuvres. *Voorzichtig pompend remmen. Trap het pedaal nooit tot op de bodem in, zodat de remmen blokkeren.*

Silfverbielke trapte het gaspedaal weer in en voelde een schop in zijn rug toen de Ferrari vooruitschoot en speelruimte bood aan de dans die nu achter hem plaatsvond. Hij minderde weer vaart en zag in de achteruitkijkspiegel dat de achtervolgende wagen plotseling een geweldige slinger maakte en recht op de rechterkant van de weg afkoerste.

Silfverbielke stopte abrupt en draaide zich om.

Misschien kwam het doordat de politiewagen eerst tegen een berk klapte en daarna tegen een andere dat hij over de kop sloeg. Misschien kwam het door het steile talud waar de wagen vervolgens op terechtkwam.

Christopher Silfverbielke vond het net amusement in slow motion toen de Volvo naar beneden rolde naar het weiland met zijn waterplassen en ijsplaten. Het geluid van indeukend staal en kreukelzones die zich bijna precies zo opvouwden als de constructeurs hadden gepland, mengde zich met de scherpe klanken van brekend glas.

De Volvo schoof de laatste meters op zijn kop over een vlak stuk weiland dat bedekt was met een dun laagje ijs. Gefascineerd keek Silfverbielke toe hoe het witte oppervlak langzaam in honderden stukjes uiteenbarstte toen het ijs openscheurde en het karkas begon te zinken.

Ai, ai, ai. Een ongeluk komt zelden alleen, dacht hij, en hij kon een glimlachje niet onderdrukken.

De zijruiten verdwenen uit het zicht en Christopher zag dat gitzwart water op het woord POLITIE spatte.

Toen werd het eindelijk stil.

Silfverbielke zette de auto op de handrem, stapte uit en leunde met zijn ene arm op het dak van de Ferrari terwijl hij het schouwspel voor zich peinzend bekeek.

De Volvo lag een meter of vijftien van de weg, ondersteboven en half onder water en ijs. Een van de voorwielen draaide nog een half rondje en kwam toen tot stilstand.

De stilte werd verbroken door vogelgekwetter. Silfverbielke keek om zich heen, maar zag de vogel nergens. Het werd weer stil. Geen geschreeuw. Geen hulpgeroep.

39

In de ondersteboven liggende politiewagen haalde Bertil Adolfsson moeizaam adem, terwijl hij voelde dat het ijskoude water tot aan zijn haar kwam. Hij kreunde van de pijn en besefte dat hij zwaargewond was. Zijn ene been brandde als vuur en het was of er messen in zijn zijden en zijn borst staken. Maar hij mocht niet opgeven. *Ingela, het kind! Hij zou vader worden, alles zou fijn worden...*

Hij draaide zijn hoofd met moeite om naar zijn collega en fluisterde: 'Ove, verdomme Ove, je leeft toch nog wel? Geef antwoord, Ove...' Maar toen hij het kapotte gezicht van zijn collega zag en het bloed dat van hem af stroomde, begreep hij dat Ove Hultman nooit meer zou antwoorden.

Bertil Adolfsson deed een paar onhandige pogingen het mes te pakken dat in zijn uniform zat. *Moet het mes hebben... Mezelf lossnijden...*

Maar zijn lichaam hing zwaar in de veiligheidsriem; zijn krachten namen snel af en plotseling voelde hij het smerige, naar grond smakende water in zijn ogen, neus en mond dringen.

Het laatste wat hij dacht voordat hij stierf was dat het leven onrechtvaardig is.

Christopher Silfverbielke sprong in de Ferrari, keek voor zich uit op de weg en toen in de achteruitkijkspiegel.

Leeg.

Hij schakelde en gaf gas. Het kostte hem maar een paar minuten om bij de oprit van de E4 bij Tällekullen te komen.

Silfverbielke zag geen onmiddellijk risico. Zijn belangstelling voor de – in zijn ogen uiterst gebrekkige – organisatie en middelen van de Zweedse politie had hem onder meer geleerd waar de zeven politiehelikopters waren gestationeerd. De dichtstbijzijnde zouden op dit moment geparkeerd moeten staan in Malmö, Göteborg en bij Stockholm, en voordat een daarvan was opgestegen was hij allang weg.

Hij volgde een ingeving en stopte bij een benzinestation voordat hij de snelweg op draaide. Een paar jongens op brommers keken geïmponeerd naar de rode sportwagen, terwijl Christopher rustig zijn prepaidmobiel uit zijn zak haalde. Een minuut later had hij via sms *Aftonbladet* getipt dat een politiewagen een ernstig ongeluk had gehad tijdens een achtervolging tussen Ödeshög en Gränna. Daarna stuurde hij twee identieke sms'jes naar Hans Ecker en Johannes Kruut. *Ik ben in een uitstekend humeur. Check Aftonbladet.se over anderhalf uur. Ongeluk met politiewagen. Hoeveel punten is dat waard? C.*

Hij zette de auto weer in zijn één, liet de koppeling los en draaide de E4 op. Tijdens de rit naar Jönköping bleef hij rustig rechts rijden en tot verbazing van zijn medeweggebruikers overschreed hij de maximumsnelheid niet één keer.

Rustige overgang naar Plan B.

Ook al had de politie in het algemeen moeite de ene Ferrari van de andere te onderscheiden, er waren nu te veel getuigen in Östergötland die een rode sportwagen voorbij hadden zien racen. Als de hulpverleners op de plaats van het ongeluk kwamen en begrepen wat er was gebeurd, zou de hel losbreken. Bovendien wist hij niet of de smerissen in de verongelukte wagen het kenteken niet al hadden doorgegeven. Als hij de oude platen er weer op zette, reed hij opeens rond in een opvallende auto die inmiddels – hij wierp een blik op zijn horloge – waarschijnlijk gestolen gemeld was. Dat risico moest hij onder ogen zien.

Kopenhagen moest wachten. In plaats daarvan zou hij hopelijk een leuk avondje hebben met een jong meisje uit Gränna.

Hij had sinds hij uit Berlijn was teruggekomen regelmatig prepaidkaarten gekocht en Helena de codes gegeven. Haar dankbaarheid kende geen grenzen. *O Hans wat lief. Hoop dat ik wat trug kan doen als we elkr zien. K&K, je H.*

Hij had ge-sms't dat hij graag meer foto's van haar wilde hebben en hij had glimlachend vastgesteld dat haar mms'jes steeds gewaagder werden. Het laatste toonde haar ten voeten uit in beha en slipje, en ze had gevraagd wat hij van haar nieuwe ondergoed vond.

Goed zo.

Nu tikte hij – zonder dat hij op de toetsen van zijn mobiel hoefde te kijken – het snelkiesnummer van Helena in.

Ze had haar mobiel op stil gezet en toen hij begon te trillen op de toonbank naast de kassa keek ze snel even op het display. Het zou Niklas wel zijn. Het was vervelend dat hij de hele tijd naar het benzinestation belde als zij aan het werk was en hij vrij had.

Het was niet het nummer van Niklas. Het was Hans!

Ze keek rond. Er waren maar twee klanten in de winkel en Stig stond ook achter de toonbank. Met een verontschuldigende blik op haar collega liep ze naar het kantoor en nam op. 'Met Helena.'

'Hoi, met Hans.'

Haar hart maakte een sprongetje en begon sneller te kloppen. Het was lang geleden dat hij het benzinestation was binnen gekomen, maar ze herkende de koele, onweerstaanbare stem meteen.

'Hoe is het met dat mooie meisje?'

Ze had een droge keel en voelde dat ze bloosde. 'Eh... Nou, super! Ben je... Ik bedoel... ben je in de buurt?'

'Hm-mm, dat mag je wel zeggen. Ik ben voor zaken onderweg naar Malmö en Kopenhagen, maar ik was van plan in Jönköping te overnachten. Als je zin hebt om lekker met me uit eten te gaan, tenminste...'

Als ze wilde? Ze wilde zo graag dat het zeer deed.

Even dacht Helena Bergsten dat ze flauw zou vallen. De dag waarover ze had gedroomd – maar waar ze nooit echt op had durven hopen – was gekomen. Wat moest ze nu doen? Natuurlijk wilde ze hem graag zien, maar op zo korte termijn gaf dat veel problemen.

Ze moest een excuus verzinnen dat Niklas geloofde en...

'Hallo, ben je er nog?'

Ze schraapte haar keel. 'Eh, ja, sorry. Het komt alleen zo plotseling. Ik ben een beetje verbaasd...'

'Wil je me niet zien?' Zijn stem klonk geamuseerd.

'Jawel!' Ze geneerde zich toen ze merkte dat ze bijna schreeuwde en hoopte maar dat Stig het niet had gehoord. 'Jawel, natuurlijk wil ik wel. Wil je in Jönköping afspreken?'

'Hm-mm, dat lijkt me het beste. Ik logeer in het Stora Hotell. Weet je waar dat is?'

Ze voelde het zweet op haar voorhoofd parelen. 'Natuurlijk weet ik waar dat is.'

'Mooi. Zullen we zeggen dat je daar om zeven uur heen komt? Bel me als je in de buurt bent, dan kom ik naar beneden om je op te halen. Dan nemen we eerst een drankje en dan gaan we lekker eten, is dat goed?'

'Gaaf! Ik kom om zeven uur. Tot dan. Knuffel!'

Silfverbielke verbrak de verbinding. Gaaf, dacht hij met een grimas. Nou ja, taalgebruik was niet het eerste wat hij haar wilde leren. Er waren andere manieren om een avond op te vrolijken.

Hij paste goed op dat hij zich de hele weg naar Jönköping aan de maximumsnelheid hield en wierp regelmatig een blik in de achteruitkijkspiegel en in de lucht om uit te kijken naar politiewagens of eventueel een helikopter. Hij zette de radio aan om een lokale zender met nieuws te zoeken, maar hij hoorde niets over het ongeluk.

Silfverbielke nam de afrit naar het winkelgebied aan de A6 en reed de parkeerplaats op. Hij had al handschoenen aan vanaf het moment dat hij de auto in Stockholm had gestart en wist dat hij geen andere sporen in de auto had achtergelaten.

Hij pakte zijn weekendtas, liet de sleutel in het contact zitten, deed het portier dicht en liep rustig weg. Met een beetje geluk zou iemand anders hem stelen en ermee doorrijden, en die zou dan het een en ander uit te leggen hebben bij een politiecontrole.

Silfverbielke liep door de deuren van het grote winkelcentrum naar binnen om wat tijd te verdoen, het hoogstnoodzakelijke voor het avondprogramma in te slaan en misschien nog een cadeautje om Helena te imponeren.

Met een glimlach om zijn lippen sms'te hij haar: *Misschien kan ik nog een verrassing voor je regelen. Welke maat ondergoed heb je?*

Het antwoord kwam na een minuutje.

Haar gedachten tolden door haar hoofd. Ze glimlachte en neuriede een van haar favoriete deuntjes terwijl ze erover nadacht hoe ze het zou aanpakken.

'Wat is er met je aan de hand, ben je verliefd of zo?' Stig keek haar plagerig aan en grijnsde.

O, jee! Hij mocht niet denken dat er iets aan de hand was, dan zou Niklas het zó weten, en dan was de ramp compleet.

'Neu, het was... eh... Mathilde maar. Ik word altijd zo blij als ik haar stem hoor!'

Stig oogde teleurgesteld. 'O.'

Helena keek op de klok. Haar hart bonkte nog hevig. Volgens het rooster moest ze tot vier uur werken. Niklas had haar 's morgens gebeld.

Hij wilde meteen na werktijd afspreken, dan konden ze vanavond samen zijn en dan zou ze vannacht bij hem blijven slapen.

Ze trok een grimas. Hun relatie was er de laatste tijd niet bepaald beter op geworden, en een van de redenen daarvoor – dat moest ze zichzelf enigszins beschaamd toegeven – was waarschijnlijk dat zij steeds vaker over Hans fantaseerde, zelfs als ze bij Niklas was.

Ik ben ook helemaal para, dacht ze soms. Hij is zo'n wreed rijke zakenman uit Stockholm en ik ben maar een meisje van een benzinestation in Gränna. Waarom zou hij mij willen hebben?

Maar toch. Ze had al van alles gefantaseerd en soms was ze al bij Hans in Stockholm ingetrokken, ging ze met hem uit naar het East en andere spannende plaatsen die ze alleen maar kende uit de roddelbladen. Stel je voor...

Nu moest ze snel denken. Ze moest een smoes verzinnen die Niklas zou pikken. Ze vond dat hij steeds jaloerser, onuitstaanbaarder en saaier was geworden. Hij maakte zich niet druk om zijn kleding, was bijna altijd ongeschoren, boerde, liet scheten en het enige wat hij wilde als ze bij elkaar waren, was naar een pornofilm kijken en dan vrijen.

Ze was het zat: hem, het benzinestation, Gränna.

Als Hans haar had gevraagd om mee te gaan naar Stockholm, was ze niet eens naar huis gegaan om eerst een koffer in te pakken, dat wist ze zeker.

Precies om vier uur in de middag zei ze Stig gedag, liep het benzinestation uit en ging in haar Nissan Micra zitten. Op weg naar huis pakte ze haar mobiel en belde Niklas. Ze zei dat ze zich ziek voelde, dat ze thuis bleef en het rustig aan wilde doen, dat ze elkaar vanavond niet konden zien.

Zoals verwacht werd hij behoorlijk kwaad. Ze kon horen dat hij zijn pruim uitspuugde voordat hij antwoord gaf en ze was opeens vies van hem. Hij spoelde niet eens zijn mond voordat ze elkaar zoenden en er was wel meer dat hij niet zo goed schoonmaakte.

'Nou en? Je kunt hier bij mij toch ook wel chillen. Ik zorg wel voor je. Een beetje te bikken, dan een lekker filmpje kijken en dan –'

Ze onderbrak hem.

'Niklas, ik méén het: ik voel me kut. Ik kom morgen wel of een andere keer.'

'Wat is er? Ga je soms naar iemand anders?'

'Rustig nou maar. Je bent altijd zo ontzettend jaloers. Ik voel me beroerd, zeg ik toch!'

'Nou, dat zal dan wel! Maar ik denk toch dat je iets van plan bent!'

Ze zette een beledigde stem op. 'Nou, dan bel je mijn moeder vanavond en dan controleer je of ik echt thuis ben.'

Hij hing op voordat ze uitgesproken was en voor het eerst was ze daar blij om. De relatie tussen haar moeder en Niklas was niet bepaald goed, en de kans dat hij zou bellen was nihil. Een probleem minder dus en als hij per se kwaad wilde zijn dan moest dat maar.

Christopher Silfverbielke had twee flessen Launois Vintage Blanc de Blancs Brut gekocht uit het jaar 2000. Hij vond de champagne bijzonder redelijk geprijsd en hij hield van de droge, zeer frisse, citroenachtige smaak. Hij koos Launois om puur egoïstische redenen – Helena zou het verschil waarschijnlijk niet merken ook al had hij appelcider gekocht en die wat pittiger gemaakt met een scheutje wodka.

Na zijn bezoek aan de staatsslijterij had hij een slipje met bijpassende beha voor Helena gekocht bij Lindex en daar een pakje van laten maken met een roosje erop.

Hij was door een andere ingang naar buiten gegaan dan hij was binnengekomen, had een taxi gebeld en zich naar het Stora Hotell laten brengen. Daar had hij – voor de zekerheid onder de naam Hans Ecker – voor één nacht ingecheckt in een minisuite en meteen contant betaald, met als verklaring dat hij de volgende dag helaas heel vroeg weg moest.

Het meisje van de receptie had geknikt en gevraagd of hij een auto had die geparkeerd moest worden. Hij had haar zijn charmantste glimlach geschonken en gezegd: 'Nee, helaas, die heeft op weg hierheen een ongelukje gehad.'

Nu lag hij naakt op zijn bed naar het plafond te staren, zette de tv aan en liet die even op MTV staan. Verveeld drukte hij na een paar tellen op de knopjes van de afstandsbediening totdat hij een nieuwszender had gevonden.

Niets.

Hij wierp een snelle blik op zijn horloge. Tijd om zich mooi te gaan maken. Hij stond op van het bed en ging douchen.

In een andere douche, een kilometer of veertig verderop, hield Helena Bergsten zich met haar ene hand vast aan de douchestang terwijl ze zich met de andere schoor. Het hete water spoelde over haar heen en maakte haar huid rood. O god, waar ben ik mee bezig? dacht ze.

Ze had zichzelf ingeprent dat ze alleen maar uit eten zou gaan, dat ze nuchter wilde blijven zodat ze naderhand naar huis kon rijden en dat ze absoluut niet met Hans naar bed zou gaan, wat er ook gebeurde. *Nooit de eerste avond! Dan denken mannen dat je een hoer bent.*

Daarna was ze heel nauwgezet door haar voorraad ondergoed gegaan en had een bijna doorzichtige string uitgekozen en een bijpassende beugelbeha, waardoor haar operatief vergrote borsten nog beter uitkwamen.

Toen had ze een kort rokje uitgezocht en een strak, diep uitgesneden topje en tenslotte een paar sieraden die daar goed bij stonden.

Ze was in de douche gaan staan, had haar oksels zorgvuldig geschoren en daarna het nu minimale reepje schaamhaar aangepakt.

Ze wist dat ze met hem naar bed zou gaan. Het was toch ook niet echt de eerste avond voor hen? Dat kon je na al die mooie sms'jes toch wel zeggen?

Ze deed de douchedeur dicht, droogde zich af en maakte zich voor de spiegel op. Toen ze ruim een halfuur later de trap af kwam, keek haar moeder haar verbaasd aan. 'Zou jij vanavond niet naar Niklas gaan?'

Helena schudde haar hoofd. 'Nee, dat gaat niet door. Ik heb op het ogenblik niet zo'n behoefte aan hem. Ik ga in Jönköping uit met Mathilda. Zeg maar dat ik ziek ben en slaap, als Niklas soms belt.'

Haar moeder knikte glimlachend. 'Met plezier, schatje. Fijne avond en rij voorzichtig! Je rijdt toch niet als je hebt gedronken, hè?'

'Maak je maar geen zorgen, mama. Ik neem één biertje, daarna ga ik over op cola. Ik blijf trouwens bij Mathilda slapen.'

Ze moest eens weten, dacht Helena toen ze wuivend de deur uit ging. Ze voelde haar benen trillen toen ze in de Micra ging zitten en startte. Eindelijk!

Zoals beloofd belde ze toen ze op een paar straten van het hotel was en haar hart sloeg weer over van blijdschap toen ze zag dat hij voor de hoofdingang op haar wachtte.

Ze kreeg een kleur toen hij naar haar toe kwam. Hij was net zo knap als ze zich hem herinnerde, misschien nog wel knapper. Zijn zwarte, glanzende haar was naar achteren gekamd, hij keek haar intens aan en geurde lichtjes naar een heerlijke aftershave. Hij had een donker pak aan, een spierwit overhemd en een licht glimmende, grijze stropdas die vast ontzettend duur was geweest.

Christopher Silfverbielke glimlachte, sloeg zijn armen om haar heen en trok haar naar zich toe. 'Eindelijk kunnen we elkaar in alle rust ontmoeten,' fluisterde hij. Hij gaf haar een klein kusje in haar nek en ze sidderde ervan.

Hij had voorgesteld dat ze eerst een glas champagne zouden drinken op zijn kamer en dan in het restaurant van het hotel zouden eten, want dat stond bekend om zijn goede keuken. Haar hoofd was op hol geslagen toen hij dat zei. Champagne! Ze had maar één keer in haar leven champagne geproefd: toen haar vader het eens op een oudejaarsavond had en toen had hij nog gemopperd dat het geen echte champagne was, maar gewoon mousserende wijn. Helena wist niet wat het verschil was, maar ze wist wel dat ze heel graag champagne wilde.

Toen ze proostten en het lekkers proefden, had hij zonder waarschuwing vooraf zijn vinger onder haar kin gelegd, die wat opgetild en haar gekust.

Er is geen reden om tijd te verspillen, dacht Silfverbielke. Als ze onverhoopt niet geïnteresseerd is, kan ik het maar beter meteen weten, dan kan ik de laatste trein naar huis nog nemen. Wie wil er verdorie in Jönköping overnachten?

Maar ze wilde wel. Ze liet haar tong de zijne beroeren, tastte voorzichtig naar het tafeltje om haar glas neer te zetten zonder te knoeien, sloeg haar armen om zijn nek en kuste hem zo goed als ze kon.

O, hij kuste echt fantastisch, niet zo snel, hard en vies als Niklas en bovendien smaakte zijn mond fris. Het liefst had ze eindeloos willen doorgaan, maar hij maakte zich los met een glimlachje waar ze helemaal week van werd. 'Rustig aan, mooi meisje, we hebben tijd genoeg,' fluisterde hij en hij hief zijn glas weer naar haar.

Ze werden onderbroken door de nieuwslezer op de tv.

'Bij een ernstig ongeluk zijn vandaag twee agenten omgekomen. Hun auto sloeg over de kop en belandde in een ondergelopen weiland. De politie denkt...'

Helena huiverde. 'O god, wat vreselijk.'

Christopher knikte en legde zijn arm geruststellend om haar schouders. 'Ja, bah, wat gebeurt er tegenwoordig toch een hoop akeligs,' zei hij, en hij schudde bezorgd zijn hoofd. Hij pakte de afstandsbediening en zette de tv met een snelle vingerbeweging uit. 'Maar nu gaan we een fijne avond hebben en niet praten over akelige dingen, hè? Ik vind het veel leuker om over jou te praten.'

Ze kreeg het warm van het compliment. 'Ja, en over jou. Dát is interessant.'

'Over ons,' fluisterde hij zacht en hij kuste haar weer. Toen nam hij haar zorgzaam mee de kamer uit, naar de lift en naar het restaurant beneden.

Wit tafellaken, flakkerend kaarslicht, een fantastisch driegangenmenu met wijnen waarvan Helena Bergsten de naam niet eens zou kunnen uitspreken, als ze het al zou proberen.

Silfverbielke glimlachte vriendelijk, vermaakte haar met spannende verhalen over het uitgaansleven in Stockholm en gaf haar meer complimenten dan ze tijdens haar hele relatie met Niklas had gehad. Hij zei dat hij haar mooi en intelligent vond. Dat ze het vast ver zou schoppen als ze maar bij die benzinepomp in Gränna wegging. Hij dacht bijvoorbeeld dat ze vast wel fotomodel kon worden en ja, hij had wel contacten met talentenjagers in Stockholm, maar als hij haar aan hen wilde voorstellen, moest hij een paar foto's van haar hebben.

'We kunnen er straks op de kamer misschien een paar maken,' zei hij zacht en hij hief zijn glas naar haar om te proosten.

Helena voelde zich warm en rozig van de goede wijn. Ze hief haar glas ook, boog zich voorover en fluisterde: 'Je mag alle foto's maken die je wilt!'

Een halfuur later lag Helena Bergsten naakt op haar rug op het tweepersoonsbed in Christophers suite. Ze waren teruggekomen in de kamer en hadden nauwelijks weer van de champagne geproefd of hij begon haar onafgebroken te kussen, terwijl hij haar zacht en voorzichtig al haar kleren uittrok. Hij dempte het licht en fluisterde dat hij een cadeautje voor haar had. Vervolgens gaf hij haar het mooie pakje van Lindex. Ze gaf een kreet van verrassing toen ze de kanten beha en de string, allebei in mooie, champagnekleurige tinten, uitpakte.

Toen fluisterde hij dat hij nog een verrassing had en vroeg of ze hem vertrouwde.

Dat deed ze.

Hij vroeg haar haar ogen dicht te doen en ze tilde gehoorzaam haar hoofd een stukje op, zodat hij haar een blinddoek van zachte zijde om kon doen.

Helena voelde zich lekker warm, ontspannen en... verschrikkelijk opgewonden. Haar lichaam had gereageerd toen hij haar de eerste keer kuste, het gevoel was nog sterker geworden tijdens het eten en nu was haar verlangen bijna ondraaglijk geworden.

Ze spande haar zintuigen in en hoorde het ritselen toen hij zelf zijn kleren uitdeed. Ze wilde zijn lichaam zien! Zijn lenige spieren voelen, hem strelen, hem kussen – hem beminnen op een manier zoals ze dat nooit had gedaan met de klungelige, lompe, hardhandige Niklas. Maar toen ze haar armen naar hem uitstrekte lachte hij zacht en plagerig in het donker en liet zijn vingertop zacht over haar buik gaan. 'Rustig maar, liefje,' fluisterde hij, 'je komt wel aan je trekken...'

In de uren die volgden vrijde Helena Bergsten meer, wilder en beter dan ooit tevoren. Om te beginnen druppelde Silfverbielke champagne op haar naakte lichaam en likte die op. Toen werd hij driester en goot kleine straaltjes van het edele vocht over haar tepels, buik en bovenbenen. Zijn mond zorgde ervoor dat er geen druppel verloren ging.

Helena zuchtte, kreunde, jammerde.

Hij deed dingen met haar die ze zich niet had kunnen voorstellen en ze kwam een paar keer klaar, en dat terwijl ze altijd moeite had om zelf een orgasme te krijgen als ze met Niklas vrijde.

Ze had er helemaal niets op tegen dat hij foto's van haar maakte. Het voelde gewoon fijn en goed, helemaal niet pornoachtig, ook al nam hij foto's van bijna alles wat ze deden. Ze bloosde toen ze eraan dacht, maar het wond haar tegelijkertijd op.

Hij stopte even om haar meer champagne te laten drinken en ten slotte mocht ze zich revancheren in de wellustige tweestrijd. Ze was niet zo ervaren, maar gebruikte alle trucs die ze kende om hem op te winden, en eindelijk drong hij in haar binnen.

Hij bewoog lang en steeds sneller in haar en ze genoot met volle teugen. Tot haar verbazing kreeg ze nog een orgasme, maar toen trok hij zich terug en ging schrijlings hoog boven op haar lichaam zitten, met zijn trillende lid op haar gezicht gericht. Hij deed haar de blind-doek af en ze sperde haar ogen open toen ze zag hoe groot zijn ge-slachtsdeel was.

Hij glimlachte naar haar in het donker. 'Zo, schatje, mondje open en dank je wel zeggen voor het eten...'

Het volgende ogenblik voelde ze dat hij haar mond in gleed. Dat had ze wel eerder gedaan, maar ze vond het nooit prettig en nu eigenlijk ook niet. Maar ze kon nu toch niet terugkrabbelen en ondankbaar zijn, na alles wat hij voor haar had gedaan. Ze voelde dat hij in haar mond klaar-kwam en moest haar best doen om niet te kokhalzen.

Even later sliep ze uitermate gelukkig in op zijn arm, nadat hij haar nogmaals had verzekerd dat ze de meest fantastische vrouw van de we-reld was, dat ze het heel ver zou schoppen en dat hij haar zou helpen.

Lieve Hans! Wat een geluk dat ze had gewerkt op die dag toen hij het benzinestation in kwam.

Christopher Silfverbielke werd vroeg wakker. Hij hoorde dat Helena naast hem diep in slaap was en bleef een paar tellen doodstil liggen, ter-wijl hij zijn zintuigen spande en zich probeerde te herinneren waar in de kamer hij zijn spullen de avond tevoren had neergelegd.

Hij haalde haar hoofd voorzichtig van zijn arm, gleed zachtjes uit bed en ging aan de gang.

Minder dan tien minuten later had hij zich aangekleed en zijn spullen in zijn weekendtas gestopt. Hij keek om zich heen, pakte haar string van de vloer en stopte die als souvenir in zijn zak.

Heel zachtjes deed hij de deur open, liep de gang op en sloot de deur weer even voorzichtig achter zich.

In afwachting van de eerste trein naar Stockholm wilde hij een paar uur doorbrengen in een café. Een paar kranten hadden vier, vijf pagi-na's vol staan over de wilde achtervolging die was geëindigd met de dood van twee agenten, van wie er een binnenkort vader zou zijn ge-worden.

Hij las het met welwillende belangstelling en liep toen royaal op tijd naar het station. Eenmaal in de trein ging hij naar het toilet, haalde de simkaart uit zijn prepaidmobiel en spoelde die door. Toen hij weer op zijn plaats zat en zag dat de trein langs een meertje kwam, deed hij het raam open, gooide de telefoon naar buiten en ging weer rustig zitten.

Christopher Silfverbielke leunde achterover en deed zijn ogen dicht. Niets ten nadele van Kopenhagen, maar dit was toch ook een heel behoorlijk tripje geweest.

40

Zaterdag 7 april, de dag voor Pasen

Christopher Silfverbielke werd vroeg wakker, douchte en kleedde zich aan. Hij liep naar de keuken en bekeek de nieuwe aanwinsten.

De jongens hadden echt goed werk geleverd.

Een grote, bruine doos met kilo's voetangels die goed van pas zouden komen. Een andere doos bevatte een rijtje dynamietstaafjes. Op de keukentafel lagen drie AK5's met extra magazijnen en twee dozen munitie. Verder drie pistolen – een Glock 17 die Silfverbielke nog kende uit zijn diensttijd – ook met extra magazijnen en een hoop 9 mm-munitie.

Uit een zak van een doe-het-zelfwinkel haalde Christopher een apparaatje dat hij de vorige dag had gekocht. Het was een kwadratische timer met grote, rode cijfers en een diode die irritant knipperde als je de tijd instelde en de timer begon af te tellen. Hij stelde hem in op dertig seconden, startte en keek tevreden toe hoe de grote cijfers 29, 28, 27 aangaven terwijl de diode snel knipperde.

Perfect.

Christopher liep naar de koelkast en deed de deur open. Die was welvoorzien, maar het zou nog gemakkelijker zijn als hij onderweg even langsging bij de NK, het warenhuis.

Hij pakte de telefoon. 'Dag mams, met Christopher. Vrolijk Pasen!'

'Ach, Christopher, wat lief dat je aan me denkt! Ik weet hoe druk je het hebt. Ik dacht eigenlijk dat je op reis was.'

'Nee, hoor, ik ben in de stad. En ik wilde je verrassen met een paaslunch bij jou thuis. Als je wilt, natuurlijk.'

'Of ik wil? Natuurlijk wil ik. Wat word ik daar blij van! Wanneer kom je?'

'Schikt het om een uur of twaalf? Ik moet alleen nog even langs de NK om wat lekkers voor ons te halen.'

Vrolijk fluitend kuierde Silfverbielke door zijn appartement, terwijl hij nadacht. Hij liep naar de kluis, pakte de plastic zak en maakte wat cocaïne klaar op de tafel in de woonkamer.

'Vrolijk Pasen, jongen,' mompelde hij, en toen boog hij zich voorover en snoof het witte poeder op in zijn neusgaten.

Hij pakte zijn mobiel en zette hem aan. Binnen een minuut piepte hij twee keer.

Verveel me dood. H is bijna de hele dag bij zijn ouders. Moet een frisse neus halen. Mag ik langskomen? V.

Silfverbielke dacht even na. Ze was een lekker paaseitje, dus waarom niet?

Hij antwoordde: *Als je de goede kleren aanhebt.*

Wat moet ik dan aanhebben?

Christopher dacht een paar tellen na en schreef toen: *Dun bloesje. Extreem kort rokje. Heel hoge hakken. Geen ondergoed.*

Het antwoord kwam snel. *Maar het is nog ijskoud buiten!*

Hij glimlachte en schreef: *Niet mijn probleem. Gehoorzaam je of moet ik je inruilen?*

Ik gehoorzaam. Wanneer?

Silfverbielke keek op de klok. Voor moesje had hij hooguit een uur of twee nodig.

Als het maar na 15 uur is.

Weer gauw antwoord. *I'll be there.*

Hij legde zijn mobieltje neer en ging terug naar de keuken. Opnieuw controleerde hij de inhoud van de koelkast. Toen ging hij naar de wijnkoeler en inventariseerde snel.

Behalve een klein voorraadje Bollinger en Taittinger voor huiselijk gebruik lagen daar zijn laatste twaalf flessen Bentley Reserve 2005, een uitstekende chardonnay van The Bentley Winery in Santa Rosa, Californië. Op een zakenreis naar San Francisco een paar jaar geleden had Christopher een auto gehuurd, waarmee hij naar Napa Valley was gereden om een paar wijngaarden te bezoeken. Hij was gecharmeerd door de techniek van Bentley Winery om druiven van de beste oogsten in de hele Napa Valley te mengen, en het fascineerde hem dat zo'n droge wijn zo fris en fruitig kon smaken. Aangezien de staatsslijterij niet het benul had om dergelijke grootheden te ontdekken bestelde hij zelf op gezette tijden een paar dozen via een vriend die wijnimporteur was. Licht smakkend stelde hij vast dat het onderhand weer tijd werd om een nieuwe bestelling te doen.

Maar nu had hij nog genoeg voor een leuke paaszaterdag, helemaal op eigen kracht.

Irma Silfverbielke maakte de voordeur open en deed vervolgens twee stappen achteruit om Christopher binnen te laten en zijn dozen neer te laten zetten.

'O, Christopher, wat ben je toch knap!'

Haar zoon glimlachte haar toe en ze werd er helemaal warm van.

Anderhalf uur later had Irma Silfverbielke eieren, haring en vleeswaren gegeten. Ze had bedankt voor de borrel, maar wel een glas koele chardonnay genomen.

'Hoe gaat het met je, Christopher? Ik ben bang dat je het te druk hebt,' zei ze bezorgd.

Silfverbielke schudde zijn hoofd. 'Dat valt wel mee. Het is op het ogenblik juist vrij rustig op het werk. Bovendien heb ik loonsverhoging gekregen als blijk van waardering.'

'O!' Ze klapte verrukt in haar handen. 'Wat zou papa trots op je zijn geweest!' Ze zweeg en opeens welden er tranen op in haar ogen. 'Stel je voor dat hij dit nog had mogen meemaken, dat het zo goed met je gaat. Als die De Wahl hem maar niet...'

Christopher stond gauw op, liep om de tafel heen en omhelsde haar. · 'Ik weet het, mama, ik weet het.' Hij streelde haar geruststellend over haar hoofd. 'Maar daar kunnen we nu niets meer aan doen. Wat gebeurd is, is gebeurd en dat kunnen we niet meer veranderen.'

Of liever gezegd: we zullen terugslaan. Eén is er al uit de weg geruimd en die ouwe rotzak krijg ik later wel, maar bij hem zal het meer pijn doen!

Irma Silfverbielke omklemde zijn hand en droogde haar tranen met haar servet. 'Je hebt gelijk, jongen,' fluisterde ze, 'maar ik vind het zo tragisch.'

Christopher maakte zich voorzichtig los uit haar hand en liep naar het koffiezetapparaat. 'Wil je nu een lekker kopje koffie, mams? O, trouwens, ik heb een verrassingsei voor je bij me. En ook iets voor Manneke!'

'Och, wat lief van je. Wat kan dat nou zijn?'

Christopher haalde haar ei uit een doos in de hal en legde het voor haar neer. Verrukt als een kind maakte ze het ei open, en ze keek. 'O, bonbons van de NK, die waar ik zo dol op ben! Dank je wel, lieverd!'

'Geen dank. Voor Manneke heb ik een speeltje gekocht waar hij tegen kan duwen en op kan kauwen, als hij wil. Ik weet zeker dat hij dat hartstikke leuk vindt, denk je niet?'

'Vast en zeker.' Ze keek hem liefdevol aan. 'Je bent zo lief en attent, Christopher. En zo flink. Ik ben heel trots op je. Maar ik vind het een beetje jammer dat je alleen bent. Heb je nog geen leuk meisje gevonden?'

Jawel, mams. Het probleem is alleen dat ze gaat trouwen met een vriend van me en dat ze zich elke keer als we elkaar zien gedraagt als een hoer.

'Och ja, ik zie af en toe wel een meisje. Veronica heet ze. Ze is in allerlei opzichten leuk en verstandig, maar ze is een beetje vreemd. Ik geloof dat ze een heel moeilijke jeugd heeft gehad.'

'Hoe bedoel je "vreemd"? Christopher, ze is toch niet aan de drugs?'

'O, nee! Zoiets is het absoluut niet. Nee, ik bedoel gewoon dat ze af en toe nogal depri lijkt, meer dan normaal, als je begrijpt wat ik bedoel.' Silfverbielke wierp een snelle blik op de klok. 'Maar nu moet ik jammer genoeg gaan, mams, ik heb een afspraak met een paar collega's. Ik zal alleen de afwas nog even doen.'

'Dat hoeft niet, Christopher, dat doe ik straks zelf wel. Ga Manneke maar gedag zeggen, dan ruim ik de tafel wel af. En dan wil ik een heel dikke knuffel als je weggaat.'

'Die krijg je!'

Silfverbielke haalde heel voorzichtig een rubberen speeltje uit een doos en liep naar de hamsterkooi in de woonkamer. Toen hij bij de kooi kwam, schrok de hamster en deinsde hij achteruit.

Christopher deed de kooi open, legde het speeltje er gauw in en deed hem weer dicht.

'Vrolijk Pasen, Manneke,' fluisterde hij.

Christopher trok zijn jas aan en omhelsde zijn moeder. Ze gaf hem een zoen op zijn wang. 'Wat ga je vanavond doen, jongen, uit met je vrienden?'

'Nee, mams, ik ga paasversieringen maken, helemaal alleen. Gezellig...'

Toen hij thuiskwam haalde hij gauw het dynamiet, de automatische wapens en de pistolen uit de keuken en borg die met de munitie op in een kledingkast die hij op slot deed.

Een klein uurtje later belde Veronica Svahnberg aan. Ze was gekleed zoals hij had bevolen en voelde koud aan toen hij haar omhelsde. Toen ze haar jas uitdeed, zag hij door haar dunne bloes heen dat haar tepels hard waren van de kou. Hij kneep er hard in totdat ze naar adem hapte en beet haar in haar nek. Met een snelle greep tilde hij haar op, droeg haar naar de keukentafel en legde haar daar neer. Het korte rokje kroop op en terwijl Silfverbielke zijn broek op zijn voeten liet vallen, legde hij resoluut haar benen uit elkaar.

'Vrolijk Pasen!' zei hij zacht, en hij drong bij haar naar binnen.

Een uur later keek ze bezorgd op de klok. 'Ik moet weg. Hans kan elk ogenblik terugkomen van zijn ouders!'

'Wat gaan jullie vanavond doen?' Christopher rekte zich uit waar hij lag en keek haar aan met een geamuseerd lachje dat zij als spottend opvatte.

'Niks, we zijn gewoon thuis. Maar ik had wel meer van jou willen hebben!'

'Dat is toch niet zo moeilijk?' Hij trok zijn wenkbrauwen op.

Ze beet op haar lip en dacht even na. 'Weet ik. Ik zal Hans voorstellen dat we je uitnodigen voor een paasdinertje. Als je niets anders te doen hebt, tenminste.'

'Nee, ik heb geen plannen. Ik moet hier thuis wat in orde maken, maar dat duurt maar een paar uur, dus...'

Ze glimlachte. 'Dan beschouw je jezelf maar als uitgenodigd, maar ik zal ervoor zorgen dat Hans je straks belt.'

Zodra het geluid van haar stappen in het trappenhuis was weggestorven, liep Christopher naar de kast, haalde het wapenarsenaal eruit en legde alles netjes op de keukentafel.

Hij zette de stereo aan en zocht kanaal P2 op.

Hij demonteerde, controleerde, oliede en laadde alle wapens. Daarna fabriceerde hij twee flinke springladingen met behulp van dynamietstaven en elektrische slaghoedjes. Hij verbond de digitale klokken met de lichtdiodes en voorzag de ladingen ten slotte aan de onderkant van flinke zuignappen.

Christopher stond op en haalde het zakje cocaïne uit de kluis. Hij trok een lijntje en snoof het op. Uit de grote luidsprekers van de stereo-installatie stroomden de stemmen van jonge jongens die de Matthäus-Passion zongen. Ik moet een keer een eigen jongenskoor aanschaffen, dacht hij glimlachend.

Hij had juist de wapens, de munitie en de springladingen in een grote, stevige sporttas gestopt en alles achter slot en grendel gelegd in de kast toen de telefoon ging.

'Ha, Hans! Hoe is 't?'

'Ja, hoor, heel goed. Vanavond? Nou, dat zou hartstikke leuk zijn, zeg.'

Ik moet alleen nog even de residuen van je vriendin van me af douchen.

'Afgesproken. Ik ben om een uur of zeven bij jullie.'

De avond bij het paar Ecker-Svahnberg was gezellig en nuttig geweest en Silfverbielke was in een uitstekende stemming toen hij laat op de avond fluitend door de straten van Östermalm naar huis liep.

Hij was nog maar nauwelijks bij hen binnen of Hans had hem al opgewonden meegetrokken. 'Kom, moet je eens kijken wat voor optrekje ik heb gevonden in Danderyd!'

Ecker ging hem voor naar de kamer die hij als kantoor gebruikte, terwijl Christopher Veronica spottend aankeek. Hij zag dat ze zich had omgekleed en dat ze nu een andere, even dunne bloes aanhad, kennelijk zonder iets eronder. De rok die ze eerder had gedragen, was vervangen door een die niet zó kort was, maar toch ook een heel stuk boven de knie eindigde. Ze had zwarte kousen en hoge hakken aan.

Uniform. Gehoorzaamheid. Goed zo.

Hans ging achter de pc zitten, Veronica ging achter hem staan, boog zich over zijn schouder en leunde met haar handen op het bureau om het beter te kunnen zien. Silfverbielke ging achter hen staan, zodat hij het scherm van de pc boven Eckers hoofd kon zien.

'Kijk! Tweehonderd vierkante meter op één verdieping, met een hoek erin, alle toeters en bellen die je maar kunt bedenken, pas gerenoveerd en zelfs een zwembad!'

Silfverbielke bekeek de foto's van de makelaar op het scherm en liet zijn hand intussen ongemerkt onder Veronica's rok glijden. Hij voelde het vocht door de dunne stof heen en vingerde wat terwijl hij opmerkte: 'Dat ziet er geweldig uit. Zijn er nog meer foto's? En mag ik vragen wat zo'n prachtobject kost?'

'Ja, hoor, ik ga naar de foto's van de afzonderlijke kamers, dan kun je die zien. De badkamer, het toilet en de keuken zijn pas gerenoveerd. Splinternieuw!'

Christopher zette zijn spelletje met zijn hand tussen Veronica's benen rustig voort. Hij dacht dat hij kon horen dat ze zwaarder begon te ademen.

'Kijk eens hoe ze die spotjes hier in het plafond van de keuken hebben verwerkt! En als je dan de woonkamer ziet...'

Ecker klikte door de fotogalerie. Silfverbielke voelde dat Veronica begon te trillen op haar benen. Ze ging rechtop staan en hij trok discreet zijn hand terug. Toen ze zich omdraaide, zag hij dat haar wangen rood waren en haar ogen vochtig.

'Sorry', zei ze, en ze verdween snel.

Christopher stelde beleefde vragen, terwijl Hans enthousiast doorpraatte over alle verdiensten van het huis.

'...en dat alles voor nog geen acht mille! Wat vind je ervan?'

'Geen punt, toeslaan!' Silfverbielke klopte Ecker op de schouder. 'Gefeliciteerd, Hans. Dat is een goeie deal. Jullie zullen het daar enorm naar je zin hebben en het is een prima investering.'

'Ja toch? Dat kan nooit verkeerd zijn en bovendien kan ik mijn stereo daar zo hard zitten als ik maar wil!'

Ecker stond op en ging de eetkamer in om drankjes in te schenken. Silfverbielke stelde geamuseerd vast dat Veronica ongewoon lang op het toilet bleef.

'Proost dan maar dat ik eigenaar van onroerend goed word!' Ecker lachte en reikte Christopher een glas whisky aan. Die proostte terug.

'Ik zal maar meteen met het eten beginnen', vervolgde Ecker. 'Jij wilt misschien zo vriendelijk zijn mijn aanstaande echtgenote intussen te vermaken?'

'Zeker! Als jij tenminste geen hulp nodig hebt in de keuken?'

'Nee, hoor, geen probleem. Het is heel makkelijk en bovendien vind ik het leuk om in de keuken in de weer te zijn. Ik vraag me alleen af waar Veronica is gebleven.'

Christopher ging rustig op een bank zitten terwijl Ecker naar de keuken liep. Opeens hoorden ze dat het toilet werd doorgespoeld. Veronica kwam eruit.

'Ach, daar ben je, schat!' zei Ecker, en hij bleef staan en gaf haar vlug een kusje op haar wang. 'Ik zei net tegen Chris dat hij jou even moet vermaken terwijl ik eten kook. Neem maar een drankje, dan kom ik zo met wijn!'

Hij verdween in de keuken. Veronica liep naar het drankkastje, schonk zichzelf een gin-tonic in en draaide zich om. 'En hoe gaat het nu met je, Christopher?' vroeg ze glimlachend. Onderweg naar de bank liep ze langs hem en streek ze even met haar vingertop over zijn lip.

'Niet slecht, hoor, dank je.'

Hij praatte door, hoorde Hans in de keuken met pannen kletteren en bekeek Veronica zorgvuldig toen ze op de bank recht tegenover hem ging zitten. Ze deed niet eens een poging haar rok omlaag te trekken toen die opkroop.

Ze had haar slipje uitgetrokken.

Ze praatten over koetjes en kalfjes, over hun werk, hun huis en gemeenschappelijke bekenden. Veronica ging gauw netjes zitten en drukte haar knieën tegen elkaar toen Hans binnenkwam en hun ieder een glas rioja bracht. Toen hij terugging naar de keuken leunde zij weer achterover en keek Christopher opnieuw plagerig aan.

Een halfuur later liep Ecker naar de stereo, zette een cd met een paar lange, mooie symfonieën van Mozart op en deelde mee dat ze aan tafel konden.

Ze aten lam met wokgroenten en hasselback-aardappelen, dronken nog meer van de voortreffelijke rioja en praatten over het huis in Danderyd.

'Dus dat worden heel wat leuke belevenissen, dit jaar,' zei Silfverbielke. 'Want ons boottochtje staat toch ook nog op het programma?'

'Zeker weten!' antwoordde Veronica. 'Ik heb een paar avonden naar boten gezocht terwijl Hans overwerkte en ik geloof dat hij er zelfs al een gereserveerd heeft.' Ze keek Hans vragend aan.

Ecker knikte. 'Een echte schoonheid. Een veertigvoeter met behoorlijk wat pk, kooien voor en achter en een kleine salon in het midden. Wat denk je daarvan?'

'Schitterend!' Christopher glimlachte en hief zijn glas. 'Proost op een heerlijke vakantie dan!'

'Weet je al wat het wordt?' vroeg Hans. 'Neem je nog een vriendin mee?'

Veronica's hand bleef midden in een beweging steken. Christopher zweeg lang om haar onzeker te maken, en zei toen: 'Hm, ja, misschien wel. Ik heb een maandje geleden een meisje ontmoet: Emilie. We hebben elkaar sindsdien regelmatig gezien en het kan wel wat worden, dus wie weet. Leuk meisje, ziet er goed uit, werkt als verkoper bij een IT-bedrijf.'

Ecker nam een slok wijn. 'En goed in bed, neem ik aan?' zei hij lachend.

'Hans!' Veronica zag er geschrokken uit. 'Zoiets zeg je toch niet?'

'Dat is gewoon mannentaal, rustig maar.' Ecker haalde zijn schouders op.

Veronica's ogen stonden donker. 'Ja, ja, dus dat zeg je ook over mij als je met andere mannen uitgaat?'

Ecker probeerde de situatie gauw te redden. 'Nee, meissie, natuurlijk niet. Wij hebben toch een vaste relatie. Jij wordt mevrouw Ecker, een eerbare dame...' Hij lachte.

Silfverbielke glimlachte bij zichzelf. *Eerbaar?* Veronica, die tegenover hem zat, keek hem even aan. Het volgende ogenblik voelde hij haar voet tussen zijn benen, die hem in zijn kruis begon te masseren.

Dus jij wilt me pesten? Doe maar, dan zullen we eens zien wie er wint...

Het plagende spelletje met haar voet ging door terwijl ze aten. Silfverbielke voelde dat hij opgewonden raakte en hij stond op het punt zijn glas om te stoten toen Ecker zijn mes en vork neerlegde, zich excuseerde en naar het toilet ging.

Toen hij weg was, stond Christopher snel op, ging naast Veronica staan, trok zijn penis tevoorschijn en duwde die in haar mond. In een mum van tijd kwam hij stil klaar en sproeide het laatste restje over haar bloes. Ze keek blozend omlaag en fluisterde hitsig: 'Je bent niet goed wijs! Wat doe je?'

Ze hoorden dat het toilet werd doorgespoeld. Veronica droogde haar mond snel af, stond op en haastte zich naar de slaapkamer.

'Waar is Veronica nu weer?' vroeg Hans toen hij aan tafel terugkwam.

Silfverbielke maakte een verontschuldigend gebaar. 'Ze knoeide een beetje. Ik geloof dat ze iets anders ging aantrekken.'

'Typisch vrouwen,' mopperde Ecker en hij sloeg zijn ogen ten hemel. Hij ging zitten, nam een slok wijn en zei: 'Waar waren we gebleven? O ja: Griekenland! Nou, dus dat met die boot is duidelijk, en...'

41

Woensdag 18 april

'Mijne heren! Welkom bij deze ontbijtvergadering en later vandaag bij de première. Vandaag is het D-day, als ik het zo mag uitdrukken.'

Silfverbielke gaf Hans en Johannes glimlachend een kop koffie. Hij had om 07.40 uur op de zaak ingelogd en Pernilla na twintig minuten meegedeeld dat hij tot zes of zeven uur 's avonds in vergadering zou zitten, maar dat hij haar hulp nodig had als hij terugkwam. Ze moest maar kijken of ze overdag een paar uur vrij wilde nemen of overuren wilde schrijven. Ze legde zijn aankomsttijd vast in de computer en zei dat ze er zou zijn als hij terugkwam.

De afgelopen tien dagen had het drietal nauw contact gehad. Silfverbielke wilde zeker weten dat Johannes en Hans niet zouden terugkrabbelen en dat ze alle voorbereidingen volgens afspraak hadden uitgevoerd. Zelf was hij vier middagen achter elkaar van kantoor gegaan en in zijn eigen auto achter de Securitas-wagen aangereden die geld ophaalde bij de SEB op Arlanda.

Calle Rehnberg had gelijk gehad. Op drie van de vier dagen was de wagen om ongeveer kwart over drie bij de terminal, de vierde dag kwam hij om kwart voor vier. Hij reed telkens dezelfde weg: de E4 van Stockholm naar de afslag Arlanda en dan linea recta over de kaarsrechte Arlandaväg naar de luchthaven.

Silfverbielke had zijn auto op 'Kort parkeren' gezet en had voor de terminal staan roken; hij deed alsof hij in zijn mobiele telefoon praatte, maar klokte intussen de geldloper die de geldkoffer haalde terwijl de ander in de auto bleef zitten. Twaalf minuten. Je kon de klok gelijkzetten op die amateurs.

Toen ze hun koffie ophadden, plakte Silfverbielke een paar vellen A2-papier op de keukenmuur, en hij pakte een viltstift.

'Jullie weten nog hoe het eruitzag toen we er vorige week een kijkje namen. Er zullen vandaag geen verrassingen zijn, behalve dat het er misschien wat drukker is. Maar voordat ik uitteken hoe we precies te werk gaan, nemen we de checklist voor de spullen door. Johannes?'

Kruut knikte en nam het woord. Het verbaasde Christopher hoeveel meer lef die jongen had in vergelijking met een paar maanden geleden. Hij leek flinker, doelbewuster en hij wilde punten halen in hun onderlinge wedstrijd.

Silfverbielke glimlachte inwendig. Na het incidentje met de Ferrari en de politiewagen had hij punten willen hebben voor zijn prestatie. Maar Ecker en Kruut waren moeilijk te overtuigen en enigszins geschokt. Op zich was het misschien wel een stunt om smerissen van de weg te rijden, maar dat die waren omgekomen was beklagenswaardig en eigenlijk moest het geheel toch als een ongeluk worden gekwalificeerd. Christopher had die politiewagen eigenlijk niet echt van de weg geduwd; die smerissen waren zelf stom geweest. De kranten hadden kolommen volgeschreven over het ongeluk. Uit het technische onderzoek was gebleken dat de politiewagen om onbegrijpelijke redenen blijkbaar zo hard had geremd dat hij van de weg was geraakt. Getuigen in Östergötland hadden wel een Ferrari voorbij zien brullen, maar er was nog geen bewijs dat die in de buurt was toen de politiewagen verongelukte. De Ferrari was trouwens onbeschadigd teruggevonden in Jönköping. Het technische onderzoek van de auto had niets bruikbaars opgeleverd, en de wagen was teruggebracht naar Autoropa in Stockholm.

Christopher hield voet bij stuk en eiste punten. Ecker en Kruut gingen er uiteindelijk mee akkoord dat hij vijf punten kreeg. Maar, benadrukten ze, dat was vooral om hun goede wil te tonen.

Silfverbielke had geglimlacht en een buiging gemaakt.

Goede wil? Ik zal jullie eens wat laten zien, amateurs!

'Overalls, badmutsen en bivakmutsen heb ik bij me. De auto staat geparkeerd in dat stukje bos, zoals afgesproken. Het is een oude Sierra, maar hij loopt als een zonnetje!'

'Mooi, Johannes,' zei Christopher. 'Het is misschien goed als je de overalls uitpakt, dan kunnen we ze even passen. Hebben jullie prepaid-mobieltjes gekocht?'

Johannes en Hans knikten. Silfverbielke haalde zijn nieuwe toestel tevoorschijn en ze voerden elkaars nummer in.

'En nieuwe schoenen?' vroeg Christopher.

Johannes stak zijn duim op en Hans zei: 'De wapens heb je al. Ik heb ze niet uitgeprobeerd, maar die vent van wie ik ze heb gekocht garandeerde dat ze goed waren en hij leek wel te weten waar hij het over had.'

'Oké. Hoe ben je eraan gekomen, als ik vragen mag? Weet hij wie je bent?'

Ecker schudde zijn hoofd. 'Ik heb hem op internet gevonden en zoals ik al zei: het was een prof. We hadden afgesproken op een industrieterrein in Länna en er was uitdrukkelijk gezegd dat we allebei een bivakmuts op moesten hebben als we daar binnenkwamen. Ik heb cash betaald en ben weer weggegaan. Ik had mijn auto een heel eind daarvandaan bij een benzinestation geparkeerd en heb zorgvuldig opgelet of ik niet door iemand werd gevolgd. Het is in orde.'

'Goed.' Christopher keek Johannes aan. 'Waar en hoe ben je aan die auto gekomen? En heb je de kentekens verwisseld?'

'Nee, dat hoeft niet.' Johannes grijnsde. 'Ik zag de auto staan op een oprit voor een rijtjeshuis in Huddinge. Ik heb bij de buren aangemeld, gezegd dat ik van een garage kwam om de auto van de buurman op te halen, maar dat er niemand thuis was. Toen vertelden ze dat hun buurman – de man van de Sierra dus – en zijn vrouw drie dagen daarvoor naar Mallorca waren gegaan. Ze zouden daar drie weken blijven.'

'Prachtig!' zei Silfverbielke. 'Dan gaan we de kleren passen, jongens. Waarmee rijden we naar Arlanda, Hans?'

'Met de V70 van mijn vader, discreet en goed. Ik zei dat de mijne naar de garage was en toen mocht ik deze twee dagen lenen.'

Toen Silfverbielke Kruut in snel tempo uit het winkelcentrum Eurostop zag komen, pakte hij zijn prepaidmobiel en toetste 112 in, terwijl hij een blik op zijn horloge wierp. Vijf voor drie.

Perfect.

Kruut sprong in de auto en Silfverbielke reed de Volvo de parkeerplaats af terwijl hij op antwoord wachtte.

'112. Wat is er aan de hand?' De vrouwelijke alarmcentralist klonk rustig, bijna verveeld.

Christopher zette een heel hoog stemmetje op en deed zijn best om paniekerig te klinken. 'Er ligt een bom in een tas op Eurostop in Arlandastad. Evacueer de mensen als de bliksem: het wordt een verschrikkelijke klap!'

De alarmcentralist was een paar tellen helemaal stil. Toen zei ze rustig: 'Maar hoe weet u –'

'Het hangt van u af of er mensen doodgaan of niet!'

Hij verbrak de verbinding, reed de snelweg op en nam de volgende afslag, naar Arlanda. Halverwege de Arlandaväg sloeg Christopher af en aan het eind van de oprit reed hij naar het stukje bos daar. Het kostte maar een paar minuten om de Volvo in de bosjes te verbergen en over te stappen in de Sierra en algauw waren ze terug op het viaduct, vanwaar ze goed zicht hadden op de Arlandaväg eronder.

De dienstdoend officier op de alarmcentrale van de politie in Stockholm kon er niet om lachen. Märsta en Upplands-Väsby hadden al hun vrije wagens al naar het winkelcentrum gestuurd. Hij had twee flinke verkeersongelukken in het centrum, waarvan een op de Centralbro. Verschillende auto's waren uitgeleend aan overbelaste voorsteden en de weinige die er nog in de stad over waren, waren ofwel ergens aan het werk ofwel stonden bij het politiebureau omdat de agenten rapporten aan het schrijven waren. Een helikopter was in reparatie en een andere was uitgeleend voor een acuut ziekentransport naar de omgeving van Södertälje.

En dan nu een bommelding, verdomme!

Meteen nadat het alarm via 112 was binnengekomen, had er personeel van het winkelcentrum gebeld met de mededeling dat er 'een verdachte tas' in de paskamer van een kledingzaak stond. Een overmoedig type had de rits van de tas opengemaakt, erin gekeken en een bundeltje dynamietstaven gezien en een digitaal uurwerk dat terugtelde.

Geen flauwe grap dus.

Hij zuchtte en keek op de elektronische kaart waar de piketvoertuigen waren. Hij moest de explosievenopruimingsdienst ook te pakken zien te krijgen, en gauw.

Dit kon wel eens misgaan.

Silfverbielke keek op zijn horloge toen de witte Securitas-wagen op de kaarsrechte weg van de E4 naar het vliegveld zichtbaar werd.

15.10 uur. Heel betrouwbaar.

De klok sprong precies op 15.11 uur toen het waardetransport onder het viaduct door reed waarop zij stonden te wachten.

'Oké, jongens. Ze doen er vier minuten over naar de terminal en twaalf om de koffer te halen. We vertrekken om zestien over. Heb je de doos klaar, Johannes?'

'Yes, sir!' Kruut klonk gespannen, opgewonden vanaf de achterbank.

Silfverbielke wierp een blik op Ecker, die naast hem zat. 'Ben je er klaar voor, Hans?'

'Reken maar!' Ecker zwaaide met de AK5.

Alle drie hadden ze zwarte overalls aan waarvan de pijpen in grove, hoge veterschoenen waren gestopt. Hun handen waren bedekt met dunne leren handschoenen. Op de zitting naast hen lagen drie plastic badmutsen en drie zwarte bivakmutsen.

Dubbelop, voor de zekerheid. Je weet maar nooit. Een haartje kan door je bivakmuts heen komen. Zonde om aanwijzingen weg te geven.

Om 15.26 uur trokken de drie mannen de badmutsen en de maskers over hun hoofd en reed de Sierra de Arlandaväg op.

Vlak voor de plek waar de Arlandaväg ophoudt en een lus maakt naar de terminals minderde Silfverbielke vaart. 'Nu, Johannes! Zaaien maar!'

Kruut liet de ruit omlaag glijden. Silfverbielke reed zachtjes zo ver naar links als hij kon zonder de vangrail te raken en liet Kruut de vlijmscherpe voetangels over de weg strooien. Toen die een groot stuk asfalt bedekten deed Kruut de ruit weer dicht.

Silfverbielke maakte de lus langzaam af totdat hij de Securitas-wagen honderdvijftig meter verderop in het oog kreeg. Hij minderde vaart toen het waardetransport de oprit naar de Arlandaväg naderde en keek om zich heen. Bijna geen verkeer.

Eitje.

'Daar gaan we, jongens! Klaar? Denk erom: Engels!' Silfverbielke gaf gas en reed de Ford naar de oprit. Ook hier hield hij links, hij hoorde Kruut de ruit omlaag doen en weer van die glimmende bandenvernietigers op het asfalt strooien.

De Securitas-wagen reed driehonderd meter voor hen. Silfverbielke gaf gas. Hij keek gauw even in de achteruitkijkspiegel. Leeg.

'O, wauw!' Kruut schreeuwde het uit op de achterbank. 'Er kwam een Arlanda-bus achter ons aan de weg op en die slipte toch, jongens! Hij schoof helemaal dwars op de weg en staat daar nu stil.'

Silfverbielke glimlachte. Handig! Hij schatte de afstand tot de Securitas-wagen in en zag in de verte het viaduct en de afrit.

Nu.

Hij gaf plankgas en liep snel in op de witte Mercedes-bus.

Toen Silfverbielke op gelijke hoogte kwam met het waardetransport toeterde hij. Kruut en Ecker lieten de zijruiten een stukje zakken en staken de loop van hun AK5 naar buiten.

Hans-Erik Henriksson reed al vijf jaar geldtransporten en dat beviel hem heel goed. Hij had indianenverhalen van collega's gehoord en krantenfoto's van Securitas-wagens gezien die opgeblazen waren, maar dat leek allemaal heel ver weg. Zelf had hij nog nooit iets meegemaakt wat zelfs maar bedreigend léék.

Toen hij getoeter hoorde keek hij verbaasd naar links en staarde in twee geweerlopen. Die werden een stukje ingetrokken waarna de rechterkant van de Sierra vliegensvlug op de Mercedes-bus af kwam. Henriksson zette zich schrap en hield het stuur stevig vast. Toen hij het schrapende geluid van staal op staal hoorde en de stoot tegen de bus voelde schreeuwde hij: 'Alarm! Sla alarm, verdomme!'

Bosse Fors zag er een paar tellen dom uit, maar toen drong het langzaam tot hem door wat er gebeurde. Hij was nog geen drie maanden geldloper en voor die tijd had hij vier jaar – zoals het zo mooi heette – ter beschikking gestaan van de arbeidsmarkt. Geldloper was niet bepaald zijn droombaan geweest, maar toen Securitas personeel zocht en de Sociale Dienst zei dat zijn uitkering zou worden ingetrokken als hij niet solliciteerde, had hij weinig keus.

Henriksson deed zijn best om zich te herinneren wat hij had geleerd tijdens zijn opleiding en bijscholingen. *Speel geen cowboytje, het is niet jouw geld. Bied geen weerstand, geef ze maar wat ze willen hebben: de auto, geld, alles. Probeer te overleven. Maar sla wel alarm...*

'Sla nou toch alarm, verdomme!' schreeuwde Henriksson weer, terwijl hij hard remde en naar rechts stuurde om nog een aanval van de rechterkant van de Ford te ontwijken. Weer een dreun tegen het staal en hij remde nog harder.

Daarna ging alles heel snel.

De bus stond nauwelijks stil of er verscheen een in het zwart geklede man met een bivakmuts op voor de voorruit en die drukte daar met zuignappen een flinke lading springstof tegenaan. Bij zijn zijraampje stond opeens een andere zwartgeklede man, die een machinegeweer op hem richtte.

Ra-ta-ta-ta-ta!

Het akelige geluid van een salvo tegen de achterkant van de bus deed Henriksson en Fors in elkaar krimpen. De man bij de zijruit schreeuwde: *'Get out, the bomb will go off in thirty seconds!'*

'We gaan dood, we gaan dood!' gilde Fors.

'De wagen uit, verdomme, ik ben niet van plan om de held te spelen!' schreeuwde Henriksson.

Zodra ze uit de cabine tuimelden, grepen twee zwartgeklede mannen hen vast en drukten hen tegen de wagen.

'Twenty seconds. Give us the code and unlock the back door, then you can run!'

Henriksson twijfelde heel even. De koude loop van een machinegeweer sloeg tegen zijn tanden en drong zijn mond binnen. Hij proefde de smaak van bloed en speeksel en dacht aan de tweeling van vijf thuis.

'4452,' fluisterde hij. 'De sleutels in mijn zak...'

Ze sleurden hem naar de achterkant van de auto en dwongen hem de deuren open te maken. Hij zag dat Fors trillend bleef staan, terwijl de derde man in het zwart – waarschijnlijk degene die tegen de auto had geschoten – de loop van zijn geweer tegen diens hoofd hield. Fors had een grote, donkere vlek in het kruis van zijn broek en Henriksson had daar alle begrip voor.

Zodra de deuren opengingen draaiden ze hem om en schreeuwden: *'Ten seconds! Run for your life!'*

De derde man gaf Fors een schop tegen zijn kont en die begon samen met Henriksson weg te rennen van de auto, richting Arlanda, zonder om te kijken. Henriksson voelde het zweet over zijn gezicht stromen; het deed zeer in zijn ogen. Hij verwachtte elk moment een ontploffing te zullen horen en vroeg zich af of het net zo zou zijn als in de film: dat ze weggesmeten werden, door de lucht vlogen en ergens landden met gebroken armen en schaafwonden.

Hij rende harder en hoorde Fors achter zich briesen om gelijke tred te houden. Nu stroomde er niet alleen zweet over zijn wangen maar ook tranen.

Securitas stuurde de melding meteen door naar de provinciale communicatiecentrale in Stockholm, waar de officier van dienst zo mogelijk nog meer pijn in zijn buik kreeg dan een halfuur daarvoor.

Juist, ja. Een bom in Eurostop en een overval op Arlanda. Wat ongelofelijk handig.

Wat een vreselijke schoften!

Maar hij durfde niet het risico te nemen dat de bom bluf was. Mensen hadden dynamiet in de tas gezien. Ze hadden een aftellend digitaal uurwerk gezien.

Hij nam eerst contact op met de politie van Arlanda en vroeg daarna aan Märsta of ze een auto van Eurostop konden vrijmaken om naar Arlanda te sturen. Het antwoord van Märsta was dat dat onmogelijk was. Bij Eurostop heerste paniek en de agenten hadden hun handen vol aan het evacueren van de mensen en het voorkomen dat ze elkaar vertrapten. Twee jongeren waren bovendien al gepakt wegens plundering, omdat ze merkkleding stalen uit de verlaten winkels.

Het antwoord van Arlanda was al even teleurstellend. De agent die de telefoon opnam schreeuwde haast in de hoorn dat er iets duivels gaande was. Een politiewagen die een paar minuten geleden de luchthaven wilde verlaten, had vastgesteld dat de oprit van de Arlandaväg werd geblokkeerd door een luchthavenbus, zes taxi's en acht privéauto's, die allemaal lekke banden hadden. De andere kant op, naar de terminals, was de weg ook al geblokkeerd door taxi's en personenwagens die links en rechts met lekke banden stilstonden. Het wegdek was bezaaid met voetangels en het zou waarschijnlijk uren duren om de rommel op te ruimen.

Kruut stond met zijn rug naar het waardetransport en hield zijn wapen gericht op de vluchtende geldlopers. Ecker en Silfverbielke waren de kluis van de Mercedes binnen gegaan, hadden de codes ingetoetst en drie koffers met geld gegrepen.

Silfverbielke keek op zijn horloge.

Er waren zeven minuten verstreken sinds hij tegen de Mercedes aan was gaan duwen. Dat was de kritische grens. Theoretisch gezien kon er nu een politiewagen onderweg zijn.

'*Go, go, go!*' schreeuwde hij. Ze pakten alle drie een koffer, sprongen in de Sierra en scheurden weg. Minder dan vijf minuten later waren ze het viaduct over gereden, afgeslagen en bij het stukje bos gekomen waar de Volvo stond. Ecker en Kruut laadden de wapens en de koffers met geld over, trokken snel hun overalls uit en deden hun maskers en badmutsen af.

Silfverbielke worstelde zich ook uit zijn kleren, pakte een vijfentwintigliterjerrycan met benzine en goot die leeg over het interieur van de Sierra.

Zodra Ecker en Kruut in de Volvo zaten, gooide Silfverbielke een lucifer in de Ford en hij zag de vlammen oplaaien. Toen stuurde hij de Volvo naar de asfaltweg, maar hij lette goed op dat hij zich aan de maximumsnelheid hield.

Ongeveer een uur later draaide de Volvo een bosweggetje buiten Rimbo op; hij volgde het kronkelige, halfverharde weggetje een paar kilometer naar een groot, open veld aan de rechterkant.

Zonder iets te zeggen droegen ze de koffers naar het veld. Kruut zette de grote gereedschapskoffer die hij bij zich had neer, haalde er drie koevoeten, een paar grote tangen, beitels en hamers uit.

Tien minuten later bekeken ze het resultaat.

In twee koffers waren de stapels bankbiljetten bedekt door een smerige, groene verf. De verfpatronen van de derde koffer waren niet opengegaan. Het drietal staarde zwijgend naar het geld.

'Gaan we tellen?' vroeg Kruut. 'Lauw, toch?'

Silfverbielke keek Ecker aan en sloeg zijn ogen ten hemel. Ecker lachte. 'Natuurlijk is het lauw, Johannes...'

Zevenhonderdtweeënveertigduizend kronen later keek Silfverbielke op zijn horloge. 'Het spel is afgelopen, jongens. Ik heb nog wat te doen in de stad. En ik wil liever niet via Arlanda terugrijden.'

'Wat doen we met de wapens?' vroeg Ecker.

Silfverbielke wees. 'Er ligt een vrij diep bosmeertje drie kilometer die kant op. Daar houden we even een plaspauze.'

Hij boog zich voorover, pakte een literfles uit een plastic zak en haalde de kurk eraf. Johannes trok zijn neus op toen hij de geur van benzine rook. 'Wat doe je, Chris? Je gaat toch niet...'

'Johannes, dit is maar kleingeld. We zouden het doen voor de kick, weet je nog? Deze serienummers kunnen geregistreerd zijn. Het zou toch dom zijn om risico's te nemen voor een armzalige zevenhonderdduizend kronen?'

'Ja, natuurlijk.'

Christopher doordrenkte de bankbiljetten in de drie koffers met benzine, stak drie lucifers aan en gooide die erop. 'Als we niet zo'n haast hadden gehad, hadden we barbecueworstjes mee kunnen nemen. Het is mooi hier buiten.'

De vlammen laaiden voor hen op en Ecker lag dubbel van de lach. 'Barbecueworstjes op zevenhonderdduizend ballen! Allemachtig, wat ben jij een idioot, Chris!'

Silfverbielke glimlachte vriendelijk naar hem. 'Tijd om de auto leeg te halen. Op naar het meer.'

Toen de kleren, de schoenen, het gereedschap en de AK5 die bij de overval was afgevuurd in een grote plastic zak waren verpakt en die het glanzend zwarte oppervlak van het bosmeertje had opengereten, reden ze terug naar Stockholm, nu wat sneller dan eerst.

'Wat ga je met de rest van de wapens doen, Chris?' vroeg Kruut verbaasd vanaf de achterbank.

'Het is altijd goed om een goedgevulde gereedschapskist te hebben, Johannes,' antwoordde Silfverbielke met een zucht.

Ecker grijnsde en schudde zijn hoofd.

Ter hoogte van Täby haalde Silfverbielke zijn gewone mobiel uit zijn zak en drukte op het snelkiesnummer van Pernilla. 'Hoi, met Christopher. Zeg, ik ben met een uurtje of zo terug. Dan moeten we even aan het werk.'

Hij luisterde naar haar antwoord, hing op, schreef toen snel een sms'je en stuurde haar dat. *Wil je na het werk met me uit eten? Je vond het Grand toch leuk? Ik wilde je een cadeautje geven omdat je zo hard hebt gewerkt.*

Glimlachend stopte hij het mobieltje in zijn zak en hij nam niet de moeite het daaruit te halen toen hij het voelde trillen ten teken dat ze had geantwoord.

Bengt Eriksson was zijn hele leven al boer geweest in Rimbo en hij had nooit overwogen iets anders te gaan doen. Toen hij zijn tractor over het halfverharde weggetje stuurde, bedacht hij hoeveel bos hij nog moest kappen en verkopen om rond te komen. Van kleinschalige landbouw kon je niet meer leven. Je moest zelfs dankbaar zijn dat er überhaupt nog iemand bereid was om de melk op te halen, tegenwoordig.

Tegelijkertijd waren er anderen die de boel belazerden. Een andere boer in Rimbo – Dahl, een vuile hufter – pachtte grond, en het heette dat hij twee jaar tevoren was begonnen met biologische landbouw.

Biologisch m'n reet, dacht Eriksson verbitterd. Hij was in het donker stiekem eens wezen kijken naar de akkers van Dahl en had vastgesteld dat het goeie, ouwe akkers waren, met goeie, ouwe mest en dat Dahl dezelfde bestrijdingsmiddelen gebruikte als alle anderen.

De man van wie Dahl het land pachtte, had verteld dat er een jaar geleden als een duveltje uit een doosje een EU-inspecteur was opgedoken om Dahls biologische producten te bekijken. De bureaucraat was uit zijn dienstauto gestapt in lage, zwarte schoenen, kostuum en overhemd met stropdas. Dahl had hem uitgelegd dat ze over twee drassige weilanden moesten lopen, over een paar hekken moesten klimmen en misschien ook over een prikkeldraadafzetting, en dat ze over een diepe sloot en een beekje moesten springen voordat ze bij zijn akkers waren.

De bureaucraat zag er bezorgd uit, rekte zijn hals uit en keek over het land. Hij maakte een aantekening in zijn notitieboek, mompelde dat alles er goed uitzag, sprong in zijn auto en reed weg.

En Dahl lachte zich slap op weg naar de bank. Verdomme!

Eriksson ging een bocht om; het bos werd dunner en hij zag de open velden aan zijn linkerkant. Toen hij de rook zag, minderde hij vaart en tuurde er verbaasd naar.

'Wel alle...'

Tien minuten later was hij met de brandblusser terug bij zijn tractor en slaagde hij erin de laatste, rokende inhoud van de koffers te redden. Toen hij de verkoolde stapels bankbiljetten zag, kon hij zijn ogen haast niet geloven. De middelste van de stevig verpakte stapeltjes bankbiljetten leken er nog aardig uit te zien; die waren alleen aan de randen wat geblakerd. Het kon nog niet lang hebben gebrand. Hij staarde naar het geld. Tienduizenden kronen. Honderdduizenden. Misschien wel een miljoen.

Hij zag dat de meeste stapeltjes sporen van groene verf vertoonden.
Hij haalde zijn mobieltje uit zijn zak en toetste 112 in.

42

'Hoe is het met Sven? Heb jij hem de laatste tijd nog gesproken?' Henrik Vadh zag er bezorgd uit.

Hij moest even op het antwoord wachten. Jacob Colt zat op zijn stoel en staarde afwezig uit het raam. Langzaam keerde hij terug naar de werkelijkheid.

'Ja, gisteren nog. Hij heeft nog steeds hier en daar pijn, maar hij zegt dat hij er gek van wordt om thuis te zitten. En we hebben hem hier hard nodig. De zaken groeien ons onderhand boven het hoofd. Dus ik heb gezegd dat hij terug mag komen wanneer hij maar wil.'

Vadh liet zijn adem tussen zijn lippen door ontsnappen. 'Ja. Maar gelukkig is het tenminste vrijdag.'

'Yep. Laat het maar vier uur worden. Dit is geen goede dag. We hebben over een uur vergadering met Kulin en ik vraag me af waarom ze die toch altijd zo graag op vrijdag belegt. Wil ze zeker weten dat ze ons weekend bederft?'

Vadh lachte. 'Hoor ik daar een zweem van ergernis bij de commissaris? Het kan theoretisch gezien puur toeval zijn.'

'*Fuck theory!*' mopperde Colt. 'Het is bitchplanning en anders niks. En ik heb mevrouw geen bal te bieden.'

Henrik Vadh haalde zijn schouders op. 'Zullen we onszelf dit weekend opvrolijken met een potje badminton en een barbecue? Of heb je meer zin in een rondje golf?'

'Jij zit vol goede ideeën; dat hoor ik al. Laten we het er straks als we naar huis rijden nog maar even over hebben.'

'Dit ziet er echt niet goed uit.'

Anna Kulin keek de rechercheurs rond de tafel ernstig aan. Ze waren er allemaal, behalve Björn Rydh, die niet alleen weer terug was gegaan naar zijn normale werk als ontwikkelaar van het nieuwe computerprogramma, maar bovendien 's morgens vroeg al naar huis in Gråbo was gereden om nog iets aan het weekend te hebben.

'Het is nu drie maanden geleden,' vervolgde ze, 'dat Alexander de Wahl werd vermoord en zes weken sinds het incident in Gamla Stan.'

Het incident? Hoe bedoelt ze dat verdomme? Svenne had wel dood kunnen zijn, dacht Colt nijdig. En een Finse dronkenlap wás dood.

'En we hebben zelfs nog steeds geen énigszins zeker spoor, als ik het goed begrijp?'

Vadh staarde haar aan. 'We voldoen aan de statistiek.'

'Hoe bedoel je?' Kulin oogde opeens een beetje onzeker.

'Je weet net zo goed als ik dat twintig procent van de moorden die we krijgen een langere ophelderingstijd heeft dan de andere. De afgelopen maanden hebben we hier op de afdeling acht moorden opgelost, inclusief de eerwraak op –'

Janne Månsson onderbrak hem. 'Je bedoelt die zwartjakkers die dat Zweedse meisje hebben doodgestoken? Wat is dat voor klote-eer? Klote-Turken of Iraniërs of wat het verdomme ook zijn, je zou ze standrechtelijk moeten executeren en –'

'Nou is het genoeg, Månsson!' brulde Colt, en hij keek hem woedend aan.

Anna Kulins gezicht was van kleur verschoten en ze had haar mond al halfopen om iets te zeggen, maar liet het verrassend genoeg aan Colt over om te reageren.

'Ik ben jouw vreemdelingenhaat spuugzat, Janne, en als je daar per se mee door wilt gaan doe je dat maar in stilte. Wij zijn politiemensen en wij horen objectief tegenover mensen te staan, ongeacht waar ze zijn geboren. Is dat begrepen?'

Månsson keek hem kwaad aan en stond op. 'Ik ga pissen als dat mag.'

'Een beter taalgebruik zou ook in dat opzicht wenselijk zijn,' antwoordde Kulin droog.

Janne Månsson reageerde niet, maar verliet snel de vergaderkamer.

Jacob zuchtte. De afgelopen weken had hij, blijkbaar zonder resultaat, een paar gesprekken onder vier ogen met Janne Månsson gehad over zijn vooroordelen en zijn woordkeuze. Colt wist dat veel Zweden – en niet in de laatste plaats ook politiemensen – racisten uit liefhebberij waren maar Månsson was dat stadium allang voorbij. Zijn intense haat tegen allochtonen, vooral Turken, leek helemaal niet af te nemen maar eerder te groeien, hoewel de geschiedenis met zijn vrouw nu toch al een tijdje achter hem lag.

'Dus,' vervolgde Henrik Vadh, 'het is niet raar of ongewoon dat we een zaak hebben – of, in dit geval, twee zaken – die nog niet zijn opgehelderd. Ik ben ervan overtuigd dat we de puzzelstukjes vroeg of laat passend krijgen. Maar met de middelen die we hebben kunnen we op dit moment niet veel méér doen.'

'We hebben gemiddeld één moord per anderhalve week en we kunnen niet iedereen op de zaak-De Wahl zetten,' voegde Colt eraan toe. 'Ben je het, wat Gamla Stan betreft, eens met de theorie die we eerder met je hebben besproken, dat de drie mannen ruzie kregen met Erkki Lahtinen, kwaad werden en besloten hem een pak slaag te geven?'

'Ja, dat wel. Maar we hebben toch een DNA-koppeling die die zaak extra interessant maakt?'

'Daar hebben we het al een paar keer over gehad,' zei Colt, en hij knikte, 'en daar kunnen we het best weer over hebben. Maar we hebben er geen bewijs voor dat de man met dat DNA betrokken was bij de moord op De Wahl of bij de moord op de prostituee in Berlijn.'

'Nee, dat is zo,' verzuchtte Kulin. Ze bladerde wat door haar stukken en vervolgde: 'Hoe denken jullie nu verder te gaan?'

'Ouderwets, eerzaam, saai politiewerk. We kunnen niet naar motieven zoeken bij de mensen die De Wahl in de Verenigde Staten of Engeland heeft gekend, omdat we geen geld hebben om daarheen te gaan. Ik heb navraag gedaan bij onze collega's in Los Angeles en Cambridge, maar ik ben bang dat zij wat belangrijkers te doen hebben, want ik heb nog geen antwoord gekregen. Dus we knoeien hier nog maar wat door. Niklas is bezig met intern onderzoek. We zullen misschien ook nog De Wahls klasgenoten van de basisschool horen en misschien zijn familie nog een keer. Veel meer kunnen we niet doen als we geen tips van buitenaf krijgen. Vergeet niet dat de man die ons mobiel belde nooit meer iets van zich heeft laten horen, ondanks de beloning die is uitgeloofd. De sensatiebladen hebben er per slot van rekening vol over gestaan.'

'Oké, gaan jullie maar zo goed mogelijk door. Wat die nieuwe moord in Botkyrka betreft, vind ik dat...'

Omdat het vrijdag was, besloten Jacob Colt en Henrik Vadh buiten het politiebureau te gaan lunchen en wel in een Italiaans restaurant in de buurt. De rij was lang, maar toen ze eindelijk een tafel hadden, bestelden ze allebei een alcoholarm biertje en bestudeerden de kaart.

'Zeg, in die zaak-De Wahl zou ik die Ecker graag nog een keer willen horen,' zei Henrik Vadh.

'Waarom?' Colt keek hem verbaasd aan.

'Zesde zintuig, meer niet. Ik kreeg sterk het gevoel dat hij iets verbergt.'

'Ja, maar daar hebben we het toch al over gehad? Hij kan wel iets verbergen, maar dat heeft hier misschien niets mee te maken. En vergeet niet dat Silfverbielke en niet Ecker in deze zaak een motief zou kunnen hebben. Silfverbielke heeft een alibi, dus wat mij betreft loopt het spoor daar dood.'

Vadh dacht even zwijgend na en haalde toen zijn schouders op. 'Dus jij denkt dat het zonde van de tijd is?'

'Op dit moment in elk geval wel. Als we echt niks anders meer weten te verzinnen, kunnen we het er wel weer eens over hebben. Maar zoals de zaken er nu voor staan lijkt het me nogal zinloos.'

Vadh knikte, nam een slok bier en veranderde van onderwerp. 'Wat een toestand, die overval van gisteren.'

'Nog een geluk dat er geen slachtoffers zijn gevallen. Dat soort kerels is met de jaren toch ook steeds gewelddadiger geworden. Maar het is wel interessant dat ze exact dezelfde plaats voor de overval hebben gekozen als zeker één keer eerder. Het enige wat op vindingrijkheid wijst is dat ze kort van tevoren als afleidingsmanoeuvre een bommelding hebben gegeven voor het winkelcentrum.'

'Staat het vast dat dat dezelfde kerels waren?'

'Nee, maar gezien het feit dat de niet op scherp staande springlading in de tas er net zo uitzag als de lading die op de geldtransportauto is aangetroffen, is dat wel waarschijnlijk.'

'En kun jij me uitleggen waarom iemand zo veel moeite doet en zulke risico's neemt om het geld vervolgens in Rimbo in brand te steken?' vroeg Vadh en hij zuchtte.

'Nee, dat kan ik niet. Ik kan me geen énkele situatie voorstellen waarin ik ruim zevenhonderdduizend kronen in brand zou steken. Neem jij lasagne of penne?'

'Lasagne. Spelen we morgenochtend nog een potje?'

'Om de drommel wel. Het leven gaat toch gewoon door, hè?'

43

Dinsdag 1 mei

'Nee, nu kan ik dat schorem niet meer aanzien! Laten we naar de Veranda van het Grand gaan en wat behoorlijks eten!' Ecker spuugde op de grond en keek minachtend naar de mensen die zich in de Kungsträdgård verzamelden met affiches en spandoeken. '"Naar een rechtvaardiger samenleving!", "De rijken moeten delen!" M'n reet! Ik ben niet van plan met een van die lui te delen. *White trash*, dat zijn ze!'

Kruut lachte. 'Ik geloof waarachtig dat directeur Ecker verontwaardigd is. Wees blij dat je tegenwoordig in Danderyd woont en niet zo veel *white trash* tegenkomt!'

'Daar heb je een punt,' zei Ecker met een vergenoegd glimlachje.

Christopher Silfverbielke stond in gedachten verzonken naar de demonstranten in het park te kijken. Het waren er te veel om zomaar op te kunnen ruimen, maar nodig was het zeker. Bovendien bleef de menigte maar in een niet-aflatende stroom groeien. Als je nou eens begon alle uitkeringen die er waren in te trekken en hen tegelijkertijd een voor een in het nachtelijk duister een kopje kleiner maakte, zou je op den duur misschien een betere samenleving krijgen.

'Ik denk dat ik in de politiek ga,' zei hij glimlachend. 'Maar wie had het daar over het Grand? Kom op!'

Toen de champagne op tafel stond en het drietal de kaart bestudeerde zei Johannes Kruut: 'Het is misschien wel weer eens tijd om de punten even door te nemen. Chris heeft er vijf gehad voor dat met die Ferrari, en –'

'Ssst!' Silfverbielke keek snel om zich heen. 'Waarom zet je niet op een spandoek wat we hebben gedaan? Zet het volume wat lager, alsjeblieft.'

Johannes keek verlegen en liet zijn stem dalen. 'Sorry. Maar in elk geval: jij stond na dat akkefietje op vijfendertig en daarna heb je er nog dertig gekregen voor de actie op Arlanda. Daar heb ik er vijfentwintig voor gehad en Hans vijftien. Ik sta dus aan de leiding met vijfenzeventig punten en jullie staan achter. Hoe hadden de heren gedacht de strijd aan te gaan?' Hij leunde tevreden glimlachend achterover.

Dat wil je niet weten. Silfverbielke glimlachte terug. 'Tja, dat kan nog lastig worden. We moeten maar eens kijken wat we kunnen bedenken, maar ik geloof dat we ons na die laatste actie maar even gedeisd moeten houden. We moeten het lot misschien niet al te zeer tarten.'

'Mee eens!' zei Ecker en hij nipte van zijn champagne. 'Laten we het maar even over iets anders hebben en plannen voor Båstad maken. Wanneer vertrekken we?'

Kruut haalde zijn Palm Pilot uit zijn zak en raadpleegde die. 'Het kwalificatietoernooi begint zaterdag 7 juli en er is eigenlijk geen reden daarnaar te kijken...'

'Dus jij gaat erheen om naar het tennis te kijken? Dat kunnen we ook op tv doen,' zei Ecker lachend.

Kruut keek verbaasd op. 'Waarom gaan we anders?'

'Wat we anders ook doen: zuipen, snuiven en neuken, natuurlijk.'

'Ja, ja, dat ook.' Johannes keek weer in zijn palmtop. 'Het toernooi begin maandag de negende. De kwartfinales zijn op vrijdag de dertiende...'

Silfverbielke keek naar de witte schepen en het glinsterende water. Het was stralend weer en straks zou de stad vol mooie, schaars geklede meisjes zijn die wel een glaasje champagne aangeboden wilden krijgen van een succesvolle man.

Zo veel te doen. Zo weinig tijd.

'Ik vind dat we de reis moeten concentreren op het eind van de week,' zei hij. 'We gaan woensdag, zijn donderdag, vrijdag en zaterdag daar, en rijden zondag weer naar huis.'

'Zo lang kan ik ook wel van huis. Het zou erger voor Veronica zijn als ik twee weekends zou wegblijven.'

'Hebben jullie het huis al op orde?' vroeg Kruut. Inwendig was hij vreselijk jaloers. Waarom Hans wel en hij niet? Hij wilde ook een knap vrouwtje, wilde ook meer op stand wonen. Hij moest beter zijn best doen. Maar aan de andere kant: als hij de puntenwedstrijd kon winnen en twintig miljoen kon binnenhalen zouden zijn kansen om hogerop te komen op de statusladder flink stijgen. Hij dacht even na of er iets crimineels maar tamelijk ongevaarlijks was wat hij zelf kon bedenken om zijn voorsprong te vergroten. Per slot van rekening waren er nog zes maanden te gaan voordat de wedstrijd afgelopen was, dus hij moest zijn voorsprong zien te behouden.

Ecker dronk nog wat champagne. 'Ja, dank je, het is super. Ik moet nog een paar kleine klusjes doen, je weet wel: thuisbioscoop, Bose-installatie, platte schermen en zo; daarna krijgen jullie een uitnodiging voor de housewarming...'

Christopher Silfverbielke leek andermaal diep in zijn eigen gedachten verzonken en ver weg.

Maar in feite was hij niet verder weg dan Båstad.

De gedachte aan dat reisje bracht hem in een bijzonder goed humeur.

44

Dinsdag 5 juni

Door het panoramaraam viel warm zomerlicht, dat zachte schaduwen op de fraaie, pasgeschuurde parketvloer wierp.

Veronica Svahnberg liep langzaam heen en weer door de strak ingerichte woonkamer. Ze was net zo'n beetje gewend aan het idee dat ze in een groot huis woonde en dat was een luxe waar ze zich met plezier aan aanpaste. Het huis was toen ze het kochten in zo goede staat dat ze het meteen konden gaan inrichten; een taak waar Veronica zich met groot enthousiasme en de creditcard in de aanslag op stortte. Hans toonde beleefde belangstelling, maar zag ervan af met haar mee te gaan als ze inkopen deed bij chique meubelzaken en beperkte zich tot technische zaken.

De prulletjes.

Veronica liep naar het raam, keek naar de bomen, het gazon en het voorlopig nog met kunststof afgedekte zwembad, waarvan ze in de zomer zouden genieten.

Terwijl ze daar stond streek ze onbewust met haar hand over haar buik, van de zijkanten naar het midden. Ze was in de vierde maand van haar zwangerschap. Ze had het nieuws met gemengde gevoelens aangehoord. In eerste instantie maakte ze een vreugdesprongetje, want hier wachtte ze immers al zo lang op. Eindelijk een kind. Eindelijk moeder. Een ander leven. Een onbegrijpelijk grote verantwoordelijkheid. Bijna te groot om te bevatten.

Tegelijkertijd knaagde de twijfel. Ze had in de agenda zitten kijken. Gedacht, geteld. Het zóú kunnen. Ze rekende uit dat ze in verwachting was geraakt in die turbulente periode een paar weken nadat Hans in Berlijn was geweest. In die tijd hadden ze vaak ruzie en was ze een tijdje naar haar eigen flat teruggegaan. Hun seksleven was af en toe totaal afwezig, en... Toen was ze voor het eerst met Christopher naar bed geweest.

Haar mobieltje lag binnen bereik op de tafel in de woonkamer. Ze pakte het om een sms'je te sturen.

Christopher Silfverbielke zat achterovergeleund in zijn luie leesstoel met grote belangstelling een boek te bekijken. De klanken van de Vijfde van Beethoven stroomden zachtjes uit de stereo terwijl hij bladerde.

Het boek ging over executies in het algemeen en guillotines in allerlei vormen en uitvoeringen in het bijzonder.

Efficiënt! dacht hij. En toegankelijk. Nuttig en vermakelijk tegelijkertijd. Stel je voor dat je zulke methodes op andere terreinen in het leven kon toepassen.

Hij leunde met zijn hoofd tegen de rugleuning van de stoel en deed zijn ogen dicht, met het boek op schoot.

Waar was het misgegaan? Wat was het breekpunt, het moment waarop een trotse samenleving met min of meer eerzame mensen veranderde in een verweekte monstercrèche waarin iedereen die medelijden met zichzelf had, betaald kreeg om thuis te blijven? Probeer in Pakistan eens aan fibromyalgie te lijden, dan zul je eens zien hoeveel uitkering je krijgt! Waarin iemand die anderen pestte en mishandelde vrijuit ging, terwijl het slachtoffer voor de kosten opdraaide? Waarin degene die stal, fraudeerde en bedroog de winnaar was, terwijl degene die op het smalle pad bleef aldoor verloor? Een samenleving waarin de vertegenwoordigers van de staat zich steeds schaamtelozer verrijkten door voor te dringen en zichzelf aantrekkelijke woningen en privéreisjes rond de wereld toe te eigenen op kosten van de belastingbetalers?

Waar was het misgegaan? Wanneer werd het mensen toegestaan om in smerige joggingpakken en op klompen rond te lopen in plaats van zich fatsoenlijk te kleden? Wanneer was het uit de mode geraakt om je te scheren? Waarom moesten alle sportcommentatoren eruitzien als homoseksuele kampgevangenen met kaalgeschoren hoofden en stoppelbaarden?

Hij voelde de woede in zich opwellen zonder dat hij er iets tegen kon doen. Tegelijkertijd begon er ook een welbekende pijn in zijn achterhoofd te zeuren. Hoe kwam het dat alles wat veertig jaar geleden bijna gratis was – een bezoek aan de dokter of aan de tandarts – nu peperduur was, hoewel de belasting nog net zo hoog was? *Waar blijft mijn belastinggeld verdomme?*

Waarom lette niemand er meer op dat trappen en voetpaden sneeuwvrij gemaakt en gehouden werden, dat kapotte straatlantaarns werden vervangen? Waarom werden graffitiklodderaars, geweldplegers en verkrachters niet op het Sergels Torg gestenigd? En waarom wilden ze in Zweden doen alsof ze het geweten van de wereld waren en honderden zwartjakkers per dag importeren, terwijl ze maar al te goed wisten dat die nooit iets zouden opleveren?

Christopher stond op, haalde twee aspirines uit de badkamer en nam die in met water. Hij liep naar de slaapkamer, ging op zijn bed liggen en sloot zijn ogen weer.

En de vrouwen. Er was een tijd dat die fatsoenlijk gekleed gingen in jurken, rokken, bloesjes en dat ze mooie schoenen aanhadden. Toen ze thuisbleven en voor de kinderen zorgden. Een tijd voordat een of andere linkse kenau krijste dat gelijkwaardigheid alleen te bereiken was als alle vrouwen een betaalde baan hadden. En kijk eens hoe dát was afgelopen.

Wanneer en waarom werd het een gewoonte om witte, dikke, trillende buiken te laten zien tussen de rand van de broek en het te korte ondergoed? Wie heeft toegestaan dat randjes van verschoten slipjes en smoezelige behabandjes zichtbaar werden? Hij huiverde.

En tatoeages. Lief, hè, dat vlindertje op mijn schouder? *Nee, stomme sloerie, dat is niet lief. Alleen hoeren en zeelieden laten zich tatoeëren, en voor zover ik weet heb jij nooit op zee gezeten.*

Er waren geen regels meer. En in een samenleving waarin Mona Sahlin partijleider van de sociaaldemocraten kon worden en dus de volgende premier dreigde te worden, kon je ook niet hopen dat er nieuwe regels zouden komen. Daarentegen had Zweden, het land waar het gemiddelde als het beste wordt beschouwd, alle kans om een Nobelprijs voor indrukwekkende stupiditeit te krijgen.

Het enige wat je kon doen was je verantwoordelijkheid nemen, je verre houden van het schorriemorrie en – in zekere zin – zelf een beetje opruimen.

De hoofdpijn werd iets minder; hij stond op en ging terug naar zijn luie stoel om weer in het boek te kijken.

Zijn mobieltje piepte twee keer.

Ik moet je zien. H is bij zijn ouders, blijft daar misschien slapen. Kan ik even komen? Wil alleen praten, verder niets. V.

Christopher fronste zijn voorhoofd. Alleen maar praten. Wie dacht ze dat hij was, een therapeut of een personal coach?

Hij drukte op BEANTWOORDEN. *Je mag komen, maar op mijn voorwaarden.*

Dertig seconden later: *Alsjeblieft, het hoeft niet lang te duren. Er is iets gebeurd. We moeten praten.*

Christopher glimlachte. Ik weet het, meisje. En ik weet ook wanneer het ongeveer gebeurd is. Hij antwoordde: *We kunnen ook wel wat praten. Kom over een uur. Alleen een jurk.*

Veronica's handen begonnen te trillen toen ze Christophers laatste sms'je kreeg. Ze vouwde ze om het getril tegen te gaan, maar dat hielp niet.

Verdomme!

Zodra ze hoorde dat ze in verwachting was had ze een besluit genomen. Ze moest het roer omgooien; het deel van haar leven dat met Christopher te maken had moest anders. Ze zou moeder worden en kon niet meer leven met haar duistere fantasieën, ze kon geen slaafse hoer meer zijn. Ze moest trouw zijn.

En nu. Eén sms'je met zijn magische woorden en haar goede voornemens waren als sneeuw voor de zon verdwenen.

Dominantie. Zijn *bevel.* De *minachting* die daaraan ten grondslag lag. De gedachte aan wat hij met haar had gedaan.

Ze ging snel naar de kledingkast in de slaapkamer. Ze kleedde zich helemaal uit en smeet de kleren op de grond. Ze zocht aan de hangertjes tot ze vond wat ze zocht en trok het korte, zwarte jurkje over haar hoofd. Een paar zwarte, lichte sandaletten completeerden haar uitrusting.

Voor de spiegel in de badkamer werkte ze haar make-up bij tot een meer sexy versie. Een donkerder lippenstift, meer mascara. Een hardere look.

Veronica pakte haar mobieltje en haar handtasje en liep met bonkend hart naar de garage. Ze kon geen uurtje wachten, geen sprake van.

Terwijl ze naar de stad reed kwamen hun eerdere ontmoetingen weer op haar netvlies; ze kreeg het warm, raakte opgewonden.

De hardheid. De smerigheid. De woorden. De harde hand.

Niemand anders had haar zo hard en zo lang geslagen.

Niet meer na haar vijfde levensjaar.

Toen hij de deur opendeed keek ze hem ernstig aan. Hij zag dat ze stond te trillen. Ze deed haar mond open om iets te zeggen, maar die was zo droog dat ze geen woord kon uitbrengen.

Christopher was naakt, en ze hield haar adem in toen ze zag hoe zijn spieren onder zijn huid bewogen. Hij greep haar stevig bij haar hand en trok haar de hal in. Ze probeerde weer iets te zeggen, maar kreeg er nog steeds geen geluid uit.

Toen hij haar handtas afpakte en haar resoluut op de vloer drukte, hapte ze naar adem en bevochtigde haar lippen. Hij beval haar op handen en knieën te gaan zitten en posteerde zich achter haar. Ze kreunde toen zijn handpalmen haar billen raakten en toen ze zijn warme, harde geslacht tegen zich aan voelde, wist ze uit te stoten: 'Ik... Ik ben in verwachting!'

Hij drong in haar met een kracht waardoor ze een schreeuw gaf. 'Wat handig! Dan is het niet erg als ik in je klaarkom...'

Daarna.

Christopher zat op de bank gehuld in zijn witte badstof ochtendjas en nam een slokje van zijn verse, dampende koffie.

Veronica trok bijna verlegen aan haar jurk, om die niet te hoog te laten opkruipen.

'Niet doen.' Zijn stem liet geen ruimte voor discussie.

Ze keek hem met een haast wanhopig gezicht aan. 'Christopher, we moeten echt praten!'

Hij glimlachte. 'Praat maar.'

Ineens voelde ze zich onzeker. Wat vond hij eigenlijk? Wat voelde hij? Trok hij zich ergens iets van aan? Van haar, van zichzelf, van iets anders?

'Ik ben in de vierde maand...'

Christopher bracht het kopje naar zijn mond. 'Geweldig, gefeliciteerd! Je vindt het zeker prachtig om moeder te worden?'

Ze wendde haar hoofd met kracht af en keek van hem weg, door het raam, zodat hij haar tranen niet kon zien. 'Ja, natuurlijk, maar...'

'Maar wat?'

Veronica keek hem aan. Hij oogde geamuseerd. 'Ik denk dat jij wel eens de vader van het kind zou kunnen zijn!'

Het antwoord kwam sneller dan ze had verwacht. Geen blijk van verrassing.

'Ik niet.'

Hoe kon hij dat zo zeker weten? Volgens haar berekening was de kans, het risico, of hoe je het wilde noemen, heel groot.

'Waarom niet?'

Christopher zette zijn kopje neer, boog voorover en keek haar diep in de ogen. Zijn ochtendjas gleed opzij en ze zag een glimp van zijn penis.

Ze voelde dat haar benen weer begonnen te trillen. Niet nu! Hij glimlachte naar haar. 'In de eerste plaats hebben we bijna altijd een condoom gebruikt. In de tweede plaats ben ik de paar keer dat we dat niet deden nooit in je klaargekomen. En in de derde plaats denk ik, zoals ik al eerder heb gezegd, dat ik steriel ben.'

Veronica zweeg even. 'Maar... dat klopt niet!'

'Wat klopt niet? Denk je dat ik lieg?'

'Nee, nee, dat bedoelde ik niet. Maar, ik bedoel... Je kunt toch uitrekenen wanneer je ongeveer in verwachting bent geraakt. En dat was in een periode dat ik bijna helemaal niet met Hans vrijde, maar dat jij en ik vaak met elkaar naar bed gingen, soms nachten achter elkaar.'

'En je denkt dus dat je niet van één keer met Hans in verwachting kan zijn geraakt. Kan hij zo slecht mikken dan?' Silfverbielke leunde achterover en lachte zacht. Hij maakte geen aanstalten zijn penis met zijn ochtendjas te bedekken en ze vervloekte zichzelf dat haar blik juist dáár de hele tijd heen ging. Hij was groot, hij was heerlijk en ze wilde hem.

'Je kunt natuurlijk gelijk hebben. Ik dacht alleen...'

Christopher wachtte tot ze verderging.

'...dat de kans groter was dat jij het was, omdat wij het zo vaak hebben gedaan. Ik dacht er niet aan dat jij een condoom om had, want zo voelde het niet.'

Hij fixeerde haar met zijn blik. 'En áls ik het was, wat zou je dan doen?'

Weer tranen in haar ogen. Weer haar blik afgewend. Heesheid in haar stem.

'Ik weet het niet! Ik weet het echt niet. Ik ben gek op je, dat weet je, maar je bent niet goed voor me, op den duur niet. Ik hou van Hans en ik...'

'Je houdt niet van Hans.' Opeens klonk zijn stem een stuk kouder. 'Als je van Hans had gehouden, was je in je lunchpauzes niet hier gekomen om je een pak slaag te laten geven. Je woont samen met Hans omdat hij een goede partij is, omdat het praktisch is en omdat hij veel geld verdient. Of niet soms?'

Ze sloeg haar handen voor haar gezicht.

'Maar wat zou dat?' vervolgde Silfverbielke vriendelijker. 'Je kunt niet altijd de mazzel hebben samen te leven met iemand van wie je houdt. Leef je leven met Hans en kruid het naar behoefte. Wat is het probleem?'

'Begrijp je dat nou echt niet, Chris?' Veronica's stem sloeg over. 'Ik word moeder! Ik kan niet de vrouw van Hans en de moeder van zijn kind zijn, en hier komen... néúken!'

Weer dat geamuseerde glimlachje. 'Waarom niet? Je bent mijn slavin, Veronica. Of niet soms?'

Ze kon haar tranen niet langer verbergen.

'Daar zijn we het toch over eens?' Christopher genoot duidelijk van de situatie. 'Je hebt iets nodig wat Hans je niet kan geven maar ik wel. Iets wat je een tijdje kunt verdringen, maar wat je altijd nodig zult hebben. Je kunt uiteraard besluiten ervan af te zien en ik kan het natuurlijk ook aan iemand anders geven. Wat zou je ervan zeggen als ik Emilie meeneem als we in Griekenland gaan zeilen?'

Veronica keek hem woedend aan. 'Smeerlap!'

'Zoiets, ja. Je kunt het ook zo zien: jij hebt mij harder nodig dan ik jou. Vervelend, maar waar. En jíj mag kiezen. Voorlopig.'

Ze stond op, ging voor hem staan en liet haar blik omlaag gaan. Hij begon weer stijf te worden.

'Kom,' zei ze, en ze ging naar de slaapkamer.

45

Hij werd gewekt door zijn mobiele telefoon.

'Hoi, Christopher. Met Hans...'

'Goedemorgen. Hoe laat is het?'

'Halftien. Is het laat geworden gisteren?'

Nee, maar overdag was het wel een tijdje leuk.

'Nee, ik geloof dat de vermoeidheid van de laatste tijd eruit komt.'

'Begin je oud te worden?' Ecker lachte.

'Dat zal wel.'

'Chris, ik heb een idee. Heb je zin om vanavond mee uit te gaan en wat te gaan drinken?'

'Absoluut. Maar wat vinden je vrouw en je villa daarvan?'

'Geen probleem. Veronica gaat straks naar een vriendin en daar blijft ze waarschijnlijk slapen. Ze hebben vanavond extra veel om over te babbelen...' – Hans laste een kunstmatige stilte in om Christopher de gelegenheid te geven een vraag te stellen, maar moest doorgaan – '...want ik word namelijk vader!'

Een andere keer misschien. Dit kind is een Silfverbielke.

'Oei! Gefeliciteerd, leuk. Dat moeten we vieren. En zullen we dan de jongeheer Kruut ook maar meenemen?'

'Goed plan. Ik zorg voor sigaren en de rekening is vanavond natuurlijk voor mij.' Ecker kon zijn trots maar moeilijk verbergen. 'Er is maar één kleinigheidje: ik zit wat krap in... eh... de medicijnen.'

Amateur.

Silfverbielke rekte zich uit onder de lakens. Hij onderdrukte een geeuw. 'Ik denk dat ik vandaag wel iets kan regelen.'

'Kunnen we bij jou indrinken? Het is tegenwoordig wat ver naar mijn huis.'

'Geen probleem. Als jullie dan om een uur of zeven komen? Ik moet voor die tijd nog iets doen.'

'Wat? Werkt meneer Silfverbielke op de Zweedse nationale feestdag?'

'Werken, werken... Ik wil alleen wat gespuis van de straat halen.'

Ecker barstte in lachen uit. 'Allemachtig, wat ben jij een idioot, Chris. Maar eerlijk gezegd zou het geen kwaad kunnen als een paar van die hufters werden opgeruimd.'

Inderdaad.

Silfverbielke hing op, legde zijn armen achter zijn hoofd en staarde naar het plafond.

Hans begon de greep te verliezen.

Kon een probleem worden. Zou een probleem worden.

Niets wat hij niet aan kon.

In hun studietijd waren ze één geweest, hadden ze zij aan zij gestaan als het heet werd. Maar de afgelopen jaren was Hans slap geworden. Te veel in zijn Stureplan-rol gekropen. Wat te saai geworden, te voorspelbaar. Hij had nog wel een grote mond, maar er gebeurde niet zo veel meer.

Christopher snoof toen hij eraan dacht hoe ontdaan Hans was geweest na wat er in Gamla Stan was gebeurd. *Je moet staan voor wat je hebt gedaan.* Als je een dronkenlap hebt omgebracht, moet je daar trots op zijn en niet als een snotterend trutje wegkruipen.

Op den duur kun je niet gelieerd zijn aan mensen die je niet kunt vertrouwen.

Twee piepjes op zijn mobiel. *Je bent een smeerlap maar ik kan niet zonder je. Vannacht?*

Christopher glimlachte en schreef: *De regels zijn niet veranderd.*

Veronica: *Wat moet ik doen?*

Hij dacht even na. *Kortere rok dan vorige keer. Alleen zwarte stay-ups eronder. Hoge laarzen. Dun topje.*

Het antwoord liet een minuutje op zich wachten. *Je bent niet goed wijs! Wat zal H zeggen? Heb gezegd dat ik bij een vriendin ga slapen!* Snel antwoord: *Gehoorzaam! Ik sms als je kunt komen.* Silfverbielke legde zijn mobiel weg, stond op en liep naar de douche. Hij had wat te doen. Het was schoonmaakdag.

Het is onze nationale feestdag. Waarom kunnen jullie je niet netjes aankleden? Op lelijke trainingspakken zou de doodstraf moeten staan. Silfverbielke reed langzaam naar de Kungsträdgård en keek naar de mensenmenigte. Onder de mooie, wapperende Zweedse vlaggen waggelden Zweden die al net zo dik werden als de Amerikanen. Ze propten zich vol met chips, ijsjes, worstjes, garnalenmayonaise, hamburgers, snoepgoed, frisdrank, pizza en alle andere rommel die ze maar konden krijgen. Ze knoeiden vet op hun al bezoedelde T-shirts en voor de zekerheid gaven ze hun kinderen dezelfde rotzooi, zodat die zo mogelijk nog dikker zouden worden dan hun ouders. Ze liepen rond met halfopen monden en lege ogen. Hij haatte hen allemaal, steeds meer.

Silfverbielke parkeerde zijn auto en wandelde naar het podium waar onder meer, volgens de affiches, het volkslied zou worden uitgevoerd. Het bijzonder politiek correcte programma vermeldde ook dat vier leden van de Rijksdag van 'multiculturele achtergrond' om de beurt zouden spreken over 'Het Nieuwe Zweden'. Silfverbielke ging bij een afvalbak staan en vroeg zich even af of hij meteen zou gaan kotsen.

Ik had voordat ik wegging een lijntje moeten nemen om dit aan te kunnen.

Hij ging in de rij staan voor een kiosk om mineraalwater te kopen. Achter zich hoorde hij twee grietjes babbelen.

'Ja egwel. Nou toen zeg ik tegen hem van rot op, want hij was helemaal kranka dus. Nou en hij van kuthoer tegen mij, egwel, en ik gewoon van fok joe en zo ging dat maar door dus!'

'Nou já zeg wat een lu-ul!'

'Ja toch? Egwel. Nou en toen kwam zijn mattie dus, die was reteknap maar helemaal para. Maar ik ben later wel met hem meegegaan dus...'

Silfverbielke trok zijn stropdas aan de bovenkant recht, plukte een pluisje van zijn zwarte colbertje en voelde dat hij begon te koken.

'Nee hè! Ben je niet goed snik? Ben je met hem meegegaan? Heb je gechopt?'

'Hm-mm, gááf joh. Beter dan Henke, egwel, en je weet hoe die is.'

'Ze vinden je straks nog een mocho dus!'

'Nou en? Had ik trouwens al gezegd dat ik een nieuwe tattoo laat zetten?'

'Nee. Wauw, retecool! Waar?'

'Op m'n andere tiet deze keer, een draak, egwel. Ik zou mijn tieten ook wel groter willen laten maken, maar ik heb geen doekoe. Kut joh.'

Nee. Je zou je hersens groter moeten laten maken, zodat die twee cellen meer plaats hebben om te dansen. Helpen zou het niet, maar ze zouden meer lol hebben.

Silfverbielke had er genoeg van en draaide zich om.

De donkere woog zeker vijftien kilo te veel en had er blijkbaar niets op tegen om haar buik te laten zien of de boord van een slip die ooit wit was geweest. Haar witte topje was zo klein dat de bovenkant van de tatoeage op haar ene borst te zien was. Zwarte, verschoten behabandjes staken schreeuwend af tegen de bleke schouders. *Weer kotsneigingen.*

De blonde woog hooguit tien kilo te veel, maar daar stond tegenover dat ze heel kort stekeltjeshaar, een stokje door haar tong en een ringetje door haar neus had. *Zo? Jij wilt in je volgende leven stier worden?*

Christopher glimlachte allervriendelijkst. 'Neem me niet kwalijk, maar jullie moeten een meter naar achteren gaan.'

De donkere hield even op met kauwgum kauwen, alsof haar brein niet in staat was tegelijkertijd informatie tot zich te nemen en de kaken aan te sturen. Ze staarde hem met halfopen mond aan en hij kon het kwijlige stuk kauwgum op haar tong zien liggen.

De blonde was, te oordelen naar haar reactiesnelheid, verhoudingsgewijs intelligenter.

'Huh?'

Hij glimlachte nog steeds. 'Enerzijds lijd ik aan algemene angst voor bacillen, anderzijds heb ik het idee dat hier ernstig gevaar bestaat om luizen te krijgen, zowel mentale als fysieke.'

Ze keken elkaar aan. De donkere dacht na. 'Wat lult-ie nou toch?'

De blonde haalde haar schouders op. 'Volkomen kranka.'

Silfverbielke hield zijn hoofd scheef en keek naar de blonde. 'Weet je in welk standje je moet neuken om heel lelijke, domme kinderen te maken?'

Ze schudde haar hoofd, met open mond.

Christopher glimlachte weer. 'Vraag het dan maar aan je moeder. En maak nou maar gauw dat jullie wegkomen, voordat ik jullie de hersens insla!'

De donkere keek ineens heel angstig. 'Verdomme, we gaan weg. Hij is helemaal ziek in zijn hoofd, egwel. Val dood, vieze vuile pedo!'

Ze draaiden zich om en liepen gauw weg.

Tot ziens, als jullie pech hebben, dacht Silfverbielke.

Hij was van plan geweest om in het park te blijven om het optreden te zien, maar het programma leek ineens een stuk minder aantrekkelijk. Zijn hoofd tolde en hij werd beroerd van wat hij om zich heen zag.

Hij liep snel terug naar de auto. *Ik heb nog een* EHBO-*tasje onder de autostoel.*

Silfverbielke sloeg rechts af de Regeringsgata in en draaide meteen daarna linksaf de Parkade in. Hij reed door tot de op één na hoogste verdieping van de grote parkeergarage en zette zijn auto ver weg in een donker hoekje.

Na wat gegrabbel onder de stoel naast hem vond hij het EHBO-tasje, maakte het open en vond het plastic zakje, het rietje en het stukje karton. Hij keek om zich heen, legde een lijntje en snoof het op. *Ik moet mijn cokegebruik misschien wat minderen. Maar voor de taak van vandaag heb ik een beetje extra kracht nodig.*

Christopher deed de klep van de kofferbak open en haalde de zwarte overall en de gymschoenen eruit. De plastic zak met het Finse, hand-gemaakte kwaliteitsmes glansde in het donker. Het had keurig ingepakt in de kofferbak van Eckers Mercedes gelegen toen ze terugkwamen uit Duitsland. Het was hem opgevallen dat Hans het stevige handvat had laten voorzien van zijn initialen: H.E. Goed om te hebben. Hij had het mes al in Trelleborg in zijn jaszak laten glijden.

Vijf minuten later had hij zich achter zijn auto omgekleed. Hij legde zijn kostuum keurig in een hoes in de kofferbak, evenals zijn glimmende zwarte schoenen. Hij knoopte de gymschoenen stevig dicht en trok de rits van zijn overall tot aan zijn hals dicht. De dunne leren handschoenen moesten nog even wachten.

Het was warm, maar als je schoonmaker was moest je de juiste kleding aanhebben.

Silfverbielke reed de Parkade weer uit en begon doelloos door de stad met haar wapperende vlaggen te rijden.

Hector Gomez had nooit veel van Zweden begrepen, ook al woonde hij al sinds 1975 in een voorstad van Stockholm. Ze waren stug, introvert en ergerden zich aan allerlei flauwekul, maar toch waren ze heel bang voor conflicten en bezorgd wat anderen wel niet van hen zouden denken.

Toen Hector begin jaren tachtig de Zweedse nationaliteit aanvroeg en kreeg, vond hij dan ook dat hij zich ironisch genoeg aansloot bij een volk waarmee hij niets gemeen had. Maar zijn naturalisatie had voordelen en als politiek vluchteling uit Chili kon je maar beter Zweed zijn, niet in de laatste plaats als je naar het buitenland wilde reizen.

Een van de goede kanten van Zweden was het allemansrecht, de vrijheid om in de natuur te zijn zonder dat een of andere idiote grootgrondbezitter met een geweer op je schoot. De weinige keren dat Hector zijn groentestalletje bij de metro van Alby met een gerust hart kon verlaten, reed hij meestal met zijn roestige Toyotaatje naar zijn favoriete plek, Djurgården, en maakte daar urenlange wandelingen. Hij genoot van de frisse lucht, de nabijheid van het water, het ruisen van de wind in de bladeren en het zingen van de vogels. Het was balsem voor de ziel.

Hector sloeg van de rondweg af richting Fridhemsplan, kwam in een groene golf terecht en ging linksaf, de St. Eriksgata in. Hij naderde het kruispunt met de Fleminggata juist op het moment dat Silfverbielke door de Fleminggata reed en de St. Eriksgata wilde kruisen. De verkeerslichten op dit lastige kruispunt hadden de geest gegeven en stonden nu oranje te knipperen, waardoor de chaos nog groter was dan anders.

Wat Hector Gomez over het verkeer in Zweden had geleerd was heel eenvoudig. Aan de ene kant was er zoiets als 'rechts heeft voorrang' en die regel kon je altijd tot het uiterste tarten. Aan de andere kant schoot je sneller op als je met een beetje zuidelijk temperament reed. De Zweden waren namelijk niet alleen bang voor conflicten, ze hadden ook mooie auto's waar ze geen deuken in wilden krijgen.

Silfverbielke was halverwege de kruising toen een kleine, donkerharige man met een snor zijn kleine, lelijke, roestige Toyota van rechts af pardoes voor zijn auto gooide. Hij moest de rem tot op de bodem intrappen en drukte tegelijkertijd uit alle macht op de claxon.

De man in de Toyota draaide zonder aarzelen vóór Silfverbielke de Fleminggata in, terwijl hij zijn linkerhand door het raampje stak en een obsceen gebaar met zijn middelvinger maakte.

De razernij schoot door Silfverbielke heen en even overwoog hij plankgas te geven en de Toyota van achteren te rammen. Maar hij beheerste zich.

Er waren betere manieren.

Verderop in de Fleminggata nam hij de linker rijstrook en ging naast de Toyota rijden. De zwartharige man grijnsde minachtend naar hem.

Een ongewenst importproduct dat al lang geleden geretourneerd had moeten worden.

Silfverbielke kookte van woede. Hij schudde zijn vuist naar de man en kreeg meteen nog een middelvinger ten antwoord, gevolgd door een uitgestoken tong.

Genoeg. Geen enkele zwartjakker gaf hem een middelvinger zonder dat hij de groeten terug kreeg.

Hij minderde vaart en ging weer rechts rijden, een paar auto's achter de Toyota.

Hector Gomez lachte hartelijk en draaide het volume van zijn stereo open, zodat de vrolijke, Latijns-Amerikaanse muziek door de auto stroomde. Hij floot en sloeg tegelijkertijd met zijn vingers de maat op het stuur. Wat een maffe Zweed! Kwaad worden alleen maar omdat hij voorrang nam. Je mag best een beetje flexibel zijn, *amigo*.

Hij reed over de brug richting Centraal Station, daarna naar het Sergels Torg en vervolgens naar de Kungsträdgård, het Norrmalmstorg en de Strandväg.

Christopher Silfverbielke volgde op behoorlijke afstand, maar paste goed op dat hij de Toyota niet uit het zicht verloor. Toen hij de Strandväg op reed, moest hij gas geven door rood om hem niet kwijt te raken. Een paar minuten later kwamen ze door de diplomatenwijk en langs de Amerikaanse ambassade. Toen hij het Scheepvaartmuseum rechts zag liggen, dacht hij terug aan die ochtend waarop hij de zwarte plastic zak in het water had gegooid.

Opgeruimd.

De man in de Toyota reed nu een paar honderd meter voor hem en zodra Silfverbielke zag dat hij de weg naar de Kaknästoren voorbijreed ontspande hij. Verderop waren er nauwelijks vluchtwegen meer.

Laten we een beetje spelen, zwartjakker.

De parkeerplaats bij het theehuis op Biskopsudden was verbazend leeg, maar Silfverbielke nam aan dat de meeste mensen de nationale feestdag liever in de stad vierden, tussen de vlaggen en de muziek.

De buitenlander was al uit zijn Toyota gestapt en wandelde naar een bospad. Christopher trok gauw zijn handschoenen aan, haalde de schede met het mes uit de plastic zak en liet die in de zak van zijn overall glijden. Op stille rubberzolen sprong hij uit de auto, deed die op slot en holde naar de bosrand.

Hector Gomez bleef staan, wendde zijn gezicht naar de boomtoppen, sloot zijn ogen, snoof de frisse lucht in en genoot.

Het volgende moment voelde hij een verschrikkelijke pijn in zijn achterhoofd en hij helde voorover, struikelde en viel op de grond. De aanval kwam zo plotseling en onverwacht dat hij niet kon reageren of weerstand bieden. Hij voelde het ergens ver achter op zijn haar warm en nat worden en hij kreunde van de pijn. Twee sterke handen grepen zijn kleren vast en trokken hem van het pad af, het zachte mos op, over stenen en takken.

Gomez spande zich in om zijn ogen open te doen. Hij zag de boomtoppen ver boven zich als in een mist, oneindig mooi en nu omgeven door wazig zonlicht.

'Porqué...?' kreunde hij zacht.

Maar de man die hem nu eens trok en dan weer droeg, steeds verder het bos in, gaf geen antwoord.

Silfverbielke sleepte de man achter een heuveltje dat grotendeels bedekt was met bomen en met een nis. Hij liet het lichaam los. Er kraakte iets toen het bijna levenloos op een paar droge takken viel. De man kwam op zijn rug terecht en dat kwam Silfverbielke prima uit.

Hij boog zich over hem heen, met zijn gezicht maar een half metertje boven dat van de ander, zodat die hem duidelijk kon zien.

'Luister goed, vuile zwartjakker. We maken één ding heel duidelijk voordat je met mijn exprestrein naar huis gaat. Je steekt je vinger in het verkeer niet op naar mij en naar geen enkele andere Zweed. Begrepen? Vandaag deed je dat twee keer. Dat was een slecht idee en je hebt geen geld om er een boete voor te betalen, maar dat ga je toch doen!'

Het duizelde Gomez. Ondanks al die jaren in Zweden had hij nog steeds moeite de woorden te verstaan en vooral als het snel ging of als de spreker opgewonden was begreep hij er niets van. Hij herkende de man die kwaad was geworden in de auto, op de Fleminggata, maar waarom was hij hem helemaal achternagereden? Hoe bedoelde hij dat Gomez naar huis ging? Exprestrein? Geen boetes betalen?

Gomez voelde meer warm vocht op zijn achterhoofd en begreep dat hij flink bloedde. Hij moest naar een dokter. Met een laatste krachtsinspanning schopte hij omhoog en hij hoorde zijn aanvaller kreunen toen hij die in het kruis trof.

Toen hij de pijn in zijn ballen voelde, ontplofte Silfverbielke helemaal van woede. Een vuile zwartjakker die niet alleen het lef had hem twee keer een middelvinger te geven, maar hem ook nog tussen zijn benen schopte!

Tijd om op te ruimen.

Hij gaf de man een rechtse directe waardoor diens hoofd tegen een steen in het mos sloeg. De man maakte een gorgelend geluid en bleef bijna onbeweeglijk liggen. Silfverbielke haalde snel het mes uit zijn zak, haalde het uit de schede en gooide die in het mos. Hij boog zich voorover en sloeg de man hard met zijn vlakke hand op de wang, totdat die zijn ogen opende.

'Gelóóf jíj in Gód, vúíle zwártjákker?' vroeg hij langzaam, met de nadruk op elke lettergreep.

De man knikte bang.

'Goed. Bid dan dat hij de hemelpoort voor je openmaakt, want het is zover!'

'*No, no...*' kreunde Gomez. '*Por favor, señor, no!*'

Met een harde stoot duwde Silfverbielke het mes in de keel van de man en hij trok het onder de kin door naar de andere kant. Hij wierp zichzelf opzij toen er een straal bloed recht omhoog spoot.

Hij zag dat het oogwit van de man zichtbaar werd en hoorde een huiveringwekkend geluid toen er zich nieuwe luchtwegen in diens lichaam openden. Silfverbielke tilde het mes resoluut op, pakte het stevig vast, mikte recht op het hart en stootte het er zo diep in dat alleen het heft nog zichtbaar was. Daarna stond hij op en wierp een blik vol verachting op het lichaam De kleren van de man kleurden nu snel rood.

Silfverbielke draaide zich om en liep rustig weg.

Toen hij uit het bos kwam zag hij een vrouw die naar haar auto op de parkeerplaats liep. Hij trok zich gauw terug en wachtte tot ze was weggereden. Toen rende hij naar zijn auto, pakte zijn kostuum, zijn schoenen en een zwarte plastic zak uit de kofferbak, haastte zich weer terug naar de bosrand en kleedde zich in de beschutting van een paar bomen om.

Opeens hoorde hij een eindje verderop stemmen, en hij schrok.

Opschieten nu.

Hij stopte de overall, de gymschoenen en ten slotte de handschoenen in de zak, knoopte die dicht, gooide hem in de kofferbak en sprong in de auto.

Silfverbielke reed door de stad, draaide de E4 op en ging naar het noorden. In Sollentuna ging hij van de snelweg af en reed naar het Norrvikmeer.

Leeg. Geen mensen op het strandje.

Hij pakte de plastic zak en liep een heel stuk langs het water, totdat hij een eind weg was van de plekken waar mensen doorgaans zwommen en kanoden. Tussen de bomen vond hij genoeg zware stenen: hij maakte een paar flinke gaten in de zak en stopte de stenen erin. Daarna gooide hij de zak zo ver mogelijk weg. De zak doorkliefde tien, twaalf meter verderop het glanzende wateroppervlak en verdween algauw. Het enige wat er nog te zien was, waren een paar luchtbellen.

Christopher keek om zich heen. Geen mens.

Fluitend liep hij terug naar de auto.

Hij was in een bijzonder goed humeur.

46

'Hallo, met Jacob. Hoe is het ermee?'

'Nee maar! M'n knul uit Stockholm! Goed hoor, dank je. En met jou?'

Jacob Colt glimlachte toen hij zijn vader 'knul' hoorde zeggen, hoewel hij al bijna vijftig was.

'Ach, het gaat zo zijn gangetje, hè? Druk op het werk en... Nou ja, je weet hoe dat gaat.'

Hans-Erik Jörgensen lachte. 'Jazeker, ik weet hoe dat is. Ik heb toch gezégd dat je niet bij de politie moest gaan! Maar ja, je kinderen luisteren nooit naar je, ook al weet jij het beter.'

'Jazeker, ik weet hoe dat is,' praatte Jacob hem na, en hij schoot er zelf om in de lach. 'Ik heb ook kinderen, weet je.'

Hij zag zijn vader voor zich. Lang, slank, nog altijd goed in vorm. Blond haar dat blijkbaar weigerde grijs te worden, felblauwe, intense ogen. Een knappe man.

Hans-Erik Jörgensen had Deense ouders, maar was geboren en getogen in Malmö. Al op school leerde hij Ingrid kennen, die zijn hele leven zijn geliefde zou blijven, totdat ze een paar jaar geleden aan kanker was overleden.

En al voordat hij eindexamen had gedaan, had Hans-Erik Jörgensen een besluit genomen. Hij zou politieman worden, en dat werd hij ook. Hij had grote belangstelling voor juridische zaken, dus hij volgde naast zijn werk ook een aantal rechtencursussen. Vooral voor de lol, zoals hij zelf zei.

Nu kon hij terugkijken op een veertigjarige carrière bij de politie, die hij had afgesloten met de titel van commissaris. Die terugblik bezorgde hem gemengde gevoelens en vaak vroeg hij zich af of hij zijn leven niet aan iets anders, iets nuttigers had kunnen besteden. Vast wel. Voor zover hij kon zien, was de wereld er in zijn werkzame jaren niet veel beter op geworden. Aan de andere kant kon je natuurlijk niet weten hoe het zou zijn geweest als hij niet bij de politie was gegaan, filosofeerde hij vaak.

Zoals veel andere politiemensen was hij echter ook een beetje verbitterd geraakt. Ze hadden veel opgeofferd om de samenleving te dienen, om 'te beschermen, ondersteunen en reguleren', zoals het zo mooi heette in de wervingsbrochures. Maar hij had niet het gevoel dat ze de steun hadden gehad die ze verdienden. Niet van politici, niet van rechters, zelfs niet van gewone medeburgers, die dankbaar hadden moeten zijn dat iemand dit rotwerk wilde doen. Nee, zijn beroep was niet helemaal geworden wat hij ervan had verwacht.

De rest van het leven ook niet. Toen hij met pensioen ging hoopte hij dat Ingrid en hij nog vele goede jaren zouden hebben, zodat ze eindelijk alles konden doen wat je tot na je pensionering hebt uitgesteld. Rozen kweken, lezen, reizen, naar muziek luisteren, lange wandelingen maken, met je kleinkinderen spelen.

Maar de kanker had hun een streek geleverd en nu moest hij na een lang huwelijk in z'n eentje proberen nog iets van de rest te maken.

Dat was niet altijd gemakkelijk. Soms was het eenvoudiger om te huilen, iets te veel te drinken, vervuld te zijn van zelfmedelijden, maar dan herstelde hij zich weer. En ging door.

'Wat doe je momenteel zo al?' vroeg Jacob.

'Joh, ik zeg wel eens, net als een collega vroeger tegen me zei: ik begrijp verdorie niet hoe ik vroeger nog tijd had om te werken! Ik heb het de hele tijd druk. Ik doe de was, ik was af, ik doe boodschappen, ik kook. Ik moet rekeningen betalen, naar de tandarts gaan en zorgen dat de tuin er fatsoenlijk bij ligt. En dan moet ik natuurlijk nog wat tijd overhouden om te vissen.'

Hij zweeg opeens en Jacob begreep dat hij terugdacht aan de tragedie, aan Niels.

'En je ziet Stephen regelmatig, begrijp ik?'

'O ja, dat is zo'n heerlijke knul.' Zijn vader klonk gelukkig. 'We hebben het heel gezellig samen. En hij heeft het erg naar zijn zin in mijn oude flat. Maar hij komt ook heel vaak hier.'

Jacob zag voor zich hoe zijn vader en Stephen samen lange wandelingen maakten langs de zee in Hans-Eriks geliefde Kämpinge, de idylle waar hij niet meer uit weg wilde. Hoe moet ik het hem vertellen? Hoe vertel je een oudere man dat zijn kleinzoon, van wie hij houdt als van zijn eigen zoon, homo is?

'Hij heeft hier vorig weekend trouwens nog een nachtje gelogeerd. Hij had zijn vriend bij zich, die Joachim. Aardige knul...'

Jacob was een paar tellen met stomheid geslagen. 'Dus je weet het?'

'Dat hij homo is, bedoel je? Ja, hoor, dat wist ik al een tijdje. Jij niet?'

Jacob voelde even een steek van verdriet. Zou een jongen die iets wilde vertellen, iets wilde delen, niet eerst zijn eigen vader in vertrouwen horen te nemen? Waarom wist zijn opa het eerder?

Jacob schudde dat gevoel van zich af en probeerde neutraal te klinken. 'Ja, hoor, ik wist het al een tijdje, maar ik dacht dat jij het nog niet wist. En...' – Jacob aarzelde – '...wat vind je er nou van?'

'Vinden, vinden... Er valt niet zo veel van te vinden, Jacob.' Zijn vader grinnikte. 'Het zijn nieuwe tijden en de mensen zijn zoals ze zijn. Je weet dat er bijna niets is waarom ik zo veel geef als om die jongen, en van mij mag hij doen wat hij wil en leven hoe hij wil als het maar goed met hem gaat.'

Jacob zuchtte opgelucht. Hij had al over dit gesprek nagedacht sinds Stephen met Joachim bij hen op bezoek was geweest. Hij had ertegen opgezien, het uitgesteld. Het was toch gemakkelijker geweest hem te bellen om te zeggen dat Stephen een vriendin had, zich verloofd had, vader was geworden – ja, zo ongeveer álles was gemakkelijker geweest.

Het was een eigenaardig idee dat zijn vader het allemaal natuurlijker vond dan hijzelf toen hij het hoorde.

Zijn vader onderbrak zijn gepeins. 'Hoe gaat het trouwens met die moord op die bankier? De kranten lijken me wat gekalmeerd, maar ik begrijp dat die zaak nog steeds niet is opgelost?'

Jacob glimlachte. Hans-Erik zou het nooit helemaal kunnen laten, hoeveel hij ook van vissen beweerde te houden. Jacob wist dat hij elke belangrijke misdaad volgde waarover de media berichtten en het was niet ongebruikelijk dat hij dan belde, vragen stelde en nadenkend humde bij de antwoorden.

Jacob had meer dan eens reden gehad om dankbaar te zijn voor het feit dat Hans-Erik nog altijd belangstelling voor het recherchewerk had. Het was wel voorgekomen dat Jacob uit een gevoel van wanhoop zijn vader had gebeld en had verteld over de zaak en hoe hij die had aangepakt. Een paar dagen later had Hans-Erik teruggebeld en een theorie ontvouwd die wezenlijk anders was dan die waarmee ze tot dan toe werkten. En soms had dat tot een doorbraak geleid.

Jacob vertelde in het kort over de ontwikkelingen in de zaak-De Wahl en zijn vader zuchtte. 'Dat klinkt lastig. Ik zal er eens over nadenken en

kijken of ik iets kan bedenken. Maar vergeet niet, Jacob: soms is de oplossing veel eenvoudiger dan je denkt. Misschien heb je het antwoord
al. Misschien heb je de moordenaar al ontmoet!'

Ze babbelden nog een tijdje over het weer, vissen, politiek en sport,
natuurlijk en toen sloot Jacob het gesprek – voor de hoeveelste keer? –
af met de belofte dat Melissa, Elin en hij gauw een keer een paar dagen
vrij zouden nemen en naar Kämpinge zouden komen.

Jacob hing op met het gebruikelijke slechte geweten omdat hij zijn
vader veel te zelden zag. Hij bleef lang bij de telefoon staan, diep in gedachten verzonken, met zijn vaders woorden nog nagalmend in zijn
oren.

*Soms is de oplossing veel eenvoudiger dan je denkt. Misschien heb je
het antwoord al. Misschien heb je de moordenaar al ontmoet!*

47

Woensdag 6 juni
Zweedse nationale feestdag

*Hoeveel punten krijg je als je het land bevrijdt van een vuile zwartjakker
die van een uitkering leeft?*

'Wat wil jij hebben, Chris? Bubbels, zoals altijd?'

Silfverbielkes gepeins werd onderbroken door Eckers stem.

'Prima, dank je.'

Ze waren met z'n drieën bij elkaar gekomen bij Silfverbielke en hadden een paar uitstekende Davidoff-sigaren en een paar drankjes afgewerkt voordat ze een taxi naar het East hadden genomen.

Het restaurant was afgeladen met mooie vrouwen en Silfverbielke zag
dat Ecker begerig om zich heen keek.

'Verdomme, dat je dan toch een relatie hebt en vader wordt. Dit was
een mooie gelegenheid geweest!'

'Wat let je?' zei Silfverbielke plagend. 'Zei je niet dat je vriendin vannacht ergens anders ging slapen?'

Ecker greep nadenkend naar zijn kin. 'Je hebt gelijk, maar ik kan toch verdomme geen vrouw mee naar huis slepen!'

'Dan neem je toch een hotelkamer. Zeg morgen gewoon dat je niet meer naar huis kon rijden, als ze ernaar zou vragen. Of neuk haar bij Johannes thuis, weet ik veel, hij heeft je toch een bed aangeboden!'

Johannes lachte. 'Ik heb wel gezegd dat Hans bij mij mag logeren, maar daarbij dacht ik er niet aan dat hij mijn huis in een pornobioscoop zou veranderen. Proost, trouwens. Op Hans!'

'Op Hans!' Silfverbielke hief zijn glas champagne, knikte zijn vrienden toe en nam een slokje.

Nee, dat kan niet. Ik kan niet vertellen over mijn huzarenstukje van vandaag. Daar zijn ze niet hard genoeg voor. Maar dat betekent ook dat ze geen van beiden het geld waard zijn. Geen probleem. Dat lost zich wel op.

Johannes boog zich voorover naar Hans en Christopher. 'Jongens, het is al een tijd geleden dat we punten hebben gehaald in ons wedstrijdje. Ik begin echt zin te krijgen in meer leuks. Heeft een van jullie een goed idee?'

Zou je zelf niet eens iets kunnen verzinnen, Johannes? Zou je voor één keer in je leven niet eens wat eigen initiatief, wat lef kunnen laten zien?

Christopher keek Hans aan. 'Je hoort het, Hans. Heb jij nog goede ideeën?'

Ecker streek met zijn hand over zijn gezicht en zag er opeens moe uit. 'Ach, ik weet niet, Chris, jij bent veel beter in zulke dingen dan ik. We moeten maar kijken wat er zich voordoet...'

Ja, ja. Jij dus ook niet. 'Kijken wat er zich voordoet.' Je klinkt als een tweedehandsautohandelaar. Amateur.

'Maar Chris,' zeurde Johannes, 'jij kunt toch wel iets bedenken?'

Ja, ik kan bedenken dat ik jou je hersens insla als je niet ophoudt met zaniken.

Hij keek Johannes toegeeflijk aan. 'Kalm maar, ik verzin wel iets, wacht maar. We moeten maar eens kijken welke mogelijkheden zich voordoen als we naar Båstad gaan.' Hij stond op. 'Willen de heren nog wat champagne bestellen? Ik moet even naar het toilet.'

Hij deed de deur zoals gewoonlijk zorgvuldig achter zich op slot en pakte zijn mobieltje.

We kunnen elkaar over drie uur bij mij zien. Ben je bereid een stap ver-
der te gaan dan tot nu toe?

Het antwoord kwam binnen een halve minuut.

Misschien...

48

'Idioot!'

Colt remde plotseling omdat een jongeman die een zo te zien dure
zonnebril ophad zijn Audi met ware doodsverachting op een haarbreed-
te voor Colts BMW in diens rijstrook duwde.

'Kom kom, je moet je niet zo opwinden in het verkeer: dat is niet
goed voor je hart.' Henrik Vadh keek Colt geamuseerd aan.

'Het is ook niet goed voor je hart als je aangereden wordt,' gromde
Colt. 'Als ik een wat aftandsere auto had gehad, had ik plankgas gegeven.
Dan was de grijns wel van die yup z'n gezicht verdwenen.'

De files bij Järva Krog kropen vooruit. Henrik Vadh zat ontspannen
in de passagiersstoel en bladerde verstrooid in de *Dagens Nyheter.*

'Interessant, dit, en heel tragisch...' zei Vadh. 'Toen wij jong waren,
bliezen de kranten een moord op over meerdere pagina's. Tegenwoordig
is het een berichtje op pagina 8, tenzij het ongewoon grof is of om een
beroemdheid gaat.'

Colt grijnsde. 'De beroemde media-overdaad. In de moderne informatiemaatschappij moet je heel wat doen om aandacht te krijgen. Hoeveel doen ze aan die zaak-Djurgården?'

'Een halve pagina. Ze schrijven dat de moord buitengewoon grof was,
haast beestachtig.'

'Beestachtig? Ja, ja. Jij bent er geweest. Hoe zou jij omschrijven wat
je daar hebt aangetroffen?'

De doodgestoken man in het bos bij Biskopsudden op Djurgården
was pas donderdagochtend rond halfacht gevonden, toen een man die

zijn herdershond uitliet het dier hevig blaffend de struiken in zag verdwijnen.

Colt zat de hele ochtend vast in vergaderingen, dus hij had Henrik
Vadh gevraagd met Magnus Ekholm en Janne Månsson te gaan. Henrik
had Jacob verteld dat Månsson nog niet op zijn werk was verschenen.
Dus waren Ekholm en hij samen gegaan.

'Het zag er verschrikkelijk uit, maar beestachtig is misschien een beetje overdreven,' zei Henrik Vadh rustig. 'Het slachtoffer was een flink
stuk het bos in gesleept. Hij heeft blijkbaar een paar flinke klappen in
zijn gezicht gekregen en daarna heeft de moordenaar hem de keel doorgesneden en een mes recht in zijn hart gestoken. Het mes zat nog in zijn
borst, tot aan het heft.'

'Ook een manier om de nationale feestdag te vieren,' mopperde Jacob,
terwijl hij naar een wat minder drukke rijbaan stuurde en vaart maakte
richting Norrtull.

Vadh knikte. 'Ik zei al: het zijn andere tijden. Komen we vandaag
trouwens nog bij elkaar over die zaak-Djurgården?'

'Om tien uur,' antwoordde Colt. 'Gisteren hoorde ik dat Dahlman het
vooronderzoek leidt, dus zijn we tenminste even verlost van juffrouw
Kulin.'

'Misschien bestaat er dan toch een god,' bromde Vadh.

Jacob checkte snel zijn mail. Een paar interne mededelingen. Een groet
en een smiley van Melissa. Een leuk mailtje van Angela van der Wijk,
waarin ze vroeg hoe het met de zaak-De Wahl ging en of de kans bestond
dat ze elkaar binnen afzienbare tijd zouden ontmoeten.

Hij glimlachte. *Jammer genoeg niet, spetter.* Ik blijf hier zitten tot ik
vastgroei, tenzij er een conferentie komt waar ze me naartoe sturen, natuurlijk.

Jacob raapte het materiaal bij elkaar dat hij had over de moord op
Djurgården en liep naar de vergaderzaal. Onderweg, bij de koffieauto-
maat, liep hij Henrik Vadh tegen het lijf.

'Wat dacht je van een caffè latte?' vroeg Jacob, terwijl hij Vadh voorbijliep met zijn handen vol en zijn neus in de wind om te laten merken
wie wie moest bedienen.

'Nee, dank je.' Het antwoord kwam bliksemsnel, gevolgd door een plagerig, maar vriendschappelijk glimlachje. Toen draaide Vadh zich weer
om naar de automaat en haalde er koffie voor hen allebei uit.

Magnus Ekholm, Christer Ehn, Johan Kalding en officier van justitie Peter Dahlman zaten al aan de tafel.

Colt schudde Dahlman de hand, ging zitten en legde zijn stukken voor zich neer.

'Zo, mijne heren...' zei Dahlman. 'Wie wil er beginnen?'

Henrik Vadh nam een slok koffie. 'Gistermorgen vond een man die zijn hond uitliet een dode op Djurgården, niet ver van Biskopsudden. De keel van het slachtoffer was doorgesneden en bovendien zat er een mes in zijn hart. De man is later geïdentificeerd als een zekere Hector Gomez, geboren in 1962 in Santiago, Chili, woonachtig in Zweden sinds 1975 en Zweeds staatsburger sinds 1982. Gomez staat ingeschreven in Alby en heeft blijkbaar een groentestalletje op een plein daar.'

'Had hij familie?' Dahlman keek naar Vadh.

'Een jongere broer die al net zo lang in Zweden is als Hector zelf. We hebben die broer gisteren gehoord,' vulde Magnus Ekholm aan, 'en op het tijdstip van de moord was hij met de rest van de familie een feest aan het voorbereiden dat die avond zou plaatsvinden.'

Dahlman stak een hand op. 'Wacht even – alles in de juiste volgorde, graag. Het tijdstip, zei je. Is de obductie al klaar?'

'Bodnár is effectief,' antwoordde Ekholm. 'We hebben zijn volledige rapport natuurlijk nog niet en hij heeft de resultaten van het lab nog niet, maar alles bij elkaar lijkt het heel duidelijk. Gomez is overleden doordat zijn keel is doorgesneden en doordat het mes recht zijn hart in is gegaan, maar hij heeft bovendien een paar klappen in zijn gezicht gekregen en is neergeslagen, waarschijnlijk met een stomp voorwerp.'

'En wat denken ze over het tijdstip?'

'Ergens tussen veertien en achttien uur, woensdag.'

'Oké.' Dahlman maakte een notitie op zijn schrijfblok. 'Wat zeggen de technici?' Hij keek Ehn en Kalding aan.

'Alles wijst erop dat de man van achteren is aangevallen op een pad dat van Biskopsudden omhooggaat,' zei Christer Ehn. 'Uit de sporen blijkt dat de dader het slachtoffer daarna door de begroeiing naar de plek heeft gesleept waar hij hem heeft vermoord.'

Dahlman knikte. 'Is te bepalen of hij bij bewustzijn was terwijl hij werd weggesleept?'

'Wat is de definitie van "bij bewustzijn"?' vroeg Ehn met een scheef glimlachje. 'Als je bedoelt of er tekenen van weerstand zijn, is het antwoord nee. Maar aan de andere kant moet je behoorlijk draaien en schoppen om sporen in de natuur achter te laten die er de volgende dag nóg zijn. We zijn er in elk geval zeker van dat de man om het leven is gebracht op de plaats waar hij lag. Dat blijkt uit de hoeveelheid bloed rondom het lichaam. We denken ook dat het bloed zo hard uit de keel spoot toen die werd doorgesneden, dat de moordenaar bloed van het slachtoffer op zich heeft gekregen.'

Dahlman noteerde het. 'Oké. Nog iets? Vingerafdrukken, haren?'

'Beter.' Christer Ehn keek ernstig en nu keek hij naar Jacob Colt. 'We hebben DNA van het mes gehaald dat bij het slachtoffer in de borst stak en dat door onze registers gehaald. Het blijkt hetzelfde DNA te zijn als op de muts in de zaak-De Wahl, bij de moord op de prostituee in Berlijn en de moord in Gamla Stan.'

'Nee, toch!' Colt gooide bijna zijn koffiemok om. 'Je neemt me toch niet in de maling, Christer?'

Ehn schudde zijn hoofd. 'Jammer genoeg niet, Jacob: er is geen twijfel mogelijk. Bovendien hebben we het mes eens beter bekeken. Dat is handgemaakt, van Fins staal en van zeer hoge kwaliteit. Het soort messen dat je bijvoorbeeld koopt in de toeristenwinkels in Helsinki. En er waren twee initialen in het heft gegraveerd: H.E.'

Vadh staarde peinzend naar buiten. Jacob Colt was opgestaan, wankelde heen en weer door de kamer en probeerde de gedachten die nu door zijn hoofd tolden te ordenen.

'Ik denk dat jullie me over de andere zaken moeten briefen,' zei Peter Dahlman.

Henrik Vadh vatte kort samen wat de onderzoeken op de Strandväg, in Berlijn en in Gamla Stan hadden opgeleverd. Dahlman luisterde aandachtig en fronste zijn voorhoofd.

'Wie leidt de vooronderzoeken in die zaken?'

'Anna Kulin,' antwoordde Colt zacht.

'Dan ben ik bang dat we hier moeten stoppen. Ik moet de zaak overlaten aan Anna, zodat we een totaalbeeld kunnen krijgen. Dit lijkt een complexe kwestie en het is maar het beste om alles onder dezelfde paraplu te houden.'

Jacob zat achterovergeleund in zijn stoel te prakkiseren en raakte steeds gefrustreerder. Hij had net de stukken geraadpleegd en een mindmap gemaakt van alles wat er sinds de moord op De Wahl was gebeurd. Pijltjes en streepjes liepen zo verward door cirkels dat hij er niet wijzer van werd. Hij dacht aan de woorden van zijn vader en de strekking daarvan zat hem dwars. Hij raakte er steeds meer van overtuigd dat Hans-Erik gelijk had: dat hij de oplossing voor ogen had zonder die te zien.

Henrik Vadh klopte bescheiden op de deur, kwam binnen en ging in Jacobs bezoekersstoel zitten.

'Waanzinnig, hè?' Jacob keek Henrik aan.

Vadh knikte. 'Ja. Ik heb hier al een paar nachten wakker van gelegen, maar hoe ik het ook wend of keer, ik kom er niet uit. Er bestaat geen logisch verband tussen de motieven die we in de afzonderlijke gevallen hebben gevonden. Wie heeft er in hemelsnaam belang bij om een Zweedse bankier, een Berlijnse hoer, een dronkenlap in de oude stad en nu een allochtoon uit Alby om te brengen?'

'De laserman,' zei Jacob.

'Hè?'

'De laserman. Daar hadden de slachtoffers weliswaar gemeen dat het allochtonen waren, maar er was ook een soort overkoepelend motief dat de dader opruiming wilde houden. We denken misschien verkeerd, Henrik. We hebben gezocht naar unieke motieven voor elke moord. Maar stel je voor dat we te maken hebben met een gek die het plan heeft opgevat de rommel van de mensheid op te ruimen? Die stemmen hoort, of zo. Of die opdrachten van God uitvoert.'

Vadh zweeg even en dacht na over wat Jacob had gezegd. 'Je bedoelt ongeveer zoals in de film *Seven*? Onze man houdt opruiming onder de onreinen. De Wahl was een keiharde bankier die waarschijnlijk anderen belazerde en die een rotzak was toen hij op die internaatschool zat. Bovendien was hij een sadist en homo. De hoer in Berlijn was vies, zelfs voor een hoer. De dronkenlap moest worden opgeruimd omdat hij overbodig was, een parasiet van de samenleving. Maar wat had die arme Chileen misdaan?'

'Hij was allochtoon. Dat was misschien genoeg. Sommige mensen gaan ervan uit dat alle migranten moedwillige uitkeringstrekkers zijn, die maximaal profiteren van het systeem en zich rot lachen om ons harde werkers.'

'Hm, laten we daar eens op doorgaan. Zullen we dat dit weekend doen tijdens een barbecue?'

'Geen gek idee. Weliswaar is er niet genoeg wijn in de hele wereld om dit in één avond op te lossen, maar het is een goed begin.'

'Yep.' Vadh knikte. 'Maar we hebben een ander probleempje dat we ook moeten aanpakken.'

Jacob keek zijn collega vragend aan.

'Janne Månsson.'

'Ja?'

'Hij is maandag en dinsdag niet komen werken. Woensdag had hij sowieso vrij, maar gisteren was hij er ook niet.'

Colt haalde zijn schouders op. 'Misschien is hij ziek?'

'Als je ziek bent, bel je normaal gesproken en dan meld je dat. Dat heeft hij niet gedaan. Ik heb geprobeerd hem te bellen, thuis en mobiel, maar ik kreeg geen gehoor.'

'Je bedoelt dat we naar hem toe moeten?' Jacob keek bezorgd.

Vadh knikte. 'Na dat standje dat je hem laatst in die vergadering gaf, vond ik hem raarder dan ooit. We moeten voor de zekerheid misschien even kijken. Want het is duidelijk dat het niet goed gaat met die jongen.'

'Oké, we gaan meteen. Waar woont hij?'

'Hij huurt onder in een van die wolkenkrabbers bij Farsta Centrum. Ik heb de huismeester al gebeld en de code van de toegangsdeur gekregen.'

Jacob trok een grimas, stond op en schoof zijn stoel onder zijn bureau. 'Let's go.'

Tussen de namen op de vierde verdieping hing een eenvoudig, handgeschreven briefje met *Månsson*. Jacob drukte op het knopje van de intercom en wachtte. Hij drukte opnieuw en knikte naar Henrik.

Vadh toetste de code in en ze namen de lift naar de vierde verdieping.

Jacob drukte op de bel en ze hoorden het signaal binnen klinken.

Er werd niet opengedaan.

Henrik boog zich voorover, deed de brievenbus open, zag een zwak streepje licht en voelde een lichte trek. Hij hield zijn oor voor de brievenbus en luisterde aandachtig.

Stilte.

Vadh keek zijn collega aan. 'Wat nu?'

'Niet veel keus, lijkt me. We moeten voor de zekerheid naar binnen. Heb je het met die huismeester ook over sleutels gehad?'

'Hm-mm. Hij zei dat dat zinloos was. Iedereen zet er tegenwoordig een ander slot in en dan ook nog een insteekslot, dus zo'n moedersleutel is een lachertje geworden. We moeten er een slotenmaker bij halen.'

'Oké. Laten we maar even wat gaan drinken terwijl we wachten.' Jacob haalde zijn mobiel uit zijn zak.

Ze konden net een kop koffie drinken in een café naast de flat en nog wat gedachten en meningen uitwisselen over de frustrerende moordzaken voordat de slotenmaker kwam. Die constateerde algauw dat het insteekslot niet in gebruik was en het kostte hem minder dan een minuut om het cilinderslot open te krijgen. Hij maakte de deur open, deed een stap opzij en keek nieuwsgierig naar binnen. 'Mag ik vragen wat er is gebeurd? Hebben jullie binnen misschien meer hulp nodig?'

Colt schudde zijn hoofd. 'Er is helemaal niks gebeurd. We willen alleen even kijken.' Hij ondertekende een formuliertje dat de slotenmaker hem voorhield. 'Dank u wel. Stuur maar gewoon een rekening.'

De slotenmaker zag er teleurgesteld uit; hij pakte zijn spullen en verdween in de lift.

Vadh maakte een armgebaar. 'Na jou.'

Jacob stapte het halletje in, hield stil en luisterde. 'Janne? Ik ben het, Jacob Colt. Ben je thuis?'

Stilte.

Nog een keer: 'Janne? Ben je thuis?'

Geen antwoord.

De hal gaf rechtstreeks toegang tot een woonkamer, die spaarzaam gemeubileerd was. Aan de linkerkant stond een deur open, blijkbaar naar een keuken en daarachter was nog een open deur.

Waar ze vandaan kwamen en waarom wist hij niet, maar plotseling begon Jacobs zesde zintuig snerpende waarschuwingssignalen te geven. Hij haalde zijn dienstwapen uit de holster aan de binnenkant van zijn jas en ontgrendelde het. Henrik Vadh volgde zijn voorbeeld.

Jacob sloop langs de muur tot aan de open keukendeur en keek naar binnen.

Leeg. Bij het raam stond een tafeltje met twee houten keukenstoelen. Verder wees niets erop dat er iemand in deze flat woonde.

'Jacob, kijk hier eens.'

Henrik was Jacob voorbijgelopen en naar de slaapkamer gegaan, met zijn wapen in de aanslag. Toen Jacob de kamer in kwam stond Vadh bij het nachtkastje met een stapel kranten in zijn hand.

'Nazi-porno.'

'Wat?'

'Ledenblaadjes en propaganda. Sverigedemokratarna, Nationaalsocialistisch Front, de hele handel.'

'Allemachtig.'

Vadh knikte. 'Het heeft er kennelijk harder in gehakt dan we dachten, die affaire van Månssons vrouw met haar collega.'

'Blijkbaar. Maar waar ís hij, verdorie?'

'Hier niet in elk geval. Wat nu?'

'We moeten teruggaan, doorgaan met zoeken. Heeft hij familie in Örebro, weet jij dat?'

'Een broer, dacht ik. Zijn ouders zijn geloof ik al overleden.'

'Oké, neem contact op met zijn broer en vraag of hij iets weet. Anders moeten we een opsporingsbericht uitsturen. Maar vraag Niklas eerst de ziekenhuizen te checken.'

Vadh knikte en legde de bladen neer. Ze liepen langzaam terug naar de hal en wilden juist de deur uit gaan toen ze een zwak geluid hoorden dat hun eerder niet was opgevallen. Jacob bleef staan, hield zijn wijsvinger voor zijn mond en luisterde.

Er drupte iets.

In de hal was een bruine houten deur waarvan het slot aangaf dat hij toegang gaf tot een badkamer of een toilet.

Jacob deed de deur open, stelde verbaasd vast dat het licht aan was en ging naar binnen.

'Godverdomme!' Hij bekeek de scène een paar tellen, draaide zich toen abrupt om en liep naar de keuken, waar hij de kraan openzette.

Henrik Vadh bereidde zich voor op het ergste en ging de badkamer in.

Janne Månsson lag naakt in de badkuip, gedeeltelijk in zijn eigen bloed. Een stuk van zijn hoofd was weg, en wat er weggeschoten was, plakte aan de tegels om hem heen of was in de badkuip gegleden en had zich met bloed vermengd. Månssons rechterarm hing slap op zijn buik en vlak daaronder, op zijn geslacht, lag zijn dienstpistool.

Henrik Vadh had in zijn carrière als politieman wel ergere beelden gezien, maar dit was hem toch te veel.

Te dichtbij.

Hij ging snel naar de keuken, waar Jacob met een glas water voor het raam stond. Vadh vond een glas voor zichzelf.

Een kwartier later zaten ze op de houten stoelen aan weerskanten van de keukentafel. Jacob had de provinciale recherche gebeld. Technici en onderzoekers waren onderweg en de afdeling Interne Onderzoeken was ingelicht.

Ze hadden vier ramen opengedaan in de flat om wat frisse lucht binnen te laten, maar ze wisten allebei dat ze vandaag niet zouden gaan lunchen.

'Waarom heeft hij dit gedaan?' mompelde Colt, en hij keek naar het tafelblad.

'Hij kon er blijkbaar niet meer tegen,' antwoordde Henrik.

Ze waren een hele tijd stil. Toen zei Henrik: 'Ik bedenk ineens: ik zag iets, daarbinnen, op de wastafel...'

'Wat dan?'

'Een briefje. Zal ik het halen?'

Colt schudde zijn hoofd. 'Blijf maar zitten, ik haal het wel.'

Hij liep naar de hal, haalde diep adem, vermande zich en ging de badkamer in, waarbij hij zijn best deed niet naar Månsson te kijken.

Op de wastafel links lag inderdaad een velletje gelinieerd papier, dat uit een schrijfblok was gescheurd. Jacob pakte het en ging terug naar de keuken. Hij las de tekst een keer voordat hij Vadh aankeek en voorlas:

Ik kan niet meer. Dit land gaat naar de hel en dat is de schuld van die klote-Turken. Verdedigen jullie die vuile zwartjakkers maar zonder mij, maar bedenk dat er betere, sterkere krachten zijn die Zweden weer Zweeds willen maken. Ik hoop dat mijn Turkenneukende hoer nou tevreden is.

Henrik keek Jacob vermoeid aan. 'Verder niets?'

'Nee.'

'Arme donder.'

Ze zwegen weer. Jacob voelde zich misselijk, verward, schuldig. Had hij meer kunnen doen voor Janne Månsson? Had hij de signalen moeten zien?

'Heb ik het verkeerd aangepakt, Henrik? Had ik therapie voor Janne moeten regelen of zoiets? Ik heb hem alleen maar uitgekafferd...'

Vadh schudde zijn hoofd. 'Geef jezelf niet de schuld, Jacob. Månsson was het therapiestadium allang voorbij: hij was een tikkende tijdbom van haat. Dit is afschuwelijk, maar het was hoe dan ook verkeerd afgelopen. We hadden hem niet kunnen handhaven als hij zo was doorgegaan.'

Ze werden onderbroken door zacht kloppen op de voordeur.

De collega's Brink en Nidemar kwamen binnen. Nidemar knikte kort naar Jacob. 'Hallo. De technici zitten ons op de hielen, dus die zijn er zo. Wat hebben we hier?'

Jacob wees met zijn duim naar de badkamer. 'Collega Månsson. Zelfmoord, nemen we aan. Het is smerig, daarbinnen.'

'Verdomme.' Brink trok een grimas.

Jacob knikte. 'Ik hoop dat jullie het zonder ons kunnen stellen, want wij moeten hier weg. Bel maar als er iets is.'

Nidemar klopte hem op de schouder. 'Goed hoor, gaan jullie maar.'

Jacob en Henrik reden in stilte terug naar het politiebureau.

Jacob had zelfs geen zin om Dire Straits op te zetten, en barbecueën was wel het laatste waar hij op dit moment aan wilde denken.

49

Vrijdag 8 juni

Mariana Granath hoefde haar agenda niet te raadplegen om te weten wie de laatste patiënt van vandaag was. Ze had Christopher expres op vier uur gezet want ze had goede redenen om aan te nemen dat ze na hun gesprek moe zou zijn.

Ze zuchtte, maar glimlachte toen. Ze zag uit naar de avond en de afspraak met de man die ze onlangs had ontmoet.

Er werd op de deur geklopt. Ze trok haar rok een stukje naar beneden en deed open.

Hij was knapper dan ooit, stelde ze vast. Christopher was flatteus gebruind en had lichtbruine mocassins, een spijkerbroek, een wit overhemd en een smaakvol linnen jasje aan.

'Kom binnen!' Mariana glimlachte, maakte een uitnodigend gebaar en ging zitten. 'Zo, Christopher. Hoe gaat het, sinds de vorige keer?'

'Uitstekend, dank je. En met jou?'

Ze negeerde de vraag en ging door: 'Heb je nog iets leuks gedaan?'

'Hm-mm, een buitenlander een kopje kleiner gemaakt.'

Mariana keek hem ernstig aan. 'Waarom zeg je zo vaak dat je mensen hebt vermoord? Zijn dat fantasieën of zo, heb je dat vaak?'

Ze maakte snel een aantekening op haar notitieblok. *Herhaald agressief denken, strijdbaar. Geweld, dood.* Mariana dacht snel na. Zou er iets van waarheid in zijn uitspraken kunnen zitten? Was het denkbaar dat een beschaafde, ogenschijnlijk intelligente zakenman uit Stockholm in zijn vrije tijd mensen vermoordde? Belachelijk. Ze verwierp het idee.

'Helemaal niet. Mijn fantasieën gaan over heel andere dingen.'

Mariana hield haar hoofd een beetje scheef. 'Ja, ja. Bijvoorbeeld?'

'Over jou.'

Nu staart hij me weer zo aan.

Christopher vermoedde enige twijfel bij haar en glimlachte inwendig. Ze had geen kans.

'Christopher, we hebben het hier al eerder over gehad. Ik ben je arts en niet je...'

'Voel je je tot me aangetrokken, Mariana? Als mijn arts moet je toch wel eerlijk tegen me zijn?'

'Ik zie je als patiënt en–'

'Ik vroeg niet hoe je me ziet. Ik vroeg of je je tot me aangetrokken voelt.'

Mariana aarzelde. Ze wilde hem niet tarten, maar ze moest het gesprek toch weer op het juiste spoor zien te krijgen. 'Christopher, zelfs als dat zo was zou het voor mij als arts verkeerd zijn om daar nu met je over te praten.'

Even leek hij teleurgesteld. Toen zei hij opeens: 'Hoe is het met jou sinds de vorige keer? Is er nog wat leuks gebeurd?'

'Christopher, laten we het niet over mijn privéleven hebben. Het idee van onze gesprekken is dat jij, als mijn patiënt...'

'Niet meer.'

Mariana maakte haar zin niet af, maar zei verbaasd: 'Dat kan ik niet helemaal volgen.'

Christopher Silfverbielke glimlachte charmant en bekeek haar zwijgend van top tot teen. Hij zag weer de twijfel in haar ogen.

Zoals gewoonlijk heb ik de controle.

'Mariana, zou je mij een dienst willen bewijzen?'

'Eh... Ja, wat dan?'

'Ik wil dat je opstaat en voor het bureau gaat staan, met je gezicht naar mij toe.'

'Waarom wil je dat ik dat doe?'

'Wil je niet gewoon doen wat ik zeg, alsjeblieft?'

Ze haalde haar schouders op. Als hij zijn dure therapietijd aan rare spelletjes wilde besteden, kon ze daar ook wel gebruik van maken om zelf meer ervaring op te doen. Ze stond op, liep om haar bureau heen en ging ervoor staan, terwijl ze er met haar handen op steunde. Ze keek hem vorsend en een beetje ongeduldig aan.

Silfverbielke zat heel stil in de bezoekersstoel, met zijn duim tegen zijn wang en zijn wijsvinger op zijn bovenlip.

Hij glimlachte vaag en bekeek haar nogmaals van boven naar beneden. 'Dank je wel. Nu wil ik je nog maar één ding vragen.'

'Christopher...' Ze merkte dat ze zwaarder ademde en moeite had de woorden te vinden. *Wie was hij eigenlijk? De duivel zelf?* Hoe kreeg hij het voor elkaar om mensen op deze manier te laten doen wat hij wilde? Of was dat alleen bij haar zo? Ze was toch verdomme opgeleid om mensen zoals hij te begeleiden, te beheersen.

'Mariana, ik wil dat je je omdraait. Ik wil dat je mijn dossier pakt en een aantekening maakt dat dit ons laatste gesprek was en dat mijn behandeling afgesloten is. Schrijf maar dat de patiënt op eigen verzoek stopt.'

'Maar... Maar waarom?'

Weer dat glimlachje. 'Wil je niet gewoon doen wat ik zeg, alsjeblieft, Mariana?'

Ze knikte zwijgend. Plotseling waren al haar zintuigen tot het uiterste gespannen en rinkelden alle alarmbellen. Ze had een droge keel. Ze had behoefte aan water. Aan frisse lucht. Ze moest naar buiten.

Terwijl het gevoel van onbehagen toenam, bedacht ze dat het zo ook maar beter was. Hoe eerder hij weg was en uit haar leven verdween, hoe beter.

Plotseling weergalmden zijn eerdere woorden in haar oren: *...Lekker* *aan de coke gezeten, een hoer omgebracht, een Duitser doodgereden, een vieze Skåner een pak rammel gegeven... Een buitenlander een kopje kleiner gemaakt.*

Stel je voor dat het waar was! Dat ze in feite een psychotische serie- moordenaar de rug had toegekeerd, misschien wel nadat ze hem meer had dwarsgezeten dan ze zelf besefte. Een psychopaat kon volkomen onberekenbaar zijn en het typerende gebrek aan empathie maakte de zaak er niet beter op.

Als in een mist draaide ze zich langzaam om, liep om haar bureau heen en ging weer zitten. Haar ogen waren wazig toen ze ze over de pa- gina's liet glijden om de potloodaantekeningen te onderscheiden van de pagina's met de echte notities. Ze vond de juiste pagina, trok die naar zich toe en begon te schrijven.

Haar hand trilde en ze schreef het verkeerd. Ze haalde de zin door en begon opnieuw. Het dossier zou er hopeloos uit komen te zien, maar dat kon haar nu niet schelen. Het kon maar gebeurd zijn. Het moest maar afgelopen zijn.

Ze vóélde zijn blik. Haar benen trilden.

'Op eigen... verzoek...' mompelde ze hees terwijl ze de laatste woorden schreef.

Het ging in een paar tellen. Silfverbielke stond op en was met een paar snelle passen bij haar. Hij boog zich over haar heen en fluisterde: 'Mariana, nu ben je mijn dokter niet meer, hè?'

Ze schudde zwijgend haar hoofd.

'En ik ben dus je patiënt niet meer?'

Weer hoofdschudden.

'Je denkt toch niet dat ik je ooit kwaad zou doen, Mariana?'

Nog meer hoofdschudden. *Natuurlijk zou je dat kunnen! Ben je van plan me nu om te brengen? Waarom heb ik nooit dat overvalsalarm aan- geschaft?*

Plotseling drukte hij zijn lippen hard tegen de hare en hij kneep met zijn ene hand in haar rechterborst.

Met een heftige ruk bevrijdde ze zich. 'Hou op, Christopher, ben je gek?!'

Even keek hij verbaasd door de agressie in haar stem maar toen greep hij haar opnieuw stevig vast. Hij boog zich weer voorover. 'Jíj maakt hier niet de dienst uit, ik dacht dat je dat had begrepen!'

Ze was doodsbenauwd, maar sprak al haar krachten aan om zich te beheersen. Toen ze voelde dat zijn sterke hand omhoogging tussen haar benen naar haar vagina, sloeg ze hem met de vlakke hand zo hard mogelijk op zijn wang. 'Hou op!'

Hij deed verbaasd een stap naar achteren en bracht zijn hand naar zijn wang, die rood werd. Ze zag dat zijn ogen zwart leken te worden en voelde haar hart sneller slaan.

Mariana schoot overeind uit haar stoel en schoof die snel opzij, zodat hij tussen Christopher en haar in stond. Ze ademde heftig en haar hoofd tolde.

'Hoer...' Zijn gefluister werd gesis. 'Kleine, ellendige rothoer!'

Zijn lichaamstaal maakte duidelijk dat hij het opnieuw wilde proberen. Mariana liep snel om haar bureau heen en wees naar hem. 'Christopher, ik waarschuw je!'

Hij stond aan de andere kant met een akelig glimlachje dat ze nog nooit eerder had gezien. 'Je wáárschuwt mij? Niemand wijst mij af – niémand!'

Zijn stem sloeg haast over. Mariana zag dat zijn wenkbrauw begon te trillen, dat zijn hand naar zijn gulp ging om die open te trekken.

'Christopher!' Haar stem klonk als een zweepslag. 'Luister naar me. Luister! Waar wil je de rest van je leven doorbrengen?'

Silfverbielke trok zijn gulp rustig open. Het akelige lachje was er nog.

Mariana richtte haar wijsvinger op zijn gezicht. 'Ik doe aangifte van verkrachting, Christopher! Mijn woord als arts zal zwaarder wegen dan het jouwe. Je wordt in een gesloten inrichting gestopt! En als ik toch bezig ben, kan ik ook je dossier overdragen aan de politie, zodat ze kunnen uitzoeken wat fantasie is en wat waarheid!'

Silfverbielke bleef midden in zijn beweging steken en het akelige glimlachje verdween. Zijn ogen waren plotseling glazig en Mariana vroeg zich af of hij wel had begrepen wat ze zei. Ze voelde dat het zweet haar uitbrak op haar voorhoofd en tussen haar borsten en ze moest zich tot het uiterste inspannen om haar trillende benen onder controle te houden.

Als in een versnelde weergave trok hij zijn gulp dicht, terwijl zijn blik door de kamer dwarrelde, over de schilderijen en het bureau, tot zijn ogen haar gezicht weer vonden. Onbewust ging zijn hand naar de knoop van zijn stropdas om die goed te doen.

Het zieke glimlachje kwam terug. Hij ademde stotend, terwijl hij siste:

'Eén woord tegen iemand en je bent dood! Geef me dat dossier of ik wurg je!'

Mariana graaide haar papieren van het bureau en stak ze hem toe, terwijl ze haar best deed om haar tranen in te houden. 'Hier! Pak aan, verdwijn en kom nooit meer terug!'

Silfverbielke trok de papieren naar zich toe en wierp haar een laatste, minachtende blik toe. 'Op een dag zul je me smeken om terug te komen!'

Hij liep resoluut naar de deur, rukte die open en smeet hem achter zich dicht. Mariana haastte zich naar de deur en deed hem gauw op slot. Toen wankelde ze terug naar de bezoekersstoel en liet zich erin vallen, terwijl de tranen haar over de wangen liepen.

Toen ze weer bij zinnen kwam lag ze meer in de stoel dan dat ze zat, met haar kleren in wanorde. Ze had geen idee hoelang ze daar had ge- legen en vroeg zich even af of alles een kwade droom was geweest waar- uit ze straks zou ontwaken. Ze deed haar ogen dicht en ging met haar hand door haar haar.

Het kostte haar een halfuur om zich zo ver te herstellen dat ze haar dossiers kon opbergen, haar pc kon afsluiten en haar praktijk kon ver- laten. Ze hield haar oor tegen de deur voordat ze die van het slot deed en betrad de kleine wachtkamer bij de voordeur. Toen ze zich omdraaide om het licht uit te doen, zag ze het vel papier dat hij keurig had geprint en op de deur van de spreekkamer had geplakt.

Niet storen a.u.b. Behandeling bezig.

Mariana Granath begon over haar hele lichaam te trillen.

50

Yasmine Monroe zat diep in gedachten verzonken op haar kamer in Ho- tel Båstad.

Ze keek op haar horloge.

De wedstrijd zou over een kwartier beginnen en ze moest echt naar de baan gaan. Of niet?

De hele reis van Parijs naar Båstad was Bernard onrustig geweest, chagrijnig, lichtgeraakt. Tijdens de vluchten had hij zwijgend naast haar gezeten, zijn mond tot een smalle streep getrokken, gestrest door het ene na het andere tijdschrift bladerend zonder iets te lezen.

Ze had voorzichtig gevraagd hoe het met hem ging. Hij had gesist dat hij wilde slapen en met rust wilde worden gelaten.

Yasmine begreep hem niet en ze wist niet wat ze aan hem had.

Het was twee jaar geleden dat ze elkaar in Parijs weer hadden gezien nadat ze jaren uit elkaar waren geweest. Bij toeval kwamen ze elkaar tegen op een feest en begonnen ze te praten over hun gezamenlijke jeugd in Marseille.

Een dag later had Bernard Deschamp Yasmine gebeld en gevraagd of ze zijn assistente wilde worden. Het ging goed met zijn tenniscarrière: hij moest steeds meer reizen en hij had iemand nodig die hem hielp met alles, variërend van het boeken van vliegreizen tot het dragen van zijn koffers en het bijhouden van waar hij op welk moment moest verschijnen.

Yasmine had juist een pauze ingelast in haar universitaire studie en dacht na over wat ze nu zou gaan doen. Ze was drieëntwintig, oogverblindend mooi en ze had de basis gelegd voor een brede opleiding economie, politicologie en geschiedenis.

Maar ze wist niet wat ze wilde worden als ze groot was.

Bernards aanbod was een welkome ontsnapping aan de noodzaak om zelf een weloverwogen besluit te nemen. Bovendien had ze er niets op tegen om een sabbatical van één of twee jaar te nemen, de wereld rond te reizen en zich te vertonen in de mondaine kringen van 's werelds tenniselite.

Ze had hard moeten werken en was – vond ze zelf – royaal beloond. Ze waren maar zelden meer dan een paar weken achter elkaar in Parijs. De rest van de tijd ging op aan reizen, trainen, sponsorverplichtingen en interviews met journalisten van de meest exclusieve tijdschriften van de wereld. Yasmine zorgde er altijd voor dat ze in de schaduw van Bernard bleef, maar natuurlijk straalde een deel van zijn sterrenglans ook op haar af. Hij had haar een salaris gegeven waarvan ze een garderobe kon bekostigen die ze zich anders niet had kunnen veroorloven en tijdens de reizen betaalde Bernard of iemand anders altijd alle kosten. Dat had ertoe geleid dat haar financiën er nu heel anders voor stonden dan een paar jaar geleden.

Toch was ze niet zonder meer gelukkig.

Tot een paar maanden geleden was hun relatie uitsluitend professioneel geweest. Het was haar niet ontgaan dat Bernard vaak een paar relaties tegelijkertijd had, meestal met meisjes in verschillende landen. En dat doorspekt met één of twee nachtjes samen met een van de vele groupies die zich tijdens toernooien om hem heen verzamelden. Yasmine had schouderophalend geconstateerd dat dat waarschijnlijk heel normaal was voor een wereldster en dat het haar eigenlijk niet kon schelen.

Desondanks had ze af en toe een steek van jaloezie gevoeld. Als je week in week uit zo dicht op elkaar leefde als zij, was het nauwelijks te vermijden dat je ook andere gevoelens had dan puur professionele. Bernard was in zijn beste ogenblikken een van de aardigste en attentste mannen die ze ooit had ontmoet.

Op zijn slechtste momenten was hij een onbeschaamde vlerk.

Ze had heel wat nagedacht over de vraag wat hij nou eigenlijk van haar dacht en vond, maar ze had het antwoord niet gevonden. Bernard had niet eens gevraagd of ze een relatie had of anderszins belangstelling getoond voor haar privéleven. Hij keek wel waarderend naar haar bruine huid en zei er iets van als ze een nieuwe jurk of een nieuw sieraad droeg.

Maar meer niet. Niet vóór Londen.

Ze waren van Parijs naar Engeland gevlogen voor een afspraak met vertegenwoordigers van een van Bernards belangrijkste sponsors, een grote fabrikant van sport- en vrijetijdsschoenen. Ze kreeg een kamer naast de zijne – ze hadden trouwens nooit een hotelkamer gedeeld – in het exclusieve Ritz, en het ene spetterende feest volgde op het andere.

Op een avond, toen de champagne extra rijkelijk had gevloeid – en ja, ze was er ook zeker van dat Bernard cocaïne had gebruikt, want dat kon ze zien aan zijn ogen – stond hij erop dat ze met hem meeging naar zijn kamer om nog een glas champagne te drinken en om 'het werk van de volgende dag te bespreken'.

Ze had nauwelijks een slok champagne gehad of hij drong zich aan haar op. Hij kuste haar hartstochtelijk en verklaarde dat hij zijn hele leven nog niet zo'n geweldige vrouw had ontmoet.

Yasmine was volkomen overdonderd. Ze was vervuld van tegenstrijdige gevoelens, waardoor ze niet goed wist wat ze moest doen. Bernard
droeg haar naar het bed, trok haar haar lange zijden jurk uit en kuste
en streelde haar naakte lichaam totdat al haar weerstand was verdwenen.

Ze genoot wel, maar naderhand vroeg hij haar naar haar eigen kamer
terug te gaan, en dat voelde niet goed.

De volgende ochtend bij het ontbijt bracht ze de gebeurtenissen van
die nacht al voorzichtig ter sprake. Maar Bernard ontweek het onderwerp én haar ogen, en praatte in plaats daarvan geforceerd over wat er
die dag moest worden gedaan.

Na Londen duurde het een paar weken en toen gebeurde het opnieuw.
Ze waren weer op reis, ditmaal naar New York, toen vrijwel hetzelfde
scenario zich herhaalde. Het verschil was dat Bernard zo mogelijk dronkener – en misschien ook meer stoned – was dan de vorige keer. Na de
liefdesdaad, die even teder en opwindend was als toen, viel hij meteen
in slaap. Ze bleef liggen en toen hij midden in de nacht ijskoud wakker
werd, verwarmde ze hem met haar lichaam.

Toen ze 's morgens wakker werden, leek hij van zijn stuk te zijn en
stelde voor dat ze op haar eigen kamer ging douchen, dan zouden ze
sneller klaar zijn.

Bij het ontbijt probeerde ze net als de vorige keer met hem te praten,
om erachter te komen welke gevoelens hij voor haar had en wat hij wilde.
Zij voelde onwillekeurig steeds meer voor hem, maar het kwetste haar
ook dat hij haar afwees nadat ze met elkaar naar bed waren geweest.
Daardoor voelde ze zich goedkoop en de hemel wist dat er in haar leven
genoeg misbruik van haar was gemaakt door mannen die haar dingen
voorspiegelden die ze niet waarmaakten. Een mulattin uit Frans Guyana
stond blijkbaar niet erg hoog op de respectranglijst van Franse mannen;
dat had ze door schade en schande ervaren.

Yasmine was niet van plan zich weer te laten misbruiken. Maar ze
hield van haar werk en haar gevoelens voor Bernard werden steeds sterker.

Al zou ze maar een woord van liefde van hem krijgen ter bevestiging.
Het was al jaren geleden dat ze in de armen van een man had gelegen
die zei dat hij van haar hield.

Daar had ze behoefte aan.

Het leek wel alsof ze zich in een vacuüm bevond. Normaal gesproken moest zij als assistente bijna overal voor zorgen. Maar op deze reis had Bernard een trainer bij zich en ook, omdat hij pijn in zijn rug en een liesblessure had, een masseur. Yasmine had lang niet zo veel te doen als anders, omdat die twee heren Bernard zo goed mogelijk verzorgden. Maar ze had geen idee wat ze met al haar vrije tijd aan moest. Eigenlijk vroeg ze zich af waarom hij haar überhaupt had meegenomen naar Båstad.

Yasmine keek op haar horloge, verliet het hotel en wandelde rustig naar de tennisbanen bij de haven.

Ze had tranen in haar ogen.

51

'Nee, je kunt toch nog geen weeën hebben, je bent verdorie pas in de vijfde maand! Ja, ja, sorry, schat, ik bedoelde het niet zo kwaad. Ik bedoel alleen maar dat het nog veel te vroeg is. Ja hoor, ik beloof dat ik vanavond zal bellen, kusje!'

Ecker keek op zijn mobiel en verbrak de verbinding. 'Poeh! Maak verdomme nooit een vrouw zwanger, Chris! Het is alsof je op een knop drukt. Ze worden heel egocentrisch en kunnen nergens anders meer over praten dan over positiekleding, zere borsten en een dikke buik,' zei hij, en hij draaide zich om naar Silfverbielke, die lekker languit op de achterbank van Johannes Kruuts royale Lexus lag.

Christopher knikte begrijpend. 'Tja, Hans, dat zal wel de prijs zijn die je moet betalen om een trotse vader te worden, hè?'

'Hou je waffel!' gromde Ecker. 'Is het nog ver, Johannes?'

Kruut schudde zijn hoofd. 'We zijn zo in Båstad zelf en dan is het nog een dikke tien kilometer naar Torekov. Willen jullie even bij de staatsslijterij in Båstad langs om wat in te slaan? Er is er namelijk geen in Torekov.'

'Wat vind jij, Chris?' vroeg Ecker.

'Nee, laten we maar doorrijden. Ik heb een noodvoorraadje bij me en er zullen toch wel een paar cafés in de buurt zijn, of niet, Johannes?'

'Absoluut! Het huis ligt op een steenworp afstand van de Piratenpizzeria en de Hamnkrog, het havenrestaurant.'

'De Piratenpizzeria?' Silfverbielkes stem droop van verachting. 'Ik vraag me altijd af wie die imbeciele namen verzint. Ik hoop dat de Hamnkrog volledig schenkrecht heeft?'

Johannes glimlachte naar hem in de achteruitkijkspiegel. 'Ik denk dat die je niet zal teleurstellen, Chris.'

Silfverbielkes mobiel trilde in zijn zak en hij haalde hem er onopvallend uit. *H is af en toe een sukkel. Mis je handen. Bel als je de kans hebt. Heb liever telefoonseks dan helemaal geen seks. V.*

Het trio installeerde zich in de deftige zomervilla van de familie Kruut en Christopher stelde tevreden vast dat de kamer die hij had gekregen uitzicht op zee had.

'Het huis is rond de vorige eeuwwisseling gebouwd,' zei Johannes met nauwverholen trots. 'Mijn vader heeft het dertig jaar geleden of zo gekocht en sindsdien hebben we alles volkomen gerenoveerd, maar de gevel heeft de charme van de bouwperiode van die tijd behouden.'

Wat weet jij nou van renovatie en charme, verwende snotneus?

Christopher knikte. 'Interessant. Wie was de architect?'

'Eh... Dat weet ik eigenlijk niet precies,' stamelde Johannes. Daarna veranderde hij gauw van onderwerp. 'Ik dacht dat ik maar even wat eten moest gaan inslaan, zodat we in elk geval iets te ontbijten hebben en zo. Als jullie zin hebben kunnen jullie wel naar de Hamnkrog gaan en wat drinken, dan kom ik daar straks ook heen.'

'Prima idee!' vond Ecker, die zijn bagage in een slaapkamer vlak bij die van Christopher had gezet en nu in de deuropening stond.

'Ik pak even een stel huissleutels voor jullie, dan ga ik,' zei Kruut. 'Is er nog iets speciaals wat jullie willen hebben?'

Ecker lachte. 'Als ze geen coke, drank en hoeren bij de Vivo hebben, hoef je bij het boodschappen doen niet aan mij te denken!'

Wat is het toch een rare, dacht Johannes. Nou heeft hij toch alles wat hij maar wil hebben: een mooi huis, een geweldige vrouw en hij wordt nog vader ook. En toch heeft hij het alleen maar over hoeren. Akelig, eigenlijk.

Maar hij hield zijn gezicht in de plooi. 'Sorry, Hans, ik denk dat we voor die extraatjes in een ander etablissement moeten zijn. En als ik Chris goed ken, heeft hij behalve drank vast ook wel coke bij zich, of niet?'

Silfverbielke knikte zonder iets te zeggen.

'Perfect!' zei Kruut. 'Dan zien we elkaar straks in de Hamnkrog.' Hij liep de trappen af en meteen daarna hoorden ze de auto starten.

'Ik moet even naar de plee, dan ben ik klaar,' zei Ecker, en hij verdween. Christopher ging zijn koffer uitpakken en hij was juist begonnen zijn kleren in nette stapeltjes te leggen toen Hans terugkwam. 'Ik ben zo ver. Zullen we?'

Hij brak zijn zin af en staarde in Silfverbielkes koffer. 'Wat is dat nou? Heb je bivakmutsen en badmutsen bij je? Wou je nog een Securitas-wagen overvallen of zo?'

'Ik weet uit ervaring dat het verstandig is goed uitgerust op reis te gaan,' zei Christopher kalm. 'Je weet nooit welke mogelijkheden zich voordoen.'

'Je bent krankzinnig, Chris,' brieste Ecker. 'Kom op, verdomme, zodat we eindelijk wat te drinken krijgen!'

Silfverbielke stelde tevreden vast dat de Hamnkrog niet de gebruikelijke, slappe zonneschermen van Coca-Cola had, maar smaakvolle parasols met discrete reclame voor Moët & Chandon. Dat moest worden beloond, vond hij en hij bestelde onmiddellijk een goedgekoelde fles van die champagne.

Ze proostten terwijl de zon in de zee begon te zakken.

'Vanavond doen we rustig aan, maar morgen móét ik echt een meisje hebben!' zei Ecker. 'Veronica is op het ogenblik hopeloos. Ik krijg het niet voor elkaar met haar. Het is alsmaar één ellendig geklets over zwangerschap en gezeur over waar het zeer doet en hoe ze wel of niet kan liggen.'

Silfverbielke smakte met zijn tong en schudde meelevend zijn hoofd. 'Ja, dat moet vervelend zijn. Maar in Båstad valt toch meer dan genoeg te versieren, of niet?'

'Pure verwennerij! Je weet toch nog wel van afgelopen zomer?'

'Jazeker. Toen hadden we één grote orgie in de hotelkamer. Weet je nog, die achttienjarige groupies met hersens als goudvissen?'

Ecker schaterde het uit en sloeg met zijn handen op zijn dijen. 'Yep! En je hebt geen hersens nodig om te kunnen pijpen, dat hebben zij toen wel bewezen!'

Trilling in zijn broekzak.

Silfverbielke las: *Wat doen jullie? V.*

Hij antwoordde: *Beetje flirten.*

Veronica: *Ik haat jullie!*

'Met wie sms je?' vroeg Ecker nieuwsgierig.

'Ach, een grietje dat ik een tijdje geleden heb ontmoet. Zij heeft meer belangstelling dan ik, als ik het zo mag zeggen.'

'Maar dat is bij jou toch altijd zo?' Ecker grijnsde.

Silfverbielke probeerde bloedserieus te kijken. 'Ja, om een of andere ondoorgrondelijke reden lukt het me nooit een relatie te krijgen die gebaseerd is op liefde en wederzijds respect, hoe ik het ook probeer.'

Weer geschater. Meer champagne. En plotseling stond Kruut aan hun tafel. 'De heren lijken het naar hun zin te hebben. Mag ik me bij u voegen?'

Het drietal verhuisde van het terras naar binnen en genoot van een voortreffelijk diner. Op het toilet legde Silfverbielke een paar mooie lijntjes uit, die snel in hun neusgaten verdwenen. Daarna dronken ze koffie met cognac. Om een uur of elf wankelden ze met z'n drieën naar huis en daar zette Christopher zijn meegebrachte whisky- en cognacflessen op tafel.

Hij stelde voor dat ze een beetje de kop erbij zouden houden en de volgende dag toch ten minste één wedstrijd zouden proberen te bekijken.

Daarna zetten ze zich flink aan het drinken.

De volgende avond om een uur of zeven slenterden ze Pepes Bodega in de haven van Båstad binnen en ze gingen zitten. Ze waren rond lunchtijd wakker geworden met bonzende hoofden en waren wat op krachten gekomen met een champagnebrunch in de Hamnkrog. Daarna waren ze naar Båstad gegaan om één of twee wedstrijden bij te wonen.

Terwijl Ecker en Kruut het wedstrijdprogramma belangstellend doorbladerden en de spelers bespraken, vroeg Silfverbielke zich lusteloos af wat – behalve geld misschien – iemand ertoe kon brengen om gehuld in malle kleren achter een stom, klein balletje aan te rennen, terwijl mensen geïnteresseerd toekeken.

De rest van de tijd had hij gebruikt om te kijken naar – en te fantaseren over – een paar uitverkoren vrouwen in het publiek.

Zijn blik was al snel blijven rusten op Yasmine. Haar bruine huid stak sterk af bij het witte rokje en het al even witte katoenen bloesje dat ze droeg. De keren dat ze opstond om Bernard Deschamp aan te moedigen zag hij hoe slank, lenig en sterk haar lichaam eruitzag.

Leuk speelgoed.

Nu, bij Pepes Bodega, viel zijn oog weer op haar.

Ecker en Kruut hadden hun voelsprieten ook uitstaan en hun ogen troffen hetzelfde doel als dat van Christopher.

'Allemachtig!' kreunde Ecker. 'Eén nacht met haar en ik ben tevreden.'

'Hou op!' zei Kruut. 'Die is voor mij. Hoeveel punten krijg ik als ik haar plat krijg?'

'Zeker tien, als je foto's maakt, tenminste. Niet, Chris?'

Doe maar wat jullie willen, jongens. Ik ben van plan met haar te gaan spelen, wat er ook gebeurt.

Misschien was het de alcohol of de zon waarin ze die dag hadden gezeten. Later zou Silfverbielke behoorlijk lang nadenken over de vraag waar en hoe het fout was gegaan.

Ze hadden gedineerd en het eten zoals gewoonlijk met champagne weggespoeld. Ze waren – net als anders – doorgegaan met champagne en andere drankjes. Ze hadden in de wc een lijntje coke gesnoven en ze waren in topvorm.

En toen kwam het keerpunt.

Plotseling vonden Hans en Christopher zichzelf stomdronken en half liggend terug op hun stoel in de bodega. Als door een waas zag Silfverbielke dat Johannes aan de bar stond te slijmen met de halfbloed over wie ze het eerder hadden gehad. *Wel alle...?*

Hoe ze terug waren gekomen bij het huis stond hem ook niet meer helder voor de geest, maar hij hoorde Ecker overgeven op het toilet, terwijl hijzelf een paar stevige gin-tonics klaarmaakte.

'Kom een borrel halen, Hans!' hoorde hij zichzelf zeggen, terwijl er een woede in hem ontbrandde.

Ecker kwam met een domme grijns op zijn gezicht naar hem toe gewankeld. 'Waarom sjie je er sjo kwaad uit, Chrisj?' vroeg hij met dubbele tong.

Silfverbielke nam een slok en trok een grimas. Het ergerde hem dat hij tegen zijn gewoonte in de controle was kwijtgeraakt. 'Heb je dat niet gezien? Johannes was die halfbloed verdomme aan het versieren!'

'Wat sjeg je nou? Als iemand haar sjou neuken, dan wij toch sjeker?'

'Precies. En ik stel voor dat we dat morgen gaan doen. Maar daar hebben we het dan wel over. Proost!'

Johannes Kruut was hopeloos verliefd. Toen Hans en Christopher flink dronken begonnen te worden en naar de wc gingen om nog meer coke te snuiven, was hij voorzichtig naar de knappe mulattin gegaan die onvoorstelbaar genoeg nog steeds alleen bij de bar stond. Hij had beleefd gevraagd of hij haar een drankje mocht aanbieden. Ze had glimlachend in Engels met een Franse tongval geantwoord dat ze geen Zweeds sprak en Kruut was als een ware man van de wereld overgegaan op Engels.

Ruim twee uur later zaten Yasmine en hij aan een afgeruimd tafeltje. Johannes zag tot zijn tevredenheid dat Christopher en Hans naar de uitgang wankelden zonder op hem en zijn nieuwe vriendin te letten.

Yasmine had alles. Ze was ongelofelijk mooi, onderhoudend, intelligent en goedlachs. Ze was in het begin nogal ernstig geweest, maar terwijl ze champagne dronken en babbelden, werd ze vrolijker.

Hij was natuurlijk nieuwsgierig wie ze was en wat ze in Båstad deed.

Ze vertelde over Bernard, zijn carrière, hoe ze elkaar hadden ontmoet en wat haar werk was.

'Vertel toch wat meer over jezelf!' zei Johannes glimlachend. 'Jij bent toch veel interessanter dan die tennisser!'

Yasmine was gevleid. Het was lang geleden dat iemand zo open en eerlijk belangstelling voor haar als persoon had, zonder bijgedachten.

'Dat is een lang verhaal,' zei ze zacht.

Johannes knikte begrijpend. 'We hebben alle tijd en ik luister graag. Ben je in Frankrijk geboren?'

'Ja, maar mijn roots zijn niet Frans. Mijn vader, Walter, was een Australiër. Hij sloot zich na een reeks ongelukkige levenservaringen in het begin van de jaren zeventig aan bij het Vreemdelingenlegioen.'

'Het Vreemdelingenlegioen, wauw!' Kruut floot. 'Daar komen alleen de heel harde jongens in, hè?'

Ze haalde haar schouders op. 'Dat zal wel, ja. Het wervingsbureau is driehonderdvijfenzestig dagen per jaar open en ze nemen vrijwilligers uit de hele wereld aan. Ze denken dat er sinds de start van het legioen in 1831 tussen de vier- en vijfhonderdduizend mannen dienst in hebben gedaan.'

'Ik heb wel eens gehoord dat er ook veel zware criminelen in het legioen zitten, klopt dat?' Kruut kon zijn tong wel afbijten en voegde er gauw aan toe: 'Nou ja, ik bedoel niet jouw vader, maar zo in het algemeen.'

'Tja, het klopt vast wel dat er heel wat duistere figuren bij het legioen wilden, maar tegenwoordig wordt de achtergrond van de vrijwilligers goed onderzocht om er zeker van te zijn dat er geen criminelen naartoe gaan die willen onderduiken.'

Kruut knikte. 'Spannend. Wie is dat Vreemdelingenlegioen eigenlijk begonnen, en waarom?'

'Maar goed dat ik geschiedenis heb gestudeerd en goed naar mijn vader heb geluisterd,' zei Yasmine lachend. 'Het *Légion Étrangère* is opgericht door Lodewijk Filips I van Frankrijk om hem te helpen in zijn oorlog in Algerije. Sindsdien heeft het natuurlijk deelgenomen aan diverse oorlogen, maar het ging je geloof ik niet in de eerste plaats om het Vreemdelingenlegioen?' Ze glimlachte plagend.

'Nee, nee, dat was maar een zijspoor. Vertel meer over jezelf!'

Yasmine nam een slok champagne. 'Toen mijn vader bij het legioen ging werd hij in Frans Guyana gestationeerd en daar ontmoette hij mijn moeder, Chantal.'

'Wat een mooie naam, net als die van jou!' riep Johannes uit.

'Dank je. Hoe dan ook – mijn moeder was zwart, ontzettend mooi en mijn vader viel meteen voor haar. Toen mijn vader in 1981 uit het legioen ging verhuisden ze naar Parijs. Mijn vader vroeg de Franse nationaliteit aan en zoals alle andere soldaten die meer dan vijf jaar in het Vreemdelingenlegioen hebben gediend, kreeg hij die. Ze verhuisden naar Marseille en daar ben ik geboren. Maar daar opgroeien was geen lolletje; dat kan ik je wel vertellen.'

'Waarom niet?'

Yasmines ogen kregen iets verdrietigs. 'Ik was een kind van allochtonen en ik had ook nog een donkere huid. Dat was genoeg. Het respect voor mensen uit Frans Guyana was niet erg groot, zogezegd. Ik ben in een achterbuurt opgegroeid in best zware omstandigheden, maar ik heb het toch wel goed gedaan. Ik had goede vrienden en mijn ouders maakten me duidelijk hoe belangrijk school was. Daarom ben ik uiteindelijk tegen alle verwachtingen in op de universiteit terechtgekomen.'

Ze lachte weer en Johannes vond het heerlijk om haar lach te horen.
'En hoe heb je Bernard ontmoet?

'We zaten bij elkaar op school in Marseille. Hij speelde trouwens als kind al tennis. Na school gingen we verschillende kanten op en hoorde ik niets meer over hem. Maar een paar jaar geleden was ik in Parijs en toen kwam ik hem toevallig op een feestje tegen. Maar ik praat te veel en drink te weinig. Proost!'

Kruut hief zijn glas. 'Proost, Yasmine! Maar ga door! Ik wil de rest ook graag horen.'

'Ben je geïnteresseerd in tennis?'

'Jawel. Ik volg het zo'n beetje, in elk geval de wedstrijden hier.'

Ze knikte. 'Het ging langzaam maar zeker de goede kant op met Bernards carrière, en vorig jaar was hij de held van Frankrijk toen hij ongeplaatst de halve finale op Roland Garros haalde...'

'Wauw!' Kruut knikte geïmponeerd.

'De Spanjaarden domineren de laatste tien jaar op gravel, dus het was goed voor de sport dat een Fransman ze opeens uitdaagde. Daarom zijn de organisatoren hier ook dolgelukkig dat Bernard dit jaar in Båstad speelt, maar...'

Ze stopte.

'Maar?' vroeg Johannes.

'Dit seizoen is tot nu toe heel teleurstellend en op dit moment zou hij echt een flink succes nodig hebben om zijn zelfvertrouwen terug te krijgen. Hij is zichzelf niet, de laatste tijd. Hij heeft een liesblessure en ik weet dat hij pijn heeft. Hij is soms heel chagrijnig.'

Ze dronk nog wat champagne. 'Dat was een lezing over Bernard Deschamp. Krijg ik nou een lezing van jou over Björn Borg? Wat weet je eigenlijk van hem?'

Johannes keek licht gegeneerd. 'Tja, niet zo veel als ik zou moeten, misschien. Maar...' – hij lachte – '...ik heb wel onderbroeken met zijn naam erop!'

Yasmine barstte in lachen uit. 'Oeps! Ik denk dat we het daar maar bij moeten laten wat Björn Borg betreft.'

Yasmine Monroe had zich lange tijd niet zo vrolijk gevoeld. De dag was niet goed begonnen, maar opeens zag het ernaar uit dat hij een stuk beter zou eindigen.

Bernard was al slechtgehumeurd en stuurs geweest toen ze bij de baan aankwam. Ze had hem haar gebruikelijke gelukbrengende tikje op zijn achterwerk willen geven, maar hij was weggelopen voordat ze dat had kunnen doen. En hij had geklaagd dat ze hem zijn spullen te laat had gebracht.

Alles was verkeerd.

Ook al had hij goed gespeeld, na afloop was hij nog steeds in een slecht humeur. In het hotel had ze hem voorzichtig gevraagd wat er vanavond ging gebeuren. Hij had haar kwaad aangekeken en gezegd dat ze maar moest doen wat ze wilde. Hij ging op zijn kamer eten, in z'n eentje, en daarna ging hij rusten.

Yasmine was naar haar kamer gegaan en had gehuild. Ze kreeg geen hoogte van hem. Wat had ze verkeerd gedaan? Waar waren zijn gevoelens voor haar, als die er ooit waren geweest? Of was ze alleen maar een meisje voor één of twee nachten voor hem geweest? Die gedachte deed haar zeer.

Ten slotte was haar verdriet omgeslagen in woede en had ze besloten zichzelf op eigen houtje een gezellige avond te bezorgen. Ze had gedoucht en zich discreet opgemaakt, alleen maar om de trotse schoonheid van haar gezicht te benadrukken. Ze had zichzelf naakt in de spiegel bekeken en vond dat er niets was waarvoor ze zich hoefde te schamen. Ze was lang, slank en zo dicht bij het ideale gewicht als ze maar kon komen. Ze had mooie, vrouwelijke vormen en haar conische borsten kwamen zonder ondersteuning heel fraai uit.

Ze had zorgvuldig gekozen voor een mooi, crèmekleurig slipje met een klein pareltje op de voorkant en een laag uitgesneden jurkje met een druk wijnrood en goudgeel patroon over haar hoofd getrokken. Een paar goudkleurige, hooggehakte sandaletten waren de kroon op haar werk. Toen was ze naar Pepes Bodega gegaan.

Hoe meer tijd er verstreek, hoe meer ze voor Johannes Kruut voelde. Hij was bepaald niet de aantrekkelijkste man die ze ooit had ontmoet: iets te klein, met dun haar en een bleke huid. Maar dat werd meer dan gecompenseerd door zijn eigenschappen. Hij was gezellig, gedroeg zich netjes en luisterde belangstellend. Hij had uren bij haar gezeten zonder

ook maar één keer slijmerig naar haar te kijken of met een of ander on-
betamelijk voorstel te komen – terwijl ze daar nu toch wel naar begon
te verlangen.

Yasmine onderzocht haar geweten. Had ze reden om Bernard trouw
te zijn, anders dan zich een loyale vriendin en assistent te betonen? Hij
had haar min of meer tot seks gedwongen toen het hem uitkwam, en
daarna had hij haar gevraagd weg te gaan. Ze had al jaren geen andere
mannen gehad dan hij, maar hij had in die tijd een heel stel vrouwen
afgewerkt die alleen maar speelgoed voor hem waren.

Speelgoed. Zij wilde niemands speelgoed zijn.

Yasmine wilde bemind, begeerd, bevestigd worden.

Ze was zich er volledig van bewust dat een liefdesspel met Johannes
net zo snel zou eindigen als het begon. Misschien zouden ze elkaar nog
een keer kunnen ontmoeten. Misschien zou Bernard haar verbieden nog
meer avonden uit te gaan, zou hij eisen dat ze op haar kamer zou blijven,
alleen, en zou uitrusten. Misschien wilde hij haar onder controle houden. Misschien was vanavond de kans van haar leven.

Yasmine nam een besluit.

Johannes Kruut moest zich bijna in zijn arm knijpen om te geloven dat
het echt was.

Hij stond in het donker in de hotelkamer met Yasmine in zijn armen
en zijn lippen op de hare, voelde dat zijn penis stijf werd tegen haar buik
en dat ze zich nog steviger tegen hem aan drukte.

Zíj had het initiatief genomen, al in Pepes Bodega. Toen hij vroeg of
ze nog een glas champagne wilde, had ze hem een sluw glimlachje toe-
geworpen en haar hoofd geschud.

'Nee, ik vind dat we maar een avondwandelingetje moesten gaan maken.'

De wandeling was linea recta naar haar kamer in Hotel Båstad gegaan.
Ze had gezegd dat ze moesten sluipen als ze langs de kamer van Bernard
Deschamp kwamen en dat hadden ze gedaan.

Nu ontdeed ze hem met zachte hand van zijn kleren tot hij naakt was.
Ze ging op haar hurken voor hem zitten en kuste hem.

Even later trok hij haar jurk over haar hoofd en zag dat er een paar
welgevormde borsten vrijkwamen. Haar tepels waren nog donkerder
dan haar huid en hij vond dat ze naar noga smaakten.

Ze tilde haar billen op toen hij haar het kleine stukje textiel met het pareltje uittrok, en vlak daarna werden ze één.

Kruut vond dat ze net een wild dier was. Yasmine kreunde, snifte, beet en krabde met haar lange nagels over zijn rug. Ze maakte hem gek en toen hij voelde dat hij klaar zou komen probeerde hij zich terug te trekken, maar ze sloeg haar benen snel om zijn rug en toen ze hem met ritmische bewegingen naar zich toe trok verloor hij de controle.

Naderhand lag ze op zijn arm. Ze streek met haar vingertop over zijn voorhoofd, wangen en lippen en omlaag over zijn hals en zijn borst.

Ze beminden elkaar steeds opnieuw.

Het was halfvijf in de ochtend toen Johannes Kruut, gelukkiger dan ooit, stilletjes het huis in Torekov binnen sloop. Hij had met Yasmine afgesproken dat ze elkaar de volgende avond om zeven uur weer zouden zien. Ze hadden besloten heel discreet te zijn om te voorkomen dat ze problemen met Bernard zou krijgen. Daarom zouden ze elkaar treffen op een parkeerplaats achter de Nordea-bank, zo'n honderd meter van haar hotel. Misschien zouden ze naar Ängelholm gaan of ergens anders waar ze in alle rust bij elkaar konden zijn zonder te worden herkend.

Naar een plaats waar een hotel was waar ze niet hoefden te sluipen.

52

Vrijdag 13 juli

Laat katerontbijt in het huis in Torekov. Johannes Kruut zette fluitend koffie, geroosterd brood en beleg op tafel. Silfverbielke had voor de zekerheid alvast een fles champagne opengemaakt.

'Johannes, wil je de gordijnen dichtdoen? Dat vervloekte zonlicht wordt nog mijn dood!'

Ecker zat met zijn hoofd in zijn handen en zag er ellendig uit. Zijn mobiele telefoon ging.

'Hé, hallo, schat! Nee hoor, maak je maar geen zorgen. We waren van-morgen vroeg op en hebben al een powerwalk gemaakt. We zijn nu even thuis om te lunchen en dan gaan we in Båstad naar de wedstrijden kij-ken. Het begint er nu om te spannen, weet je. Wat zei je? Je buik? Jazeker, natuurlijk begrijp ik dat. Masseer hem maar lekker van mij, dan zal ik weer voor je zorgen als ik thuiskom. Tot horens. Hè? Nee, ik ga niet zui-pen, natuurlijk niet. We nemen alleen een beetje wijn bij het eten. Kusje, tot later! Watte? Ja, natuurlijk hou ik van je; dat weet je toch, schatje! Maar zeg, de jongens wachten op me met het eten, dus ik moet echt op-hangen. Ik ook van jou. Kusje!'

Hij verbrak de verbinding en kreunde. 'Verdomme! Als het nu al zo is, hoe moet het dan wel niet als dat kind geboren is?'

Rustig aan, maat, je hebt het over mijn zoon.

'Komt wel goed, joh, je zult het zien,' antwoordde Silfverbielke, die de warmte van de champagne al door zijn lichaam voelde gaan. Niet vergeten Veronica te sms'en, dacht hij. Je moet het heilige vuur bran-dende houden, zoals het Leger des Heils altijd zegt.

Hij was in een bijzonder slecht humeur. Hij kon de gedachte dat Kruut die halfbloed de vorige avond misschien had versierd niet van zich af-zetten. Hij wilde het weten.

Om te kunnen reageren.

'En hoe is het jou gisteravond vergaan, Johannes?' vroeg hij zo vrien-delijk als hij maar kon opbrengen.

'O, la, la! Jullie geloven het niet, jongens!' riep Johannes gelukzalig van achter het fornuis, waar hij eieren aan het bakken was. 'Weten jullie nog: dat knappe grietje dat we zagen toen we binnenkwamen? Ik heb de hele avond bij haar gezeten!'

'Ja, en?' vroeg Ecker nijdig.

Johannes deed zijn mond open om antwoord te geven, maar hield zich in. Yasmine was niet zomaar een flirt, integendeel. Elke keer als hij aan haar dacht maakte zijn hart een sprongetje en hij had geen zin haar te bezoedelen door Hans en Christopher details te vertellen.

'Heb je haar gepakt?' vroeg Christopher.

Johannes vond dat hij onaangenaam koud klonk. 'Zo was het niet,' probeerde hij.

'Hoe was het dan?'

Johannes aarzelde. Hoe moest hij uitleggen dat hij echt verliefd was op Yasmine en zij op hem? Zouden Hans en Christopher dat begrijpen? Waren zij wel ooit echt verliefd geweest? Johannes kon zich niet herinneren dat hij ooit zulke sterke gevoelens had gehad.

'We... We zijn... verliefd,' stamelde hij.

'Jullie zijn wát?' Silfverbielke keek hem wantrouwend aan en Ecker boog zich hoofdschuddend over de tafel.

'Ja... Verliefd dus. We zijn verliefd.'

'Johannes...' – Silfverbielke moest zich inspannen om rustig te klinken – '...ik word ook ongeveer vijf minuten voordat ik een grietje pak verliefd, maar dat is gelukkig naderhand meestal over. Weet je heel zeker dat jullie verliefd zijn of hebben jullie alleen maar geneukt?'

Geneukt. Dat woord stond Johannes in dit verband niet aan. Hij had wel al vaak geneukt, maar ditmaal had hij – misschien voor het eerst in zijn leven – *bemind*; dat wist hij zeker.

'Het is echt ernst,' antwoordde hij, en hij diende de eieren op. 'We hebben voor vanavond weer afgesproken. Dan gaan we een wandeling maken en misschien ergens eten. Maar we moeten voorzichtig zijn, want ze werkt als assistente voor Bernard Deschamp, jullie weten wel, die tennisser. Hij schijnt stinkend jaloers te zijn, dus we moeten ons gedeisd houden.'

Ecker trok een gezicht alsof hij een of ander dodelijk commentaar wilde geven, maar Silfverbielke legde hem met een bijna onmerkbaar hoofdschudden het zwijgen op.

'Ik begrijp het, Johannes. Dan kunnen we je alleen maar feliciteren. Waar neem je de dame vanavond mee naartoe?'

'Dank je! Tja, ik haal haar om zeven uur op op de parkeerplaats van de Nordea. Daar wacht ze, want dan kan Deschamp haar niet zien. Dan gaan we naar een andere plaats, Ängelholm misschien, zodat er geen risico bestaat dat we worden ontdekt.'

Silfverbielke knikte nadenkend. 'Dat klinkt als een goed idee. Een heel goed idee...'

Zijn brein begon onmiddellijk een plan uit te werken; het eerste deel daarvan was dat hij Kruut lang genoeg het huis uit moest zien te krijgen om in alle rust met Hans te kunnen praten.

Dat loste zich opeens vanzelf op.

'Ik moet even naar Båstad, jongens,' zei Johannes. 'Ik heb me gisteren gebrand en ik moet daar een goed middeltje voor halen bij de apotheek.

Bovendien heb ik daar nog een paar kleine dingetjes te regelen. Hebben jullie nog iets nodig?'

Silfverbielke schudde zijn hoofd. 'Niet dat ik kan bedenken. Jij wel, Hans?'

'Nee dank je, ik heb alles wat ik nodig heb. Tenzij je me natuurlijk wat rust kunt verschaffen van mijn aanstaande echtgenote.'

Alle drie moesten ze lachen om Eckers klaagzang. Tien minuten later startte Johannes de auto en verdween.

Christopher nam een slok champagne en keek Hans aan. 'Lullig, hè?'

'Je bedoelt dat Johannes die halfbloed heeft gekregen in plaats van wij?'

'Hm-mm.'

'Vreselijk lullig!'

'Maar ik heb een plan.' Silfverbielke trommelde zachtjes met zijn vingers op het tafelblad.

Ecker boog zich belangstellend naar hem over. 'Laat horen!'

'Nou, luister...'

Silfverbielke keek op zijn horloge.

Je kon het maar beter heel zeker weten. Hij toetste Kruuts mobiele nummer in. 'Hoi, Johannes, met Chris. Zeg, bij nader inzien heb ik toch een paar dingen nodig. Zou jij willen zorgen voor...'

Na het telefoontje keek hij Hans aan. 'Kom op dan.'

Het leek wel een scène uit een slechte film, dacht Ecker. Voordat ze gingen douchen had Christopher hem een fonkelnieuw Venus-scheermes gegeven van hetzelfde type als Veronica gebruikte. Maar goddank was dit blauw en niet roze. Silfverbielke had zelf een andere verpakking opengemaakt en er net zo een uitgehaald.

Ze hadden zich van top tot teen met scheerzeep ingesmeerd. Nu stonden ze naast elkaar, bloot, onder het hete water en schoren elk minuscuul lichaamshaartje af. Benen, oksels, armen, handen, borst, buik, geslachtsorgaan – alles werd tot op de millimeter verwijderd. Ze controleerden elkaars lichaam en Ecker stelde teleurgesteld vast dat Christophers pik een stuk langer en steviger was dan de zijne, zelfs in rust. Maar wat kon het schelen; het ging om de prestaties, dacht hij grijnzend.

'Draai je langzaam om, dan kan ik je checken.' Silfverbielke had hem met de handdouche afgespoeld en Ecker draaide langzaam rond onder Christophers onderzoekende blik.

'Ziet er goed uit. Er zit nog wat op je zak, en een paar haartjes op je borst. Als je die weghaalt, kun je daarna mij controleren.'

Hans tilde met zijn ene hand zijn zak op en schoor die langzaam en zorgvuldig met zijn andere hand. Hij had gezien dat Silfverbielke rondom zijn penis al geschoren was voordat ze gingen douchen en hij had zich afgevraagd waarom. Dat gebeurde toch alleen in pornofilms? Zelf vond hij het een beetje onnozel. In deze situatie was het natuurlijk belangrijk: één enkel haartje kon het verschil zijn tussen...

'Oké, spoel mij nu maar af en kijk goed. Je mag niks over het hoofd zien.'

Ecker schrok. Die kilte in Silfverbielkes stem was er alleen in speciale gevallen en kennelijk was dit er zo een. Hij ging bijna met tegenzin op zijn hurken zitten en bekeek Silfverbielkes geslachtsdeel. *Nog een geluk dat ik geen flikker ben.*

Ecker stond op en checkte de buik, borst en oksels van zijn vriend.

Schoon.

'In orde.'

Silfverbielke knikte. Ze stapten uit de douche en schoren daarna hun gezicht voor de badkamerspiegel.

Toen Kruut terugkwam dronken ze koffie.

'En wat voor leuks gaan jullie vanavond doen?' vroeg Kruut.

Dat lees je morgen wel in de krant.

'Geen idee,' antwoordde Silfverbielke nonchalant, en hij haalde zijn schouders op. 'Het zal wel weer Pepes Bodega worden, of misschien Sand.'

'*Take me to the girls!*' riep Ecker uitgelaten. 'Het kan me niet schelen waar we heen gaan, als er maar meiden zijn!'

Ze babbelden door en de tijd verstreek. Opeens knipte Silfverbielke met zijn vingers. 'O ja, verdomme!' Hij wierp een snelle blik op zijn horloge. 'Johannes, mogen Hans en ik je auto even lenen? We moeten naar de slijterij voordat die dichtgaat! Het is belangrijk, dat begrijp je wel.'

Hij keek Kruut glimlachend aan.

Johannes keek op zijn horloge. Het was halfzes. Hij moest nog douchen en zich omkleden voordat hij Yasmine om zeven uur zou ophalen. Dat moest kunnen.

'Natuurlijk! Als jullie uiterlijk om tien over halfzeven maar terug zijn. Dan moet ik weg om op tijd bij Yasmine te zijn.'

'Geen probleem!' antwoordde Silfverbielke overtuigend. 'De slijterij sluit om zes uur en het is maar een kwartiertje daarheen. We zijn vast nog wel eerder terug en dan kun je weg. We nemen straks wel een taxi naar Båstad. Zullen we gaan, Hans?'

Ecker knikte. Christopher haalde zijn dunne windjack en voelde aan de binnenzak.

Badmutsen. Bivakmutsen. Condooms.

Klaar voor een genottripje.

De Lexus lag als een blok op de weg en Silfverbielke legde de afstand naar Båstad af in dertien minuten rond. Ze parkeerden de auto bij het benzinestation van Statoil en wandelden het stukje naar het lage complex van rode baksteen waarin onder andere de politie en de Försäkringsbank gehuisvest waren.

Op de receptie van het politiebureau wemelde het van de mensen die waren geslagen, hun sleutels hadden verloren of van hun handtasje waren beroofd. Toen ze eindelijk aan de beurt waren legde Silfverbielke uit wat er aan de hand was.

Ja, ze waren stom geweest. Maar ze dachten dat de mensen in Båstad eerlijk waren en in de drukte hadden ze het sleuteltje in de auto laten zitten toen ze boodschappen gingen doen. Nee, ze waren hoogstens tien minuten weggeweest. Ja, hij had midden op de Köpmansgata gestaan. Een Lexus GS430, ja. Eigenaar Kruut, Johannes...

De vermoeide politieman achter de balie bood hun weinig hoop. Båstad was een smeltkroes tijdens het tennistoernooi en ze hadden geen middelen over om naar gestolen auto's te zoeken. Het ging om een dure wagen, dus de dieven waren vast allang weg. Het bureau was overbelast en voor maandag zou er vast niemand tijd hebben om alle meldingen van diefstal door te gaan zitten nemen.

Ze gingen het politiebureau uit. Toen ze buiten kwamen, kon Ecker zich niet meer goed houden: hij sloeg dubbel van de lach en proestte: 'Jij vindt het echt leuk om auto's als gestolen op te geven, hè?'

Christopher glimlachte. 'Het is soms zo handig.' Hij wierp een blik op zijn horloge. 'Kom, het is al tien over halfzeven!'

Christopher startte, reed via de Köpmansgata naar de rotonde waar weg 115 naar Torekov begint. Plotseling tjirpte Eckers mobiel. Hij haalde hem uit zijn zak, keek op het display en toen naar Christopher. Hij drukte razendsnel op het knopje BEZET en zette zijn telefoon toen uit. 'Verdomme, dat was Johannes! Staat die van jou uit?'

Silfverbielke knikte rustig. 'We doen even een korte generale. De zak ligt op de achterbank. Hier heb je de badmuts, de bivakmuts, het mondkapje en een paar condooms. Vergeet niet alleen maar Engels te spreken. Ik rij één of twee keer langs totdat we haar zien, en dan gaan we ertegenaan. Oké?'

'Oké. Maar wat doen we daarna?'

'Ik heb een idee. Komt goed. Zorg jij voor de achterbank, dan regel ik de rest.'

Ecker knikte, stapte uit en ging achterin zitten. Silfverbielke keek op zijn horloge. Tien voor zeven.

Hij reed door de Köpmansgata en toen ze bij de oprit naar de parkeerplaats van de Nordea kwamen, keek hij gauw naar rechts.

Leeg.

Christopher reed door tot hij aan de rand van de stad was. Toen draaide hij om en reed terug. Vijf voor zeven.

Snelle blik naar links op de parkeerplaats.

Daar stond ze.

Tweehonderd meter verderop maakte hij een U-bocht, reed honderdvijftig meter en stopte bij het trottoir.

'Klaar? Zak klaar?'

'Yes, sir!'

'Oké, masks on!'

Ze zetten snel hun badmutsen, de mondkapjes en ten slotte hun bivakmutsen op. Silfverbielke zette de wagen in de versnelling, reed snel de vijftig meter naar de parkeerplaats en sloeg rechts af, het met grind bestrooide terrein achter de Nordea-bank op.

Yasmine Monroe stond stil te neuriën. Het was een prachtige zomeravond, ze genoot van het groen, de geuren en het vogelgekwetter om haar heen.

Ze was gelukkig.

De avond en de nachtelijke uren met Johannes waren een heerlijke ervaring geweest, lichamelijk en geestelijk. Ze had genoten van zijn gezelschap en voor het eerst in vele jaren had ze gemerkt dat een man haar zijn ware gevoelens toonde. Hij was wel wat onhandig geweest, maar dat gaf niks. Ze kon hem nog wel wat leren, dacht ze opgewekt.

Ze had zich eenvoudig maar mooi aangekleed. Wit slipje met net zo'n pareltje als de vorige avond – Johannes vond dat leuk – en een wit, kort jurkje waarin haar goudbruine huid mooi uitkwam. Een paar witte sandaletten met hoge hakken. Onder haar arm had ze een klein, wit handtasje met het hoogstnoodzakelijke.

Yasmine verheugde zich op nog een heerlijke avond.

Bernard was niet zo stuurs geweest als donderdag. Misschien voelde hij zich gesterkt door het succes op de tennisbaan, misschien was het iets anders. Hij had gewoon aardig tegen haar gedaan, maar had geen belangstelling om 's middags of 's avonds bij haar te zijn. Dezelfde boodschap als eerder: hij wilde de avond op zijn kamer doorbrengen en rusten voor de wedstrijd van zaterdag.

Dat kwam haar uitstekend uit.

Toen de grote, zwarte auto de parkeerplaats op draaide en het grind onder de wielen knisperde, stond ze met haar rug naar de straat naar een paar vogels te kijken die in de hoge heg rondom het terrein aan het spelen waren. Yasmine wilde zich met een glimlach omdraaien, want ze ging ervan uit dat het Johannes was, die haar kwam halen.

Maar nog voordat ze helemaal rond was, werd ze door sterke handen beetgepakt en de auto in getrokken.

Daar werd ze niet bang van. Johannes was blijkbaar in voor een grap. 'Zo...' zei ze, naar adem happend, en ze wankelde naar achteren. 'Wilde je me ontvoeren? *Naughty boy...*'

Haar gegiechel werd gesmoord door een grote, zwarte plastic zak die over haar hoofd werd getrokken. Instinctief verzette ze zich en even kon ze een mannenhoofd zien, bedekt door een bivakmuts.

De angst schoot door haar heen. De bank! O god, ze willen de bank beroven of opblazen. En nu nemen ze mij als gijzelaar!

Yasmine deed haar mond open om te schreeuwen op het moment dat ze de autoportieren dicht hoorde slaan. Een sterke hand drukte haar omlaag in een ongemakkelijke lighouding bij de man op schoot, een andere hand werd op haar mond gelegd, met het vieze, stinkende plastic van de zak ertussen.

'*Shut up if you want to live!*' siste een stem ergens voor haar.

De gedachten tolden door haar hoofd. Wat moest ze doen? Instinctief wilde ze schoppen, slaan, schreeuwen, bijten. Maar ergens ver achter in haar hoofd hield een logische stem haar voor dat ze stil en rustig moest blijven liggen.

Opeens begon haar mobiele telefoon te piepen en automatisch tastte ze naar haar handtas. Maar de man die haar in de auto had getrokken, had ook haar tas afgepakt, en nu was die buiten bereik.

Johannes! Al had ze alleen maar het knopje kunnen indrukken en om hulp kunnen roepen!

Kruut ijsbeerde ongelukkig door het huis in Torekov. Wat was er gebeurd? Hadden Hans en Christopher een ongeluk gehad? Waarom namen ze geen van beiden hun mobiel op? Waarom waren ze niet teruggekomen, zoals ze hadden beloofd?

Ten slotte had hij begrepen dat hij een taxi moest nemen om op tijd bij Yasmine te zijn. De rest kwam later wel. In het ergste geval kon hij wel voor even een auto huren bij Statoil: die pomp lag op een steenworp afstand van de parkeerplaats van Nordea.

Maar bij het taxibedrijf had een geduldige stem hem uitgelegd dat er meer mensen waren die op vrijdagavond naar Båstad wilden, en dat hij zich erop moest instellen dat hij een uurtje of zo zou moeten wachten.

Johannes sloeg met zijn vuist op de keukentafel. Waarom had hij zijn auto aan die kerels uitgeleend vlak voor een van de belangrijkste afspraken van zijn leven? Ze hadden toch drank kunnen kopen in de Hamnkrog!

'*Masks off!*'

Silfverbielke zag in de achteruitkijkspiegel dat Hans zijn bivakmuts, mondkapje en badmuts met zijn ene hand af wist te zetten terwijl hij met de andere het hoofd van de vrouw naar beneden drukte. Zelf trok hij zijn maskering ook snel af en hij reed de Köpmansgata in richting Torekov.

Na een paar kilometer sloeg hij rechts af en toen reed hij een tijdje rechtdoor, terwijl hij af en toe op de kilometerteller keek. Tien kilometer, minstens tien kilometer moesten ze Båstad uit zijn, anders kon het niet.

Christopher begon naar kleine bosweggetjes te zoeken en opeens zag hij er een die bijna overwoekerd was. Hij remde, sloeg af en reed de Lexus zachtjes nog een stukje door over het slecht onderhouden weggetje.

Na vijfhonderd meter splitste de weg zich. Het ene gedeelte ging rechtdoor, het andere eindigde na vijftig meter in een open ruimte met een klein, vierkant, betonnen huisje met gele bordjes waarop zware elektriciteitsdraden van palen rondom bij elkaar kwamen.

Perfect.

'Masks on!'

Silfverbielke draaide, zodat de auto bijna helemaal door bomen aan het oog werd onttrokken, voor het geval dat er onverhoopt iemand over het bosweggetje zou rijden.

Hij bleef staan, zette zijn badmuts en masker op, trok dunne handschoenen aan en draaide zich om. Ecker, met de hele uitmonstering al op zijn hoofd, gaf hem een kort knikje. De vrouw lag onbeweeglijk op zijn schoot. Haar witte handtasje lag op de zitting naast Hans.

'Get her out!' Silfverbielke stapte uit en zette het portier open om gemakkelijker te kunnen vluchten. Tegelijkertijd pakte hij de handtas van het grietje, maakte hem open, pakte het mobieltje en zette het uit. Hij stopte de mobiel terug in de tas en mikte die zorgvuldig in de bosjes verderop.

'Partytime!' Silfverbielke wees naar het betonnen huisje en met vereende krachten sleepten ze Yasmine tussen zich in daarheen. Ze maakte zwakke geluidjes en toen haar protesten luider werden, begreep Silfverbielke dat hij maar beter meteen kon laten zien wie de baas was. Hij gaf haar door het plastic heen een harde oorvijg en ze gaf een gil. Christopher pakte haar hoofd, hield het stevig vast en siste: *'Listen carefully! Do you want to live or do you want to die?'*

'Live...' Hij kon horen dat ze huilde.

'Good. Do exactly as we say, and don't scream. One sound, and I'll kill you – understand?'

Ze knikte.

Silfverbielke kleedde zich snel uit en deed een condoom om. Toen pakte hij Yasmine vast, terwijl Ecker zijn voorbeeld volgde.

Achter het betonnen huisje stond een houten werkbank met een blad op heuphoogte, waarschijnlijk een bank om gereedschappen op neer te

446

leggen. Ze legden Yasmine op die bank en na een laatste dubbelcheck van elkaars maskers trokken ze de zak van haar af.

Ze knipperde eerst tegen het zwakke schemerlicht, dat scherp was in haar ogen die aan het donker gewend waren. Toen ze de gemaskerde gezichten boven zich zag, sperde ze haar ogen open.

Yasmine Monroe wist heel goed wat er ging gebeuren en ze huilde inwendig al. Ze was al eerder misbruikt en vernederd, in Marseille en in Parijs, maar ze had zich in haar wildste fantasieën niet kunnen voorstellen dat het weer zou gebeuren.

En al helemaal niet in Båstad in Zweden.

Silfverbielke verspilde geen tijd. Met een snelle ruk trok hij haar jurk en haar slipje uit en smeet ze op de grond.

Yasmines wereld veranderde in een onwerkelijk toneelstuk waarin goed en kwaad tegen elkaar streden. Als in een waas zag ze nu in het laatste zomerlicht hetzelfde mooie groen als op de parkeerplaats. Ze rook dezelfde heerlijke geuren en hoorde hetzelfde vogelgekwetter. En dat terwijl die vreselijke mannen haar lichaam systematisch misbruikten en haar vernederden. Ze moest zich op de lippen bijten om het niet uit te schreeuwen toen de pijn het ergst was.

Maar ze wilde blijven leven.

Soms gleed ze weg in een donkere nevel, maar dan werd ze weer gewekt door een van de mannen, die een nieuw condoom had omgedaan en weer in haar binnendrong. Ze raakte de tel kwijt hoe vaak ze dat deden en de gedachte alleen al vervulde haar met walging.

Het klopte, het schrijnde, het brandde en ze voelde iets warms uit haar anus lopen.

Bloed.

Toen viel ze flauw.

Duizend jaar later – of was het tien minuten? – werd ze tot leven gewekt doordat een gehandschoende hand haar op haar wang sloeg.

'Listen, you little whore! We are going to put the sack on your head again. When you hear the car start, you count to one thousand before you move or do anything, is that understood? I can see you from the car and I can shoot you from two hundred feet. Do you want to take the risk?'

Bijna apathisch schudde Yasmine langzaam haar hoofd, terwijl de tranen in haar ogen opwelden en over haar wangen stroomden. De pijn en de vermoeidheid waren zo erg dat ze zich afvroeg of ze ooit weer op zou kunnen staan.

Op dit moment wilde ze alleen maar sterven.

53

Vrijdag 13 juli

Johannes Kruut bestelde nog een drankje en keek op zijn horloge. Het was bijna halfnegen in de avond.

Hij was ongelukkig en aangeschoten en hij begreep er nog steeds niets van. Na vijfenveertig minuten wachten was er een taxi gekomen en was hij naar Båstad gereden. Daarna had hij Yasmine op elke denkbare plek gezocht en zelfs bij de Statoil gevraagd of ze haar hadden gezien.

Nee.

'Alsjeblieft!' Kruut schrok en keek op. De serveerster van Pepes Bodega glimlachte vriendelijk en zette een gin-tonic voor hem neer.

Johannes nam een flinke slok en keek om zich heen. De zaak liep vol fuivende mensen die tot in de vroege uurtjes wilden gaan eten, drinken, dansen, snuiven en vrijen.

Maar het interesseerde hem niet. Hij had niet eens oog voor de gebruinde blondines in korte, dunne jurkjes die massaal binnenkwamen en die normaliter een spannende prooi waren geweest.

Hij pakte zijn mobieltje en toetste voor de duizendste keer de nummers van Yasmine, Hans en Christopher in.

Niemand nam op.

'Nou gaan we naar Båstad om eens lekker te rampetampen.' Christophers ogen glansden toen hij Hans aankeek.

Ecker had zijn mutsen afgezet en keek Silfverbielke twijfelend aan.

Allemachtig, die man was echt niet goed snik. En was dit met die negermeid eigenlijk wel zo slim?

'Verdomme, Chris, krijg jij er nooit genoeg van? Dit was meer dan wat ik thuis in een maand krijg!'

'Geintje. Maar we moeten wel even ergens wat eten en een paar borrels halen, hè?'

'Absoluut! Maar waar laten we de spullen?' vroeg Ecker terwijl hij met de badmuts en de bivakmuts zwaaide. 'En de auto?'

'Geen probleem. Er is een weg naar zee, vlak voordat je in Båstad bent...'

Een kwartier later zette Silfverbielke de auto op een klein weggetje neer. Ze stopten de badmutsen, de handschoenen, de mondkapjes en de bivakmutsen in een zwarte plastic zak. Toen lieten ze de auto onafgesloten en met het sleuteltje in het contact staan en wandelden in de richting van de zee. Silfverbielke herhaalde zijn oude truc met een zak stenen en luchtgaatjes, en gooide die tien meter ver in het water. Hij zonk onmiddellijk, met achterlating van een paar luchtbelletjes.

Toen wandelden ze de laatste kilometer naar het centrum van Båstad.

Yasmine dacht echt dat ze doodging. Ze bleef een paar keer staan om over te geven en als ze probeerde haar ogen ergens op te vestigen, begon de wereld te draaien.

Ze probeerde te bepalen waar ze was, wankelde op goed geluk het bosweggetje af totdat ze eindelijk bij een weg met richtingborden kwam en begon te huilen van dankbaarheid. Haar sandaletten met hoge hakken schuurden; ze trok ze uit en liep moeizaam op blote voeten over het nog lauwe asfalt.

Yasmine had bijna een uur gelopen toen ze een auto achter zich hoorde. Ze draaide zich om en zwaaide opgewonden met haar armen toen ze gevangen werd in het schijnsel van de koplampen.

Een vriendelijk, ouder echtpaar verstond niet veel Engels, maar toen ze haar ontreddering zagen en de bloedvlekken op haar kleren, reden ze haar naar het politiebureau van Båstad.

Op het bureau heerste een tijdelijke stilte tussen de stormen. De dienstdoende agent, Kjell-Inge Jonsson, trok zijn wenkbrauwen op toen hij de vrouw zag binnenkomen. Straalbezopen, was zijn eerste gedachte toen hij haar zag wankelen, met haar schoenen in haar hand.

Talen waren nooit zijn sterke kant geweest, maar omdat hij even alleen op het bureau was, moest hij nu zijn beste schoolengels inzetten. Maar ofwel dat was niet goed genoeg ofwel het grietje loog, want zo'n verhaal had hij nog nooit gehoord. De parkeerplaats van de bank, grote zwarte auto, plastic zak, zwarte bivakmutsen, mondkapjes. Alles bij elkaar klonk het als een spannende Amerikaanse film en het was best mogelijk dat zulke dingen in Chicago gebeurden, of hoe het daar ook heette, maar niet in Båstad.

Verkracht, zei ze? Wie zou zo veel moeite doen om iemand te verkrachten? In Båstad waren op het ogenblik genoeg vrouwen die heus niet overreed hoefden te worden om met iemand in bed te springen. Kjell-Inge zelf had tijdens het tennistoernooi wel een paar keer iemand versierd. Dit jaar niet, maar vorig jaar wel. Nee, hier hoefde je toch waarachtig niemand te verkrachten.

Jonsson zuchtte, tikte een commando in op zijn toetsenbord en riep het AGD-formulier op: Aangifte Geweldsdelict. Omstandig vulde hij haar personalia in voordat hij in zijn gebrekkige Engels vragen ging stellen. Was ze 's avonds alleen op pad geweest? In dat korte jurkje? Begreep ze niet dat dat er nogal uitdagend uitzag?

Kon ze een signalement geven van de verkrachters? Niet? Hadden ze Zweeds gesproken? Wist ze het kenteken en de kleur van de auto? En welk merk het was? Niet? En dan dat met die bivakmutsen...

Nee. Kjell-Inge Jonsson geloofde geen seconde dat het grietje verkracht was. In het beste geval was ze met een paar kerels meegegaan om een leuke avond te hebben en toen ze bedacht wat haar man of haar vriend zou zeggen had ze er spijt van gekregen. Zoiets hoorde je wel vaker.

Het liefst zou hij de pc de pc laten, teruggaan naar de kantine en even uitrusten voordat de volgende bestorming kwam, tegen middernacht. Hij legde haar geduldig uit dat de politie natuurlijk een onderzoek moest instellen, maar dat dat wel vereiste dat zij een of meer weken in Båstad bleef voor het geval dat ze de daders te pakken zouden krijgen.

Op dat moment begon Yasmine Monroe tegenover hem aan de balie onbedaarlijk te huilen, zei dat hij het allemaal maar moest vergeten en wankelde de deur uit.

Jonsson zette zijn computer uit zonder iets op te slaan en keek haar peinzend na. Gek, dacht hij, ze rook niet naar drank. Pillen misschien. Er was tegenwoordig zo veel troep.

En het waren toch de buitenlanders die de drugs naar Zweden brachten. Klote.

'Johannes! Ik heb een paar keer geprobeerd je te bellen, man! Waar was je?'

Ecker speelde het goed, vond Silfverbielke, en hij knikte bemoedigend.

'Bij Pepes? Oké. Geloof het of niet, wij zitten bij Sand. Kom hierheen, dan krijg je een borrel van me. Helaas heb ik ook slecht nieuws, maar dat bespreken we wel als je hier bent.'

Johannes Kruut betaalde en liep gauw het kleine stukje naar Sand, waar hij zijn vrienden aantrof met een fles champagne op het tafeltje voor hen. Silfverbielke reikte hem snel een glas aan.

Na een paar minuten heen en weer praten kwamen ze tot de conclusie dat het hele mobiele net één of twee uur uit de lucht moest zijn geweest, omdat ze elkaar alle drie hadden proberen te bellen zonder erdoor te komen en zonder dat er gemiste oproepen op het display verschenen.

Het kostte Kruut een hele tijd om over de schok heen te komen dat zijn auto weg was, maar Silfverbielke zei dat het wel goed zou komen.

Tien minuten voordat Kruut kwam, had hij van alweer een nieuwe prepaidtelefoon anoniem naar de politie gebeld en verteld dat er, heel merkwaardig, een dure wagen onafgesloten en met de sleutel nog in het contact op een pad bij de zee stond. De politie zou niet veel tijd nodig hebben om de Lexus te lokaliseren en contact met Johannes op te nemen.

Johannes vertelde dat hij zich ongerust maakte over Yasmine. 'Ik snap er helemaal niks van. We hadden daar toch afgesproken. Ik was wel wat te laat, maar dat was jullie schuld, omdat jullie niet terugkwamen. Ik heb wel honderd keer geprobeerd haar te bellen en...'

'Heb je het al in haar hotel geprobeerd?' stelde Silfverbielke behulpzaam voor.

Kruut aarzelde. 'Ik weet niet of ik daarheen durf te gaan. Stel je voor dat er heibel is met die Bernard!'

'Ach, zo erg zal het toch niet zijn,' zei Ecker. 'Probeer het gewoon! Wat heb je te verliezen?'

Johannes knikte en zette zijn champagneglas neer. 'Ik denk dat ik dat doe. Ik bel jullie later. Blijven jullie hier?'

Silfverbielke knikte. 'We zitten hier nog wel een tijdje.'

Johannes klopte voorzichtig op de deur van haar hotelkamer en wachtte. Hij was net als de avond tevoren langs de deur van Bernard Deschamps kamer geslopen en verder door de gang naar Yasmines kamer.

Hij hoorde binnen geluiden. Het klonk alsof er iemand zachtjes huilde.

Hij klopte nog eens.

Johannes deinsde achteruit toen ze opendeed. Haar make-up was uitgelopen over haar wangen en haar haar zat in de war. Ze hield haar ochtendjas aan de voorkant stevig dicht met haar hand en zag eruit alsof ze zo uit bed kwam. Hij keek gauw over haar schouder en stelde vast dat de kamer leeg was.

'Yasmine! Wat is er? Is er iets gebeurd? Mag ik binnenkomen?'

Ze schudde verdrietig haar hoofd, zonder iets te zeggen.

'Maar waarom ben je niet gekomen? We hadden toch afgesproken... Is het... Bernard?' Kruut liet zijn stem dalen en fluisterde.

Yasmine schudde opnieuw haar hoofd. 'Het spijt me, Johannes, maar het komt nu echt niet uit. Ik ben echt niet in vorm. Misschien kunnen we morgen bellen, dan zien we wel...'

Ze keek hem nog een keer verdrietig aan en deed de deur zachtjes voor zijn neus dicht.

Johannes Kruut begreep er niets van. Hij ging naar buiten, wist na een tijdje een taxi te bemachtigen en liet zich rechtstreeks naar het huis in Torekov rijden.

Hij had helemaal geen zin meer om plezier te maken met zijn vrienden.

54

Toen Christopher Silfverbielke wakker werd was hij in een bijzonder goed humeur. Hans en hij hadden zich nog een tijdje vermaakt bij Sand en als ze zin hadden gehad, waren er kansen genoeg geweest. Maar ergens vond hij het zonde om de mooie herinnering aan het spelletje met de mulattin bij het elektriciteitshuisje te bederven. Met andere woorden: de tennisgroupies van Båstad moesten het die avond zonder hem stellen.

Ecker was actiever geweest. Nadat hij een brunette met champagne en cocaïne had volgegooid, had ze hem snel in een park gepijpt. Dat was toch altijd nog iets.

Dat Kruut niet was teruggekomen had hen niet verbaasd. Die was waarschijnlijk teleurgesteld dat zijn date hem in de steek had gelaten. *Shit happens.*

Toen ze uiteindelijk in Torekov terugkwamen en het huis in waggelden zat de deur van Kruuts slaapkamer dicht en was alles stil.

Silfverbielke liep naar de keuken en trof Johannes en Hans aan de keukentafel aan met een kop koffie voor zich en allebei met hun mobiel aan hun oor.

'O,' zei Johannes. 'Dat klinkt heel raar, maar goed, wanneer kan ik hem afhalen...? Wanneer ik maar wil. Nou, dan kom ik straks wel.'

Ecker sloeg zijn ogen ten hemel. 'Ja, natuurlijk begrijp ik dat, meisje, het moet vreselijk vervelend zijn als het daar zo opzwelt. Maar je moet maar aan het mooie baby'tje denken. Ja, natuurlijk hou ik van je. Hè? Eh... We zien wel; moet ik eerst met de anderen over praten. Maar zeg, Chris is ook wakker, dus we gaan ontbijten. Ik bel je later, oké? Kusje!'

'Zijn jullie een callcenter begonnen, jongens?' vroeg Silfverbielke lachend, terwijl hij een kopje pakte en koffie inschonk.

Kruut zag er lusteloos uit. 'Dat was de politie. Ze hebben de auto gisteren op een weggetje naar zee gevonden. Onbeschadigd blijkbaar en met de sleutels erin. Laten we er na het ontbijt maar heen gaan en hem ophalen.'

'Fijn, Johannes! Nogmaals: het spijt me, het was vreselijk onhandig van ons om hem daar zo te laten staan, maar gelukkig is hij niet beschadigd. Poeh!' Silfverbielke legde zijn hand op zijn hart.

Hij keek naar Hans. 'En het echtelijke geluk is totaal, begrijp ik? Wanneer gaan jullie eigenlijk trouwen? Wij rekenen op een chique bruiloft, hè Johannes?'

Kruut knikte maar zag er nog steeds gedeprimeerd uit.

'Wat is er, Johannes?' vroeg Ecker.

'Yasmine...'

'Ja?'

'Ik heb haar gisteren in het hotel uiteindelijk gesproken. Maar ze deed heel raar. Het leek wel of ze had gehuild. Ze wilde niet dat ik binnenkwam en ook niet met me praten. Daarom raakte ik een beetje depri en ben ik naar huis teruggegaan in plaats van naar Sand.'

Ecker slaakte een diepe zucht. 'Vrouwen! Ze heeft vast heibel gehad met die tennisser, je zult het zien. Niks om je druk om te maken. En *get real*, we gaan nu naar huis. Je zult haar toch niet meer zien.'

'Maar ik ben verliefd op haar!'

'Liefdes komen en liefdes gaan, maar liefdes blijven lang niet altijd bestaan,' dichtte Silfverbielke. 'Ik geloof waarachtig dat ik vandaag een klontje suiker in mijn koffie doe.' Hij glimlachte Kruut bemoedigend toe. 'Er komen meer mooie vrouwen, directeur Kruut! Maar nu heb ik het volgende voorstel. Hans en ik waren het er gisteravond over eens dat het beter is om vandaag naar huis te gaan in plaats van morgen, als het hele circus tegelijk in beweging komt. Ik stel dus voor dat we een douche nemen en dan gaan Hans en ik naar Båstad om de auto te halen. Jij maakt ondertussen het huis hier weer in orde. Daarna nemen we een lekkere lunch in de Hamnkrog en dan gaan we weer richting hoofdstad. Wat zeg je daarvan?'

Johannes keek verrast en verward. Sinds de vreemde ontmoeting met Yasmine de vorige avond was hij van plan haar vandaag te bellen, een afspraak te maken en dan uit te zoeken wat er was gebeurd. Hij moest antwoord krijgen op zijn vragen.

'Maar... Ik dacht dat jullie naar het slot van het toernooi wilden? En ik wil Yasmine weer zien. Ik moet erachter komen wat er is gebeurd.'

Ecker boog zich vooruit en klopte Kruut vriendschappelijk op de arm. 'Johannes, misschien waren haar gevoelens niet zo sterk als die van jou. Dat gebeurt soms gewoon. Bel haar en kijk of je er per se heen moet, maar vergeet haar dan. Ze gaat toch terug naar Parijs of waar ze ook vandaan komt en dan zien jullie elkaar toch niet meer.'

'Maar ik kan toch naar haar toe gaan in Parijs en –'

'Ja, ja,' onderbrak Christopher afwimpelend. 'Dat kan altijd nog. Nu gaat het erom dat we thuiskomen. Het slot van het toernooi kan ons niet schelen; dat zien we wel op tv. Bovendien hebben we morgen thuis allemaal iets voor te bereiden. Werk jij tegenwoordig niet in Linköping, Johannes?'

Kruut sloeg met de vlakke hand op tafel. 'Verdomme, ja, je hebt gelijk. We hebben daar maandag een vergadering met het nieuwe managementteam. Nou ja, dan is het misschien toch maar beter om vandaag te vertrekken.'

Een uur later zaten Silfverbielke en Ecker rustig achterovergeleund in een taxi op weg naar Båstad. Ecker zat achterin half te dutten, Christopher zat naast de chauffeur. Plotseling voelde Christopher het trillen in zijn zak. Hij pakte onopvallend zijn mobieltje en las: *Het kan me niet schelen wat Hans heeft gedaan maar ik wil weten of jij in Båstad met iemand hebt gevreeën. V.*

Silfverbielke glimlachte en drukte op ANTWOORDEN. *Jaloers? Ja.*

Hij grijnsde. *Heb je niks mee te maken.*

Smeerlap! Dan ben ik niet van plan nog te komen!

Christopher wachtte vijf minuten. Weer getril. *Sorry, zo bedoelde ik het niet!*

Hij gaf geen antwoord.

Na een paar minuten trilde zijn mobiel weer. *Sorry, duizendmaal excuus!!! Ik ben van jou en ik doe wat je zegt. Mis je alleen zo erg. Moeten elkaar gauw zien. Misschien nu een tijdje niet veel kansen meer!*

Silfverbielke legde zijn hoofd glimlachend tegen de hoofdsteun en deed zijn ogen dicht.

Johannes Kruut had de stofzuiger gepakt en ontdeed het huis van het ergste vuil. Er zou nog wel een schoonmaakster komen, ruim voordat zijn vader hier de volgende keer kwam, maar je kon toch in elk geval zorgen dat het er een beetje behoorlijk uitzag.

In de slaapkamer die Hans had gebruikt, bleef hij staan. Hij keek om zich heen. Eén grote puinhoop. Kleren, schoenen, rekeningen, kranten – alles lag door elkaar heen. Op het nachtkastje lagen Hans' agenda, sleutels, zijn horloge en... een pakje condooms.

Kruut schudde zijn hoofd. Hij begreep niets van Hans.

Hij trok de stofzuiger naar de kamer van Christopher, bleef in de deuropening staan en was verbaasd over het contrast met wat hij net had gezien. Silfverbielkes kostuums, overhemden en stropdassen hingen keurig op kleerhangers. Op het bed en de tafel was het brandschoon, nergens een vuiltje. Op een stoel lag Christophers koffer open en ook die was perfect ordelijk.

Johannes ging door met stofzuigen.

De dienstdoende agent op het politiebureau van Båstad stelde geen vragen. Hij vergeleek alleen hun namen met die op de aangifte van diefstal van de dag ervoor. Daarna vroeg hij hun zich te legitimeren en voor de auto te tekenen, gaf hun de autosleutel en verklaarde de zaak gesloten.

'Hij staat hiervóór op de parkeerplaats. Hou hem voortaan beter in de gaten! We hebben eigenlijk geen tijd om ons met dit soort kleinigheden bezig te houden. We hebben wel wat beters te doen.'

Silfverbielke bekeek de man en kon zijn afkeer maar met moeite verbergen. De agent was een spichtig mannetje, had een te grote uniformjas aan en zo'n onnozele stropdas, waarvan de knoop was vastgezet met klittenband, als bij een kind.

Klootzak. Als ik vandaag niet in zo'n bijzonder harmonische stemming was, zou ik je echt eens wat beters te doen geven. Maar ik moet weg uit dit gat. Wees je god maar dankbaar, als je er een hebt.

Hij glimlachte vriendelijk. 'Ik begrijp het en het spijt me dat we zo veel last hebben veroorzaakt. Hartelijk dank voor de hulp.'

Johannes zat lang met het mobieltje in zijn hand voordat hij de moed kon opbrengen om haar nummer in te toetsen.

Wat moest hij zeggen? Hoe moest hij beginnen? Hij brandde van ongerustheid en wilde weten wat er was gebeurd, maar het laatste wat hij wilde was dat ze hem net zo zou afwijzen als de vorige avond.

'Yasmine.'

Ze antwoordde direct nadat de telefoon de eerste keer overging en haar stem klonk net zo zacht en heerlijk als hij zich van de eerste avond herinnerde.

'Dag! Met Johannes.'

Yasmine klonk opeens weer verdrietig. 'Johannes...'

Hij wachtte op een vervolg dat niet kwam.

'Yasmine, ik weet niet hoe ik moet beginnen,' zei hij na een nerveuze stilte. 'Het was allemaal zo raar gisteren en ik heb me zo'n zorgen over je gemaakt! Heb ik iets verkeerd gedaan?'

Het bleef weer lang stil.

Toen vertelde Yasmine Monroe alles.

55

'Verdomme, ik kan niet tegen dit soort dingen.' Colt huiverde.

Henrik Vadh knikte somber. 'Nee, collega's begraven is ook niet mijn favoriete bezigheid, maar wat moet je anders? Heb jij enig idee waar we heen moeten?'

'Nee, ik dacht dat jij het wist. Is dat niet zo?'

Ze naderden de eerste afslag Örebro. Op de achterbank zaten Christer Ehn en Sven Bergman, zwijgend. Bergman was van het onderzoek naar De Wahl en de mishandeling waarvan hij zelf slachtoffer was afgehaald. Hij had interne dienst en leek niet erg in vorm, ook al was de gebeurtenis in Gamla Stan al een poosje geleden. Hij had regelmatig last van hoofd-pijnaanvallen en zijn kaakbeen deed nog steeds zeer.

In de auto achter hen zaten Johan Kalding, Niklas Holm, Magnus Ek-holm en Anna Kulin. Jacob had zich erover verbaasd dat de officier van justitie mee wilde naar de begrafenis van Janne Månsson, gezien haar houding jegens hem. Maar Kulin had erop gestaan.

'Een collega is een collega. Hij had zo zijn demonen om tegen te vech-ten.'

Dat had hij zeker, dacht Jacob.

'We moeten naar Norra Oxhagen,' zei Vadh, 'ongeveer zo westelijk in Örebro als maar kan. Längbro, zegt je dat soms iets? We moeten naar de kerk van Längbro.'

Jacob schudde zijn hoofd. 'Geen flauw idee, vrees ik.'

'Sla hier maar af, dan wijs ik de weg wel vanaf de afrit.'

'Oké. Hoe laat moeten we in de kerk zijn?'

'De begrafenis begint om tien uur. We zijn royaal op tijd.'

'We drinken geen koffie naderhand, hè?'

'Ik denk het niet. We gaan meteen weer terug. We zijn om een uur of één wel weer terug in Stockholm.'

'Goed. We hebben om drie uur een vergadering met Kulin.'

Vadh zuchtte. 'Dat mankeerde er nog maar aan. Wat een rotdag.' Hij trok zijn zwarte stropdas recht.

Henrik Vadh voelde zich niet op zijn gemak in begrafeniskleren.

De plechtigheid was, in elk geval in de ogen van Jacob Colt, een tragische toestand. Terwijl de inleidende psalm werd gespeeld, keek hij voorzichtig om zich heen in de mooie kerk. Behalve de acht collega's uit Stockholm waren er maar vijf mensen in de kerk van Längbro. De pastor, de cantor, Janne Månssons broer, ex-vrouw en Mehmet Svensson, de collega met wie Månssons vrouw een relatie had.

Hoe kan hij zich hier vertonen? vroeg Jacob zich af. Als ik in zijn schoenen had gestaan, was ik hier zo ver mogelijk vandaan gebleven. Pijnlijk.

'We zijn hier op deze mooie zomerdag bij elkaar gekomen om afscheid te nemen van Jan Gustaf Månsson...'

De pastor, een vrouw van een jaar of vijfendertig, deed waarschijnlijk haar best, maar het lukte natuurlijk niet. Ze had Janne Månsson niet persoonlijk gekend en kennelijk waren er ook niet veel mensen geweest aan wie ze vragen had kunnen stellen. Ze hield een kort, heel algemeen toespraakje over wat voor aardige, begrijpende man Månsson was geweest. Haar betoog werd verstoord doordat Janne Månssons ex luid en ongeremd begon te huilen. Colt keek even opzij en zag dat Mehmet Svensson zijn arm om haar heen legde om haar te troosten.

'Verder,' vervolgde de pastor, 'kenden we Janne als een goed, begripvol medemens, een uitstekende politieman en een steunpilaar voor de samenleving. Maar of je nu politieman bent of niet, het leven is vaak een pad vol kuilen en scherpe stenen en niet iedereen kan de hele weg gaan...'

Geen woord, dacht Colt, over de teleurstelling die Månsson te verwerken had gehad. Geen woord over zijn vurige haat, over de Sverigedemokrater of de nationaalsocialisten. Natuurlijk. *De schijn ophouden.*

Toen kwam er nog een psalm en Colt zag met vertrokken gezicht dat hij niet de enige was die niet meezong. Zingen was niet zijn sterkste punt, en de kerk ook niet, en hij kon zich er niet toe brengen te huichelen.

Ten slotte liepen ze naar voren en legden allemaal een bloem op de kist. In de nalatenschap van Månsson was een briefje gevonden waarin hij verklaarde dat hij gecremeerd wilde worden en dat de as verspreid moest worden op het herinneringsveldje bij de kerk van Längbro. *Als iemand zich mij tenminste wil herinneren*, was de slotzin van dat briefje.

Jacob Colt deed zijn ogen even dicht toen hij bij de kist stilstond. *Waarom gaat het leven voor sommigen redelijk tot goed en wordt het voor anderen een hel? Ik weet het niet.*

Maar ik weet wel dat ik mijn leven niet zo wil eindigen als Janne Månsson.

'Johannes, dit kan geen dag langer zo! Het is één grote ramp! Jíj bent één grote ramp!'

Johannes, die in gedachten bij Yasmine was, schrok toen zijn vader met zijn vuist op zijn grote bureau sloeg. Hij zag dat zijn vader, die stukken voor zich uitgespreid had, rood aangelopen was en onbewust begon hij nerveus op een nagel te bijten.

Toen ze zaterdagavond met z'n drieën uit Båstad waren teruggekomen, waren ze meteen naar het Stureplan gegaan om nog even door te zakken. Ze hadden veel champagne en wat cocaïne gehad en toen Hans met Johannes meeging om daar te blijven slapen, was het al halfzes in de ochtend.

De zondag was in een kater voorbijgegaan. Kruut had oceanen aan water gedronken en had om zijn geweten te sussen een heel eind gejogd in het Lill-Jansbos. Het rennen was ermee geëindigd dat hij hevig tegen een boom stond over te geven en daarna was hij rustig naar huis gewandeld. Hij moest veel aan Yasmine denken en vroeg zich af of hij haar zou bellen, maar hij durfde niet.

De maandag was al niet goed begonnen. Johannes was van plan naar Linköping te gaan en resoluut nog enkele veranderingen door te drukken. Hij wist niet precies welke, maar hij zou wel wat bedenken. Hij moest besluitvaardigheid en daadkracht tonen.

Maar toen hij op zijn kantoor kwam om zijn laptop en een paar ordners te halen, trof hij een schriftelijke mededeling van zijn vader aan waarin die hem bij zich riep voor een bespreking om twaalf uur diezelfde dag. Bovendien wilde John Kruut dat zijn zoon de laatste kwartaalcijfers zou voorleggen en uitvoerig verslag zou doen van welke maatregelen hij tot dusverre bij Johnssons Mekaniska in Linköping had genomen en wat het resultaat daarvan was.

Terwijl het zweet op zijn voorhoofd parelde, ging Johannes achter zijn pc zitten, deed hij koortsachtig ordners open en zocht hij in de kwartaalverslagen.

Toen John Kruut de verantwoording van zijn zoon had aangehoord en met stijgende woede de hem voorgelegde cijfers had doorgenomen, keek hij Johannes doordringend aan. 'Je bent op 26 februari directeur geworden. Dat betekent dat je bijna vijf maanden de tijd hebt gehad om maatregelen te nemen. Nu zie ik dat het eerste kwartaal marginaal slechter is dan het eerste kwartaal van vorig jaar, maar dat het tweede een ramp is. Historisch gezien zijn het tweede en derde kwartaal altijd het beste voor Johnssons Mekaniska en jij komt met een verlies van tweehonderdduizend kronen in het tweede kwartaal. Verder heb je drie van de meest competente mensen van het bedrijf ontslagen: Hanberg, Billman en Eriksson, trouwe medewerkers die het bedrijf decennialang met vaste hand hebben geleid. In plaats daarvan heb je de adjunct-directeur de opdracht gegeven – dat kon je dus niet eens zelf opbrengen – om een nieuw managementteam samen te stellen. En hij heeft een paar leeghoofden aangesteld die blijkbaar nog niet eens het verschil kunnen zien tussen een bahcosleutel en een zak kattenvoer. Bovendien hebben jullie vijf nieuwe medewerkers aangesteld zonder dat de productie ook maar een greintje is toegenomen! Johannes, waar ben je mee bezig? En alsof dat nog niet genoeg is heb je een secretaresse aangesteld – die Pernilla – die hier op het kantoor in Stockholm werkt en dan ook nog voor een onbegrijpelijk hoog salaris. Wat moeten we met haar?'

John Kruuts stemvolume steeg tijdens de laatste zinnen tot gebulder en Johannes kromp ineen onder zijn vaders blik.

'Er zijn, eh... We hebben wat aanloopproblemen gehad...'

John Kruut stond snel op en Johannes zag dat zijn slapen klopten. 'Aanloopproblemen? Johnssons Mekaniska werkt al bijna vijfentwintig jaar met vrijwel hetzelfde procedé! Het enige aanloopprobleem dat er is, ben jij!'

Zijn vader wees met een trillende vinger naar Johannes. Hij hervond zijn zelfbeheersing, zonk neer op zijn stoel en haalde vermoeid zijn handen over zijn gezicht.

'Johannes, ik weet niet wat er mis is met jou en ik weet niet wat ik met je aan moet. Je grootvader zou zich in zijn graf omdraaien als hij dit zag.'

Hij zweeg even en keek naar zijn zoon alsof hij een reactie verwachtte.

Johannes' ogen dwaalden ongelukkig rond door de kamer. Alles was zo veel beter geweest voordat zijn vader hem deze vervloekte directeursbaan had gegeven. Directeur zijn was niet echt zijn ding. Johannes had het gevoel dat hij beter was in... Tja, waar was hij eigenlijk beter in?

John Kruut bladerde weer door de stukken op zijn bureau en vervolgde toen: 'Je laat me geen keus, Johannes. Je mag het bedrijf ook het derde kwartaal leiden, maar als je voor eind september geen behoorlijke ommekeer hebt bereikt in resultaat en effectiviteit, moet ik je ontslaan. Zo kan het niet doorgaan.'

Zijn vader had hem net zo goed met een hamer op zijn hoofd kunnen slaan.

...moet ik je ontslaan.

Johannes trok wit weg en had het gevoel dat zijn wereld op het punt van instorten stond. Als directeur had hij een maandsalaris van negenenvijftigduizend kronen en daar kwamen nog privileges bij als auto, mobiele telefoon en natuurlijk vrij representatief gebruik van de bedrijfscreditcard. Dat kon hij allemaal, nee dat zóú hij allemaal kwijtraken als hij Johnssons Mekaniska niet op de rails kreeg.

Maar dat was nog niet het ergste. In het document waarin stond hoe zijn persoonlijk vermogen moest worden beheerd, stond overduidelijk dat Johannes daar alleen maar vrijelijk over kon beschikken als hij een positie had in het conglomeraat van de familie Kruut. Als er een eind kwam aan zijn aanstelling zou zijn vader John automatisch beheerder worden, en de kans dat hij Johannes geld zou laten opnemen voor meisjes, champagne en cocaïne was nihil.

Dit was een ramp.

Na het gesprek met zijn vader liep Johannes rechtstreeks het korte stukje naar zijn appartement aan de Valhallaväg, nam een ijskoude douche en ging naakt op zijn bed liggen.

De gedachten tolden door zijn hoofd. Hoe moest hij Johnssons Mekaniska snel op orde krijgen en daarmee zijn toekomst veiligstellen? Hij zou zich meer dagen per week in Linköping moeten vertonen, misschien zelfs een tijdje hele weken.

Akelig idee.

Misschien moest hij de drie managers bellen die hij had ontslagen, uitleggen dat hij er nog eens over had nagedacht en dat hij hun nog een kans wilde geven. Hij moest natuurlijk wel kracht en besluitvaardigheid blijven tonen. En waarom draaide de zaak met verlies? Hij moest zijn oude economiekennis zien op te halen en iemand vragen samen met hem het financiële verslag door te nemen.

Zijn gedachten dwaalden af naar Yasmine.

Het verhaal dat ze hem had verteld was vreselijk, van a tot z. De ontvoering, de plastic zak, de grote auto. De bivakmutsen.

En de verkrachting.

Ze was gaan huilen en had natuurlijk geen details willen vertellen, maar hij begreep dat ze verschrikkelijk vernederd en misbruikt was.

Kruut fronste zijn voorhoofd. Er kwam een verdenking in hem op. Hij probeerde die van zich af te zetten, maar dat lukte niet.

Het klopte allemaal te goed. Hans en Christopher waren met de auto weggegaan lang voordat hij Yasmine zou ophalen. Ze waren met z'n tweeën. De auto was groot en luxe. De auto was handig genoeg 'gestolen' terwijl de sleutel er nog in zat en hij was al even onbegrijpelijk nog dezelfde avond teruggevonden.

Johannes moest eraan denken dat Christopher de gele Fox in Berlijn ook gestolen had gemeld. Omdat het 'handig' uitkwam.

Allemachtig. Wat was hij een idioot geweest. Hij wist toch dat Christopher tot alles in staat was, en Ecker en hij hadden Johannes uitgelachen om zijn verliefdheid op Yasmine. Dit was niet alleen verkrachting van Yasmine, maar ook van zijn gevoelens!

Johannes ging rechtop zitten op het bed. Hij voelde dat hij trilde en dat het koude zweet hem uitbrak. Hij begreep dat hij het misschien de hele tijd al had geweten, maar het had verdrongen: het waren zijn vrienden niet en ze waren het ook nooit geweest.

Johannes deed zijn ogen dicht toen de waarheid zo pijnlijk tot hem doordrong.

Hij moest iets doen.

Hij moest zijn baan en zijn persoonlijke vermogen veiligstellen. Breken met Christopher en Hans en zijn rechtmatig deel van het fonds opeisen.

Hij rende naar de badkamer en waste zijn gezicht met ijskoud water.

Hij had het gevoel alsof zijn leven op het spel stond.

'Ik kan het niet anders zien dan dat we de zaak-De Wahl min of meer in de ijskast moeten zetten. We moeten in elk geval de middelen terugschroeven. Dat is pijnlijk en ik weet niet hoe ik het naar boven toe moet uitleggen, maar het is niet anders.'

Anna Kulin keek de tafel rond. Na de begrafenis in Örebro waren ze teruggereden naar Stockholm en hadden een late lunch genomen. Daarna was het team bij elkaar gekomen voor weer een schijnbaar zinloze bespreking van de zaak-De Wahl.

Er zat geen vooruitgang meer in. Niklas Holm was er ondanks hele dagen achter de pc en aan de telefoon niet in geslaagd meer interessants over De Wahls verleden te vinden. Zijn klasgenoten van de basisscholen konden zich hem amper herinneren en veel anderen waren er niet om mee te praten als de staat geen reizen naar De Wahls vroegere scholen in Engeland en de Verenigde Staten wilde betalen.

En dat wilde de staat niet.

Henrik Vadh had voor de zekerheid nog een bezoek gebracht aan Herman de Wahl, ditmaal samen met Magnus Ekholm.

De bankier was duidelijk over de schok heen dat zijn zoon een allochtone minnaar had gehad en was weer net zo arrogant als voorheen.

Herman de Wahl keek de beide rechercheurs met een superieur gezicht aan en herhaalde op vermoeide toon dat zijn zoon natuurlijk geen vijanden had gehad. Het kon natuurlijk wel zo zijn dat die allochtone parasiet zijn zoon geld had geprobeerd af te persen, en kon je trouwens wel op de informatie van de politie vertrouwen?

De arrogantie van De Wahl verblufte Henrik Vadh en bracht hem op onconventionele ideeën. Even speelde hij met de gedachte dat De Wahl zelf zijn zoon had vermoord, of had laten vermoorden omdat Alexanders homoseksuele uitspattingen steeds extravaganter werden. Als de seksuele geaardheid van zijn zoon algemeen bekend werd, zou dat het aanzien van de bankiersfamilie kunnen schaden. Vadh vroeg Herman de Wahl plotseling waar die was op het tijdstip van de moord.

De bankier raakte buiten zichzelf van woede, vloog op uit zijn bureaustoel, brulde en schreeuwde. Maar toen Vadh zijn vraag kalm herhaalde en uitlegde dat het natuurlijk puur routine was, moest De Wahl wel antwoord geven.

De Wahl en zijn vrouw bleken allebei een waterdicht alibi te hebben. De huishoudster kon bevestigen dat ze aan het ontbijt hadden gezeten, met een kop koffie in de ene en een krant in de andere hand.

Daarna had Herman de Wahl erop gestaan dat de rechercheurs zijn huis verlieten, en Henrik Vadh had begrepen dat verder praten met de bankier waarschijnlijk volkomen zinloos zou zijn.

'Maar,' zei Jacob Colt terwijl hij Kulin aankeek, 'het blijft allemaal één grote brij zolang we niet kunnen uitsluiten dat de muts op de Strandväg iets met de moord op De Wahl te maken heeft. Hoe zouden we dan volgens jou door moeten gaan?'

Kulin schudde somber haar hoofd en even vond Jacob haar wat menselijker lijken.

'We moeten ons maar richten op de meest recente gebeurtenis van de reeks, en dat is Gomez. Hoe ver zijn jullie daarmee?'

Jacob knikte naar Henrik Vadh, die zijn armen spreidde en zuchtte. 'Dat is al net zo'n doodlopend spoor. We hebben iedereen uit de omgeving van Gomez gehoord. We kunnen geen motief vinden en bovendien hebben ze allemaal een alibi – of geven ze elkaar in elk geval een alibi – omdat ze een feest aan het voorbereiden waren op het moment dat Gomez werd vermoord. Waarom Gomez zelf daar niet aan meedeed, maar naar Djurgården ging, vertelt het verhaal niet, maar zo zit het.'

'Hebben jullie hem financieel onderzocht?' Kulin keek naar Niklas Holm.

'Van top tot teen. Niets. Geen vreemde transacties, geen andere schulden dan die aan de bank. Alles normaal.'

Jacob Colt krabde zich op zijn hoofd. 'Ik heb bovendien met de lokale politie gesproken. Ze weten heel goed wie Gomez was. Hij had een groente- en fruitstalletje en stond bekend als een aardige kerel die altijd goede, verse waar had tegen aantrekkelijke prijzen. Er is ook niets wat erop duidt dat hij is gedood omdat hij op een slinkse manier een plek zou hebben verkregen tussen de andere marktkooplieden.'

'We hebben zelfs navraag gedaan bij Chileense bedrijven en allerlei politieke organisaties,' vervolgde Jacob. 'Gomez was nergens lid van en nergens actief. Kennelijk was hij nogal op zichzelf: hij werkte en daar kon hij van rondkomen. Dus politieke motieven kunnen we waarschijnlijk ook uitsluiten.'

'Dit is ontzettend onbevredigend!' Anna Kulin klonk geërgerd. 'We hebben telkens hetzelfde DNA: op de Strandväg, in Berlijn, in Gamla Stan en nu op Djurgården en niet één houdbaar spoortje om op door te gaan en niet één match in het register. Zoiets heb ik nog nooit meegemaakt. Er klopt iets niet!'

'Dit hebben we wel eerder meegemaakt,' onderbrak Henrik Vadh haar, 'herhaaldelijk zelfs, ook al waren er dan niet zo veel onwaarschijnlijke toevalligheden als in deze zaak. Het is toch theoretisch mogelijk dat we van doen hebben met iemand die nog geen strafblad heeft, maar die geflipt is en mensen is gaan ombrengen.'

Colt knikte. 'Of meer personen. In Gamla Stan waren het er drie, ook al hebben we maar van een van hen DNA gevonden.'

'Drie mensen zonder strafblad die plotseling ontsporen en mensen beginnen te vermoorden?' Kulin keek weifelend.

'Er zijn wel gekkere dingen gebeurd,' zei Henrik Vadh.

's Middags zaten ze zoals gewoonlijk meteen na Norrtull vast in de spits. Het was Henriks beurt om te rijden. Jacob zat uitgeteld naast hem.

Hij rekte zich uit en kreunde: 'O, wat heb ik zin in vakantie!'

'Hebben jullie al iets vastgelegd?'

'Nou, het ziet er in elk geval naar uit dat het Savannah wordt. Alleen Melissa en ik. De kinderen hebben allebei iets anders te doen.'

'Mazzelaar. Ik wil ook naar de Verenigde Staten. Het is niet eerlijk. Maar ik zal er in elk geval voor zorgen dat jij het nog even flink druk krijgt voordat je vertrekt.'

'Alsof ik het niet al druk heb. Heb je soms nieuwe, briljante ideeën?'

'Niet direct. Maar ik wil die Ecker nog wel eens horen,' zei Henrik volhardend. 'Ik weet zeker dat hij iets verbergt.'

'Ja, ik weet dat hij een soort hobby voor je is geworden, maar ik denk toch dat we daar nog mee moeten wachten. Geen motief en bovendien had hij een alibi: hij was bij zijn ouders in Uppsala blijven slapen en was daar die ochtend, *remember*?'

'Mensen kunnen liegen.'

'Tuurlijk kunnen ze dat. Maar dan kan die Silfverbielke ook liegen. Het kan zijn dat hij een verschrikkelijk pak slaag van De Wahl heeft gekregen en door hem is verkracht. Dan liegt hij daarover en over zijn alibi, en dan doet zijn secretaresse dat ook en zijn hun inloggegevens vervalst. Dat zou inderdaad kunnen, maar denk je niet dat Kulin dat een beetje al te veel als samenzweringstheorie zal interpreteren?'

Vadh zuchtte. 'Ik weet niet, ik heb maar zo het gevoel...'

'Henrik, ik heb ook het gevoel dat er in dit onderzoek iets helemaal niet klopt. En je mag driemaal raden of ik de dader graag wil pakken – al was het alleen maar omdat Svenne er bijna aan was gegaan! Maar iets zegt me dat we niet meer kunnen doen dan verder werken volgens het boekje en wachten tot iemand een misstap begaat.'

'Of nog iemand ombrengt...' sputterde Vadh tegen, en hij wisselde van rijstrook.

56

Donderdag 19 juli

Al lang voordat hij naar het Stureplan ging, voelde Johannes Kruut zich ongemakkelijk. Hij was er al sinds maandag beroerd aan toe.

Hoe vaak hij ook over de gebeurtenissen nadacht, hij kwam steeds tot dezelfde conclusie: het moesten Christopher en Hans zijn geweest die Yasmine hadden verkracht.

Ze hadden elkaar nog een paar keer telefonisch gesproken. Op maandagochtend was ze samen met Bernard Deschamp naar Parijs teruggevlogen en had ze een week vrij gekregen. Ze hadden het erover gehad dat Johannes een vliegtuig naar haar toe zou nemen. Zijn hart schreeuwde het uit en hij had wel in het eerste het beste vliegtuig willen stappen, maar hij moest haar uitleggen dat hij eerst een paar belangrijke zaken moest regelen.

Yasmine had verteld dat de verkrachters Engels spraken. *Ze hadden bij de overval op het geldtransport van Silfverbielke ook Engels moeten praten.*

Johannes had zijn Lexus van voor tot achter onderzocht op sporen, maar hij had niets gevonden. Hij vroeg zich af hoe hij zou hebben gereageerd als hij bijvoorbeeld een oorbel van Yasmine onder de achterbank had aangetroffen. Hij huiverde.

De laatste paar dagen had Johannes nog eens nagedacht over wat er het afgelopen halfjaar was gebeurd. Het was waanzin. Ziekelijk! Op het moment dat het gebeurde vond hij het cool en heftig, maar nu hij geestelijk ontnuchterd was, was hij geschokt over zijn medeplichtigheid, zijn passiviteit.

Christopher had een prostituee gedood. Ze hadden de dood van een Duitse vader veroorzaakt en waren doorgereden na het ongeluk. Johannes had een rekening in een restaurant niet betaald en een agenda en een mobieltje gestolen van een onschuldige bezoeker van een nachtclub. Hans en Christopher hadden een paar meisjes vreselijk vernederd, dat vastgelegd op hun mobiele camera's en erover opgeschept. Ze hadden – zij het niet opzettelijk – een alcoholist gedood, Hans had een agent in elkaar geslagen, ze hadden een geldtransport beroofd en de geldlopers waarschijnlijk voor de rest van hun leven psychisch letsel bezorgd. Christopher had bovendien een auto-ongeluk veroorzaakt waarbij twee agenten waren omgekomen.

En dan nu de verkrachting.

Hij had er slapeloze, bezwete nachten van gehad. Hij had zijn angst eruit gehuild zonder dat hij zich de volgende ochtend veel beter voelde. Een paar keer had hij zelfs overwogen naar de politie te gaan en alles te vertellen, maar de gedachte aan de consequenties had hem tot bezinning gebracht. Ook al beschouwde hij zichzelf in de meeste gevallen als onschuldig, de politie zou er vermoedelijk anders over denken. Hij zou de gevangenis in gaan en alles zou afgelopen zijn. Hij durfde er niet eens aan te denken wat zijn vader ervan zou zeggen.

Nee, hij moest zien te redden wat er te redden viel.

Johannes voelde zich duizelig en haast misselijk toen hij het East binnen kwam en zag dat Christopher, elegant als altijd, hem van achter een tafeltje toezwaaide.

'Ciao, Johannes! Ben je al een beetje bijgekomen van Båstad?' Silfverbielke keek hem aandachtig aan en hief zijn glas.

'Waar is Hans?' vroeg Johannes uitdrukkingsloos.

'Op de wc. Hij komt zo. Ga zitten en bestel vast iets.'

Silfverbielkes alarmbellen begonnen te rinkelen. Johannes gedroeg zich altijd als een blije poedel en nu was het of hem iets ernstigs dwarszat.

Alsof hij het wist.

Christopher ging alle gebeurtenissen in gedachten nog eens na. Hadden Hans en hij een fout gemaakt? Hadden ze sporen achtergelaten? Nee, hij had de auto zelf naderhand gecontroleerd. Had die negerhoer iets kunnen zien wat met hen in verband kon worden gebracht? Nee.

Of wel?

Hans kwam terug van het toilet, ging zitten en begroette Johannes.

'Sorry, jongens,' zei Ecker, 'ik moest Veronica even bellen. Want het kan vanavond laat worden en ze was niet erg blij dat ik zaterdagavond niet thuiskwam. Mag ik bij jou pitten als het nodig is, Johannes?'

Kruut schudde zijn hoofd. 'Het spijt me, Hans, maar dat gaat niet. Ik krijg een week lang een logé uit Östergötland.'

'Is ze knap?' Ecker sloeg zijn ogen ten hemel.

'Het is een hij, een neef van me.' Er kon geen glimlachje af bij Johannes.

Een neef? Hij heeft het nog nooit over een neef gehad. Silfverbielke dacht na en keek Kruut aan. 'We wilden naar het Riche gaan om wat te eten, wat vind jij daarvan?'

Johannes aarzelde. 'Hm, ik denk dat ik niet meega. Ik heb niet zo'n honger. Ik kwam eigenlijk vooral een drankje halen.'

'Je lijkt een beetje down. Is er iets gebeurd?' vroeg Silfverbielke, en hij keek hem onderzoekend aan. 'Of ben je niet tevreden over de secretaresse die ik je heb bezorgd?'

'Pernilla is prima, nog bedankt. Dat is het niet...'

Johannes begon te zweten van de zenuwen. Hij had de zaak meteen ter sprake willen brengen, het de wereld uit willen helpen. Nu had hij het gevoel dat Silfverbielke meteen de leiding had overgenomen.

Zoals gewoonlijk.

Johannes dacht aan wat hij zich had voorgenomen voordat hij van huis ging. Hij had zijn toespraakje en de achterliggende argumenten zorgvuldig gerepeteerd.

Hij vermande zich. Er was geen reden om te wachten.

De kelner kwam met zijn gin-tonic. Johannes nam een flinke slok, boog zich voorover en keek de anderen een voor een aan.

'Eh... Dat met dat fonds en die wedstrijd...'

Christopher en Hans keken hem vragend aan.

'Ik heb besloten eruit te stappen. En ik wil mijn aandeel in het fonds zo gauw mogelijk hebben.'

'Denk je dat hij iets weet?'

'Over dat grietje in Båstad? Nee.' Silfverbielke leunde achterover en veegde zijn mond af met een wit, linnen servet. 'Hij heeft het misschien geraden. Maar wéten kan hij het absoluut niet!'

Hans en hij hadden gegeten in het Riche en vroegen zich af wat ze het best bij het dessert konden drinken.

Johannes had een zenuwachtige en onsamenhangende indruk gemaakt toen hij zei wat hij op zijn hart had. Aan de andere kant was hij resoluter dan ze hem ooit hadden meegemaakt. Hij had uitgelegd wat er aan de hand was. De druk van zijn vader dat hij beter zijn best moest doen. De kans dat hij zijn hele vermogen kwijt zou raken. Bovendien, had hij eraan toegevoegd, was hij bang dat ze gepakt zouden worden. In Gamla Stan was het maar op het nippertje goed gegaan en misschien zou het geluk hen op een dag in de steek laten.

Hij had gevraagd hoeveel het fonds momenteel waard was. Silfverbiel-ke had zijn mobiel gepakt en gedaan alsof hij een of andere berekening uitvoerde voordat hij antwoordde: 'Rond de negenenzestig miljoen.'

In feite is het al ruim tweeëntachtig miljoen, maar dat hoef jij niet te weten.

Kruut had sceptisch gekeken. 'Ik dacht dat het een halfjaar geleden al meer dan zeventig was?'

'Het gaat de hele tijd op en neer, Johannes; de laatste tijd zijn ver-schillende markten nogal zwak geweest.'

Johannes had een tijdje nagedacht en was toen met zijn voorstel ge-komen. Hij wilde dat de wedstrijd onmiddellijk werd gestaakt, ook al stond hij momenteel aan de leiding en had hij de grootste kans om in z'n eentje twintig miljoen op te strijken. Hij wilde dat ze, na aftrek van zijn oorspronkelijke investering van zes miljoen en het miljoen van de beide vrienden, het resterende kapitaal in drie gelijke delen zouden ver-delen, dat naar drie afzonderlijke rekeningen zouden overmaken en daarna de gemeenschappelijke rekening zouden opheffen.

Hans Ecker had met een geschrokken gezicht tegen Johannes gezegd dat zijn voorstel voor hen als een volkomen verrassing kwam en dat Christopher en hij de praktische problemen hiervan even in alle rust wilden bespreken.

'Wat is er toch met hem aan de hand? Wat denk jij?' Ecker pakte een tandenstoker en keek Christopher aan.

Silfverbielke haalde zijn schouders op en keek nonchalant door het raam naar de Birger Jarlsgata. 'Geen idee. Misschien is hij echt verliefd geraakt op die halfbloed. Misschien is zijn vader kwaad op hem, zoals hij zelf ook zegt. Misschien begint hij inderdaad zenuwachtig te worden. Misschien allemaal bij elkaar.'

'Maar wat is dan de aanleiding, denk je?' hield Ecker vol. 'Misschien hadden we dat in Båstad niet moeten doen,' zei hij terneergeslagen.

De verkrachting achtervolgde Ecker al vanaf het moment waarop het gebeurde en hij had nachtmerries waarin het op een of andere manier werd ontdekt.

Silfverbielke boog zich voorover. 'Hoe kan ik dat nou weten, Hans? Ik weet niet waarom hij zo doet, ik weet alleen dat zijn zenuwen het lij-ken te hebben begeven. En dat is niet goed. Al zouden we hem alleen maar zijn aandeel teruggeven, het zou de potentie van het fonds flink uithollen. Daar voel ik helemaal niks voor. Als het nog een paar jaar zou kunnen doorgroeien, zouden we er allemaal veertig miljoen of mis-schien nog meer aan overhouden. Als we het nu opheffen krijgen jij en ik na aftrek van de dertien miljoen die Johannes moet hebben, allebei maar zevenentwintig miljoen. Slecht plan.'

Ecker zweeg. Soms begreep hij helemaal niets van Christopher. De meeste mensen zouden volkomen tevreden zijn geweest met zevenen-twintig miljoen netto waar ze niet erg hard voor hadden hoeven werken.

Maar meneer Silfverbielke blijkbaar niet.

Ze bestelden koffie, een dessert en een fles champagne. Hans belde Veronica nog een keer en zei dat hij toch naar huis kwam, maar dat het misschien wat later zou worden.

Ze werd boos. Een minuutje later trilde er iets in Silfverbielkes zak. Hij pakte zijn mobieltje en las: *Als je vanavond een andere vrouw pakt alleen maar omdat ik niet kan komen, vermoord ik je! V.*

Silfverbielke antwoordde niet. Een paar minuten later trilde zijn mobiel weer.

Sorry! Mag ik morgen komen lunchen?

We zien wel.

Ecker keek Silfverbielke geamuseerd aan. 'Met wie ben je aan het sms'en?'

'O, gewoon een dame die ik een tijdje geleden heb versierd.'

'Aha! Daar heb ik gelukkig geen last meer van, nu ik eerbaar en oppassend ben geworden.'

Ecker hief zijn glas en grijnsde. 'Proost, op ons, Christopher! Laat eens horen wat je plannen zijn voor ons en voor het fonds.'

Christopher dacht snel na. Hij had al besloten wat er moest gebeuren.

Hans en hij hadden voorzichtig geprobeerd Johannes uit te horen over wat er was gebeurd, wat eraan mankeerde, wat zijn plannen waren. Johannes was steeds teruggekomen op de thema's van zijn leven: zijn werk en de woede en frustratie van zijn vader.

'Snappen jullie dat dan niet? Als ik word ontslagen, ben ik mijn spaargeld ook kwijt!'

Spaargeld. Geld dat je grootvader voor je bij elkaar heeft gespaard, loser.

'Bovendien bevalt jullie stijl me niet meer,' vervolgde Johannes. 'Ik vind dat jullie te cynisch zijn geworden!'

Silfverbielke stond op het punt op te staan en Kruut een dreun te geven, maar bedacht zich.

Johannes Kruut deelde mee dat hij een nieuw, fatsoenlijk leven wilde beginnen. Hij zou fitter worden, want hij ging weer joggen. Vroeger had hij altijd op zaterdagochtend een paar uur door het Lill-Jansbos gejogd en dat zou hij met ingang van zaterdagmorgen om tien uur weer gaan doen.

Hij zou helemaal ophouden met cocaïne en bovendien minder alcohol gaan gebruiken. Vette sauzen zouden worden ingeruild voor meer groente en...

Silfverbielke was opgehouden met luisteren. Hij had al gehoord wat hij wilde horen.

'Ik weet niet, Hans, wat vind je zelf?'

Ecker was nu duidelijk dronken. Hij maakte een royaal armgebaar. 'Ach, Chris, ik weet niet of het zo'n groot probleem is. Geef die jongen zijn geld en dan delen we de rest. Ik ben heel tevreden met zevenentwintig. Anders laten we ons deel staan en dan zul je zien dat we ons geld zo weer hebben verdubbeld. Dat kost maar één of twee jaar.'

Ik wil niet nog één of twee jaar wachten. Ik wil het grote geld hebben, het echt grote geld. En gauw.

Christopher trok zijn wenkbrauwen op. 'Misschien. Misschien moeten we dat doen. We moeten er maar even tot volgende week over nadenken en dan een besluit nemen. Maar het is toch ook wel jammer dat er een eind komt aan de wedstrijd, vind je niet?'

'Absoluut. Dat was toch vreselijk spannend. Afgezien van dat gedoe in Gamla Stan dan, toen deed ik het toch echt bijna in mijn broek!'

Christopher verontschuldigde zich, ging naar het toilet en stuurde Pernilla Grahn een sms'je. *Ik weet dat het laat is, maar wat vind je van een glas champagne bij mij thuis?* Hij voegde er een smiley aan toe en verstuurde het bericht.

Het antwoord kwam binnen een minuut. *Leuk! Hoe laat?*

Hij antwoordde: *Ik sms je als ik naar huis ga.*

Sinds hij haar naar Kruut had geëxporteerd, had hij haar een paar keer als noodoplossing gebruikt. Ze was nog steeds even onnozel, maar ze voldeed aan zijn behoeften en het was gemakkelijker om afstand te houden als hij haar overdag niet hoefde te horen of te zien.

Christopher liep terug naar hun tafel en nipte van zijn champagne. Hij knipoogde naar Ecker. 'Dan ga ik ervan uit dat wij ons spelletje nog even volhouden, of niet? En er zit nog altijd een heerlijke twintig miljoen in de pot. Als Kruut stopt, is er nog vijfenzestig te verdelen tussen jou en mij, dus nu gaat het hard tegen hard!'

Hans Ecker was nu te dronken om de dreigende ondertoon in Christophers stem op te merken. 'Geen probleem, Chrisj,' zei hij met dubbele tong, en hij zwaaide met zijn champagneglas. 'Mag ik trouwensj vannacht bij jou sjlapen?'

472

Christopher deed zijn best eruit te zien alsof het hem speet. 'Sorry, Hans, maar ik krijg damesgezelschap, dus dat komt niet zo goed uit. Maar maak je niet druk, ik zal zorgen dat je een taxi krijgt.'

57

Christopher Silfverbielke werd wakker doordat Pernilla Grahn kreunend boven op hem zat en hevig op en neer bewoog.

Hij fronste zijn wenkbrauwen en sloot zijn ogen weer. Met wat inspanning slaagde hij erin beelden van Mariana Granath in onderworpen posities op te roepen en ten slotte kwam hij vlak na Pernilla klaar.

Ze rolde van hem af en nestelde zich gelukzalig tegen hem aan.

'Je bent zo heerlijk, Christopher, ik kan me niet herinneren wanneer ik het zo fijn heb gehad. Ik zou alleen willen dat ik weer bij jou kon werken, hoewel het aanbod van Johannes fantastisch was. Maar nu schijnt hij problemen te hebben omdat zijn vader...'

Blablabla. Silfverbielke sloot zich voor haar af en probeerde in plaats daarvan te bedenken hoe hij zo snel mogelijk zijn huis uit kon komen. Per slot van rekening was het vrijdag en moest hij naar zijn werk.

Een uurtje later gaf hij haar een snel kusje en verzekerde hij haar dat ze elkaar gauw weer zouden zien. Maar dit weekend niet, want hij had een hoop werk in te halen.

Terwijl hij snel naar het kantoor van Craig International wandelde, begon hij te analyseren. De afgelopen weken had hij korte, maar intensieve werkdagen gemaakt. Door een mengeling van geluk en handigheid had hij weer resultaten geleverd die ver boven gebruikelijk waren, en hij had verschillende waarderende mailtjes van Martin Heyes gehad.

Om kwart voor acht dronk hij een kop thee, terwijl hij aandachtig naar het scherm voor zich keek om een beeld te krijgen van wat er op de beurzen in de wereld was gebeurd sinds hij de vorige dag naar huis was gegaan.

Silfverbielke haalde een prepaidtelefoon uit zijn zak en sprak op zachte toon met een van zijn financiële contacten in Londen. Toen de handel op de beurs van Stockholm begon kwam hij razendsnel in actie, op een manier waardoor veel van zijn collega's bij Craig zich fronsend afvroegen waar hij mee bezig was.

Vlak voor de lunch leunde Christopher voldaan achterover en berekende het totaalresultaat van het werk van die ochtend. Niet slecht.

Hij besloot snel naar een saladebar te lopen, in z'n eentje te eten en dan terug te gaan naar kantoor om door te werken.

Toen hij terugkwam werd hij begroet door alweer een waarderend mailtje van Heyes, dat hij beleefd beantwoordde. Daarna praatte hij weer met Londen, deed nog een paar snelle zaken en belde ijverig met de prepaidtelefoon die hij gebruikte voor zijn contacten met een makelaar in Zwitserland.

's Middags verdiende Craig International veel geld door Silfverbielkes snelle transacties. Dat gold ook voor het fonds van het drietal en voor het relatief bescheiden fonds dat Christopher helemaal voor zichzelf had opgezet.

De klanken van Wagner vulden de kamer terwijl Silfverbielke achteroverleunde in zijn luie stoel, zijn ogen sloot en nadacht.

De situatie was veranderd. Het ging allemaal niet meer volgens plan A. Kruut was afgehaakt en Hans werd slap.

Wat een geluk dat hij vooruitziend genoeg was geweest om een plan B te bedenken.

Hij keek op de klok en besloot vroeg naar bed te gaan. Veronica had in de loop van de dag een hele serie sms'jes gestuurd.

Hans gaat zaterdag naar zijn ouders. Mag ik langskomen?

Waarom geef je geen antwoord?

Heb je mijn vorige sms'je niet ontvangen? Ik vroeg me af of we elkaar zaterdag kunnen zien.

Ben je kwaad op me? Heb ik iets verkeerd gedaan?

Ik doe wat je wilt. Kan niet zonder je!

Pas om een uur of acht 's avonds had hij geschreven: *Kan morgen niet afspreken.*

Haar antwoord was er snel. *Waarom niet?? Wat ga je doen? Heb je een afspraak met iemand anders? Ik EIS dat ik dat dan hoor!!!*

Silfverbielke had opzettelijk een uur gewacht voordat hij antwoordde: *Een slavin eist niets. Ze neemt dankbaar aan. Gehoorzaamt en gedraagt zich netjes.*

Hij vroeg zich af hoe ze het voor elkaar kreeg om stiekem te sms'en als Hans in de buurt was. Aan de andere kant: Hans kon heel goed met 'zakenrelaties' de stad in zijn. Per slot van rekening was het vrijdag. Het Stureplan lonkte en misschien wilde de heer Ecker de ellende thuis ontvluchten.

Veronica's antwoord kwam net zo snel als altijd. *Sorry! Verlang alleen zo naar je.*

Christopher schudde in het donker zacht zijn hoofd en liet zijn duim over de toetsen van zijn mobieltje gaan. *Ik ga nu naar bed. Werk het hele weekend. Misschien laat ik zondag nog iets van me horen.*

Hij kleedde zich uit, ging naar de badkamer en nam een lange, hete douche. Daarna verschoonde hij snel zijn bed om zijn slaap niet door Pernilla's geuren te laten verstoren.

Wagner irriteerde hem opeens en hij zette de stereo met de afstandsbediening uit.

Hij bleef naakt in het donker staan bij een van de ramen die uitkeken op de Linnégata.

Er moest gauw iets gebeuren. Bepaalde dingen moesten worden afgesloten.

Goedschiks of kwaadschiks.

58

Zondag 22 juli

Achtenveertig, negenenveertig, vijftig...

Silfverbielke lag in zijn flat op de grond en drukte zich op. Minder dan zeventig push-ups was ondenkbaar en ze moesten worden gevolgd door evenzovele sit-ups.

Het weekend had in het teken van zijn gezondheid gestaan. Hij was zaterdagochtend vroeg opgestaan en had op Djurgården gejogd. Vervolgens had hij thuis een redelijk gezond ontbijt genuttigd en toen een flinke work-out gedaan op de fitnessclub.

Na een lunch bij de NK had hij een paar nieuwe overhemden en stropdassen gekocht, kostuums opgehaald bij de stomerij en zelfs nog een beleefdheidsbezoekje gebracht aan zijn moeder.

Tegen het eind van de middag had hij met de gedachte gespeeld om Veronica toch te ontbieden voor een beurt of om Pernilla, de reserve, op te roepen. Een paar uur spelen zou kunnen worden gevolgd door een avondje Stureplan en...

Hij bedacht zich.

De afgelopen weken, maanden, had hij te veel gefeest en te weinig aandacht gehad voor zijn gezondheid en zich onvoldoende geconcentreerd. De situatie werd langzaam maar zeker riskant. Hij kon nu al ongeveer voorspellen wat er zou gaan gebeuren en hij wilde goed in vorm zijn als het zo ver was. Dus moesten de dames en het Stureplan wijken voor een eenzame zaterdagavond met sushi, water en een paar goede films.

Zondag had hij, zij het ook enigszins geradbraakt, moeizaam ongeveer het patroon van zaterdag herhaald. Een rondje joggen gevolgd door nog een bezoek aan de fitnessclub en na de lunch had hij een lange wandeling gemaakt langs de kaden van de stad, de geuren in zich opgesnoven en zich geconcentreerd op de mogelijke scenario's die zich zouden kunnen voordoen.

Tweeënzestig, drieënzestig, vierenzestig...

Hij werd onderbroken doordat zijn mobiele telefoon ging en hij keek snel op zijn horloge. Tot zijn verbazing was het al negen uur 's avonds.

'Met Christopher.'

Hans Ecker klonk opgewonden. 'Chris, waar ben je? Heb je een tv in de buurt?'

'Jawel, hoezo?'

'Zet de tv aan en kijk naar het nieuws, verdomme! Johannes is overreden. Hij is dood!'

'Wát zeg je?'

'Zet gauw het nieuws op, dan spreken we elkaar straks. Jezus, wat vreselijk!'

Ecker hing op.

Christopher pakte de afstandsbediening en zette de tv aan.

'...De dode is geïdentificeerd als Johannes Kruut, directeur van Johnssons Mekaniska Verkstad in Linköping en zoon van de concernchef John Kruut. Uit onderzoek van de politie blijkt dat de bus, die later verlaten werd teruggevonden in Storängsbotten, een snelheid van tegen de zeventig kilometer per uur moet hebben gehad. Waarom de bus op het trottoir reed, is nog niet opgehelderd. De busmaatschappij heeft tegenover de politie verklaard dat de bus gestolen moet zijn terwijl de chauffeur pauzeerde.'

Christopher schudde zijn hoofd. 'Oei, oei, oei, zoals ze tegenwoordig toch rijden...' fluisterde hij zacht. Toen zette hij zijn mobiel op stil, legde hem op een tafel en liep naar de keuken om sterke koffie te zetten.

Hij moest nadenken.

Een hele tijd later verscheurde hij de papieren waarop hij aantekeningen had zitten maken en spoelde ze door de wc. Hij keek op zijn mobiel en zag dat hij vier gemiste oproepen had, allemaal van Hans Ecker. Christopher besefte dat het midden in de nacht was, maar hij belde toch terug.

'Hans, met Christopher. Ik weet niet wat er met de telefoon aan de hand was, maar hij is uren dood geweest. Zeg, wat vreselijk, dat met Johannes...'

59

Woensdag 25 juli

De verkeersofficier van justitie Arne Sandberg bladerde door de rapporten van de agenten en de technische rechercheurs en zuchtte.

Het busongeluk in Storängsbotten was wel het laatste wat hij kon gebruiken vóór zijn vakantie, die komende zaterdag zou beginnen. Hij nam nogmaals de feiten in deze zaak door.

De bus was blijkbaar gestolen uit de omgeving van het Östra Station, terwijl de chauffeur koffiepauze had. De dief – of dieven – hadden de bus opengemaakt en gestart door een priem in het contact te steken.

Het slachtoffer, Johannes Kruut, had kennelijk zijn flat aan de Valhallaväg verlaten om een rondje te gaan joggen. Hij had een korte broek, een mouwloos T-shirt en gymschoenen aan en een petje op. In zijn zak had hij een dunne sportportemonnee met honderd kronen en zijn legitimatie. In een houdertje aan zijn bovenarm zat zijn iPod en toen hij dood werd aangetroffen had hij nog altijd een dopje van zijn koptelefoon in zijn oor. Een vol waterflesje dat op ongeveer twintig meter van het lichaam was gevonden was volgens het technische rapport vermoedelijk ook van Kruut geweest.

Een ongeluk.

Sandberg stond op en deed het raam open. Het was bloedheet en de airco deed het niet goed. Hij kon zich niets anders voorstellen dan dat het een ongeluk was geweest.

Een normaal mens zou niet de moeite nemen een grote, blauwe bus te stelen om op goed geluk over iemand heen te rijden die hij uit de weg wilde ruimen. De politie had voor de zekerheid de ouders van het slachtoffer gehoord. John Kruut en zijn vrouw Ingrid waren natuurlijk gebroken door het verlies van hun enige kind, maar ze hadden de politie ook verzekerd dat hun zoon de liefste jongen van de wereld was en vijanden – nee, dat was ondenkbaar.

Een ongeluk.

Waarschijnlijk was de toedracht als volgt geweest: een paar snotjongens hadden besloten de bus te jatten, gewoon voor de lol. Ze waren over de Valhallaväg gereden en waren van plan te gaan joyrijden in het industriegebied van Storängsbotten of een ritje te maken door het Lill-Jansbos.

Ze hadden te hard gereden. De bestuurder was de macht over het zware voertuig kwijtgeraakt en op het trottoir terechtgekomen, en had niet meer kunnen remmen toen de jogger plotseling voor hem opdook. Sandberg las met vertrokken gezicht verder in het rapport van de technici en de gerechtsarts. Toen de voorkant van de bus Kruut raakte was die eerst een stukje weggeslingerd en vervolgens onder de bus gekomen, daar vast komen te zitten en een meter of tien meegesleurd. Daarna was hij zo terechtgekomen dat het ene paar achterwielen over zijn hoofd was gereden.

Na het ongeluk waren de dieven waarschijnlijk in paniek geraakt en doorgereden. Er was zelfs geen sprake van remsporen op de plaats van het ongeluk. Bij de eerste de beste gelegenheid hadden ze de bus op een industrieterrein achtergelaten en waren ze weggerend.

Een technicus had in zijn rapport droogweg geconstateerd dat er waarschijnlijk vingerafdrukken en DNA van half Stockholm en een groot aantal chauffeurs in de bus zouden zitten, dus er was weinig reden om te proberen sporen veilig te stellen.

Een ongeluk en daarna doorrijden. Op zichzelf een zeer ernstig misdrijf waar flinke straffen op stonden.

Als er maar een schijn van kans was om de dader te vinden.

Arne Sandberg raapte zijn papieren bij elkaar, stopte ze in een plastic mapje en legde dat in een brievenbakje op zijn bureau.

De telefoon ging. Het was zijn vrouw, die zich afvroeg welke jurk ze zaterdag aan zou trekken als ze op het vliegtuig naar Kreta stapten.

Toen Sandberg vrijdagmiddag opstond om op vakantie te gaan, bleef het plastic mapje met de stukken over het busongeluk in het brievenbakje liggen.

Er lagen al rapporten over nieuwe ongelukken bovenop.

60

De Oscarskerk was waarschijnlijk bedoeld voor grote diensten, dacht Silfverbielke toen hij binnenkwam en om zich heen keek.

De witte kist die voor in de kerk stond was bedekt met rode en witte rozen. Tussen de kransen die om de kist heen waren gelegd, herkende hij onmiddellijk die van hemzelf. Groot en mooi, maar toch niet zo dat hij meer opviel dan die van Johannes' ouders.

Christopher liep langzaam over het middenpad met een eenvoudige orchidee in zijn hand. Hij ging op de derde rij zitten en bekeek de mensen die voor hem zaten.

Hij herkende de vader van Johannes, die hij een paar keer vluchtig had ontmoet, en ging ervan uit dat de vrouw naast hem Johannes' moeder Ingrid was. De meeste andere gasten waren ongeveer even oud. Vermoedelijk ooms en tantes van Johannes. Een paar mensen waren jonger. Misschien neven en nichten, collega's?

Silfverbielke stelde vast dat Johannes waarschijnlijk geen andere vrienden had gehad dan Hans en hemzelf.

Pernilla Grahn was natuurlijk wanhopig geweest toen ze het nieuws kreeg. Niet alleen omdat ze blij was met Johannes als chef, maar ze begreep ook dat ze nu haar nieuwe baan wel eens kwijt zou kunnen raken.

Met tranen in haar stem had ze Christopher opgebeld, die haar had afgeraden naar de begrafenis te gaan, maar wel had beloofd een goed woordje voor haar te doen bij John Kruut om zo haar baan misschien te kunnen redden.

Toen Hans en Veronica arriveerden, vond Silfverbielke dat Veronica's buik duidelijk dik was onder haar zwarte jurk en dat haar borsten groter leken dan anders. Ze had een zwarte jurk aan, zwarte kousen en zwarte schoenen.

Hij kleedde haar uit met zijn ogen en ze bloosde.

'Begrafenissen vind ik het ergste wat er is,' fluisterde Hans toen hij naast Christopher in de bank schoof. 'En dit heeft Johannes niet verdiend. Het is zo verdomd oneerlijk!'

Silfverbielke knikte en fluisterde met een bezorgd gezicht terug: 'Als ik de klootzak te pakken krijg die dit heeft gedaan...'

De dominee, een grijsharige man van in de zestig, begon met lied 300 uit het Zweeds kerkelijk liedboek.

'Zouden wij ook eenmaal komen waar de levensstroom ontspringt...' Silfverbielke stelde met een vertrokken gezicht vast dat er behalve de dominee bijna niemand zong.

Wat was er tegenwoordig toch mis met de mensen? Zelfs de generatie die zou horen te weten hoe je je gedraagt, gedraagt zich niet. Triest.

Hij viel met krachtige stem in. Een paar mensen op de eerste rij draaiden zich om en keken snel naar hem. Veronica keek hem verbaasd aan, maar pakte toen plichtbewust het psalmboek, bladerde naar de goede bladzijde en zong onhandig, met een dun stemmetje mee.

Hans Ecker zat er zwijgend en met gesloten ogen bij.

'Het leven is zo groot, zo onbegrijpelijk voor ons mensen. Soms begrijpen we niet wat de Heer doet en wat de zin daarvan is. Zo ook vandaag, nu we hier bijeen zijn om afscheid te nemen van Johannes Erwin Kruut.'

Ecker zat nog steeds met zijn ogen dicht te luisteren naar de droge, zeurende stem van de dominee. Veronica hield het psalmboek stevig in haar handen geklemd en keek naar haar schoot. Ze had haar boeketje bloemen naast zich op de bank gelegd. Af en toe wierp ze een snelle blik op Silfverbielke en hij keek met een vaag glimlachje terug.

'Laat dit snel gaan, verdomme, ik kan hier gewoon niet tegen!' fluisterde Ecker.

Het viel Silfverbielke op dat hij ongewoon bleek zag. 'Misschien moet je naar buiten gaan en wat frisse lucht opsnuiven,' stelde hij vriendelijk voor. 'Het duurt nog wel even voordat het tijd is voor het laatste afscheid.'

Ecker knikte. 'Geen gek idee: ik moet bijna overgeven. Het is hier ook zo verdomd heet!' Hij stond op, wurmde zich langs Veronica en liep zo stil als hij kon naar de uitgang.

De dominee keek uit over de kleine gemeente.

'Iedereen die Johannes heeft gekend, weet dat hij een vrolijke, vriendelijke jongeman was. Altijd even behulpzaam, altijd even attent...'

De vrouw naast John Kruut begon luid te snikken. Hij legde troostend zijn arm om haar heen. Een andere vrouw op de eerste rij kon haar huilen ook niet meer bedwingen.

Raar, met die empathie. Dat sommigen die hebben en anderen niet. Dat begrijp ik niet goed.

Silfverbielke merkte dat hij opeens zat te glimlachen en hij nam snel weer een ernstige uitdrukking aan.

Veronica keek over haar schouder, boog zich toen naar hem toe en fluisterde: 'Kunnen we elkaar vanavond zien? Hans gaat naar zijn ouders en blijft daar slapen.'

Hij knikte. 'Stuur maar een sms'je als je de handen vrij hebt, dan spreken we iets af.'

Er klonken voetstappen achter hen. Veronica keek weer naar haar schoot, haar handen om het liedboek gevouwen.

Hans schoof in de bank en ging tussen hen in zitten.

'Beter?' Silfverbielke keek vragend.

'Een beetje. Zullen we na afloop een borrel gaan drinken?'

'Absoluut.'

'Samen zingen we nu...' zei de dominee, terwijl hij het liedboek pakte en naar de mensen op de eerste bank keek. Toen wierp hij een snelle blik in de richting van Silfverbielke, als om steun te zoeken, en vervolgde: '...lied 623, de verzen één en drie.

Terwijl de organist de inleidende muziek speelde, bladerde Silfverbielke naar het lied, en hij glimlachte inwendig toen hij de tekst zag. Met luide, heldere stem zong hij:

Laat klagen en wenen verstommen
Treur niet of de hoop is vervlogen
De geliefde die ons heeft verlaten
Is door de dood tot het leven gegaan.

De stoflijke resten zijn 't teken
Dat de mens rust van 't leven
Er komt een dag
Dat hij ontwaakt
met de kroon van de Heer en met Zijn Geest.

Maar, dacht Silfverbielke, het is toch zeer de vraag of Johannes weer ontwaakt. Waarschijnlijk zijn er leniger vingers dan die van God nodig om die jongen weer in elkaar te zetten. Het doet zeer als er een bus over je hoofd rijdt.

De dominee zeurde door en Ecker trok weer wit weg om de neus.

'En dan zingen we lied 297...'

Hou op, zeg, het is geen koorrepetitie. Maar oké, nog eentje dan. Silfverbielke zong:

Schoonste Heer Jezus,
Heer aller Heren,
Lam van God en Mensenzoon,
U wil ik prijzen, U wil ik eren
Nu ik hier nader voor Uw troon...

Voor Gods troon? Nou, we gaan toch eerst naar Griekenland. Ik moet met
Hans de details bespreken als we hier klaar zijn.

Silfverbielke keek om zich heen in de hoge, mooie kerk. Hans Ecker
had zijn ogen weer dicht, Veronica staarde strak voor zich uit.

'Uit stof zijt gij geboren...'

Silfverbielke keek op en zag dat de dominee voorzichtig aarde op de
gesloten kist strooide.

'...en tot stof zult gij wederkeren...'

Toen stonden ze op om naar de kist te lopen en afscheid te nemen.
Dat was een mentale krachtsinspanning voor Silfverbielke. Hij dacht
aan zijn vader: hoe hij daar in het ziekenhuisbed lag na zijn tweede zelf-
moordpoging. Stil, met ingevallen wangen, alsof het leven uit hem
stroomde. Alsof er niets meer over was.

Christopher voelde tranen in zijn ogen opwellen en knipperde om ze
vochtiger te maken. Toen hij bij de kist kwam liepen er tranen over zijn
wangen. Hij bleef staan, raakte de kist voorzichtig aan met zijn hand en
legde zijn orchidee erop. 'Dank je wel, Johannes, je was mijn allerbeste
vriend. Rust zacht!'

Zonder iemand aan te kijken veegde hij zijn wangen af met een witte
zakdoek terwijl hij terugliep naar de bank.

Een halfuur later zaten ze met een glas whisky voor zich onder een pa-
rasol op een terras aan het Stureplan.

Ze hadden vriendelijk bedankt voor John Kruuts uitnodiging om na
de begrafenis mee te gaan koffiedrinken. Veronica had gezegd dat ze bij
haar zieke moeder langs moest om wat eten te brengen. Omdat Hans
naar zijn ouders in Uppsala zou gaan, hadden ze elkaar voor de kerk
een afscheidskusje gegeven, elkaar hun liefde verklaard en elkaar uitge-
wuifd.

Silfverbielke had het schouwspel geamuseerd bekeken.

Hans Ecker wierp een blik op Christopher en nam een paar slokjes
whisky.

Heeft Chris Johannes gedood? Het is gebeurd vlak nadat Johannes zei
dat hij eruit wilde stappen. Iets te duidelijk om toeval te zijn. En toen we
het een keer over Johannes hadden, dat die koudwatervrees kreeg, zei Chris
dat hij eventuele problemen wel zou oplossen.

Ecker dronk zijn glas leeg en probeerde de onplezierige gedachten van zich af te schudden. Hij beduidde de serveerster dat hij er nog een wilde. Silfverbielke nipte aan zijn glas en keek glimlachend naar twee meisjes die in korte zomerjurkjes voorbijkwamen.

Nee, dat kan niet, niet Johannes. Chris kan wel gevoelloos zijn en hij heeft dat grietje in Berlijn wel omgebracht, maar dat was toch meer een soort noodweer. Ongeveer zoals toen ik die dronkenlap schopte. Het was toch niet de bedoeling dat hij doodging! Nee, het is uitgesloten dat Christopher...

'Proost, Hans! Waar denk je aan?' Christopher keek hem met samengeknepen ogen aan. 'Aan de vakantie misschien? Het is al gauw. Nog maar een paar dagen.'

'Ja, dat wordt echt heerlijk, zeker na dit hier. Verdomme, ik word toch zo beroerd van die ellende met Johannes!'

Silfverbielke knikte verstrooid. 'Dat is inderdaad akelig. Maar helaas kunnen we het niet meer ongedaan maken. En we moeten nu gewoon praktisch denken.'

'Je bedoelt... de code?'

'Het lijkt mij het verstandigst om al morgenmiddag naar de advocaat te gaan. Ik heb hem vrijdag al gebeld en aan ons afspraakje herinnerd. Hij had de kranten gelezen en wist dat Johannes dood is, dus het was geen probleem. We hoeven er alleen maar heen te gaan en de envelop te halen.'

Ecker zag er verbeten uit.

'In zekere zin is het maar beter dat het zo is gegaan. Want er is iets gebeurd waardoor ik ook niet meer aan de wedstrijd mee kan doen...'

Kijk eens aan, nog eentje met slappe knieën. Wat is dit verdomme nou weer? Silfverbielke trok een wenkbrauw op en keek Hans kil aan.

'Je zult het niet geloven, Chris, maar donderdag ben ik geheadhunt en gevraagd als directeur van Borsch Staal!'

Silfverbielke floot. 'Nee maar!'

'Yep.' Hans knikte tevreden. 'Je begrijpt wat dat betekent?'

Ja. Dat ik ontzettend veel onaangename informatie over jou heb. Dat jij niet wilt dat dat uitkomt. En dat je nu een risico bent, Hans.

'Absoluut!' Hij glimlachte naar Ecker. 'Maar vertel me meer!'

Borsch Staal was de afgelopen jaren, hoofdzakelijk door overnames maar ook door sterke organische groei, een van de meest respectabele Zweedse industriële ondernemingen geworden.

'Ik heb er een dag over nagedacht en vrijdag ja gezegd. Ik begin op 1 september en de bedoeling is dat ik heel agressief te werk ga, als je begrijpt wat ik bedoel. De raad van bestuur van Borsch wil de groei per se voortzetten. Ze hebben nu vijfendertighonderd werknemers en een omzet van vier miljard. Dat is niet verkeerd, maar ze willen die cijfers de komende jaren nog aanzienlijk verbeteren. En daar moet ik voor zorgen.'

'Schitterend, Hans, gefeliciteerd!' Silfverbielke stak zijn hand uit naar Ecker. 'En hoe zijn je arbeidsvoorwaarden, als ik vragen mag?'

'Helemaal niet slecht!' Hans straalde van tevredenheid. 'Ruim zesenhalf miljoen per jaar plus resultaatbonus. En verder alles voor niks, je weet wel: auto, reizen, representatie, al die leuke dingen.'

Opeens werd hij weer ernstig en hij boog zich naar Christopher toe. 'Maar je begrijpt het wel, hè Chris? Al die leuke dingen die we hebben gedaan moeten we vergeten. We moeten er een streep onder zetten. Dat betekent dat we ook het fonds moeten opheffen. Want je kunt je wel voorstellen wat er gebeurt als alles waar ik bij betrokken ben geweest uitkomt.'

Ja, dat kan ik best. En het ziet er niet goed voor je uit, Hans. Ik hou niet van slappe knieën.

Silfverbielke keek alsof hij even nadacht. Toen knikte hij. 'Natuurlijk begrijp ik dat. En ik heb er ook eigenlijk geen problemen mee. Het belangrijkste is nu natuurlijk dat we de code van Johannes bij de advocaat halen. Dan hebben we daarna in Griekenland lekker de tijd om erover te praten wat we met de rest doen.'

'Ja en nee. Veronica is natuurlijk niet op de hoogte van onze pleziertjes en onze fondsvorming. Ik heb geen zin om de zaak te bespreken waar zij bij is.'

'Dat begrijp ik, maar de gelegenheid zal zich vast wel eens voordoen, als zij slaapt of zwemt, denk je niet?'

'Ja, daar heb je wel gelijk in. Proost!'

Ecker wierp een blik op zijn horloge. 'Ik moet eens gaan. Ik heb beloofd dat ik nog even bij mijn vader en moeder zou langsgaan voordat we naar Griekenland gaan. Zij hebben het goede nieuws ook nog niet gehoord, dus ik wilde wat ossenhaas en champagne meenemen om ze te verrassen.'

En ik wilde intussen even met je vriendin spelen.

'Goed idee, Hans, doe ze de groeten van me!'
Silfverbielke hief zijn glas en proostte.

Toen Ecker weg was pakte Christopher zijn mobieltje.
Heb nu wat te doen, maar je mag tegen zessen komen. Je begrijpt zeker wel wat je aan moet trekken?
Het antwoord was kort: *???*
Zelfde kleding als toen we elkaar de laatste keer zagen.
Een begrafenisjurk! Nooit! Dat is de limit!!!
Christopher wachtte twee minuten met antwoorden. *Het gaat niet door.*
Hoe bedoel je?
Hij wachtte vier minuten en intussen herhaalde ze haar sms'je drie keer. Ten slotte schreef hij: *Je gehoorzaamt niet.*
Twee minuten later piepte zijn telefoon. *Ik gehoorzaam. Zes uur.*
Silfverbielke leunde achterover, liet zijn handen over zijn goedgetrainde borst gaan en keek op zijn horloge. Hij betaalde de rekening, stond op en wandelde snel naar huis.
Nadat hij had gedoucht en zich had omgekleed, belde hij zijn moeder en zei dat hij even langs zou komen.

Irma Silfverbielke deed een stap naar achteren om hem binnen te laten. 'O, Christopher, je kunt je niet voorstellen hoe blij ik hiermee ben! Ik was zo treurig sinds Manneke dood is...'
'Och, mams, het komt weer helemaal goed. Hier heb ik Amos voor je. Kijk eens hoe mooi hij is!'
Christopher hield de kooi omhoog en draaide hem langzaam voor haar rond. De hamster liep angstig door zijn kooi zonder te begrijpen waarom de wereld ineens begon te draaien.
'Nee maar – ooo!' Irma Silfverbielke klapte verrukt in haar handen. 'O, wat lief! Maar kom binnen, m'n jongen, dan krijg je koffie. Want ik zal je wel een tijdje niet zien als je met je vrienden naar Griekenland gaat.'
'Nee, dat kan wel even duren, mams.'
Aan de koffietafel keek Irma Silfverbielke haar zoon ernstig aan. 'Maar één ding moet je me vertellen, Christopher. Heb je Manneke zo mooi begraven als we hadden afgesproken?'

Niet echt, mams.

'Absoluut! Aan de rand van papa's kerkhof, zoals je zei. Ik durfde het niet in het graf zelf te doen, dat begrijp je toch wel? Dus het is het gras aan de rand van het bos geworden, met een eigen kruisje, natuurlijk.'

Ik heb hem beneden in de hal in een kinderwagen gegooid, mams. Heb je de moeder niet horen schreeuwen toen ze een dode rat aantrof waar haar baby moest liggen?

Irma glimlachte dankbaar en pinkte een traantje weg. 'Je bent zo'n fijne jongen, Christopher...'

Silfverbielke haastte zich naar huis en trok snel het overhemd, de stropdas en het kostuum aan dat hij eerder die dag bij de begrafenis had gedragen.

Veronica Svahnberg keek verbaasd toen hij opendeed. 'O, ik dacht dat je al lang thuis was. Heb je je ook niet omgekleed?'

Hij trok haar naar binnen, deed de deur dicht en kuste haar hard. 'Nee, daarom vond ik het passend als jij die kleren ook nog aanhad. Het is toch een verdrietige dag, hè?'

'Christopher!' Ze hijgde. 'Zeg dat niet!'

Zonder een woord nam hij haar bij de hand en trok hij haar mee naar de keuken. Aan het uiteinde van de keukentafel had hij twee zilveren kandelaars neergezet, met lange, witte kaarsen.

Toen hij Veronica op de keukentafel legde protesteerde ze.

'Maar Christopher! Ik ben in de vijfde maand en Johannes is...'

Zonder te luisteren liet hij zijn broek vallen en hij merkte dat ze tegen haar gewoonte in naar zuur zweet rook, het soort dat komt van nervositeit, van angst.

Het kaarslicht flakkerde elke keer dat hij in haar stootte.

Christopher Silfverbielke was in een bijzonder goed humeur.

61

Silfverbielke bekeek Martin Heyes terwijl die telefoneerde en het kostte hem moeite zijn minachting te verbergen.

De afgelopen weken had hij – met een paar uitzonderingen – geen alcohol gedronken, was hij niet laat naar bed gegaan en had hij hard en geconcentreerd gewerkt, met uitstekende resultaten.

Hou op met dat geklets, loser. Ik heb wel wat beters te doen dan hier te zitten.

Alsof hij gedachten kon lezen beëindigde Heyes het gesprek.

'Christopher, wat kan ik zeggen?' Hij spreidde zijn armen, liep om zijn bureau heen naar Silfverbielke en stak zijn hand uit. 'Ik heb net de cijfers van het tweede kwartaal bekeken. Je hebt het wéér geflikt. Volkomen uniek, Chris!'

Als je dit al goede resultaten vindt, zou je ons privéfonds eens moeten zien.

'Dank je, Martin, dat is te veel eer. Ik doe gewoon mijn werk.'

Silfverbielke leunde nonchalant achterover in zijn stoel. 'Zoals je weet, neem ik nu even vrij, maar ik ben gauw weer terug.'

'Dat is je oprecht gegund! Wat ga je doen, als ik vragen mag?'

'Och, niks bijzonders. Ik heb met een paar vrienden een boot gehuurd in Griekenland. We gaan daar een paar dagen zeilen.'

'Dat klinkt heerlijk. Van wanneer tot wanneer ga je?'

'Ik ga zaterdag weg en ben 16 augustus terug in Zweden. Maar dat is op een donderdag, dus ik kom pas de 20e of zo weer werken.'

Heyes keek verbaasd. 'Ga je niet langer weg? Je hebt toch nog heel veel vakantiedagen, als ik het goed heb en je zou best wat meer rust mogen nemen. Je werkt zó hard. Ik was laatst op een gezondheidscursus en daar leerden we...'

Een gezondheidscursus? Je zou naar een basiscursus aandelenhandel moeten gaan, grapjas.

Silfverbielke deed alsof hij luisterde, terwijl hij door zijn mentale agenda bladerde. Met een beetje goede planning kon hij nog wel een paar nummertjes met Pernilla Grahn doen – ze had vast behoefte aan troost nu en bovendien werd het hoog tijd om haar in te wijden in een beetje sekstechniek van de meer dominante soort.

Weliswaar zou Veronica er in Griekenland zijn, maar die werd een beetje opstandig en wie had er nou zin om bij veertig graden ruzie te maken over dingen die vanzelf spraken? Bovendien kon Hans in de weg zitten.

Soms tenminste. Een tijdje tenminste.

'...voor de balans in het leven, vind je niet?' Martin Heyes glimlachte hem vriendelijk toe.

Silfverbielke glimlachte even vriendelijk terug. *Ik zou je de schedel in moeten slaan. Waarom heb ik jouw baan niet?*

'Ja, je hebt volkomen gelijk, Martin. Ik zal je woorden ter harte nemen. Maar ik begin met die twee weken Griekenland en dan hebben we het daarna wel over de rest.'

Terug op zijn kamer volgde Silfverbielke nog een laatste uurtje de beursontwikkeling. Hij dacht even na en deed toen een paar herschikkingen en afsluitingen.

Daarna pakte hij zijn privélaptop uit zijn aktetas, zette hem aan en begon een brief te schrijven.

Stockholm, 1 augustus 2007

De aanleiding voor deze brief is dat ik vrees voor mijn leven.
De reden is de volgende: mijn vriend sinds mijn studietijd, Hans Günther Ecker, directeur van Fidelis Effectenmakelaars, is zich het afgelopen jaar steeds vreemder gaan gedragen. Het begon er in januari al mee dat hij op een feest onsamenhangend begon te vertellen dat hij op de Strandväg iemand had neergeslagen en daarbij zijn muts had verloren.
Toen we later samen naar Berlijn gingen om onze verjaardagen te vieren, zei hij op een ochtend dat hij een prostituee had bezocht en dat hij haar had gedood. Ik kon hem natuurlijk nauwelijks geloven.
Toen we een paar maanden geleden in Gamla Stan uit eten waren, was Hans de hele avond al dronken en agressief. Ik verliet het gezelschap op tijd, maar hoorde later van anderen, die erbij waren, dat de avond ermee was geëindigd dat Hans in een steegje een alcoholist had mishandeld. Mijn eerste gedachte was natuurlijk

489

naar de politie te gaan, maar ik was toch ook bang dat Hans me
iets zou aandoen als hij daarachter kwam.
In de loop van het voorjaar en de zomer kreeg Hans steeds meer
minachting voor andere mensen en werd hij nog agressiever. Ik
moest een paar keer een ruzie voorkomen omdat Hans zich
geprovoceerd voelde. Ik heb geprobeerd hem terecht te wijzen en te
begrijpen wat er mis was, maar zonder succes. Laatst vertelde hij
me dat hij een tijdje geleden 'een zwartjakker te pakken had
genomen' omdat die in de auto een obsceen gebaar naar Hans had
gemaakt.
Hans is een goede vriend en ik begrijp dat het slecht met hem gaat.
Ik heb alles gedaan wat ik kon om hem te helpen, maar ik vind
dat hij me steeds vreemder aankijkt. We hebben al lang geleden
samen een vakantie in Griekenland gepland en daar gaan we nu
heen voor een zeiltocht met een gehuurde boot.
Ik hoop dat ik in deze vakantie een paar goede gesprekken met
mijn vriend kan hebben en erachter kan komen waarom het slecht
met hem gaat en hem dan op betere gedachten kan brengen.
Misschien kan ik hem helpen bij God de steun te vinden die ik zelf
ervaar. Maar tegelijkertijd ben ik in mijn hart heel bang voor hem.
Ik schrijf deze brief voor het geval dat ik niet in Stockholm terug
zou komen of anderszins op 16 augustus niets van me laat horen,
zoals ik van plan ben.

Christopher Silfverbielke

Silfverbielke las de tekst nog een keer door en sloeg het document op.
Hij printte een exemplaar van de brief en zette de computer toen uit.

62

'En...' – Colt opende een sissend blikje bier en gaf het aan Henrik Vadh – '...hoe was je vakantie?'

Hij tilde het deksel van de barbecue op en draaide de biefstukjes om.

Vadh nam een slok bier. 'Leuk, hoor, of toch in elk geval gedeeltelijk leuk,' antwoordde Henrik lachend.

Jacob keek hem vragend aan.

'Nou ja, het was een combinatiereis, hè? Eerst waren we drie dagen in Athene, toen vlogen we door naar Kreta en daar zijn we elf dagen geweest, in Chersonissos.'

'Ja?'

'Chersonissos was mooi. We hadden een geweldig hotel met een mooi zwembad en zo. Allemaal prima. Maar Athene...' Henrik hield een hand voor zijn ogen.

'Was het zo erg?'

'Nog erger! Ik ben nooit eerder in een zo vervuilde stad geweest. Je werd zowat gesmoord in de uitlaatgassen. Bovendien is iedereen er chagrijnig of gedeprimeerd. Het was er bijna de hele tijd veertig graden. Dan kun je 's nachts haast niet slapen en naar de Akropolis gaan was een hele onderneming, ook al was die wel interessant om te zien, natuurlijk. Dus het was echt een opluchting om door te kunnen gaan naar Kreta.'

Colt lachte. 'Aha, nou, dan weet ik waar ik niet heen moet!'

'Neem dat maar van mij aan. Maar jullie gaan ook binnenkort, denk ik? Wordt het nou Savannah?'

'Ja, dat is geboekt. Alleen Melissa en ik. Twee weken. Dat wordt echt heerlijk, het is alweer een paar jaar geleden dat we daar waren. De afgelopen jaren zijn haar ouders hier op bezoek geweest.'

'Wanneer gaan jullie?'

'Van de 12e tot de 25e. Haar ouders hebben een gigantisch, fantastisch huis en ze zijn heel aardig, maar meer dan twee weken hou ik het niet vol. Met een beetje mazzel kunnen we ook nog even weg. Een auto huren en naar Orlando rijden of zo. Dat is maar een paar uur rijden.'

Melissa en Gunilla kwamen uit het huis naar de barbecue. Melissa had een dienblad in haar handen.

'Jacob, lieverd, wil je deze vleestomaten er ook even op gooien? Daar worden ze zo veel lekkerder van.'

Colt knikte en deed de barbecue open. 'Hebben de dames de tafel gedekt en de wijn opengetrokken? Dit ziet er namelijk gaar uit.'

Gunilla Vadh probeerde beledigd te kijken. 'Waar zie je ons voor aan? Amateurs? Alles is klaar, meneer.' Ze keek Melissa aan. 'Kom, dan gaan we binnen die wijn vast proeven!'

Toen ze weer alleen waren, vroeg Henrik: 'Hoe was het terwijl ik weg was? Is het toegestaan iets over de De Wahl-warboel te vragen?'

'Vraag maar gerust, maar je krijgt geen zinnige antwoorden van me. We zijn vastgelopen met het onderzoek naar de moord op Gomez en over De Wahl is ook geen nieuws. Ik ben bang dat het hele onderzoek in het grote, ronde archief verdwijnt dat prullenbak heet. Zelfs Kulin lijkt helemaal verlamd als de zaak ter sprake komt.'

'Irritant.'

'Yep. Maar laten we dat nu maar even vergeten. Er zijn leukere dingen om over te praten, of niet?'

63

Zaterdag 4 augustus

Silfverbielke rekte zich uit in zijn ligstoel en keek door zijn nieuwe zonnebril naar de felblauwe lucht. Hij had zich flink ingesmeerd, waardoor zijn goedgetrainde lichaam glansde in de zonneschijn en hij stelde geamuseerd vast dat hij waarderende blikken kreeg van heel wat meisjes rondom het zwembad.

Pas op, Veronica. Misschien krijg ik wel zin in een spelletje.

Hij deed zijn ogen dicht en dacht na. Al bij het inchecken was Hans ongewoon verstrooid geweest en tijdens de vlucht van Stockholm naar Athene had hij niet veel gezegd. Christopher had kranten gelezen en met Veronica, die tussen hen in zat, gebabbeld.

Toen Hans opstond om naar de wc te gaan, fluisterde Christopher in

Veronica's oor: 'Goed idee. Ben jij al lid van de *mile high club* of zullen wij ook even naar de wc sluipen?'

Ze bloosde. 'Je bent niet goed wijs! We mogen geen risico nemen op deze reis, Chris. En vergeet niet dat ik al in de zesde maand ben. Ik moest er zelfs over liegen toen we de vliegtickets kochten, voor alle zekerheid.'

'Risico? Ik zou toch nooit een risico nemen. Maar oké, ik vraag het die aardige stewardess wel, dan...'

Veronica stootte haar elleboog in zijn ribbenkast. 'Waag het eens! Ik zorg wel voor je, binnenkort, maar niet hier.'

Silfverbielke had zijn ogen dichtgedaan en zich geconcentreerd. *Wat dacht Hans? Was hij bang? En zo ja, waarvoor dan? Dat Christopher hem zou verraden? Of er met al het geld uit het fonds vandoor zou gaan? Wat wilde hij gaan doen? Wie had eigenlijk alle troeven in handen?*

Toen ze na het overstappen doorvlogen naar Kreta was Hans wat toeschietelijker geweest. Hij had verteld over de boot die hij had gehuurd en hoe goed het hotel volgens het reisbureau was.

En toen opeens fluisterde hij: 'Heb je wat coke meegenomen? Hoe moeten we het anders redden?'

Silfverbielke trok een wenkbrauw op. 'Of ik wat heb meegenomen naar Gríékenland? Heb je de film *Midnight Express* wel eens gezien? Die speelt weliswaar in Turkije, maar...'

'Ja, ja, ik weet het,' fluisterde Ecker geïrriteerd, 'maar hoe lossen we dat dan op? We kunnen toch niet helemaal zonder iets de zee op gaan?'

'We hebben toch een paar dagen in het hotel voordat we de boot moeten halen?'

'Ja, vier nachten.'

'Nou, dan regel ik daar wat. Vertrouw me maar.'

'Maar hoe...'

'Ik zei dat ik het zal regelen, oké?' Silfverbielkes stem klonk opeens ijskoud.

Ecker leunde achterover, pakte zijn oordopjes en deed zijn ogen dicht. Op het klassieke kanaal speelde Vivaldi.

Hij is akelig als hij die stem heeft. Alles is nu akelig. Christopher weet te veel over me. Hij weet alles. Als maar de helft van wat hij weet uit zou komen...

Eckers gedachten bleven ronddraaien zonder dat hij een oplossing vond. Wat gedaan was, kon niet ongedaan worden gemaakt. Niemand zou hem kunnen vastpinnen op het verkeersongeluk in Duitsland en de ellende met dat grietje in het hotel was ook niet iets om zich zorgen om te maken. Maar dat akkefietje in Gamla Stan beangstigde hem. Het was al erg genoeg dat die smeris waarschijnlijk een glimp van hem had opgevangen en dat zijn gezicht straks vermoedelijk in heel wat zakelijke kranten zou verschijnen. Misschien moest hij zijn haar laten verven of zijn baard laten groeien? Nou ja, het was nog erger dat Christopher alles wist. Nu had hij geen keus ten aanzien van het fonds. Als Chris het erop aan liet komen en het fonds wilde aanhouden of er een groter deel van wilde hebben, kon Hans daar niets tegenover stellen. Chris hoefde maar met zijn vingers te knippen en Hans' leven zou als een kaartenhuis instorten. Opeens stond zijn hele leven op het spel. *Tenzij...*

Silfverbielke schrok toen de koude waterdruppels op zijn buik landden.

Veronica Svahnberg stond met druipend haar over hem heen gebogen. Ze had een zwarte bikini met een paars motiefje aan. Haar zware borsten dreigden uit haar bovenstukje te puilen als ze zich vooroverboog.

'Ik heb wel gezien hoe ze naar je staren!' siste ze met gespeelde woede. 'Dus ik wil even mijn territorium afbakenen!'

Christopher kwam omhoog, ging op zijn ellebogen liggen en keek om zich heen. 'Ja, je hebt gelijk. Die daar in die gele bikini is niet verkeerd. Is hooguit een jaar of twintig, eenentwintig...'

'Hou op!' Nu was haar woede niet meer gespeeld.

Hij negeerde het. 'Waar is Hans?'

'Hij ging na mij gauw even douchen.'

'Hebben jullie het gedaan in de douche?'

'Christopher, ik wil niet praten over...'

'Je hoorde wat ik vroeg!'

Ze aarzelde. 'Nee, hij mag niet meer met me vrijen. Ik zeg dat ik me niet goed voel en dat het niet goed voor me is.'

'Wat handig. Dan stel ik voor dat je vanavond naar mijn kamer komt.'

'Maar... Maar dat kan niet! Wat moet ik tegen Hans zeggen?'

'Dat regel ik wel.'

Om acht uur 's avonds kwamen ze bij elkaar om een aperitiefje en een diner te gebruiken in het restaurant van het hotel, waarvan het terras zeezicht had. De ergste hitte was voorbij, de airconditioning en gewone ventilatoren maakten het bestaan draaglijk.

Christopher, die al een kleurtje had gekregen, droeg vrijetijdskleding: een wit shirt dat losjes over zijn lichte linnen broek heen hing. Hij glimlachte naar de meisjes die hem bekeken toen hij het restaurant in kwam.

Het een sluit het ander natuurlijk niet uit.

Hij zag dat Hans en Veronica al een tafeltje met mooi uitzicht hadden gekozen. Veronica volgde hem met haar ogen terwijl hij door het restaurant liep en hij zag dat ze boze blikken wierp naar de andere meisjes die naar hem keken.

Ecker zag er nijdig uit en het paar zweeg.

Ze hadden ruziegemaakt. Waarover?

'Goedenavond mevrouw, meneer.' Silfverbielke boog beleefd en glimlachte. 'Hoe gaat het, de eerste avond in Griekenland?'

'Prima,' bromde Hans.

Veronica gaf hem een geforceerd glimlachje. 'Dank je, het is heerlijk om hier te zijn.'

Hans keek Christopher aan. 'Waar ben jij trouwens geweest? Ik heb een tijdje geleden bij je aangeklopt om te vragen of we een drankje zouden nemen aan de bar.'

Silfverbielke gaf hem een snel knipoogje. 'Ik had een boodschapje te doen.'

Ecker glimlachte waarderend. Chris had coke geregeld. Joost mocht weten hoe, maar de vakantie was gered. Als hij zijn vriend goed kende, had Silfverbielke daarbij ook niet op een dubbeltje gekeken.

'Bij de apotheek, neem ik aan?' grapte hij.

Christopher knikte. 'Het is maar beter om een paar belangrijke zaken in te slaan als we de zee op gaan. Zeeziektepillen, maagtabletten, pleisters, jodium... Je weet wel, dat soort dingen.'

Bovendien heb ik ook in een ander hotel ingecheckt, een met een kluis op de kamer. Daar liggen mijn paspoort en mijn echte portefeuille met vier creditcards en een stapeltje contant geld. Voor het geval dat.

Veronica glimlachte en probeerde niet al te ironisch te klinken toen ze zei: 'Dank je wel, lieve Christopher!'

Na het diner stond Hans op. 'Ik moet even naar het toilet. Chris, bestel jij een koffie en een dubbele whisky voor me?'

'*Certainly, sir!*'

Christopher wachtte tot Hans buiten gehoorafstand was en keek Veronica toen aan. 'En mevrouw wenst?'

'Dat weet je best.'

'Ik wil het je horen zeggen.'

'*Jou.*'

'Dat valt te regelen.'

'Hoe?'

Christopher zweeg even totdat de ober drie kopjes koffie en twee welgevulde glazen whisky op tafel had gezet. Toen hij wegliep keek Veronica nog steeds vragend.

Uit zijn zak haalde Silfverbielke een klein doosje, haalde er een wit pilletje uit en liet het in het glas van Hans glijden. Hij roerde er met zijn koffielepeltje in totdat het pilletje helemaal was opgelost.

'Binnen een uur zal je man vreselijk moe worden en naar bed willen. Jij kunt natuurlijk even bij mij in de bar blijven zitten en een vruchtensapje nemen voordat je naar boven gaat om hem in te stoppen.'

Ecker kwam rustig teruglopen. 'Zo, en waar hebben jullie het over?'

'Slaapproblemen,' zei Silfverbielke glimlachend.

'Tja, daar heb ik de laatste tijd geen last van,' antwoordde Hans. 'Ik heb te hard gewerkt en het 's avonds te laat gemaakt. Ik begin zeker oud te worden. Maar ik wilde deze avonden in het hotel eigenlijk vrij vroeg te kooi te gaan, zodat ik weer helemaal opgeladen ben als we met de boot weggaan.'

'Daar proosten we op!' zei Christopher.

Een goed halfuur later verklaarde Ecker gapend dat hij het niet meer volhield en naar bed ging. Veronica zei dat ze nog even wilde blijven zitten luisteren naar het Griekse trio dat net in de bar bij het zwembad was begonnen te spelen. Christopher beloofde dat hij haar gezelschap zou houden, maar niet lang.

Nog een uurtje later stond Veronica op om naar boven te gaan. Silfverbielke betaalde de rekening, ging naar zijn kamer en liet de deur open. Hij stond nog geen vijf minuten onder de douche toen het douchegordijn opzij werd geschoven en Veronica haar naakte lichaam onder de waterstralen tegen het zijne aan duwde.

64

Woensdag 8 augustus

Vier dagen lang hadden ze niets anders gezien dan kleine, witte wolkenplukjes die contrasteerden met de mooie, diepblauwe lucht. De temperatuur had steeds tussen de vijfendertig en veertig graden geschommeld en bijgevolg hadden ze veel tijd bij het zwembad doorgebracht.

Hans Ecker vertoonde ernstige tekenen van vermoeidheid. Een halfuurtje na lunches en diners was hij steeds zo moe dat hij naar bed moest. Na de lunch sliep hij een paar uur als een blok en 's avonds ging hij om een uur of negen al onder zeil.

Veronica Svahnberg gaf tegelijkertijd blijk van andere behoeften.

En – van jaloezie.

'Jaagt je zwangerschap je hormonen zo op?' plaagde Silfverbielke haar toen ze op een middag naakt in zijn armen lag.

Ze keek hem boos aan. 'Dat niet alleen. Ik moet jou ook in bedwang houden. Ik heb wel gezien hoe de meisjes naar je kijken en hoe jij naar hen kijkt. Maar ik verzeker je dat ze je geen van allen kunnen geven wat ik je kan geven.'

'Hoe weet je dat zo zeker? Misschien moet ik het in elk geval proberen.' Ze maakte aanstalten om hem met het kussen in zijn gezicht te slaan. 'Waag het eens. Ik zweer dat ik je ombreng!' mopperde ze.

'Rustig maar!' Christopher lachte. 'Ik beloof dat ik je trouw zal zijn, tenminste zolang we hier zijn. Maar hoe had je je dat voorgesteld op de boot?'

'Je hebt toch nog wel meer van die pilletjes bij je, of niet?'

'Bedoel je dat we gaan liggen wippen terwijl je aanstaande man op drie meter afstand van ons ligt te slapen?'

Veronica haalde haar schouders op en keek hem met een spottend glimlachje aan. 'Nood breekt wet.'

Christopher en Veronica brachten samen dozen, tassen, jerrycans en flessen aan boord, terwijl Hans met de bootverhuurder de checklist doornam.

De boot had royaal opslagruimte. Op de voorsteven was een kajuit met twee flinke slaapplaatsen waarvan er vier konden worden gemaakt,

497

op het achterschip was een kleinere roef met twee kooien waar er nog een tussen kon worden gemaakt.

Tussen de kajuiten was een pantry en veel extra ruimte, met zitplaatsen om te eten en om te relaxen, en voor- en achterdek waren allebei groot genoeg om erop te kunnen liggen zonnebaden.

Toen alle benodigdheden waren ingeladen en Hans klaar was met de verhuurder, gooiden ze de trossen los. Ecker, die al toen hij in de twintig was zijn vaarbewijs had gehaald, benoemde zichzelf algauw tot kapitein, nam het roer in handen, gleed rustig de haven van Chania uit en meerderde vaart.

Het plan was om zes dagen op zee te blijven, de boot maandagavond terug te brengen en dan nog twee dagen in het hotel door te brengen voordat ze de volgende donderdag naar huis zouden vliegen.

De eerste vier dagen voeren ze over de mooie Zee van Kreta, bezochten kleine eilandjes of lagen gewoon voor anker in het zonnetje.

Veronica had al de eerste dag verklaard dat de kapitein het anker uit moest gooien zodat ze ongestoord topless kon zonnebaden of, nog liever, bloot.

Ecker keek haar nijdig aan. 'Je hebt eerder toch ook nooit bloot in de zon gelegen?'

Silfverbielke, die met zijn rug naar hem toe stond en het anker schoonmaakte, glimlachte inwendig.

'Misschien ken je je aanstaande vrouw niet zo goed,' antwoordde Veronica ironisch. 'Ik zon al topless zolang ik me kan herinneren en bloot zodra het ongestoord kon. Nu kan ik niet erg lang zonnen en ik heb geen zin om thuis te komen met een heleboel witte strepen!'

Met die woorden trok ze demonstratief haar bovenstukje uit en ontblootte haar borsten, terwijl ze zich er maar al te goed van bewust was dat Christopher haar zag. Toen liep ze het voordek op, ging op haar rug liggen met haar hoofd naar de stuurcabine en trok voorzichtig haar bikinibroekje uit, terwijl Hans de boot zacht vloekend bleef besturen.

Silfverbielke bracht de dagen door met van de boot duiken, zwemmen, eten koken voor Hans en Veronica en boeken lezen terwijl hij lui op een van de achterkooien lag. Omdat hij zichzelf tot kok en ober had benoemd, was het niet moeilijk om stiekem slaapmiddelen in Eckers eten en drinken te doen, en twee keer was Veronica naar hem toe ge-

498

komen in de achterroef, toen ze geruime tijd luid gesnurk hadden gehoord vanuit de voorkajuit.

Het leven was een spel, maar Christopher was op zijn hoede. Naarmate de dagen verstreken leek Hans bedrukter, zwijgzamer en geslotener te worden. Silfverbielke begreep dat hij op een of andere manier wantrouwend was of misschien zelfs op een plan broedde.

Ik heb ook een plan, makker, en ik denk niet dat onze plannen samenvallen. Het is misschien maar het beste als we even een gesprekje hebben.

Het was zondagavond. Ze waren voor anker gegaan in een vissersdorpje, waar Silfverbielke aan land was gegaan en verse vis had gekocht, die hij nu met een uitje stond te bakken terwijl hij een grote Griekse salade in elkaar draaide. Veronica lag lui in haar kooi en Hans lag languit met een krant op een van de banken midden op de boot.

Ze willen schijnbaar niet meer met elkaar praten dan strikt noodzakelijk is. Ik vraag me af wat er aan de hand is.

Toen Veronica die nacht naar hem toe was gekomen, had hij gevraagd hoe het met hen ging. Ze had geantwoord dat ze haar relatie niet wilde bespreken terwijl ze met Christopher in bed lag en had zich toen zonder iets te zeggen boven op hem gevlijd.

Niet best. Ik moet de feiten kennen voordat ik iets kan doen.

Silfverbielke verdeelde het slaapmiddel eens een keer anders en na het eten begon Veronica zich in de ogen te wrijven. 'Ik begrijp niet waarom ik opeens zo moe word!'

'Dat is niet zo vreemd,' antwoordde Christopher, 'je hebt vandaag nog langer dan anders in de zon gelegen. Ga maar lekker een poosje liggen. Het is de laatste dag en morgen willen we er toch nog een keer maximaal van profiteren, of niet?'

Ze glimlachte naar hem. 'Helemaal. Willen de heren me verontschuldigen?' Ze ging de voorste kajuit in en deed de deur achter zich dicht.

Christopher keek Ecker aan. 'Hoe is het, Hans? Je bent zo stil!'

Hans haalde zijn schouders op en staarde voor zich uit. 'Rusteloos, niet in mijn humeur. Ik weet niet of dit zo'n goed idee was. Het lijkt wel of Veronica en ik maar moeilijk lang in een kleine ruimte samen kunnen zijn en dat voorspelt natuurlijk niet veel goeds voor de toekomst.'

'Dat komt wel goed.' Christopher lachte. 'Jullie hebben een groot huis en je kunt wel uitrekenen hoeveel uur je voor je nieuwe baan weg moet.

Het is afgelopen met de vijftigurige werkweek, makker!' Hij gaf Ecker een vriendschappelijk klapje op de schouder.

'Je zult wel gelijk hebben. Wat denk je, zullen we de touwen losgooien en nog even wegvaren? Het is daar misschien wat koeler. Er staat toch nergens geschreven dat we elke avond bij een eiland moeten aanleggen?'

Silfverbielke knikte. 'Ja hoor, waarom niet? We varen een stukje uit, gaan voor anker en drinken ons een stuk in de kraag. En ik heb ook nog een heleboel goeie coke!'

'*Let's go!*' Eckers gezicht klaarde op en hij startte de motor, terwijl Christopher het anker hees. De deur van de kajuit ging open en Veronica keek om de deur.

'Wat gebeurt er?' vroeg ze vermoeid.

'Rustig maar, liefje,' antwoordde Ecker, en hij gaf haar een kushandje. 'We gaan alleen maar even de zee op. Ga jij maar lekker naar bed en laat je maar in slaap wiegen!'

Een uurtje later zetten ze de motoren uit en gingen met de lantaarns aan voor anker. Silfverbielke legde een paar mooie lijntjes cocaïne uit die ze opsnoven en hij diende een paar volle glazen whisky op.

De Griekse nacht viel boven hen en het enige wat er te horen was, was het geklots van de zee tegen de romp van de boot.

Het uur van de waarheid, dacht Silfverbielke, en hij ging tegenover Ecker zitten.

Ze spraken uren over verleden, heden en toekomst.

Silfverbielke besefte dat Ecker volkomen uit zijn evenwicht was. Het leven was opeens op alle fronten veel te snel aan het ronddraaien.

Hij was bang.

Bang voor de uitdaging die zijn nieuwe baan vormde, bang dat de waarheid over zijn ontrouw in Duitsland en zijn chlamydia hem zou achterhalen. Dat de politie hem opeens zou kunnen opsporen en koppelen aan het incident in de oude stad. Bang dat het nieuwe leven met Veronica, kind en huis in Danderyd hem zou verstikken.

En hij was bang voor Christopher. Hij zei het niet met zoveel woorden, maar Silfverbielke voelde het aan.

Goed zo. Maar beter om alles nu ineens af te werken.

Hoe meer alcohol en cocaïne hij kreeg, hoe wanhopiger Ecker leek.

Christopher deed zijn best ongeveer half zoveel te drinken en matig te zijn met cocaïne. Intussen verloor Hans steeds meer de controle.

'Chris, verdomme, we moeten het fonds opheffen en alle sporen uitwissen, snap je dat niet? Als uitkomt wat we hebben uitgehaald –'

Christopher stak kalmerend een hand op. 'Wacht even. In de eerste plaats is die kans minimaal. In de tweede plaats hebben we nu – na het wegvallen van die arme Johannes – een zeer interessant kapitaal om mee te werken. Als we het fonds nu verdelen, gaan we allebei naar huis met ruim veertig miljoen. Ik heb absoluut niet de ambitie om het daarbij te laten. Ik ben uit op het écht grote geld, Hans!'

Ecker keek hem woedend aan. 'Dan neem je toch jouw aandeel, begin je een nieuw fonds en ga je door!'

Ik heb al een eigen fonds waar jij niets van weet. Maar dat is niet hetzelfde.

'Dat is niet hetzelfde, dat weet je best. Met een kapitaal van tegen de honderd miljoen kunnen we heel anders en op heel andere markten werken.'

Ecker schudde zijn hoofd.

'Dat kan me niet schelen. Ik neem mijn veertig-en-nog-wat en stap eruit, dan kun jij doen wat je wilt!'

'Het spijt me, Hans, dat was niet de afspraak.'

Hans begint de controle kwijt te raken. Hij kan elk moment een fout maken. Meer provoceren. Kijken hoe hij reageert.

'Hoe bedoel je? Welke verrekte afspraak?'

'Rustig, man, niet schreeuwen. We hebben afgesproken dat alle besluiten gezamenlijk genomen zouden worden en daarom hebben we ook het codesysteem ingevoerd, hè? Dat geen van ons zelfstandig zou kunnen opereren.'

Ecker ademde zwaar en leunde met zijn hoofd in zijn handen. De gedachten raasden door zijn door cocaïne benevelde brein.

De klootzak houdt zijn hand op mijn knip. Ik heb die poen nodig. Beter huis. Zekerheid. Veronica. Het kind. Het gaat een eeuwigheid duren om een eigen vermogen op te bouwen. Fuck. Alles staat nu op het spel. Moet achter zijn code komen. Kan maar op één manier...

Silfverbielke scherpte zijn zintuigen. Hij bekeek elke beweging van Ecker, luisterde goed naar elk woord dat hij zei en probeerde verborgen betekenissen te doorgronden.

'Ik... wil... mijn... geld... hebben!' De woorden kwamen er met horten en stoten uit.

Christopher schudde langzaam zijn hoofd. 'Dat kan helaas niet, Hans, nog niet. Misschien kun je een voorschotje krijgen. Vijf, tien miljoen. Of – laten we doen alsof jij de wedstrijd hebt gewonnen. Je kunt een voorschot van twintig krijgen. Maar geen öre meer.'

'Dat bepaal jij verdomme niet!'

'Zolang ik mijn code heb bepalen wij dat samen.'

Ecker keek hem aan zonder zijn agressie te verbergen. De anders zo felblauwe ogen leken nu donkerder.

'En dan nog iets...'

'Ja?'

'De Wahl.'

'Wat is er met hem?'

'Jíj hebt hem vermoord. Ik voel het, Chris!'

Silfverbielke glimlachte spottend. 'Ben je detective geworden? Soms kom je nooit achter de waarheid, Hans.'

'Ik heb het aldoor al geweten!'

'Jij weet niks. Kom terug naar de realiteit!'

'En Mariana...'

'Hè?'

'Mariana Granath. Je hebt het met haar gedaan!'

'Waar heb je het over?'

'Ik voel het. Je hebt het met haar gedaan. Waarom ben je anders zo plotseling gestopt bij haar?'

'Wat heeft dat hiermee te maken? Met ons, met het fonds? En al zóú ik het met haar hebben gedaan, wat gaat jou dat aan?'

Ecker sloeg zo woest met zijn vuist op tafel dat het glas een sprongetje maakte. 'Ze is van mij, snap je? Ík heb jou bij haar gebracht. Ik was net een paar weken op haar in aan het werken toen jij daar stopte, en van de ene dag op de andere was ze ijskoud, ongeïnteresseerd.'

'*Tough shit.*' Silfverbielke haalde zijn schouders op. Toen glimlachte hij. 'Maar ik kan je verzekeren dat ze goed is. Zuigt goddelijk.'

'Klootzak!' Eckers slapen klopten en Silfverbielke realiseerde zich dat een uitbarsting ophanden was. Hij keek snel om zich heen, draaide zich om en zag dat de deur van de voorste kajuit nog steeds dichtzat.

'Waar loer je naar? Veronica? Ik zie wel hoe je naar haar staart als ze in de zon ligt! Heb je het met haar ook gedaan, klootzak?'

502

Silfverbielke maakte een razendsnelle afweging. Hij had haar genoeg gegeven om tot de volgende ochtend lekker door te slapen en de kans dat ze wakker zou worden van hun harde stemmen was maar heel klein. En als ze dat toch deed, zou ze niet in staat zijn op te staan om uit te zoeken wat er aan de hand was.

Hij draaide zich weer naar Ecker die hem woedend aankeek en herhaalde fluisterend: 'Soms kom je nooit achter de waarheid.'

Vijftien jaar vriendschap loste in één tel op. Eckers aanval kwam iets sneller dan Christopher verwachtte, dus hij was er niet helemaal op voorbereid. Hij had verwacht dat Hans na al die alcohol en coke slomer zou zijn, onvaster.

Ecker stortte zich over de tafel en gaf Silfverbielke een zo harde slag met zijn rechtervuist dat die van zijn stoel viel, achterover rolde en met zijn hoofd tegen de paal sloeg waaraan de stuurstoel vastzat. Hij kreunde van de pijn en kreeg even een waas voor zijn ogen. Net toen Ecker zich over hem heen boog om hem nog een klap te geven, slaagde hij erin weg te rollen.

Hans' vuist raakte met volle kracht de vloer van de boot. Hij slaakte een kreet en wankelde. Silfverbielke krabbelde op en gaf Ecker een korte karateslag in zijn nek, maar hij voelde dat hij hem niet zuiver raakte. Hij wilde Ecker juist een schop in de maag geven toen diens rechterhand hem met een uppercut in zijn gezicht raakte.

Weer pijn, weer een waas.

De ruzie leek Eckers brein op een onrustbarende manier te hebben opgefrist. Christopher wist dat Hans vroeger lid was geweest van vechtclubs in allerlei kelders in Stockholm en hij was het blijkbaar nog niet verleerd. Hoe gedrogeerd hij ook was, hij hervond zijn evenwicht en deelde nog een klap uit.

Niet best. Mag de controle niet kwijtraken. Alles op één kaart nu. Aanvallen!

Silfverbielke deelde een paar rake klappen uit en kreeg er ook een paar. Ecker wankelde met een bloedneus achteruit naar de reling. Christopher wilde zich net met een nieuwe serie slagen op hem werpen toen Hans een poederbrandblusser van de muur rukte. Brullend stortte hij zich naar voren en hij slingerde de zware cilinder naar Christophers hoofd.

De pijn was ondraaglijk en Christopher schreeuwde het uit. Hij voelde het bloed over zijn voorhoofd gutsen en sloeg instinctief zijn handen voor zijn gezicht terwijl hij achteruit wankelde, naar de reling.

Het volgende moment ramde Ecker als een waanzinnige met zijn vuisten op hem in. Op zijn buik, zijn borst, zijn hals en zijn gezicht.

Een rechtse directe. Een linkse, en de pijn in Christophers hoofd explodeerde en alles werd nog waziger. Door de derde vuistslag op zijn kin tuimelde hij achterover.

Hij viel een eeuwigheid. Toen hij het water raakte, voelde dat aangenaam verkoelend.

Na een paar tellen kwam hij weer boven, terwijl het bloed in zijn ogen stroomde, en plotseling hoorde hij vlak naast zijn hoofd krachtige motoren starten.

Ecker wilde hem overvaren!

Toen werd alles zwart.

65

Maandag 13 augustus

Veronica Svahnberg werd wakker met het gevoel dat er iets mis was.

Ze keek om zich heen. Hans lag niet naast haar. Afgezien van het geluid van de golven tegen de boeg was alles stil. Ze keek op haar horloge. Halftien.

Veronica stond op, trok haar bikini aan en deed de deur van de kajuit open. Het schouwspel dat haar daar wachtte, deed haar de hand voor haar mond slaan en naar adem happen.

De zon scheen onbarmhartig, waardoor alle details scherper uitkwamen. En erger.

Hans lag min of meer op een van de witte banken achter de bestuurdersplaats. Het tafeltje bij de banken lag vol witte poederlijntjes, omgegooide drankflessen, kleine plasjes gekleurde vloeistof en sigarettenpeuken. De vloer onder de tafel en eromheen zat vol bloedspatten en scherven van gebroken glazen.

Ze dacht dat hij niet bewoog. Dat hij niet ademde. Toen ze voorzichtig dichterbij kwam, zag ze dat er bloed om zijn mond en bij een van zijn wenkbrauwen zat. Zijn lippen en zijn ene wang waren gezwollen en al een beetje blauw.

Hij is dood!

Voorzichtig, om niet in de glasscherven te trappen, liep ze naar hem toe.

Waar was Christopher?

Veronica keek langs Hans naar de achterroef. Leeg. Ze kwam bij Hans, pakte hem bij zijn schouders en schudde hem door elkaar.

'Hans, word wakker! Je moet wakker worden!'

Langzaam opende hij zijn ogen, maar hij deed ze meteen met een kreun weer dicht toen hij in het scherpe zonlicht keek. 'Laat me...' steunde hij.

'Geen denken aan! Wat is er gebeurd?'

Hans kwam onwillig overeind en wankelde weg om zich te wassen, terwijl zij sterke koffie zette en de glassplinters in het ruim opveegde. Hij kwam terug en ging moeizaam aan tafel zitten, tegenover haar, met een wit gezicht.

Hij is echt een wrak, dacht ze.

'Waar is Christopher?' Veronica keek om zich heen. Ze herinnerde zich dat de jongens de vorige avond toen zij naar bed ging de boot hadden gestart en dat ze hadden gezegd dat ze een stukje gingen varen. Nu zag ze dat de boot op een meter of honderd voor een klein eilandje voor anker lag.

'Is hij aan land gezwommen om de *Dagens Industri* te kopen?' vroeg ze ironisch.

Veronica was kwaad en bang tegelijk. Er was iets helemaal mis. Hans had een flink pak slaag gehad, Chris was verdwenen. Ze had geen idee wat er was gebeurd en wanneer of waarom het was gebeurd.

Veronica Svahnberg had er een hekel aan om de controle kwijt te zijn.

'*Geef antwoord*, verdomme, Hans!' schreeuwde ze, en ze sloeg met haar vuist op tafel dat de koffiekopjes ervan trilden.

'Ja, ja, rustig nou maar, verdomme.' Ecker streek vermoeid een hand over zijn gezicht. 'Ik weet niet goed waar ik moet beginnen...'

Hij deed zijn best om zijn hersens op gang te krijgen. Hoe moest hij het brengen zodat ze hem geloofde? Er stond nog steeds te veel op het spel.

Ecker was ervan overtuigd dat Silfverbielke dood was. Na de geweldige klap met de brandblusser en de klappen daarna was hij bloedend achterovergevallen en Hans had alleen nog het wit van zijn ogen gezien. Ecker had over de reling geleund, de brandblusser boven op Christopher gegooid en hem toen niet meer boven zien komen. Toen hij de boot had gestart en het zoeklicht had aangedaan, had hij uiteindelijk de contouren van de levenloze Christopher gezien en toen was hij recht op hem af en over hem heen gevaren. Hij had een dreun gehoord toen het lichaam tegen de romp van de boot sloeg, was omgedraaid en had de manoeuvre twee keer herhaald.

Een brandblusser van drie kilo tegen je hoofd, een paar klappen op je bek en drie keer overvaren worden door een boot – dat kon niemand overleven, zeker niet als je vol zat met drank en cocaïne.

In de warme, inktzwarte nacht had Ecker de motor uitgezet en ruim een halfuur stil gelegen met de boot, terwijl hij de omgeving langzaam en methodisch afzocht met het sterke zoeklicht.

Niets.

Hij had zich afgevraagd hoelang het duurde voordat een dood lichaam boven kwam drijven.

Toen had hij de motoren gestart en de schijnwerper nog een laatste keer laten rondgaan. Vervolgens had hij bijna vijfenveertig minuten op hoge snelheid gevaren tot hij de omtrekken van een eiland zag en voor anker ging. Hij had er geen idee van hoe laat het toen was. Uitgeput viel hij op de witte bank achter de bestuurdersplaats, terwijl de gedachten door zijn hoofd joegen totdat de vermoeidheid en het gif in zijn lichaam hem het donker in trokken.

Veronica's gebiedende blik stelde hem niet gerust. Haar handen trilden en ze zou niet opgeven voordat hij haar een geloofwaardige verklaring had gegeven.

Met bonzend hoofd probeerde hij snel te denken.

De aanval is de beste verdediging.

Hij boog naar haar toe en keek haar recht in de ogen. 'Veronica, ben jij vreemdgegaan met Christopher?'

De woorden troffen haar als een klap in haar gezicht en ze deinsde onbewust achteruit. *Wat was dit? Had Christopher iets gezegd? Onmogelijk.*

'Wat is dat voor lulkoek? Ben je niet goed snik?' schreeuwde ze, en haar ogen werden zwart. 'Hou op met dat gezwets en vertel wat er is gebeurd! En wáár is Christopher?'

Ecker stak zijn handen afwerend op. 'Oké, oké, ik zal het proberen uit te leggen, maar je zult het niet geloven!' Hij haalde trillend zijn handen door zijn haar en vervolgde: 'We gingen een stukje hiervandaan voor anker en namen een paar borrels. We zaten in alle rust te praten, en toen –'

'Hebben jullie gesnoven?' onderbrak Veronica hem.

'Allebei een lijntje misschien, niet veel. Hoe dan ook, opeens werd Chris helemaal gek. Hij begon te schreeuwen en te gillen dat hij van je hield, dat jullie een relatie hadden en dat hij je nooit wilde opgeven. Ik begreep er niets van en toen ik hem wilde kalmeren, kwam hij over de tafel heen en begon me als een gek...'

Veronica sloeg verschrikt haar hand voor haar mond. *Was het dan toch zo? Waren Christophers gevoelens voor haar veel sterker geweest dan hij haar wilde laten zien? Had hij al die tijd van haar gehouden?*

'...te slaan!' maakte Hans zijn zin af. 'Ik probeerde me zo goed mogelijk te verdedigen, maar hij was helemaal buiten zinnen. Hij sloeg een glas op mijn hoofd stuk, je ziet hoe mijn gezicht eruitziet. Ik heb nog nooit zo veel klappen gehad! Maar uiteindelijk wist ik overeind te komen en me te verweren. Ik gaf hem een por in zijn borst om hem van me af te duwen...'

O god, hij is dood! Veronica voelde tranen opwellen in haar ogen. *Hij hield van me en hij is dood!*

Wat Hans zei verdween in een mist en een tijdje ving ze alleen brokstukken op, totdat ze weer helder werd.

'...was hij waarschijnlijk zo dronken dat hij zijn evenwicht verloor, want opeens wankelde hij achteruit naar de reling en viel overboord. Ik boog eroverheen om hem op te trekken, maar ik zag hem nergens. Uiteindelijk ben ik in het water gesprongen om hem te zoeken. Ik heb zeker een halfuur gezwommen en gedoken, maar toen kon ik niet meer. De stroming begon me naar beneden te trekken!'

Ecker balde zijn vuisten zo hard dat zijn knokkels wit wegtrokken.

'Hij is weg, schat. Ik weet niet wat ik moet zeggen. Verdomme, hij was mijn beste vriend!'

Veronica stond op, liep om de tafel heen en omhelsde hem stevig. Ze kusten elkaar, eerst zacht en troostend, daarna wilder, alsof hun vurig-heid het kwaad kon verdrijven.

Plotseling trok ze haar mond van de zijne, en zei hijgend:

'Maar... We moeten doorgaan met zoeken! Dat snap je toch wel? We moeten terugvaren en naar hem zoeken!'

Hans wierp een snelle blik op zijn horloge. Tien uur. De boot moest uiterlijk om zes uur die avond worden teruggebracht. Ze hadden alle tijd. Hij kon best even de schijn ophouden.

'Je hebt gelijk,' zei hij, en hij stond op en liep naar de bestuurdersplaats. 'Ik heb de plek op de zeekaart gemarkeerd, dus ik kan er tot op vijftig meter nauwkeurig naar teruggaan.'

Hij startte de motoren en voer naar achteren om het anker te lichten.

Ze weet geen reet van navigatie, dus dat van die zeekaart gelooft ze wel.

Een halfuur later, op open zee, deed hij alsof hij de zeekaart raad-pleegde en zette er nieuwe strepen op met zijn pen. Hij minderde vaart en zette de motoren ten slotte uit.

Veronica zat op de bank en staarde over de zee met haar hand boven haar ogen als bescherming tegen de scherpe zon.

'Hier in de buurt is hij verdwenen...' Hans maakte een weids gebaar met zijn arm.

Op hetzelfde moment zag hij opeens iets donkers, iets wat op een li-chaam leek, aan de oppervlakte verschijnen.

Verdomme, dat bestond niet! Christopher kon niet meer in leven zijn!

Om vijf uur 's middags minderde Ecker vaart en liet hij de boot de haven van Chania binnen glijden.

Terwijl hij verbeten terugvoer naar Kreta dacht hij aan het moment waarop zijn hart bijna stilstond voordat hij begreep dat het een boom-stam was die daar in het water dreef en niet Christopher.

Veronica had na uren huilen hun eigendommen en die van Christo-pher ingepakt, en alle afval in zakken gedaan. Ze hadden lang met elkaar gepraat en daarna had ze alle bloedsporen van de reling en de vloer ge-schrobd.

'Hans, wat moeten we dóén?' Veronica's stem klonk haast hyste-risch.

Ecker schudde somber zijn hoofd. 'We kunnen niets meer doen voor-dat we aan land zijn. Ik heb de hele nacht de reddingmaatschappij geprobeerd te bellen...' zei hij, terwijl hij met zijn mobiel zwaaide. 'Maar ik had geen bereik en nu is de batterij leeg. Het enige wat we kunnen doen is in Chania naar de politie gaan en zeggen wat er is gebeurd. Maar we moeten ons ertoe beperken dat hij dronken was en overboord viel. Het is misschien nog het beste om te zeggen dat we sliepen toen dat gebeurde.'

Ze staarde hem aan en ademde zwaar. 'Waarom zouden we liegen? Ik dacht dat je me de waarheid had verteld? Ging het dan niet zoals je zei?'

Ecker sloeg zijn armen stevig om haar heen en kuste haar hoofd. 'Veronica, ik hou van jou meer dan van wie of wat ook!' Hij streelde haar teder over haar buik. 'We krijgen binnenkort een kind, we hebben ons droomhuis en straks heb ik een topbaan. We krijgen een leven waar we een paar jaar geleden nog niet van durfden te dromen. Moeten we dat allemaal op het spel zetten voor Christopher, omdat hij opeens helemaal gek werd?'

'Hoe bedoel je?' Haar stem was nu zachter. Ze keek naar hem omhoog.

'Als we vertellen dat we ruzie hadden, vinden ze het misschien verdacht, denken ze dat er iets achter zit. Maar als we zeggen dat we naar bed zijn gegaan en dat hij in zijn eentje is blijven zitten en zich lam heeft gezopen haalt de Griekse politie waarschijnlijk alleen maar de schouders op. Christopher is hoe dan ook weg. We krijgen hem niet terug door te zeggen wat er echt is gebeurd. Maar we kunnen een hoop ellende over ons afroepen als we de waarheid vertellen. Misschien houden ze ons wel vast op Kreta terwijl ze de zaak onderzoeken...'

Ze dacht even zwijgend na en schudde toen haar hoofd.

Er welden opnieuw tranen op in haar ogen. 'Ik zal hem zo missen...' Ze snikte en verborg haar gezicht tegen Hans' borst. 'Hij was zo leuk en zo lief!'

Hij kuste haar hoofd weer en staarde over de zee in de verte. *Leuk en lief? Als je eens wist. Ik heb de wereld een dienst bewezen. En ik ben binnenkort tachtig miljoen kronen rijker.*

Bootverhuurder Niko Kanakis vroeg niet hoe het kwam dat de bemanning een kop kleiner was geworden; hij inspecteerde de boot zorgvuldig om te kijken of alles er goed uitzag. Hans zei dat ze bijzonder tevreden waren en vast nog wel eens terug zouden komen, misschien al over een paar weken.

Toen Kanakis vroeg waar de brandblusser was gebleven, haalde Ecker met een vaag verontschuldigend gebaar zijn schouders op. Hij gaf Niko driehonderd euro fooi en vroeg hem een taxi te bellen.

Ze aten snel in een restaurant en gingen toen naar het hotel en naar hun kamer.

'Ik heb het helemaal gehad: ik kan niet meer helder denken,' zei Veronica met tranen in haar stem. 'Wat moeten we met Christophers spullen doen?'

Hans aarzelde, tilde Christophers tas op en gooide de inhoud op het bed. Alleen maar kleren, een paar boeken en zijn portefeuille.

Geen gekke dingen. Ik heb de rest van de coke over de reling gegooid.

'Zijn pas en zo ligt waarschijnlijk in de kluis van het hotel. Daar moet de politie maar voor zorgen. We overhandigen hun de tas als we vertellen wat er is gebeurd.'

'Wanneer moeten we naar de politie gaan?'

'We wachten tot overmorgen. Morgen gaan we naar een apotheek en kijken of we iets kunnen krijgen om mijn wonden en zwellingen een beetje te genezen. Het zou er een beetje raar uitzien als ik zo een politiebureau binnen kwam.'

Veronica knikte en begon zich uit te kleden. 'Ik ga even douchen en dan ga ik naar bed.'

Hans bekeek haar stiekem. Hij zag dat ze haar gezwollen borsten ontblootte, hij zag haar mooie ronde buik. Hij bedacht dat het al lang geleden was sinds ze seks hadden gehad.

De begeerte groeide in hem en toen ze in de badkamer was en de douche had aangezet, kleedde hij zich snel uit en liep haar achterna. Onder het stromende water probeerde hij haar liefdevol in te zepen en hij merkte dat hij stijf werd tegen haar billen.

'Nee,' protesteerde ze. 'Niet nu. Dat snap je toch wel? Ik kan het nu niet!'

Ze spoelde zich gauw af, ging de douche uit en begon haar tanden te poetsen.

Ecker vloekte bij zichzelf en draaide de koude kraan verder open om af te koelen. Hij deed zijn ogen dicht, leunde tegen de muur en dacht nog eens goed na over wat er was gebeurd en wat hij moest doen.

Hij zag geen problemen.

Hij ging de douche uit, droogde zich af en poetste zijn tanden. Daarna sloop hij naakt de airconditioned, donkere slaapkamer in, vastbesloten om Veronica op andere gedachten te brengen.

Maar ze sliep al.

66

Veronica had een dun, fleurig zomerjurkje aan en Ecker was keurig gekleed in linnen broek, poloshirt en mocassins. De zwellingen waren aanzienlijk geslonken en de andere verwondingen hadden ze met behulp van Veronica's handigheid met make-up weg weten te werken.

De agenten op het politiebureau van Chania waren professioneel beleefd, maar Ecker had het gevoel dat ze niet bovenmatig geïnteresseerd waren. Ziekenhuizen? Niet erg waarschijnlijk. Als er een gewonde of dode man in zee was gevonden, had de politie dat wel geweten, zeiden ze.

Ecker haalde opgelucht adem. Hij vertelde dat ze een kopie van het proces-verbaal nodig hadden, liefst in het Engels, om mee terug te nemen naar Zweden.

De Griekse politieman keek hem vermoeid aan, wisselde snel een paar woorden in het Grieks met een collega en zei toen: 'Mr. Ecker, we zullen een document opstellen, maar dat wordt heel kort. Als uw vriend hier opduikt, levend of dood, zullen we natuurlijk de Zweedse autoriteiten hier daarvan in kennis stellen.'

De politieman keek hem opeens onderzoekend aan. 'Hebt u haast om naar huis te gaan of blijft u nog een poosje op Kreta?'

De alarmbellen in Eckers hoofd rinkelden. *Waar wilde hij heen? Vraagt hij zich af of we vluchten? Of we haast hebben?*

Hij keek de agent ernstig aan en schudde zijn hoofd. 'Nee, het zou niet goed voelen als we nu naar huis gingen, terwijl er nog hoop is. We blijven nog een paar dagen en doen dan navraag in de ziekenhuizen, gewoon voor de zekerheid.'

Ecker voelde dat Veronica hem verbaasd aankeek en raakte haar even met zijn elleboog aan.

De agent vroeg hun over twee dagen weer naar het bureau te komen om de verklaring op te halen. Hij wenste hun een prettige middag.

'Wat was dat nou?' vroeg Veronica toen ze weer buiten in de zon kwamen.

Hans pakte haar bij de hand, liep snel naar het eerste het beste terras en bestelde een biertje voor Veronica en een dubbele whisky voor zichzelf.

'Begrijp je dat niet? Hij testte ons. Wilde zien of we nerveus waren, of haast hadden om thuis te komen. En we hebben hier toch niets te klagen? Ik dacht dat we maandag terug zouden kunnen vliegen. Het maakt een betere indruk als we hier nog een paar dagen blijven om naar hem te z–'

Hans hield in toen hij hoorde hoe berekenend hij klonk, maar het was al te laat.

'Wat ben jij een rotzak, Hans!' Ze spuugde de woorden uit. 'Verdomme! Je beste vriend is weg, misschien wel dood, en het enige waar jij je druk om maakt is wat de mensen thuis er wel niet van zullen denken!'

'Maar lieverd, zo bedoelde ik het helemaal niet!'

Ecker vloekte inwendig. Het kostte hem drie uur in Chania en een heleboel dure cadeautjes om Veronica in een beter humeur te krijgen.

Toen hij later naast haar onder de lakens lag en naar haar rustige ademhaling luisterde, duurde het uren voordat hij zelf in slaap viel.

Hij kon zich nu geen fouten meer veroorloven.

67

'Ben je klaar, schat?'

Jacob Colt, die bij het raam afwezig naar buiten stond te staren, schrok op uit zijn gedachten. Melissa glimlachte hem toe vanuit de deuropening.

'We zouden toch een wandelingetje maken?' Ze fronste haar voorhoofd. 'Jacob, wat is er toch met je? Je bent zo stil en in jezelf gekeerd. Ik dacht dat je een beetje zou kunnen ontspannen als we hier waren. Gisteravond toen je naar bed was gegaan vroeg mijn moeder zelfs of je ziek was of zo.' Ze zuchtte. 'Vader en moeder merken allebei dat je anders bent dan anders.'

Jacob liep naar Melissa toe en sloeg zijn armen om haar heen. 'Sorry, schat, maar ik kan dat gedoe met Sven Bergman in Gamla Stan maar niet uit mijn hoofd zetten. Het laat me niet los en 's nachts droom ik zelfs van die ellende.'

'Maar je moet je werk toch in elk geval als we vrij hebben loslaten, Jacob. Het mag ons privéleven niet bederven. Ik wil geen verbitterde en introverte rechercheur als man hebben!'

Hij schrok van de hatelijkheid die hij in haar stem hoorde. Het was niet Melissa's gewoonte om uit te varen, maar hij begreep dat zij het de afgelopen maanden ook niet gemakkelijk had gehad. Hij was zich ervan bewust dat hij een stuk stiller en afweziger was geweest dan anders, misschien wel dan in zijn hele carrière bij de politie.

Jacob probeerde te glimlachen. 'Ik zal mijn best doen, schat. Kom, dan gaan we.'

Ze waren drie dagen daarvoor in Georgia geland. In het vliegtuig had Jacob zijn boeken erbij gepakt om zijn kennis over Savannah op te frissen. Hij vreesde dat Melissa's vader, Joshua, hem gewoontegetrouw over de geschiedenis van de stad zou overhoren. Jacob vond dat een leuk spelletje maar het was zaak er goed op voorbereid te zijn.

Savannah was een van de mooiste steden die Jacob in de Verenigde Staten ooit had gezien. Toen Melissa en hij elkaar voor het eerst hadden ontmoet, was hij er een keer of zeven, acht geweest en hij hoopte dat ze er vaker zouden komen en dat ze ook ooit de kans zouden krijgen er helemaal alleen te zijn, zonder verplicht sociaal contact.

Savannah heette de eerste geplande stad van Noord-Amerika te zijn en die planning hield in dat de straten en de vierentwintig parken in het oudste deel van de stad in een zorgvuldig ruitpatroon waren aangelegd. Dat was allemaal te danken aan James Edward Oglethorpe.

Oglethorpe, een Britse wetgever, legerofficier en gouverneur die al op zesentwintigjarige leeftijd in het parlement was gekozen, was een groot humanist. Hij zette zich in voor hervorming van het gevangeniswezen en zocht naar oplossingen voor de werkloosheid in Engeland.

Samen met parlementslid John Perceval stelde Oglethorpe voor dat Britten die werkloos waren of schulden hadden, werden overgebracht naar een geheel nieuwe kolonie in Amerika, tussen het Spaanse Florida en het Engelse South Carolina. Op 21 april 1732 gaf koning George II toestemming voor de uitvoering van het plan.

Maar dat deed hij bepaald niet onvoorwaardelijk. De werklozen en schuldenaars die naar de nieuwe kolonie werden gebracht moesten onder meer zijde en wijn produceren, die naar Engeland moesten worden vervoerd. De kolonie moest bovendien als bufferzone fungeren tussen de Spanjaarden in Florida en de Engelsen in South Carolina. Ten slotte, maar daarom niet minder belangrijk, moest de nieuwe kolonie Georgia genoemd worden ter ere van koning George II.

Samen met honderdveertien kolonisten van vijfendertig families zeilde James Edward Oglethorpe op 17 november 1732 op het schip de *Anne* vanuit Gravesend in Engeland naar South Carolina. Daarvandaan zetten ze de reis in kleinere schepen langs de kust voort, totdat ze op 1 februari 1733 aankwamen in wat nu Savannah heet.

Al bij het overstappen had Oglethorpe de andere kolonisten achtergelaten om vóór hen aan te komen en een geschikte plek uit te zoeken. Op zijn tocht over de Savannah River legde hij aan bij een steile landtong, Yamacraw Bluff. De oever lag hier twaalf meter boven de rivier en Oglethorpe begreep dat deze plek uitstekend geschikt was om een stad te bouwen.

Oglethorpe en zijn kolonisten kwamen algauw indianen tegen: de laatst overgebleven honderd leden van de Yamacraw-stam, geleid door de tachtigjarige hoofdman Tomo-chi-chi. De Yamacraw, die acht jaar daarvoor uit de binnenlanden van Georgia naar de kust waren gekomen, waren vriendelijk en hielpen de kolonisten met voedsel, water en andere benodigdheden en vochten mee tegen de Spanjaarden in Florida. Zonder de indianen, stelde Oglethorpe later vast, had hij Savannah nooit kunnen stichten.

Melissa Colt was geboren en getogen in het deftige huis van haar ouders aan 26 East Gaston Street, waar die de Drayton Street kruist. De begane grond bevatte een grote hal, keuken, eetkamer, twee schitterende salons en een grote logeerkamer. De bovenverdieping telde vijf royale slaap- en logeerkamers en diverse badkamers. In een aangrenzend gebouw in de ruim bemeten tuin bevonden zich een bijkeuken met een washok en een voorraadkamer. Jacob had zijn schoonvader nooit durven vragen hoeveel het huis, dat was gebouwd tussen 1907 en 1910, had gekost toen Joshua het vele jaren geleden kocht, maar hij dacht dat het nu miljoenen dollars waard was.

Melissa's ouders waren natuurlijk dolblij dat hun dochter en haar man twee hele weken zouden blijven, maar ze vonden het toch ook jammer dat Stephen en Elin er niet bij waren. Toen Joshua en Margaret Colt vragen begonnen te stellen – vooral over Stephen – antwoordden Melissa en Jacob ontwijkend, terwijl ze snelle blikken met elkaar uitwisselden.

Jacob kon het goed vinden met zijn schoonouders, maar hij vond het toch fijn dat die bijna elke ochtend naar de juwelierswinkel gingen die ze bezaten aan West Congress Street, in het oudste deel van de stad.

'Wat een heerlijk weer. Ik zag op de weersverwachting dat het nu in grote delen van Europa stortregent. We zijn blijkbaar precies op het goede moment weggegaan!'

Melissa legde haar hand in de zijne toen ze het huis uit gingen en ze liepen door Forsyth Park naar Bull Street, sloegen rechts af en wandelden naar het noorden van het historische district van de stad en naar de Savannah River.

Jacob glimlachte naar haar. 'Ja, het is hier bijna té warm.' Hij voelde het zweet al snel door zijn poriën dringen. 'Ik keek net op de thermometer en die gaf 114 Fahrenheit aan – dat is verdorie boven de veertig graden! Zullen we net als gisteren ergens heen gaan waar ze goede airconditioning hebben en daar lunchen?'

'Dat is het beste idee dat je vandaag hebt geopperd!' zei Melissa. 'Ik heb zin in *good, old Georgian food*. Belford's in de City Market aan West St. Julian is altijd geweldig.'

Ze liepen hand in hand verder. Jacob voelde een steek in zijn arm, sloeg automatisch met zijn vlakke hand op zijn huid en begon zich vervolgens te krabben.

'Foei, niet doen!' Melissa lachte. 'Was je Savannahs beroemde *sand gnats* vergeten?'

Jacob knikte. Het was lang geleden sinds hij voor het laatst was gebeten door de muggen die zo typerend waren voor Savannah en zelfs het symbool van de plaatselijke honkbalploeg waren. De een millimeter grote, bloedzuigende vrouwtjesmuggen lieten je niet met rust, maar daar stond tegenover dat de jeuk binnen een uur ophield als je niet aan de beet kwam. Doorgewinterde inwoners van Savannah wisten allang dat een lange broek en een shirt met lange mouwen de enige verstandige bescherming tegen de muggen waren, maar bij eenenveertig graden hitte en een hoge luchtvochtigheid was dat ook geen lekker idee.

Terwijl de muggen bleven bijten en het zweet stroomde, wandelden Jacob en Melissa verder over Bull Street, over Monterey Square en Madison Square totdat ze in het mooie park kwamen dat de naam Chippewa Square droeg en waar het standbeeld van James Edward Oglethorpe stond.

'Waarom staat het standbeeld van Oglethorpe op Chippewa Square en niet op Oglethorpe Square?' vroeg Jacob toen ze voor het beeld stilhielden. 'Wat is de logica daarvan?'

Melissa streelde zijn hand. 'Geschiedenis is niet altijd logisch, hè? Ik heb eigenlijk geen idee, schat, ik weet alleen dat dit park in het begin van de negentiende eeuw is aangelegd en dat het zijn naam heeft gekregen na een veldslag tussen de Amerikanen en de Britten in Chippewa in Canada.'

Jacob knikte en bekeek het standbeeld van Oglethorpe nadenkend, terwijl het zweet hem over de wangen liep. 'De wereld heeft behoefte aan meer mensen zoals hij, hè?'

'Nou en of. Je weet toch dat een van zijn eerste daden het verbieden van slavernij was?'

'Yep. Als ik het me goed herinner was hij de eerste tien jaar bij de ontwikkeling van Savannah betrokken, totdat alles zo'n beetje functioneerde.'

'Inderdaad. Bovendien wisten hij en zijn mannen te voorkomen dat de Spanjaarden Savannah binnen vielen, terwijl ze toch in de minderheid waren. Die slag vond zo'n honderd kilometer verder naar het zuiden plaats en nadat de Spanjaarden door Oglethorpe waren verslagen, hebben ze het nooit meer geprobeerd, maar ondertekenden ze in 1748 een vredesverdrag.'

'En,' zei Jacob, 'James Edward Oglethorpe verliet Savannah in juli 1743 en kwam er nooit meer terug!'

Melissa gaf hem een kusje op zijn wang. 'Je hebt je huiswerk goed gedaan, schat. Papa zal trots op je zijn!'

Jacob veegde het zweet van zijn voorhoofd. 'Kom, anders komen we nooit in het centrum – als ik niet gauw iets te drinken krijg, ga ik dood!'

Met een zucht van verlichting stapten ze de koelte van Belford's in en even later zaten ze het menu te bestuderen onder het genot van een ijskoude Budweiser. Als we dan toch in Amerika zijn, dacht Jacob. Al was hij de eerste om toe te geven dat Amerikaans bier niet zijn lievelingsbier was.

Melissa nam een Angus Cheese Burger met salade, verse vruchten en rode Savannah-rijst, terwijl Jacob zijn favoriete gerecht bestelde: de grote, smakelijke *crab cake* waarmee het restaurant een prijs had gewonnen. Ze dronken nog meer koud bier bij het eten.

'Hoe moeten we het nou aanpakken, Jacob? Ik vind het zo lastig.'

Jacob nam een slok bier. 'Wat aanpakken?'

'Dat met papa en mama en Stephen. Ze vragen zo vaak wat hij doet en of hij nog geen vriendinnetje heeft. Ik vind het lastig dat ik er de hele tijd bij na moet denken. Het is alsof ik lieg tegen mijn eigen ouders.'

Jacob dacht even na. 'Maar wat zou er dan gebeuren als je het gewoon vertelt?'

Melissa schudde haar hoofd. 'Je denkt toch niet dat ik daar niet al een miljoen keer over heb nagedacht? Ik weet het gewoon niet. Ze houden van Stephen, maar je weet ook hoe conservatief ze zijn.'

'Maar mijn hemel, we leven toch in de eenentwintigste eeuw!' onderbrak Jacob haar. '*What's the big deal?* Die jongen is *gay* en hij heeft alle recht van de wereld om dat te zijn. Als ze het niks vinden, dan doen ze dat maar niet!'

'Zo simpel is het niet. En je hoeft niet kwaad te worden. Je mag best een beetje begrip tonen.'

'Dat is moeilijk, hoor. Jouw óúders konden beter een beetje begrip tonen. We hebben het per slot van rekening over onze eigen zoon. Hij heeft geen drugs verkocht, niemand vermoord en niks onwettigs gedaan. Hij is homo en dat is niet omdat hij het leuk vindt om te provoceren. Allemachtig, Melissa, je seksualiteit bepaal je niet zelf.'

'Dat weet ik wel. Maar toch...'

'Wat nou "maar toch"? Melissa, ik wil niet dat wij woorden krijgen omdat jouw ouders zo bekrompen zijn en –'

'Ze zíjn niet bekrompen!'

'Dat zijn ze wél, als hun houding tegenover een kleinkind verandert, alleen maar omdat hij een andere geaardheid heeft dan zijzelf.'

'Je moet het begrijpen: ze zijn geboren in de jaren twintig en opgegroeid onder heel andere omstandigheden dan wij.'

'Dat geldt ook voor mijn vader en die heeft er geen moeite mee dat Stephen homo is.'

'Dat is iets anders. En ik hou niet van dat woord!'

'Dat is helemaal niks anders en wat is er mis met "homo"? Laten we erover ophouden voordat we echt ruzie krijgen. Ik vind: we zeggen voorlopig niks, maar denken er nog een paar dagen over na. Als we besluiten het te vertellen, wil ik het wel doen, als jij het vervelend vindt. Oké?'

Ze dacht na en knikte. 'Dat klinkt goed.' Toen glimlachte ze naar hem en stak hem over de tafel haar hand toe. *'I love you, honey.'*

'Love you, too!' Hij pakte haar hand en streelde die. 'Wat wil je doen als we het eten ophebben?'

'Ik wil wel naar de rivier om te kijken of we daar een of ander nutteloos souvenir kunnen kopen.'

Een uurtje later wandelden ze over Montgomery Street naar Savannah River, toen Jacob plotseling bleef staan.

Aan een gevel hing een affiche met de foto van een man erop. In een tekst onder de foto werd uitgelegd dat Robert McGuinley een Republikeinse kandidaat was bij de komende gemeenteraadsverkiezingen en dat hij bijzonder blij zou zijn als zijn stadgenoten zo vriendelijk wilden zijn hem hun stem te geven. McGuinley had *Truth and God* als verkiezingsleus gekozen.

Maar Jacob schrok niet van de tekst, maar van de foto. Hij wist dat hij die man eerder had gezien.

'Waar kijk je naar, schat? Naar McGuinley?' Melissa lachte. 'Papa vertelde dat die man zich al ik weet niet hoe vaak kandidaat heeft gesteld maar dat niemand hem wil hebben. Hij is blijkbaar een schertsfiguur en zo glad als een aal.'

Jacob vertelde wat hij voelde.

'Ach,' zei Melissa, 'je weet toch hoe het is? Er schijnen dubbelgangers te zijn van heel veel mensen. Hij doet je waarschijnlijk gewoon aan iemand denken.'

Haar woorden gleden van hem af terwijl Jacob het affiche aandachtig bekeek. McGuinley had een resolute gezichtsuitdrukking, donker haar en blauwe ogen.

'Ecker! Hij lijkt op die Hans Ecker, een van die kerels die we hebben gehoord in verband met de moord op De Wahl!'

Melissa zuchtte en schudde haar hoofd. 'Hou toch eens op, Jacob!'

Colt leek niet te horen wat ze zei. 'Ik zou wel zo'n affiche willen hebben.'

'Dan ga je toch naar binnen en vraag je er een, als dat zo belangrijk is?' Melissa sloeg haar ogen ten hemel. 'McGuinleys campagnekantoor is dáár!'

's Avonds bood Joshua Colt zijn vrouw, dochter en schoonzoon een etentje aan in misschien wel het beste en bekendste restaurant van Savannah: The Lady & Sons aan West Congress Street.

Jacob was er nog nooit geweest en was verbaasd over wat hij er zag. Ondanks de vochtige hitte stonden er honderden mensen in de rij op de stoep voor het drie verdiepingen hoge gebouw dat waarschijnlijk vroeger ooit een fabriek of een pakhuis was geweest. Joshua Colt ging hun voor, wisselde een paar woorden met de ober bij de deur en ze werden meteen binnengelaten. Een paar minuten later zaten ze aan een gezellig tafeltje op de derde verdieping en bestudeerden de kaart.

'Wat is dit? Savannah's Café Opera of zo?' Jacob keek zijn schoonvader glimlachend aan.

'Noem het maar gewoon "succes", Jacob. Het restaurant is gestart door een arme, alleenstaande vrouw – Paula Deen – en haar twee zonen. Lange tijd voorzagen ze in hun levensonderhoud door huis aan huis bij bemiddelde mensen aan te bellen en Paula's zelfgemaakte eten te verkopen. Paula Deens eten werd al snel beroemd en ik weet niet hoe ze het kapitaal bij elkaar kreeg, maar uiteindelijk kon ze een klein restaurantje beginnen in een hotel hier in de stad. Nu zit je in een gebouw dat ooit een enorme ijzerwarenhandel was en dat Paula Deen voor meer dan vier miljoen dollar heeft gerenoveerd!'

'Dan moet ze wel heel lekker koken!' Jacob sloeg zijn ogen ten hemel.

'De hele familie kookt heerlijk,' merkte Margaret Colt op. 'Tegenwoordig is Paula Deen een hele industrie, Jacob. Haar zonen Jamie en Bobby zorgen voor het restaurant. Zelf is ze fulltime bezig met een dagelijks kookprogramma op tv. Ze geeft een eigen kookblad uit en schrijft kookboeken. Het is gedaan met de armoede: Mrs Deen is tegenwoordig een cultkok!'

'*Only in America!*' relativeerde Melissa. 'Ik heb gehoord dat het bijna onmogelijk is om hier een tafel te krijgen.'

Joshua knikte. 'Gelukkig heb ik connecties. Het is elke avond stampvol en overdag beginnen ze de tafels al om drie uur uit te geven. De mensen staan gewoon te dringen en het is een complete show hier buiten op de stoep. Je gelooft je ogen niet!'

Margaret en Joshua Colt besloten een keus te maken uit het welvoorziene buffet. Jacob en Melissa bekeken het menu verder en waren het algauw eens.

'Denk jij wat ik denk, schat?' Melissa knipoogde naar hem.

Jacob knikte. 'Zo klaar als een klontje: gebakken groene tomaten vooraf en *crab cakes* als hoofdgerecht. En laat je vader de wijn maar kiezen.'

Terwijl de airco en de grote ventilatoren aan het plafond zwoegden om de hitte te temperen en de oude houten vloer knerpte onder de zich haastende obers, liet het viertal zich het eten goed smaken.

Jacob deed zijn uiterste best om mee te doen aan de conversatie, maar hij merkte al gauw dat hij vooral korte antwoorden gaf en knikte. Hij kon dat verkiezingsaffiche maar niet van zijn netvlies krijgen.

Ecker. Wat was er met Ecker? Wat had hij gemist?

Twee uur later zaten de beide paren Colt lekker achterovergeleund op de grote leren banken in een van de salons in het huis aan Gaston Street.

Jacob keek geïmponeerd naar de hoogte van het plafond en schatte dat die minstens vier meter was. De kamer was zeker zestig à zeventig vierkante meter groot en gemeubileerd met zware, antieke mahoniehouten meubels die op vloerkleden op de mooie, honderd jaar oude houten vloer stonden.

'Wil je een cognac bij je koffie, Jacob?' Joshua Colt hield een kristallen karaf en een glas omhoog.

'Ja graag, papa!' zei Melissa lachend, nog voordat Jacob antwoord kon geven.

'Vergeet niet dat we uit het land van de gelijkwaardigheid komen!'

'Niet alleen gelijkwaardigheid...' mopperde Joshua. 'Ik las ergens dat jullie het tegenwoordig zelfs goedvinden dat homoseksuelen kinderen adopteren. *God damn it!* Het is ziekelijk!'

Margaret Colt huiverde vol afkeer terwijl ze haar koffiekopje pakte. 'Ja, als God had gewild dat homoseksuelen kinderen kregen, had hij er wel voor gezorgd dat dat kon. Ik begrijp überhaupt niet wat Zijn bedoeling met homoseksuelen is.'

Melissa sloeg haar ogen neer en zweeg. Jacob bracht het gesprek gauw op het huis en had opeens belangstelling voor architectuur. Joshua en Margaret hadden tijdens het eten vragen gesteld over Elin en Stephen, maar genoegen genomen met de neutrale antwoorden die ze hadden gekregen. Jacob begreep echter dat het niet gemakkelijk zou worden als ze de bom over Stephen tot ontploffing zouden brengen.

Dat zou vanavond in elk geval niet gebeuren.

Laat die avond, toen ze zich hadden teruggetrokken in hun royale logeerkamer, rolde Jacob de affiche uit en bestudeerde hij McGuinleys gezicht weer.

Er was geen twijfel mogelijk. De man was min of meer een kopie van Hans Ecker. Jacob vroeg zich af waarom hij zo sterk had gereageerd toen hij het affiche zag. Had Henrik gelijk gehad, hield Ecker iets achter? Was hij belangrijker voor het onderzoek dan ze dachten? Hadden ze een detail gemist? Jacob vervloekte zichzelf dat hij geen antwoord op zijn vragen kon vinden.

Melissa leidde hem af. Ze vrijden zwijgend maar intens en daarna viel ze gelukkig in slaap in zijn armen.

Jacob lag lang naar het plafond te staren en zakte ten slotte weg in een oppervlakkige, onrustige slaap vol dromen. Donkere mannen achtervolgden hem in een nauw, doodlopend steegje en hij was kansloos. Hij werd tegen een muur gedrukt en staarde naar de mannen, die allemaal hetzelfde gezicht hadden. Ze trokken alle drie een mes en...

Mes!

Jacob werd met een schok wakker en ging rechtop in bed zitten, opeens klaarwakker. Hij voelde grote zweetdruppels over zijn voorhoofd lopen en in zijn ogen prikken.

McGuinleys gezicht had hem doen denken aan Hans Ecker. En het mes dat in de borst van Hector Gomez zat had de initialen H.E.

Te gemakkelijk, te mooi om waar te zijn? Als het mes dat in de borst van Gomez stak van Ecker was, was Ecker ook degene die de prostituee in Berlijn had vermoord. De muts die ze op de Strandväg hadden gevonden was van Ecker. *Ecker, Ecker, Ecker!*

Hij moest Henrik Vadh bellen. Nu. Ecker moest onmiddellijk worden verhoord. Met een beetje geluk zouden ze meerdere zaken in één keer oplossen.

Melissa werd wakker van zijn drukke bewegingen.

'Wat is er, schat, kun je niet slapen?' vroeg ze slaperig.

Jacob vertelde het haar, maar ze leek te moe om het belang in te zien van wat hij zei.

'...dus ik moet Henrik bellen, nu meteen!'

Hij deed het bedlampje aan en keek op de wekker. Vijf over drie in de nacht. Met andere woorden: vijf over negen in Stockholm en Henrik zou wel al op zijn werk zijn.

'Hm-mm, maar ga dan naar beneden en bel in de woonkamer, want ik wil slapen, Jacob!'

In zijn ijver struikelde Jacob op de trap, viel met een bons tegen de muur en verloor bijna zijn mobiele telefoon. Terwijl hij weer overeind krabbelde, ging de slaapkamerdeur van zijn schoonouders open en verscheen Joshua Colt met een revolver in zijn hand.

'Rustig!' Jacob stak glimlachend een hand op. 'Ik ben het maar!'

Joshua knikte in het donker. 'Ik zie het. Maar wat doe jij om deze tijd uit bed?'

'Ik moet een belangrijk telefoontje plegen. Het gaat om mijn werk en het is een kwestie van leven en dood. Maar ik ga naar de woonkamer om te bellen. Melissa slaapt.'

Joshua Colt keek hem ongelovig aan, maar haalde toen zijn schouders op.

'Bellen, om deze tijd? *Okay, go ahead, son, I'll go back to bed.*'

'Henrik, met Jacob. Ik denk dat ik de oplossing van de zaak-De Wahl heb!'

'Je bent te laat, chef, zoals gewoonlijk.' Vadh kon niet nalaten de draak met hem te steken.

'Hè?'

'Ik heb de oplossing van de zaak-De Wahl al ruim dertig minuten!'

'Wat zeg je me nou? Hoe kan dat? Ik liep hier vandaag namelijk en toen zag ik een affiche...'

Toen Jacob zijn verhaal had gedaan, lachte Henrik Vadh zacht. 'Zonde dat je je zienersgaven niet eerder aan de dag hebt gelegd, maar wees blij, want ik kan je vertellen dat je waarschijnlijk gelijk hebt. Eerst kwam Svenne hier vanmorgen vroeg binnenrennen, helemaal opgewonden. Hij had een *Dagens Industri* gekregen met een groot artikel dat Hans Ecker directeur zou worden van een groot concern. Svenne was er honderd procent van overtuigd dat dat dezelfde vent was als die hem in de oude stad had neergeslagen. Zijn vriendin Johanna dacht dat ook, toen ze de foto in de krant had gezien. Maar dat was nog niet alles, want toen kwam de post...'

Henrik las Silfverbielkes brief voor, die 's morgens met de post bij de recherche was bezorgd.

'De afzender was een advocaat, een zekere Henriksson. Ik heb hem gebeld en hij vertelde dat hij instructies had om ons die brief te sturen als Silfverbielke gisteren niet terug was in Stockholm of iets van zich liet horen.'

Colt floot. 'Silfverbielke! Dat was toch die andere kerel die we hoorden, van wie werd beweerd dat hij verkracht was door De Wahl?'

'Inderdaad. Ik zei toch al tegen je dat Ecker iets verborg. Ze verborgen allebei iets. En kennelijk kennen ze elkaar zo goed dat ze samen op vakantie gaan.'

Colt dacht na. 'En Silfverbielke is dus niet teruggekomen van zijn reis met Ecker?'

'*Nope.* De advocaat heeft geprobeerd Silfverbielkes mobiel te bellen, maar die stond uit.'

'Verdomme! Stel je voor dat Silfverbielke gelijk had.'

'Ja, stel je voor... Ik zoek hier nog wat dingen uit en bel je straks terug.'

Jacob liep ongedurig heen en weer in de grote, donkere woonkamer. Hij kon niet stil blijven zitten. Hij zette zijn mobiel op de trilstand, liep toen zachtjes naar de slaapkamer en trok een korte broek en een t-shirt aan terwijl hij naar Melissa's regelmatige ademhaling luisterde. Toen sloop hij net zo stil de trap weer af, deed de voordeur open en voelde de vochtige hitte van de nacht vanaf Gaston Street tegen zich aan slaan. Met zijn mobieltje in zijn hand stak hij de lege straat over en hij liep snel Forsyth Park in, de grootste groene oase van Savannah.

Terwijl het zweet van zijn lichaam droop begon hij steeds harder te lopen. Opeens zag hij iets bewegen onder een boom en hij hield in.

Onder de boom stond een zwarte man, doodstil. Zijn bovenlichaam was bloot, hij droeg een kapotte spijkerbroek, had een bruine, papieren zak in zijn hand en in zijn ogen stond hopeloosheid. Hij staarde zo dat Jacob een andere kant op keek en ging hardlopen, terwijl het hem te binnen schoot dat Savannah niet alleen maar de idylle was die de brochures schilderden. Meer dan de helft van de bevolking was zwart en meer dan twintig procent leefde onder de armoedegrens.

Jacob begon als een gek te rennen, passeerde de grote, verlichte fontein en rende in het donker verder tussen magnolia's en azalea's totdat hij bij het standbeeld van generaal Lafayette McLaws kwam.

Hij bleef staan, boog zich voorover en steunde zwaar hijgend met zijn handen op zijn knieën. De zweetdruppels prikten in zijn ogen.

Toen hij zijn ademhaling weer onder controle had, liep hij naar een bankje onder een boom, ging zitten en staarde voor zich uit in het donker, terwijl zijn gedachten door zijn hoofd bleven tollen.

Eerst begreep hij niet waar het getril in zijn hand vandaan kwam. Toen bracht hij snel zijn mobieltje naar zijn oor.

'Jacob?'

'Ja. Wat heb je ontdekt?'

'Thuis bij Ecker staat het antwoordapparaat aan. Dat zegt dat hij gisteren terug zou komen. Op zijn werk zeggen ze dat hij vandaag terug had moeten zijn. Maar een paar dagen geleden kregen ze een telefoontje van zijn vriendin dat Ecker in Griekenland ziek was geworden. Buikgriep of zoiets. Ze waren nu van plan maandag terug te vliegen en Ecker zou dinsdag weer gaan werken.'

'Heb je de vlucht gecheckt?' Jacob klonk opgewonden.

'Voor wat voor amateur zie je me aan?' Vadh lachte. 'Ecker heeft een vlucht uit Kreta via Athene geboekt, die maandagmiddag om zestien uur twintig in Stockholm aankomt.'

'Ik kom naar huis! Ik neem het eerste het beste vliegtuig hiervandaan en...'

'Jacob, probeer je nou toch één keer te ontspannen. Ik reken die knaap in, geloof me, ik heb Arlanda, Landvetter en Sturup al gewaarschuwd voor het geval dat hij eerder komt of een andere route neemt. Blijf nou maar in Savannah en besteed wat aandacht aan Melissa. Jullie komen de vijfentwintigste thuis en dan zit meneer Ecker hopelijk in een cel geparkeerd, klaar om aan jou te worden voorgeschoteld.'

Jacob keek grimmig. Hij voelde dat hij over zijn hele lichaam werd gebeten door hordes kleine muggen, maar hij had er geen last van. 'Vergeet het maar, Henrik. Ik kan maar niet verteren wat hij allemaal heeft gedaan en dat hij Svenne in elkaar heeft geslagen. Ik wil er van het begin af aan bij zijn als we die klootzak aanpakken!'

'Doe wat je wilt,' verzuchtte Vadh, 'maar zal ik hem toch maar vast laten opsporen?'

Colt dacht een paar tellen na. 'Nee, doe niks. Als Ecker geen onraad ruikt, komt hij maandag gewoon naar huis en dan pakken we hem op Arlanda op. Maar als het uitlekt dat we hem zoeken en iemand waarschuwt hem, dan zien we hem nooit meer terug.'

Het werd stil aan de andere kant. Toen zei Vadh: 'Je hebt gelijk. Oké, ik hou me gedeisd. Bel je me als je meer weet over je aankomsttijd? Dan haal ik je op van Arlanda.'

'Dank je!'

Melissa Colt trok haar ochtendjas steviger om zich heen. Ze had tranen in haar ogen.

'Nou hebben we eindelijk eens een keer vakantie en zijn we weg van dat ellendige politiebureau, en nou wil je na vijf dagen teruggaan om te wérken? We zijn de halve aardbol overgevlogen om naar mijn ouders te gaan, die we twee jaar niet hebben gezien en dat laat je nou allemaal maar zitten?'

'Melissa, luister.'

Jacob probeerde haar naar zich toe te trekken maar ze maakte zich met een ruk los. 'Niet doen!'

'Melissa, lieverd, begrijp het nou! We zitten al sinds januari achter die kerel aan zonder dat we weten wie het is. Hij heeft waarschijnlijk minstens vier mensen vermoord en hij had Svenne Bergman ook bijna om zeep gebracht. Nu heb ik eindelijk de kans om hem op te pakken!'

'Dat kan me niks schelen! Waarom kan het niet nog een week wachten? Kun je mij één reden geven waarom Henrik en de anderen hem niet kunnen inrekenen terwijl jij weg bent? Eén enkele reden?'

Jacob trok een grimas. Melissa had gelijk. Natuurlijk was er geen logische reden waarom hij nu halsoverkop een vliegtuig naar huis moest nemen. Henrik en de andere jongens konden best nog een week op de winkel passen en Ecker ophalen.

Het ging om iets heel anders, moest hij zichzelf met tegenzin bekennen.

Frustratie, woede. Prestige. Jacob kon zich niet herinneren dat hij ooit eerder in zijn politieloopbaan zo gefrustreerd en geërgerd was geweest als tijdens de zaak-De Wahl, zeker niet na wat er in de oude stad was gebeurd. *Sommige dingen doe je wel en sommige dingen doe je niet. Je valt geen politiemensen aan!*

Hij keek haar smekend aan. 'Melissa, ik móet. Begrijp je dat niet?'

'En dat met Stephen?' Ze kon haar tranen maar amper bedwingen.

'Wat?'

'Wat?!' Haar stem ging weer omhoog. 'We hadden afgesproken dat jíj het hun zou vertellen en...'

'Ja, áls het moest worden verteld, ja. Ik dacht dat we nog niet zo ver waren. Je hoorde toch wat ze gisteren over homo's zeiden...'

'Ik heb erover nagedacht en ik ben tot de conclusie gekomen dat dat toch het beste is.'

'Dat had je dan misschien ook tegen mij moeten zeggen.'

'Dat maakt nou niet meer uit.' Ze liep naar het raam, deed demonstratief haar armen over elkaar en keek naar Gaston Street.

Jacob zuchtte. Vrouwen! dacht hij. Van welke planeet komen die? Hoe kunnen ze toch denken dat wij mannen wel kunnen raden wat ze denken en dan liefst nog tegelijk met hen? In alle jaren dat ze samen waren, hadden ze nooit erg grote conflicten gehad en de paar die er waren geweest, hadden ze redelijk soepel kunnen oplossen. Jacob was er niet zo zeker van dat het ditmaal even gemakkelijk zou gaan.

Hij piekerde, hij wikte, hij woog.

Hij kon maar één ding doen.

'Melissa, luister naar me. Als het zo belangrijk voor je is dat ik ze over Stephen vertel, dan doe ik dat voordat ik wegga. Want ik móét gaan, ik kan niet anders. Ik zou het natuurlijk fijn vinden als je meegaat, maar ik heb er alle begrip voor als je hier wilt blijven.'

'Dat is niet hetzelfde!'

'Hetzelfde als wát?'

Hij voelde zijn irritatie groeien. Ze moest verdomme begrijpen dat hij een moordenaar wilde oppakken die bijna zijn collega had omgebracht.

'Wat voor indruk denk je dat het maakt als je dat vertelt terwijl je zo gestrest bent als nu, en dan maken wij dat we wegkomen en laten hen in die toestand achter?'

'Ik ben niet gestrest.'

'Dat ben je wel! Je bent gejaagd en je wilt alleen maar naar huis om de politieheld te spelen. Ik vind je kinderachtig...'

'Dan vind je dat maar!'

'...als je niet nog één weekje kunt wachten, ons een lekkere vakantie gunt en mijn vader en moeder op de hoogte stelt!'

'Dat zijn er twee mogelijkheden. Of we wachten met het te zeggen of ik vertel het en dan gaan we allebei weg.'

'Geen denken aan.'

Hij zuchtte weer. 'Geen denken aan wát? Ik noemde twee mogelijkheden.'

'Geen van beide.'

Jacob probeerde het opnieuw. 'Melissa, luister nou toch alsjeblieft. We kunnen dat op alle mogelijke manieren regelen en ik weet zeker dat je ouders er begrip voor hebben dat we weg moeten, als ik ze vertel waarom. En ik geef je mijn erewoord dat we hier zo snel mogelijk weer heen gaan als ik dit afgewerkt heb. Die kerel is verdomme een seriemoordenaar! Begrijp toch dat –'

Ze onderbrak hem. 'Ik begrijp alleen maar dat die vervloekte baan van je belangrijker is dan ik, Stephen, Elin, mijn vader en moeder – belangrijker dan alles. En dat is altijd al zo ge–'

'Melissa, dat is niet waar, dat weet je best. Dat vind ik een gemene opmerking van je.'

In de taxi naar het vliegveld voelde hij zich beroerd van de ruzie met Melissa. Tijdens het ontbijt met Joshua en Margaret had er een drukkende stilte aan tafel geheerst. Jacob had naar beste vermogen geprobeerd uit te leggen hoe belangrijk het was dat hij onmiddellijk terugging naar Stockholm, maar hij realiseerde zich dat het hol klonk en de manier waarop Joshua hem aankeek beviel hem niet.

Keer op keer ging het gesprek met Melissa weer door zijn hoofd. Vergiste hij zich? Had zij gelijk? Had hij zich moeten beheersen en in Savannah moeten blijven?

Terwijl hij nadacht keek hij naar de lelijke betonnen gebouwen rondom het vliegveld.

Absoluut niet. Het kon gewoon niet.

Hij moest naar huis, een seriemoordenaar inrekenen.

Het was niet zomaar meer een baan. Het was nu persoonlijk.

68

Maandag 20 augustus

Henrik had hem opgehaald toen zijn Continental-toestel zaterdagochtend vroeg op Arlanda landde.

Afgezien van een paar snelle maaltijden hadden ze het hele weekend gebruikt om het materiaal door te nemen, gedeeltelijk op het politiebureau, gedeeltelijk bij Jacob thuis aan de Hollywoodväg.

Hij vond het huis maar stil en leeg zonder Melissa.

Hij had een paar keer naar Savannah gebeld, maar de enkele keer dat een van haar ouders had opgenomen, hadden ze hem kort laten weten dat ze sliep of niet thuis was. Hij had het ook op haar mobiel geprobeerd, maar die stond uit en hoewel hij een heleboel berichten had ingesproken, belde ze niet terug.

Melissa wilde niet met hem praten en dat was voor het eerst in al hun jaren samen.

Jacob had pijn in zijn buik.

'Jullie zijn je ervan bewust dat het een lange dag wordt, hè?'

Jacob keek de tafel rond. Magnus Ekholm babbelde wat met Henrik Vadh, Niklas Holm bladerde zoals gewoonlijk door stapels computer-prints. Anna Kulin zat over haar notitieblok gebogen en keek naden-kend.

Colt keek op zijn horloge. Tien over negen in de ochtend.

'Dit gaan we doen: wie wil, heeft na deze vergadering vrij tot aan het begin van de middag. We hebben contact gehad met de vliegmaatschap-pij. Tot nu toe ziet het ernaar uit dat het vliegtuig op de geplande tijd aankomt. Ecker en zijn vriendin Veronica Svahnberg zijn ingecheckt. De grenspolitie houdt ze tegen en brengt ze naar een wachtkamer. Ik wil geen scène maken in de terminal, want we weten niet wat Ecker gaat doen als hij in het nauw komt. Zodra we ze hebben rijden we hierheen en beginnen.'

Jacob keek Anna Kulin aan. 'Wat vind je, moeten we ze tegelijk ver-horen?'

De officier van justitie knikte. 'Ik stel voor dat Magnus en ik met de vriendin praten, terwijl Henrik en jij Ecker verhoren. In het materiaal dat ik heb zie ik geen aanleiding of mogelijkheid Svahnberg in staat van beschuldiging te stellen, maar je weet maar nooit.'

'Medeplichtigheid?' vroeg Henrik Vadh.

Anna Kulin haalde haar schouders op. 'Dat zou ze dan wel moeten bekennen, of Ecker zou moeten beweren dat ze heeft geholpen. De kans bestaat natuurlijk ook dat ze niets weet van wat hij heeft gedaan. Aan de andere kant is het belangrijk om de situatie helder te krijgen. Ik wil haar niet op vrije voeten stellen als dat het onderzoek nadelig kan beïn-vloeden.'

'Dat dacht ik ook,' zei Colt, 'en het lijkt me toch ook een beetje vreemd als ze helemaal nergens van op de hoogte zou zijn.'

'Je weet nooit,' merkte Vadh op. 'Laten we niets bij voorbaat aannemen voordat we ze hebben gehoord. Ik heb in elk geval nagetrokken of Silf-verbielke al is opgedoken, maar hij lijkt wel door de grond verzwolgen. Op zijn werk weten ze van niets en zijn mobiel staat uit.'

'Gezin, familie?' vroeg Colt.

Vadh schudde zijn hoofd. 'Geen vrouw, geen kinderen, geen partner. Er is nog ergens een oude moeder, maar die wilde ik nog niet bellen.'

'Goed,' zei Colt, 'dan weet iedereen hoe de zaken ervoor staan. We zien elkaar om halfdrie, als we naar Arlanda gaan.' Hij keek om zich heen.

Iedereen rond de tafel knikte.

'Nog één ding,' zei Colt. 'Ik wil dat iedereen gewapend is. Ik neem geen enkel risico met die schoft.'

Veronica Svahnberg had haar ogen dicht. Ze was doodmoe, maar kon niet slapen – al dagen niet.

Ze werd gekweld door ongerustheid en vragen. Wat was er met Christopher gebeurd? Was hij dood of was er een kleine kans dat hij nog leefde? Was het gegaan zoals Hans zei of had hij een groter aandeel in het gebeurde? Had hij Christopher misschien zelfs met opzet overboord geduwd?

Ze had al duizend keer en nog vaker hetzelfde gedacht sinds ze op de boot wakker was geworden en Hans ogenschijnlijk levenloos had aangetroffen.

Maar ze vond geen antwoorden.

Het deed haar pijn om aan Christopher te denken en nu pas begreep ze dat haar gevoelens voor hem veel dieper zaten dan ze had gedacht.

De seks? Zeker. Het seksuele spel, onderwerping, dominantie? Natuurlijk. Maar van haar kant was het meer geweest, veel meer.

En het kind. Christophers kind?

Ze had niet aan die gedachte willen toegeven, maar hoe meer ze eraan terugdacht, hoe meer ze ervan overtuigd raakte dat Christopher de vader was van het kind dat in haar buik leefde en groeide.

Op zichzelf was dat alleen een moreel dilemma – zeker nu, dacht ze. Hans zou het vaderschap ongetwijfeld erkennen en niemand anders dan zijzelf zou de waarheid kennen. Maar dat betekende ook dat ze voor altijd een stukje van Christopher bij zich zou hebben.

'Nog maar een kwartier...' Ze voelde dat Hans haar op haar wang kuste.

Veronica Svahnberg deed haar ogen open en keek op haar horloge. Vlak daarna werd er via de luidspreker meegedeeld dat het vliegtuig de

landing op Arlanda had ingezet en dat de passagiers hun veiligheids-
riemen moesten omdoen.

Ze probeerde haar gedachten van zich af te zetten. Ze moest sterk
zijn. Ze kon niets meer doen aan wat er was gebeurd. Misschien zou ze
de antwoorden ooit krijgen; tot die tijd moest ze maar geduldig afwach-
ten.

'Waarom? Wat is het probleem?'

Ecker keek geërgerd toen de grenspolitie hem vroeg even opzij te stappen en de volgende in de rij voor te laten.

Een paar minuten later zaten Veronica en hij op een stoel in een
wachtkamer. Bij de deur stond een grenspolitieman die niets zei.

'Maar u kunt toch wel vertellen waar het om gaat? Is er iets mis met
onze paspoorten? We zijn alleen maar op vakantie geweest.'

De politieman schudde zijn hoofd. 'Ik weet echt niet waar het
om gaat, alleen dat u hier moet wachten. U hoort het zo meteen vast
wel.'

Hans Ecker dacht snel na. Ze hadden nog niet eens de gelegenheid
gehad hun bagage op te halen, dus het kon geen douanekwestie zijn.
Het moesten de paspoorten zijn. De politie had ze ingenomen zonder
verder iets te zeggen. Hans bedacht dat hij het zijne al een tijdje niet
meer had gecontroleerd. Misschien was het wel verlopen. Of dat van
Veronica. Tenzij...

De deur ging open en een agent in uniform vroeg Veronica mee te
komen. Ze keek vragend naar Hans, maar ging zonder iets te zeggen
met de agent mee.

Hans' hart sloeg over. Op dat moment kwam Jacob Colt binnen, gevolgd door Vadh, Holm en twee man ordepolitie. De deur ging achter
hen dicht.

Eckers brein werkte koortsachtig. *Waar ging dit verdomme over?*

Jacob liep naar Hans toe.

'Hans Ecker, u bent aangehouden. Gaat u met ons mee.'

Ecker keek eerst verbaasd. Toen stond hij zo abrupt op dat zijn stoel
achteroverviel. 'Wát zegt u? Wat –'

Colt stak afwerend een hand op, terwijl de twee agenten in uniform
Ecker vastpakten, zijn armen op zijn rug draaiden en hem handboeien
omdeden.

Ekholm en Kulin spraken in de gang bij de wachtkamer met een ontdane Veronica Svahnberg en legden haar uit wat er aan de hand was.

'U wordt op dit moment niet verdacht van een misdrijf maar we willen u informatief horen. U moet ook mee naar het politiebureau.'

Er knapte iets bij Veronica Svahnberg en ze begon onstuitbaar te huilen.

'Wat zeg je ervan, zullen we beginnen?'

Henrik Vadh keek Jacob Colt vragend aan.

'We laten hem nog vijf minuten zweten. Hebben we DNA van hem afgenomen?'

'Jazeker. Christer heeft meteen wangslijm uit zijn mond gehaald toen we hier kwamen. Ecker keek een beetje verbaasd, maar protesteerde niet. Christer heeft het NFI gebeld en voorrang gevraagd. We hebben het materiaal er met de auto heen gebracht en verwachten het resultaat binnen een paar uur.'

Colt knikte. 'Mooi. Heeft Ecker om een advocaat gevraagd?'

'Nog niet. Beginnen wij samen met het verhoor?'

'Zeker weten. Hoe gaat het met Svahnberg?'

'Ik heb Magnus en Kulin net even meegenomen naar de gang en dat gevraagd. Ze heeft van alles verteld over wat er in Griekenland is gebeurd. Volgens haar is Silfverbielke op een avond op de boot die ze hadden gehuurd flink dronken geraakt en overboord geslagen. Ze denken dat hij is verdronken en hebben hem als vermist opgegeven bij de politie in Chania op Kreta. Ik heb Holm gevraagd onmiddellijk contact met de Grieken op te nemen en na te gaan of dat klopt. Het antwoord zal zo wel komen.'

'Overboord geslagen? Dat kwam wel erg goed uit. Misschien moeten we nog een moord toevoegen aan Eckers erelijst. Silfverbielke schreef uitdrukkelijk dat hij vreesde voor zijn leven!'

Vadh knikte. 'De vraag is wel waarom hij dan überhaupt meeging. Zou jij met iemand op vakantie gaan als je die ervan verdacht dat hij je wilde ombrengen?'

'Om met jou te spreken: ik heb wel gekkere dingen gehoord,' zei Jacob. 'Mensen doen soms zulke idiote dingen dat je er niks meer van begrijpt. Maar zeg, ik heb zin om mijn tanden in Ecker te zetten.' Hij tikte op de map die hij onder zijn arm had. 'We gaan beginnen.'

Vadh bekeek hem aandachtig. 'Bespeur ik daar enige gemeenheid bij de commissaris?'

'Nee, ik wil net zo vriendelijk doen als anders,' verzuchtte Colt. 'Maar er zijn gevallen waarin ik zou willen dat we zo konden werken als in Zweedse politiefilms of Amerikaanse thrillers: mensen tegen de muur kwakken en zo. Als we ons niet vergissen, is de man die we in dat verhoorkamertje hebben zitten de duivel zelf en dan zou het prettig zijn als we meteen een bekentenis kregen in plaats van zo te moeten peuteren als we gewend zijn.'

Henrik knikte verbeten. Hij liep achter Colt aan toen die snel naar de verhoorkamer liep, de deur opendeed en naar binnen ging.

Hans Ecker zat aan een tafel in de kale kamer. Hij zag er ontdaan uit en schrok nerveus op toen de deur openging en de beide rechercheurs binnenkwamen.

Zodra ze zaten pakte Jacob een digitale dictafoon en sprak de inleidend tekst in. Toen deed hij zijn map open en keek Ecker aan.

'Hans Ecker, we houden nu een inleidend verhoor: later volgen er meer. U hebt recht op de aanwezigheid van een advocaat bij dit verhoor. Wilt u dat?'

Ecker dacht aan wat Christopher ooit had gezegd over hoe gemakkelijk het is om je uit een verhoor te redden als je een beetje slim bent. *En hoe zag de tegenstander eruit? Die Colt was immers niet zo slim toen ze hem die keer op zijn kantoor hadden bezocht.* Hans besloot tot een nonchalante tactiek en schudde zijn hoofd. 'Nee, het moet allemaal een misverstand zijn. Ik heb niks gedaan en heb dus ook geen advocaat nodig.'

'Dat is dan genoteerd,' zei Colt. 'Ik wil u er ook over informeren dat u onze vragen niet hoeft te beantwoorden als u dat niet wilt.'

Ecker haalde zijn schouders op en glimlachte. 'Ik heb niks te verbergen, dus waarom zou ik geen antwoord geven?'

Colt keek hem intens aan. 'Oké, laten we dan maar beginnen. U wordt verdacht van moord op Alexander de Wahl aan de Nybrokaj op 15 januari dit jaar en van moord op Renate Steiner in Berlijn in de nacht van 1 op 2 februari dit jaar.'

Hans Ecker schrok. 'Wat?! Ik begrijp niet –'

Colt stak een hand op. 'Rustig, ik ben nog niet klaar. Verder wordt u verdacht van moord op Erkki Lahtinen in Gamla Stan op 3 maart en van mishandeling van rechercheur Sven Bergman bij dezelfde gelegenheid.'

'Stop! Waar hebt u het –'

'Wacht even, ik ben nog steeds niet klaar. Ten slotte wordt u verdacht van moord op Hector Gomez op Djurgården op 6 juni van dit jaar.'

Colt zweeg even en bekeek Ecker. Het gezicht van de man was lijkbleek geworden en hij had een zenuwtrek in zijn ene oog.

'Wat hebt u daarop te zeggen?' vroeg Jacob.

'Ik... Ik begrijp niet... waar u het over hebt!' Ecker kreeg de woorden er maar moeizaam uit.

Colt leunde een beetje achterover en glimlachte zwak. 'O nee? Nou, laten we de zaken dan een voor een doornemen...'

Hij wierp een snelle blik op Henrik en kreeg een bijna onmerkbaar knikje terug.

Vadh kneep zijn ogen een beetje dicht. Hij boog zich voorover en keek Ecker doordringend aan. 'Als we beginnen met het gebeurde in Gamla Stan, dan is er een getuige die heeft gezien dat u Lahtinen hebt mishandeld met de dood tot gevolg.'

De gedachten tolden door Eckers hoofd, terwijl hij zich de beelden van die koele avond in dat steegje voor de geest probeerde te halen. *Die smeris! Die smeris heeft me die dronkenlap zien schoppen.* Ecker voelde dat Vadhs ogen zich in hem boorden, net als die keer dat ze bij hem op kantoor waren. *Onaangename man, die Vadh. Verdomme, ik heb tijd nodig om te denken!*

Hij probeerde rustig adem te halen en zich te concentreren. 'Ik heb niemand vermoord, zeg ik toch. Ik ben niet in een steegje in Gamla Stan geweest.'

'Er is een getuige, zeiden we al.' Vadh staarde hem nog steeds aan, terwijl Colt volledig leek op te gaan in het bestuderen van zijn nagels.

'Ik... Eh... Ik...'

'En Gomez, hoe zat het daarmee?' De vraag kwam als een zweepslag. Ecker schrok, maar dwong zichzelf weer zich te concentreren.

'Ik weet niet waar u het over hebt! Ik ken geen Gomez!'

Jacob Colt keek Ecker plotseling recht in de ogen. 'En die prostituee in Berlijn, Renate Steiner?'

Wie was Renate Steiner? Ecker voelde een zweetdruppel op zijn voorhoofd. *Ja, die hoer natuurlijk, maar die had Christopher toch vermoord? Daar konden ze hem nooit voor pakken.*

Ecker schudde zijn hoofd. 'Ik begrijp er niks van. Ik ken geen Renate.'

Vadh weer. 'Waar was u op de ochtend van 15 januari, toen Alexander de Wahl werd vermoord?'

'U hebt me al verhoord over De Wahl, en –'

'Dat was geen verhoor.'

'Wat? Nou ja, jullie waren op mijn kantoor en stelden er vragen over en –'

Colt keek hem onderzoekend aan. 'We hebben uw gebreide muts gevonden in een plas water niet ver van De Wahls lichaam.'

'Eh... Ik wist niet eens dat die muts weg was!'

'Nee, nee.'

Het kat-en-muisspel ging vijfenveertig minuten door zonder dat Ecker enig teken van bezwijken gaf.

Colt zette een teleurgesteld gezicht op. 'We nemen even een korte pauze. Moet u nog naar het toilet?'

Ecker schudde zijn hoofd.

Toen de deur achter Colt en Vadh dichtsloeg, zakte Ecker onderuit in zijn stoel en veegde zijn voorhoofd af. *Waar ging dit over? Het was al erg genoeg dat ze het over die knokpartij in Gamla Stan hadden. Maar wat had die hoer in Berlijn ermee te maken? En Alexander de Wahl? En wie was die Gomez?*

Het duizelde hem en hij slaagde er niet in zijn hoofd helder te krijgen. Hij had een droge keel en moest iets drinken. Hij vroeg zich ongerust af wat ze met Veronica deden en wat zij tegen hen zei. Goddank wist ze niets over Gamla Stan, maar hoe zat het met Griekenland – *koesterde ze een verdenking?* Hij zette het idee van zich af; ze was te slim om iets te zeggen, zelfs al zou ze denken dat hij iets te maken had met Christophers verdwijning.

Jacob en Henrik dronken staand een kop koffie, op de gang.

'Hoe wil je het verder aanpakken?' vroeg Vadh.

Colt keek grimmig. 'Ik wil weer naar binnen gaan en het ijzer smeden nu het heet is. We zetten hem een beetje onder druk en concentreren ons eerst op Gamla Stan. Ik denk dat we de meeste kans op die bekentenis hebben.'

'Oké.'

Ze zetten hun kopjes neer en gingen terug naar de verhoorkamer. Ecker keek hen kwaad aan toen ze binnenkwamen en Jacob vroeg zich af wat er zich in zijn hoofd had afgespeeld toen zij weg waren.

Zijn stem was kalm en zacht. 'Is het niet beter om te bekennen, Ecker? Dat lucht meestal op.'

Ecker sloeg met zijn vuist op tafel. 'Maar ik heb niks gedaan, zeg ik toch. Hoe vaak moet ik dat herhalen?'

'Totdat u de waarheid vertelt,' zei Vadh kalm.

'Ik héb de waarheid verteld.'

Colt boog zich naar hem toe en keek hem aan. 'We wéten dat u het was in Gamla Stan. We weten ook dat u De Wahl en Renate Steiner hebt vermoord. En uw mes zat tot het heft in de borst van Hector Gomez.'

Ecker deed zijn mond open, maar Colt kapte hem meteen af. 'We gaan even terug naar Gamla Stan. Kende u Lahtinen al?'

'Ik zei toch dat ik niet eens in Gamla Stan wás!'

'U was er wel,' zei Colt rustig, 'u en nog twee anderen. De anderen renden weg toen onze collega dichterbij kwam. U bleef staan en ging door met het mishandelen van Lahtinen –'

Jacob werd onderbroken doordat er werd aangeklopt. Christer Ehn stak zijn hoofd om de deur en wenkte Jacob.

'Sorry, ogenblikje.' Jacob ging de kamer uit en deed de deur achter zich dicht. Ecker keek verbaasd naar Vadh, maar die leunde met gesloten ogen achterover. Sliep die gast midden onder een verhoor? Ecker voelde de woede in zich opkomen.

'Wat is dit eigenlijk voor flauwekul? Jullie kunnen me hier niet zomaar vasthouden en –'

Vadh deed zijn ogen open en keek hem rustig aan. 'U wordt verdacht van moord, Ecker. Van meerdere moorden zelfs. Beseft u niet hoe ernstig dat is?'

De deur ging open, Jacob kwam binnen en ging weer zitten. Hij gaf Vadh een papiertje, en die las het handgeschreven zinnetje: 'Antwoord van NFI: raak!'

Jacob zei snel: 'Ik kom terug op de gebeurtenissen in Gamla Stan. Zoals ik eerder al zei, is er een politieman die heeft gezien wat er gebeurde en bovendien is er technisch bewijs tegen u, zowel voor de moord als voor de mishandeling van mijn collega Bergman.'

Ecker werd weer onzeker. *Technisch bewijs? Ik heb mijn handschoen verloren, maar was dat echt daar? Verder kunnen ze toch niks...*

'Uw DNA komt overeen met het materiaal dat rechercheur Bergman onder zijn nagels had zitten nadat hij u in uw gezicht had gekrabd toen u hem mishandelde. Hebt u daar iets op te zeggen?'

Ecker kwam met een schok terug in de werkelijkheid. Henrik Vadh keek hem vragend aan.

Die klootzak heeft me in mijn gezicht gekrabd. En mijn huid onder zijn nagels gekregen. Verdomme!

Hans Ecker ademde diep door. 'Ik wil een advocaat!'

Het was halftien in de avond toen Jacob Colt en Henrik Vadh eindelijk in de auto konden stappen om naar huis te rijden.

Colt reed lange tijd zonder iets te zeggen.

'Hoe is het?' vroeg Vadh rustig.

'Matig. We lijken de smeerlap achter slot en grendel te hebben, maar ik zou wel onder vier ogen de waarheid uit hem willen slaan.'

'Ik weet het. Maar kalm maar, we hebben tijd genoeg om een bekentenis te krijgen. Hij kan nergens heen en hij kan geen sporen meer uitwissen.'

Colts mond vertrok tot een streep. 'Nee, maar zij wel. Svahnberg.'

Vadh schudde zijn hoofd. 'Magnus en Anna Kulin zijn er allebei van overtuigd dat ze onschuldig is en van niets weet.'

'Misschien.' Jacob zuchtte. 'Maar Ecker is zonneklaar. Hij heeft dat meisje in Berlijn én Gomez omgebracht en ik ben ervan overtuigd dat hij ook de moordenaar van De Wahl is.'

'Ik denk dat je gelijk hebt, maar Kulin denkt dat het niet mogelijk is hem aan te klagen voor die zaken als hij niet bekent.'

'Jammer! Maar hij zal in elk geval een tijdje moeten zitten voor moord en geweldpleging. En we geven het toch nog niet op?'

'Natuurlijk niet! Laten we maar proberen wat te slapen en de batterij op te laden, dan gaan we er morgenvroeg met volle kracht weer tegenaan.'

Toen Jacob Henrik in Upplands-Väsby had afgezet, stopte hij bij de Statoil en at een verlate avondmaaltijd bestaande uit twee grillworstjes met puree en piccalilly en een grote fles chocomel.

Het eerste wat hij deed toen hij thuiskwam was op bed gaan liggen en Melissa bellen om te vertellen dat hij Ecker eindelijk had opgepakt. Ze nam niet op.

Na een verhoor van een uur was Veronica Svahnberg – ook al hadden de politieman en de vrouwelijke aanklager haar rustig behandeld – ingestort en had ze gekreund dat ze buikpijn had.

Het verhoor was afgebroken en er was een arts bij geroepen die haar had onderzocht, maar had geconstateerd dat de pijn waarschijnlijk van psychosomatische aard was. Er was in elk geval fysiek niets mis met haar.

Alles wat in de verhoorkamer was gezegd, was schokkend voor haar. Had ze jarenlang met de duivel zelf samengewoond en gedacht dat Christopher gevaarlijk was, terwijl haar aanstaande man in feite een seriemoordenaar was?

De politieman en de vrouwelijke aanklager leken haar echter wel te geloven toen ze huilend verklaarde dat ze niets wist van wat ze beweerden dat Hans had gedaan.

Ze hadden hun vragen alsmaar herhaald en ten slotte had ze onsamenhangende, maar wel steeds dezelfde antwoorden gegeven.

Omdat ze van niets wist.

Omdat dat de waarheid was.

Ten slotte had de aanklager haar troostend over de rug gestreeld en gezegd dat ze misschien nog een andere keer bij haar terug zouden komen met meer vragen, maar dat ze nu naar huis mocht gaan en nergens van werd verdacht.

Veronica liep de zwoele zomeravondlucht in. Ze keek op naar de lucht en begreep dat er onweer aankwam.

Toen de taxi kwam hielp de chauffeur haar de koffers van Hans en haarzelf in te laden. Christophers bagage hield de politie voorlopig in bewaring.

Veronica ging rechtstreeks naar hun huis in Danderyd. Ze was uitgeput van de reis en het verhoor. Nog steeds buiten zichzelf van ongerustheid dwaalde ze doelloos door het huis, alsof ze naar antwoorden zocht.

Wat moest ze nu bedenken? Wat moest ze doen?

Leefde Christopher nog?

Het eerste wat ze moest doen, was haar baas en die van Hans bellen. Ze zou zeggen dat Hans en zij een flinke maaginfectie hadden opgelopen in Griekenland en dat ze bij thuiskomst naar de Spoedeisende Hulp van het ziekenhuis in Danderyd waren gegaan. In afwachting van de resultaten van de tests mochten ze niet naar hun werk.

Ze moest ook de ouders van Hans bellen en een goede verklaring verzinnen waarom hij niet zelf kon bellen.

Een stapel rekeningen staarde haar aan. Ze hadden wel een bufferrekening waar honderdduizend kronen op stond, maar het kon wel even duren voordat ze Hans weer vrijlieten.

Maar vroeg of laat móésten ze hem toch vrijlaten. Het bestond niet dat hij had gedaan waar ze hem van beschuldigden. Het moest allemaal een gigantische vergissing zijn, maar hoe die had kunnen ontstaan begreep ze niet.

Wanhopig draaide ze het nummer van Christophers mobiel. Die stond uit. Ze sprak geen bericht in, maar stuurde een sms'je. *Bel me meteen, we moeten praten! V.*

Toen ze de volgende dag zag dat hij nog steeds niet had geantwoord, begon ze weer te huilen. Als hij nog leefde, had hij vast niet zo lang gewacht met antwoorden, niet aan haar. Als hij zijn mobieltje had verloren, zou hij op een andere manier iets van zich laten horen.

Nu wist ze het zeker.

Christopher was dood.

69

Dinsdag 21 augustus

'Is de advocaat er al?'

Jacob Colt nam een slok koffie, verplaatste een stapel stukken op zijn bureau en zette zijn kopje neer.

De avond tevoren had Hans Ecker de namen van vier van Zwedens bekendste en meest gerenommeerde advocaten opgenoemd. Toen bleek dat geen van hen hem op zo korte termijn kon verdedigen, was Ecker bijna hysterisch geworden. Zijn hoofd tolde, totdat er opeens een naam in hem opkwam.

Stefan Mörck stond bekend als advocaat van de zwaarste criminelen, en hij was er bijzonder goed in zwakke punten in de beschuldigingen van de officieren van justitie en gaten in het politieonderzoek te vinden.

Ecker wilde Mörck als verdediger en toen de advocaat begreep dat hij te maken had met de toekomstige directeur van een beursgenoteerde onderneming, kostte het hem minder dan een uur om naar het politiebureau te komen. Hij zag de krantenkoppen al voor zich. En zijn eigen facturen.

'Ja, hoor,' zei Vadh, en hij knikte. 'Stefan Mörck is een kwartier geleden gearriveerd en we hebben hem geïnformeerd. Hij zit nu bij Ecker. We kunnen ze toch nog wel een paar minuten geven voordat we beginnen?'

'Heel even dan,' mopperde Colt. 'Ik vraag me af of we gisteren niet harder hadden moeten aandringen om een bekentenis te krijgen. Aan de andere kant had hij die dan later misschien ingetrokken. We moeten maar kalm aan doen, net als anders...'

Vadh wierp een bezorgde blik op zijn collega. Hij kon zich niet herinneren dat hij Colt ooit zo gefrustreerd had gezien. Ecker mocht dan blijkbaar een psychopaat en een seriemoordenaar zijn, ze moesten het wel zorgvuldig aanpakken.

Hij legde zijn hand geruststellend op Jacobs schouder. 'Kom op, kerel, dan gaan we.'

Eckers brein was verhit geraakt tijdens het verhoor de vorige dag en toen de rechercheurs begonnen over Berlijn, voelde hij zijn gezicht weer warm worden. Hoe wisten die smerissen dat hij überhaupt in Berlijn was geweest? En hoe wisten ze dat van die hoer? Wat was dat voor geklets dat er een Chileen was vermoord met zijn mes? Dat mes was al weg uit zijn auto sinds ze terug waren uit Berlijn en...

Ecker hield zijn adem in toen het plotseling tot hem doordrong: *Christopher! De klootzak had hem al die tijd een loer gedraaid!*

Ecker had zich lang afgevraagd waar zijn mooie muts was gebleven, maar hij nam aan dat hij hem had verloren. Na de trip naar Berlijn had hij eerst zijn legitimatie gemist en een week later ook zijn scherpe Finse mes dat altijd in de kofferbak van de Mercedes lag. Hij vond het wel raar, maar had zijn schouders opgehaald en gedacht dat hij beter op moest passen, beter op zijn spullen moest letten.

Toen Hans Ecker maandagavond naar een cel werd gebracht, was hij helemaal op, zowel lichamelijk als geestelijk. Toen hij Colt naar Veronica vroeg, had die geantwoord dat ze naar huis was. Ecker was woedend geweest. 'Dat is maar goed ook voor jullie. Ze is hoogzwanger, zagen jullie dat niet?'

Hij had zich bijna op Colt gestort, maar was op het laatste moment tot bezinning gekomen. Toen de deur achter hem dicht was gegaan, was Ecker op zijn brits in elkaar gezakt, terwijl de gedachten nog door zijn hoofd stormden.

Hoeveel had Christopher de politie verteld, en hoe? Hij had het toch niet kunnen doen voordat ze weggingen, want dan hadden ze hem niet laten gaan of er was een opsporingsbevel naar hem uitgevaardigd in Griekenland. Had Christopher in een onbewaakt ogenblik naar Zweden gebeld en zo ja, waarom? Hij kon het in elk geval niet vanaf de boot hebben gedaan. Ze waren elk wakker moment bij elkaar geweest en bovendien was de mobiele dekking waardeloos geweest.

Een brief. Dat was het natuurlijk. Een brief die Chris had gestuurd voordat ze weggingen. Maar waarom? Waarom wilde hij Hans laten opdraaien voor dingen die hij zelf had gedaan?

Talloze vragen.

Geen antwoorden.

Het verhoor van Ecker duurde twee hele dagen met onderbrekingen voor pauzes, maaltijden en toiletbezoek. Advocaat Mörck zat de hele tijd naast Ecker, maar hij hield meestal zijn mond en had blijkbaar geen bezwaar tegen de vragen die ze stelden.

Na elk verhoor leverde Jacob de dictafoon in om de gesprekken te laten uitdraaien en in de printjes was later onder meer te lezen:

Verhoorleider, commissaris Jacob Colt (VL): Zo, Ecker, hebt u kunnen slapen vannacht?

Hans Ecker (HE): Ik ... (onverstaanbaar)

VL: Wilt u een glas water of misschien een kop koffie?

HE: Nee, dank u.

VL: Nee? Nou, dan vind ik dat we eerst wat moeten doorpraten over het gebeurde in Gamla Stan. Wilt u vertellen wat daar die avond is gebeurd?

HE: Ik zei toch dat ik daar niet ben geweest!

Inspecteur Henrik Vadh (HV): Ja, dat is zo. Maar gisteren hebben we u verteld dat er een getuige is en dat we bovendien uw DNA hebben gevonden bij de vermoorde man en onder de nagels van rechercheur Bergman.

HE: Ik ... (onverstaanbaar)

VL: Sorry, wat zei u?

HE: Ik... Ja, nou ja, ik ben er wel geweest, maar...

VL: Ja?

HE: Ik... eh... had ergens gegeten...

VL: In Gamla Stan?

HE: Eh... ja, inderdaad.

VL: Alleen?

(Lange stilte)

VL: At u alleen toen u in Gamla Stan was?

HE: Nee.

VL: Nee? Met wie at u dan samen?

HE: Met mijn vriendin, Veronica.

HV: Dat is vreemd. We hebben haar naar die avond gevraagd, en zij zei er niets van dat ze daar samen met u had gegeten.

HE: Ze (onverstaanbaar) misschien... vergeten.

HV: Bedoelt u dat ze zou zijn vergeten dat ze met u uit eten is geweest?

HE: Hm-mm.

VL: Nogmaals: een politieman heeft gezien dat u in de Pelikansgränd op Erkki Lahtinen insloeg. Volgens hem was u toen samen met twee andere mannen. Toen mijn collega riep dat hij politieman was, renden de twee andere mannen weg, terwijl u doorging Lahtinen te slaan en te schoppen...

HE: Nee! Het was niet... (schraapt keel, zwijgt)

VL: Het was niet...?

(Lange stilte)

VL: Toen de politieman, Sven Bergman, u achternaging, bleef u staan en begon u op hem in te slaan. Tijdens het gevecht krabde hij u in uw gezicht. Weet u dat nog?

HE: Ja, maar...

VL: U weet het nog?

HE: Nee! Ik bedoel...

VL: Ja?

HE: Ik... Ik wil mijn advocaat onder vier ogen spreken!
VL: Dat kan. Dan pauzeren we even.

Een halfuur later ging het verhoor door. Nu was ook Anna Kulin erbij.

VL: Zo, Ecker. U hebt met uw advocaat kunnen overleggen. Laten we
beginnen met Gamla Stan. Kunt u daar iets meer over zeggen?
HE: (keel schrapen) Ja, ik wil...
VL: Ja?
HE: Dat in Gamla Stan... Ja, ik heb die politieman geslagen. Maar ik was
dronken en het was niet de bedoeling...
VL: Ik begrijp het. Moet ik dat zo opvatten dat u bekent dat u
rechercheur Bergman hebt mishandeld in de nacht van 3 op 4 maart dit
jaar?
HE: Eh... Ja, als het toen was.
VL: Dat was het. Goed, daar komen we later op terug. Maar eerst vraag
ik me af of u dan ook de moord op Erkki Lahtinen bekent – de dronken
man die u schopte en sloeg in de Pelikansgränd – dezelfde avond?
HE: Hij heeft misschien wel een paar schoppen gekregen, maar...
VL: Mijn collega Bergman zag dat u Lahtinen herhaaldelijk schopte en
sloeg. Toen uw vrienden weggerend waren, gaf u hem nog een laatste
klap, waardoor zijn hoofd achteroversloeg tegen een uitstekende ijzeren
pin, waardoor hij overleed.
HE: Ik... Dat was niet de bedoeling...
VL: De man is gestorven, Ecker. Bekent u dat u de verwondingen hebt
veroorzaakt waaraan hij is overleden?
HE: Ja, maar (keel schrapen) ik was niet de enige die hem schopte...
VL: Wie waren er dan nog meer bij?
HE: (onverstaanbaar)
VL: Sorry, ik verstond u niet.
HE: Johannes...
HV: Johannes. Is dat een vriend van u?
HE: Ja.
HV: Wat is zijn achternaam?
HE: Kruut.

Opeens begon Colts mobiel in zijn zak te zoemen. Geïrriteerd haalde hij hem eruit, en hij wilde het gesprek juist wegdrukken toen zijn oog op het display viel en hij een Amerikaans nummer zag.

'Excuseer me even.'

Hij stond op en liep snel naar de deur, terwijl Henrik Vadh de dicta-foon uitzette.

'Ja, hallo?' Jacob deed de deur van de verhoorkamer achter zich dicht. Zacht gesnik.

'Hallo?' Jacob kon horen dat het Melissa was.

'Jacob... Jacob, ik moet met je praten!'

'Wat is er, schat?' Colts hart bonsde in zijn keel. 'Ik heb je heel vaak gebeld, maar je nam niet op. Ik heb berichten ingesproken en...'

'Ik weet het, ik weet het!' onderbrak Melissa hem. 'Het is hier crisis! Ik heb mijn intrek genomen in een hotel en –'

Colt leunde tegen de muur en deed zijn ogen dicht. Hij probeerde Melissa te kalmeren, luisterde een tijdje en zei toen: 'Ik begrijp het, schat. We moeten erover praten. Maar ik zit nu net in een verhoor met Hans Ecker en we zijn vlak bij een doorbraak. Hij kan elk moment gaan be-kennen. Kan ik je over...' – hij keek snel even op zijn horloge – '...een halfuur terugbellen?'

'Bel maar zo gauw je kunt. Ik hou van je, Jacob.'

'Ik hou van je, meissie. Ik bel je straks. Kusje.'

Jacob liep gauw terug naar de verhoorkamer en zette de dictafoon weer aan.

VL: Kunt u ons een nummer geven zodat we dit bij hem kunnen checken?

HE: Dat kan niet.

HV: Waarom niet?

HE: Hij is dood.

VL: Hij ook al? Hoe is hij overleden?

HE: Hij is overreden door een bus.

VL: Ja, ja. Hebt u een groot rijbewijs, Ecker?

Advocaat Stefan Mörck (ADV): Dat is een irrelevante vraag. Voor zover ik weet, wordt mijn cliënt niet verdacht van een verkeersovertreding.

VL: Nee hoor, ik stelde alleen maar een routinevraag over de rijbewijzen waarover hij beschikt. Hebt u daar bezwaar tegen?

HV: Vertel eens, wanneer is die Johannes overleden?

HE: Eh... Dat moet op 21 juli zijn geweest...

HV: En waar was u op die dag?

ADV: Mag ik je eraan herinneren dat je de vragen niet hoeft te beantwoorden als je niet wilt, Hans?

HE: Ja, maar het is oké (keel schrapen). Ik... Ik was thuis, met mijn vriendin.

HV: Welke rol had die Johannes volgens u in de mishandeling?

HE: Hij schopte en sloeg het meest, veel meer dan ik.

HV: Ja, ja, en hij rende weg toen de politieman de steeg in kwam?

HE: Ja, ze renden allebei weg.

HV: Wie was die ander dan?

HE: Een andere vriend... Christopher.

HV: Wat is de achternaam van Christopher?

HE: Silfverbielke.

VL: Ik denk dat we nu maar even pauze moeten nemen.

Henrik Vadh had twee flessen mineraalwater gehaald en hij gaf Jacob er een van.

'Het komt los, Jacob.'

Colt knikte. 'Ja, we zijn er bijna wat die moord en geweldpleging in Gamla Stan betreft. De vraag is of hij nu nog meer aankan of dat we hem een paar uur met rust moeten laten. Wat denk je, heeft het zin om door te gaan?'

'Laat Ecker dat zelf maar bepalen.' Vadh haalde zijn schouders op. 'Laten we maar doorgaan.'

VL: U zei net dat Christopher Silfverbielke er die avond in de steeg bij was?

HE: Ja.

HV: Mogen we zijn nummer hebben, zodat we dat kunnen controleren?

HE: Maar hij is dood!

HV: Kunt u dat herhalen?

HE: Hij is dood...

HV: Uw vriendin Veronica Svahnberg zei dat hij overboord is gevallen tijdens uw vaarvakantie in Griekenland en dat hij vermist wordt. Nu zegt u dat hij dood is. Hoe weet u dat?

HE: Dat was een vergissing! Ik bedoel... We weten niet wat er met hem is gebeurd!

(Lange stilte)

HE: Waarom staart u me zo aan?

HV: Voelt u zich niet goed? U zweet...

HE: Het is hier verschrikkelijk warm.

HV: Ja? Dat vind ik niet. Maar hoe zit het nou met Silfverbielke? Is hij dood of alleen maar verdwenen?

Toen het verhoor opnieuw werd afgebroken, stelde Anna Kulin tevreden vast dat Hans Günther Ecker zowel de mishandeling van Sven Bergman als de moord op Erkki Lahtinen had bekend. Ze was van plan Ecker in staat van beschuldiging te stellen en wilde dat de verhoren met hem de volgende dag zouden worden voortgezet.

'Verdomme!' riep Colt uit. 'Hij heeft nog minstens drie mensen vermoord en...'

'Je weet dat ik hem niet kan aanklagen voor wat hij niet bekent,' zei Kulin rustig. 'Het bewijs zal nooit voldoende zijn voor een veroordeling. Ik zou het kunnen proberen met de moord op Djurgården, maar ik betwijfel het. Het was wel Eckers mes, maar er is geen motief, er zijn geen getuigen en het zou me niet verbazen als hij een alibi heeft voor het tijdstip. Het lijkt me beter dat we hem veroordeeld krijgen voor de mishandeling en de moord in Gamla Stan. Maar gaan jullie vooral door met de verhoren, dan zien we wel of het nog meer wordt.'

'Hij moet levenslang krijgen, die duivel,' mopperde Jacob.

'Dat bepaal jij niet, Colt.' Kulins stem was nog steeds rustig. 'Zoals je weet hebben we rechtbanken in dit land.'

Jacob Colt draaide zich op zijn hakken om en liep woedend terug naar zijn kamer.

Hij haalde een paar keer diep adem voordat hij het nummer van Melissa's mobiel intoetste. Ze nam bij het eerste signaal op.

De woorden stroomden uit haar en zoals altijd wanneer ze opgewonden was, schakelde ze steeds heen en weer tussen Zweeds en Amerikaans.

De laatste dagen waren een hel geweest. Ze had uiteindelijk besloten haar ouders te vertellen dat Stephen homo was. De reactie was nog heftiger geweest dan haar ergste vrees. Haar moeder had gehuild en tot

God gebeden, Joshua had kwaad gereageerd en met een stem vol ironie gevraagd of homoseksualiteit vaker voorkwam in Jacobs familie, want in het geslacht Colt kwamen toch waarachtig geen flikkers voor. De discussie was in twee dagen hoog opgelopen en uitgedraaid op een geweldige ruzie tussen Melissa en haar vader, terwijl Margaret Colt afwisselend huilde en hun smeekte op te houden.

'Op het laatst hield ik het niet meer uit...' zei Melissa met gebroken stem. 'Dus ik heb mijn spullen gepakt en ik ben naar een hotel gegaan. Nu bellen ze de hele tijd en vragen of ik terugkom. Maar ik weet niet of ik dat wel kan, Jacob. Het zijn mijn vader en moeder, maar Stephen is wel mijn zoon en ik hou zo veel van hem. Als ze hem niet accepteren zoals hij is, kies ik voor hem en niet voor hen!'

Jacob dacht een paar tellen na. 'Ik denk niet dat je hoeft te kiezen, schat. Ze houden van jou en ze houden van Stephen. Het was natuurlijk een schok voor hen, maar ik weet zeker dat ze wel tot bezinning komen. Ik stel voor...'

Melissa luisterde en stemde ermee in. Ze zou haar bagage in het hotel laten, naar haar ouders gaan en proberen een zinnig gesprek met hen te voeren. Als het lukte, zou ze nog een dag of twee bij hen blijven voordat ze naar huis ging. Als het weer oorlog werd, zou ze het eerste vliegtuig nemen dat ze kon krijgen en het verder van huis uit regelen.

'Ik hoop natuurlijk dat het goed komt, maar ik hoop vooral dat je zo gauw mogelijk thuiskomt. Ik mis je, schat!'

Hij hoorde haar weer snikken. 'Ik mis jou ook heel erg. Ik kom zo gauw ik kan – ik verlang naar huis!'

70

Maandag 15 oktober

Advocaat Måns Anderberg stond op, liep met een glimlach om zijn bureau en stak zijn hand uit. 'Kom binnen! Je ziet er ontzettend fit en gezond uit. Je verblijf in het buitenland was goed, begrijp ik?'

'Uitstekend, dank je. Als balsem voor lichaam en ziel, kun je wel zeggen.'

Hoewel het ook met balsemen had kunnen eindigen.

Christopher Silfverbielke ging in de bezoekersstoel zitten, trok zijn stropdas recht en knipte een stofje van zijn broek.

'Waar ben je geweest, als ik vragen mag?'

'In Griekenland, onder andere. Fantastisch land. Interessante cultuur.'

En goede dokters.

Silfverbielke ging in gedachten terug.

Hij was ervan overtuigd dat hij dood zou gaan.

Toen hij de boot voor de tweede keer aan hoorde komen, dook hij met alle kracht die hij nog had onder. Alles werd weer zwart.

Hij werd wakker doordat hij moest overgeven, maar de golven spoelden het braaksel gedeeltelijk terug in zijn mond en daardoor stikte hij er bijna in. De pijn in zijn hoofd was niet te harden en hij voelde de laatste krachten uit zich stromen.

Christopher vervloekte zichzelf. Dat hij zich toch zo door Ecker had laten verrassen! Hij had alles zo goed gepland en het had precies andersom moeten aflopen: met Ecker in het water in plaats van hemzelf.

En nu ging hij dood. Met meer dan tachtig miljoen op zijn rekening.

Nee, verdomme! Hij moest vechten!

Hij raakte weer buiten bewustzijn.

Hoe vaak hij onder water was gegleden, wakker was geworden van water in zijn keel en had overgegeven, wist hij nu niet meer. Maar hij had een vage herinnering aan een raar geluid toen er plotseling een stuk plastic tegen zijn hoofd sloeg.

Met zijn ogen dicht tastte hij met zijn rechterhand om zich heen en hij liet zijn vingers over het vochtige, gladde oppervlak gaan. Een jerrycan. Een grote jerrycan.

Zijn vingers zochten verder. De jerrycan zat vast aan een lijn die onder water verdween. Kennelijk hadden vissers die daar aangebracht als hulpmiddel om hun netten terug te vinden. Silfverbielke klampte zich vast aan het handvat van de jerrycan en dreef. Zwom, verloor de greep, zonk, gaf weer over. Vond de jerrycan weer terug.

Hoeveel uren er waren verstreken toen hij in de verte gedreun hoorde wist hij niet, maar de zon kwam al boven de horizon.

De vissers die hem uit het water haalden terwijl hij schreeuwde van de pijn, praatten druk in het Grieks. Tussen de netten en de vis op het dek legden ze dekens en ze bogen zich over hem heen. Iemand onderzocht zijn hoofd en ratelde weer iets in het Grieks. Silfverbielke sprak zijn laatste krachten aan en fluisterde: 'Chania...'

Een van de mannen die over hem heen gebogen stonden, knikte. Hij krabde zich op zijn hoofd en probeerde zich het beetje Engels te herinneren dat hij had geleerd. Toen verscheen er een glimlach op zijn zongebruinde, gegroefde gezicht en hij zei: 'Hospital!'

Silfverbielke slikte een paar keer om zijn speekselklieren op gang te krijgen en slaagde er ten slotte in te fluisteren: 'No. Private doctor...'

Toen verloor hij het bewustzijn weer.

Hij had meer dan een week in de kliniek doorgebracht. De dokter – Andreas Makropoulos – had verklaard dat God daar op zee bij hem moest zijn geweest. Als door een wonder had hij het overleefd, met heel veel schaafwonden, een hersenschudding en een hoofdfractuur. Verwondingen die mettertijd, met Gods en Makropoulos' hulp, wel weer zouden genezen.

Op de vraag hoe het was gekomen, had Silfverbielke met gevoel voor dramatiek verteld dat zijn gehuurde zeilboot plotseling was begonnen te zinken en dat hij gewond was geraakt toen hij wanhopig probeerde de boot te redden. Daarna kon hij zich niets meer herinneren, zei hij.

Na zeven dagen had Andreas Makropoulos Christopher weer grondig onderzocht en ook zijn evenwicht, zijn gezicht en gehoor en zijn reactievermogen gecontroleerd. Nog steeds met een licht verband om zijn hoofd en met een baard van acht dagen had hij de kliniek verlaten, geld gehaald in het hotel in Chania waar hij eerder had ingecheckt, was teruggegaan en had de dokter betaald.

Daarna was hij begonnen aan een lange revalidatie waarvan hij vond dat hij die had verdiend. Hij had bovendien tijd nodig om informatie in te winnen en na te denken hoe hij verder te werk moest gaan.

Hij was via diverse Griekse eilanden naar het vasteland gereisd. Hij was met een lijnvliegtuig naar Italië gevlogen, daar een paar weken gebleven en vervolgens naar Frankrijk gegaan. Nieuw hotel, ontspanning en tegelijkertijd intensief de nieuwspagina's op internet en de archieven van de Zweedse kranten gevolgd.

Toen hij voldoende op krachten was gekomen en een duidelijk beeld had kocht hij een eersteklas treinkaartje naar Kopenhagen, waar hij de eerste de beste trein naar Malmö nam.

'En nu,' vroeg Anderberg, 'wat ga je nu doen?'

Christopher keek hem ernstig aan. 'Måns, je hebt vast wel gelezen wat er met Hans is gebeurd...?'

De advocaat knikte. 'Een vreselijke geschiedenis! Wist jij er iets van?'

'Ik had geen idee, hoewel we elkaar toch heel goed kenden. Beangstigend!' Silfverbielke schudde meelevend zijn hoofd. 'Hij moet echt een Dr. Jekyll en Mr. Hyde zijn geweest.'

'Inderdaad. Hoeveel heeft hij uiteindelijk gekregen?'

'Tien jaar voor moord en nog een halfjaar voor geweld tegen een ambtenaar in functie.'

Anderberg klakte met zijn tong. 'Niet best, helemaal niet best. Maar jij had dus niets met al zijn misdaden te maken?'

Silfverbielke glimlachte. 'Waar zie je me voor aan, Måns? Als dat zo was zou ik nu ook wel achter slot en grendel zitten. Maar we hadden wel zakelijke banden en daar wilde ik het met je over hebben. Ik wilde je een voorstel doen...'

Anderberg keek afwachtend. 'Laat horen.'

71

Donderdag 18 oktober

Måns Anderberg keek uit het vliegtuigraampje en zag hoe Zürich zich in de diepte uitstrekte.

Hij leunde achterover en dronk glimlachend zijn laatste restje whisky op. De stewardess kwam langs en nam vriendelijk zijn lege glas aan.

Hij was ervan overtuigd dat hij de juiste beslissing had genomen.

Het beroep van advocaat was nooit helemaal geworden wat hij zich ervan had voorgesteld. De grote strafzaken, de kansen om in de schijnwerpers te staan, had hij om een of andere merkwaardige reden nooit gekregen. Hij had schoon genoeg van boedelbeschrijvingen, boedeldelingen, echtscheidingen en allerlei kruimelwerk.

Een testament kon iedere idioot wel schrijven.

Er waren heel wat maanden waarin de stroom testamenten en boedelscheidingen niet eens voldoende was om zijn kantoor, secretaresses, telefoon, fax, internet en alles wat hij nodig had te kunnen betalen. Zijn kostuums zagen de stomerij steeds minder vaak en zijn vrouw klaagde dat hij er verlopen begon uit te zien.

Maar, dacht Anderberg verbitterd, dat deed zij verdorie ook. Hij was haar gezeur zat en was het beu dat ze ten gevolge van hun kinderloosheid niets beters wist te verzinnen dan haar eigen geld opmaken én de paar duizendjes die er overbleven nadat hij alle andere dingen had betaald.

Silfverbielkes voorstel was dus goed uitgekomen en kon het begin van een nieuw, veel prettiger leven zijn. Zodra de scheiding van Charlotte achter de rug was, natuurlijk. De aanzet daartoe had hij de vorige dag al gegeven.

Christopher had alles verteld en Anderberg had zich erover verbaasd wat voor smeerlap die Ecker was geweest. Hij kende hem niet persoonlijk en had hem maar twee keer ontmoet. De eerste keer toen het drietal zijn drie enveloppen bij hem deponeerde en de tweede keer toen Christopher en Hans kwamen om Kruuts envelop op te halen nadat die zo tragisch was verongelukt.

Ecker, vertelde Silfverbielke, had hem in de steek gelaten en bedrogen. Hij had zijn vriendin in de kroeg gedrogeerd en was met haar naar bed gegaan toen Christopher op reis was naar Londen. Hans was zijn eigen vriendin chronisch ontrouw en had haar, Christopher en Johannes Kruut grote sommen geld afgetroggeld. Ze hadden hem altijd geloofd als hij zei dat hij het terug zou betalen, maar dat was nooit gebeurd.

Anderberg was steeds verbouwereerder geraakt naarmate Silfverbielke verder vertelde, maar twintig jaar advocatenpraktijk had hem ook geleerd hoeveel smeerlappen er in de wereld rondliepen.

Verder had Christopher verteld dat Ecker zijn zwangere vriendin al in de steek had gelaten voordat de politie hem te pakken had en dat zij nu op straat stond, alleen en teleurgesteld, zonder huis of geld.

Vervolgens had Christopher zijn voorstel gedaan, snel en simpel:

'Måns, wat zou je ervan zeggen als je met één dag werken vijftien miljoen kronen netto zou kunnen verdienen?'

Måns Anderberg nam een taxi vanaf het vliegveld naar het hotel waar hij een kamer had gereserveerd. In principe, dacht hij, had hij nog wel dezelfde dag na gedane zaken kunnen terugvliegen, maar wie had er haast om terug te gaan naar een chagrijnige vrouw als hij net vijftien miljoen kronen rijker was geworden?

Hij was van plan het 's avonds eens goed te gaan vieren in een van Zürichs betere restaurants en misschien zou hij wat leuker vrouwelijk gezelschap kunnen regelen dan die ouwe zeur thuis. Bovendien moest hij eigenlijk de volgende dag met de bank gaan praten over hoe het geld het beste kon worden geïnvesteerd om zijn voorspoed te prolongeren. Anderberg was absoluut niet van plan het mee te nemen naar Zweden.

Moreel gezien, dacht hij terwijl hij zijn koffer in zijn hotelkamer uitpakte, was het geen probleem. Ecker was blijkbaar een van de grootste smeerlappen geweest die er rondliepen. Silfverbielke was daarentegen altijd een aardige vent geweest en een trouw terugkerende cliënt, zij het ook met alleen maar kleine opdrachtjes.

En nu – vijftien miljoen. Het enige wat hij daarvoor hoefde te doen was Eckers envelop aan Christopher geven en dan met hem naar de bank gaan, keurig gekleed, heel plezierig. Hoe hij ook zijn best deed met zijn schamele opdrachtjes, hij zou na aftrek van belastingen nooit zelfs maar een tiende van dat geld opzij kunnen leggen.

Anderberg merkte dat hij droomde over exotische landen, eilanden met witte zandstranden, longdrinks en mooie vrouwen.

Zijn mobiele telefoon ging. Het display liet een nummer zien dat hij niet herkende.

'Hallo, Måns, met Christopher.'

'Hallo. Ik herkende je nummer niet.'

'Nee, mijn mobiel ging gisteren kapot, dus ik heb een nieuwe moeten kopen. Ben je al in je hotel? We moeten wel naar de bank voordat die dichtgaat.'

'Ja, hoor, ik sta net uit te pakken. Waar ben jij?'

'Vlakbij. Ik ben binnen een kwartier bij je. Welk kamernummer?'

'214.'

Een kort klopje op de deur en Anderberg deed open.

'Kom binnen, Christopher. Laten we het maar meteen afwerken.'

Hij draaide zich om en liep naar het tafeltje bij het raam waar zijn aktetas stond. Met zijn rug naar Christopher woelde hij in zijn tas.

'Ik heb de envelop hier...'

Silfverbielke trok de dunne handschoenen aan die hij in de zak van zijn colbert had en liep snel en geluidloos naar de advocaat toe.

'Ja,' zei hij, 'laten we het maar meteen afwerken.'

Hij ging ongemerkt achter Anderberg staan en trok hem een strop om de hals.

72

Hans Ecker boog zich voorover en leunde met zijn hoofd op zijn handen. Voor zijn geestesoog verscheen het beeld van een honend grijnzende Christopher. Elke keer als hij eraan dacht hoe hij was bedrogen door de man die hij zijn beste vriend had genoemd, voelde hij een zo sterke haat dat het hem voor de ogen schemerde.

Fuck! Hij zou Christopher ter plekke ombrengen als hij hier was.

Als hij dat niet al had gedaan. Ironie van het lot.

De ruzie was al de vorige dag begonnen. De gevangenis van Kumla stond niet bepaald bekend als een kinderdagverblijf en hij had al snel begrepen waarom. Op zijn afdeling zaten lieverdjes als De Turk, Mirek, de Slachter, Andrej en Östersund. Het leek wel alsof ze allemaal in dezelfde mal waren gemaakt: lang, breed, fit, getatoeëerd en de meesten met kaalgeschoren kop. Ze brachten hun vrije tijd door in de gym of met kaarten en ze rookten zo veel wiet dat de hele afdeling, inclusief de cipiers, er high van werd.

Hij had niet mee moeten doen met kaarten.

De Turk had zijn twaalf lucifers – die stuk voor stuk een duizendje voorstelden dat zo snel mogelijk nadat ze loskwamen moest worden betaald – aan hem verloren. Mirek en De Turk waren maatjes en Mirek had hem beschuldigd van vals spelen. Ecker besefte wel dat ze high waren, maar had toch tegengestribbeld. Toen was De Turk gaan provoceren. Had gezegd dat Ecker helemaal geen moordenaar was, maar een kinderneuker, een pedo die een vet pak slaag verdiende.

En toen waren de poppen aan het dansen. Ecker had meer slaag gekregen dan in alle verloren clubgevechten bij elkaar. Als de cipiers niet net op tijd waren verschenen hadden ze hem wel kunnen doodslaan.

Zodra de bewakers hen uit elkaar hadden gehaald en opgesloten, had hij om eenzame opsluiting gevraagd, want hij begreep dat dat zijn enige kans was.

En nu zat hij daar, zonder tv, radio of gezelschap.

Maar ze sloegen hem in elk geval niet meer op zijn bek.

Hij dacht aan Veronica, het kind, het huis, zijn werk. Hij dacht eraan dat hij tot meer dan tien jaar gevangenisstraf was veroordeeld en dat hij er daarvan minstens zes of zeven zou moeten uitzitten. Hij dacht eraan dat het gegarandeerd een jaar zou duren voordat hij zelfs maar mocht gaan dromen van verlof.

Ecker voelde de woede en de onmacht in zich groeien. Het ene moment stond hij op, bonkte met zijn vuisten tegen de muur en brulde. Het volgende moment zat hij in elkaar gezakt en apathisch op zijn brits voor zich uit te staren.

Al lang voordat de rechtszaak uitvoerig in de kranten was besproken, had hij via zijn advocaat twee berichten gekregen. Het eerste kwam van zijn werkgever, die mededeelde dat Ecker op staande voet was ontslagen en dat hij gezien de schade die hij het bedrijf had toegebracht niet op enige ontslagvergoeding hoefde te rekenen. Integendeel, het bedrijf overwoog of het bij de rechter een verzoek tot schadevergoeding door Ecker zou indienen.

De tweede brief kwam van het bestuur van Borsch Staal. Hierin werd kort gemeld dat men om voor de hand liggende redenen geen prijs meer stelde op de diensten van Hans Ecker als directeur.

Terwijl Ecker heen en weer werd gebracht van voorlopige hechtenis naar rechtszaal en ten slotte naar de gevangenis begon hij langzaam maar zeker te begrijpen dat zijn hele leven in een paar weken tijd in elkaar was gestort. Hij had geen flauw idee hoe hij het weer op orde moest krijgen.

Veronica vond het afschuwelijk hem in de gevangenis te bezoeken en klaagde erover dat het zo ver rijden was naar Kumla, nog voorbij Örebro. En seks was al helemaal niet aan de orde, had ze meteen bij haar eerste bezoek duidelijk gemaakt. Het idee dat ze het op een kunststof matras op de grond moesten doen terwijl de bewakers zomaar zouden kunnen kijken, en dat terwijl ze ook nog hoogzwanger was, was volkomen uit den boze.

Ecker had de conclusie getrokken dat hij wel eens blind zou kunnen zijn tegen de tijd dat hij uit de gevangenis kwam.

Maar hij had tenminste nog het fonds.

Vroeg of laat zou die klootzak van een Silfverbielke officieel dood worden verklaard. Dat was na te gaan. Als het zover was, zou hij alles in alle rust en volkomen beheerst aan Veronica uitleggen. Hij zou haar een volmacht moeten geven om Silfverbielkes envelop op te halen bij die advocaat van kwade zaken die Christopher in de arm had genomen. Met alle drie de codes in zijn bezit had hij tachtig miljoen in zijn beheer en daarmee konden de meeste problemen wel worden opgelost. Veronica en hij konden te zijner tijd naar het buitenland gaan, opnieuw beginnen en een zeer comfortabel leventje leiden zonder dat ze hoefden te werken. Misschien zou hij met een beetje smeergeld uit de gevangenis kunnen komen als hij naar een open inrichting ging. Of 'm naar het buitenland kunnen smeren tijdens een verlof.

Er werd een sleutel in het slot gestoken. De bewaker die de deur open-deed had een bloeddoorlopen ogen en zag er weerzinwekkend uit. Hij had een envelop in zijn hand.

'Post voor je, Ecker. Eigenlijk mag je die niet hebben in de isolatie, maar omdat hij er al was voordat je hierheen ging, vond ik dat ik je hem toch wel kon geven.'

Verbaasd pakte Ecker de envelop aan. Een gewone witte envelop met zijn naam en het adres van de gevangenis.

De cipier deed de deur dicht en op slot. Hans ging op zijn brits zitten, scheurde de envelop open en haalde het enige velletje eruit dat erin zat.

Twee regels.

Als je aan iets begint, moet je het ook afmaken. Veronica is a true dar-ling. Geniet van het uitzicht. CS.

Ecker herkende het handschrift en kreeg het ijskoud. De hele cel leek om hem heen te draaien en hij voelde het bloed recht naar zijn hoofd stromen.

Christopher! De klootzak leefde nog. En nu had hij het ook nog op Veronica gemunt!

Hans stond op, rende naar de deur van de cel, beukte er zo hard hij kon tegenaan en schreeuwde: 'Kom hier. Kom hier, verdomme!'

De seconden duurden een eeuwigheid.

'Wat is er?' De stem van de cipier aan de andere kant klonk nors.

'Ik moet bellen, nu meteen, het is een kwestie van leven en dood.'

Even stilte. En toen: 'Dan wordt het de dood, Ecker. Geen telefoontjes in de isolatie, dat weet je. Rustig nou maar. Ga even liggen...'

73

Dinsdag 23 oktober

Veronica Svahnberg was verbaasd dat er aangebeld werd. Ze verwachtte geen bezoek en al helemaal niet zo laat op de avond. Toen ze naar de voordeur schommelde, voelde ze het kind in haar buik schoppen en ze bedacht dat het binnenkort geboren zou worden zonder dat zijn vader – of dat nu Hans of Christopher was – bij de bevalling aanwezig zou zijn.

Ze deed de deur open, ging een stap naar achteren en legde een hand op haar mond om een kreet te smoren.

'Jij...?' was het enige wat ze uit kon brengen.

Hij glimlachte naar haar. 'Heb je me gemist?' Zonder haar antwoord af te wachten kwam hij binnen, zodat ze terugweek.

Christopher had vrijetijdskleding aan, maar wel mooie: een spijkerbroek, een wit overhemd en een zwart colbertje.

Veronica trilde over haar hele lichaam toen zijn gezicht dicht bij het hare kwam. Ze rook de geur van zijn aftershave en deed haar ogen dicht toen zijn lippen de hare zochten.

Hij hield haar met één hand om haar middel vast, keek haar diep in de ogen en streelde met zijn andere hand de onderkant van haar buik.

'Hoe is het met de kleine?'

Veronica glimlachte door haar tranen heen en werd overspoeld door oude en nieuwe gevoelens.

'Goed,' zei ze zacht, en ze kuste Christopher nogmaals vurig. 'Hoe gaat het met jóú?'

'Ik ben in een bijzonder goed humeur,' fluisterde Silfverbielke.

DANK

We hebben research gedaan in Stockholm, Fittja, Märsta, Arlanda, Gränna, Jönköping, Båstad, Malmö, Kämpinge, Trelleborg, Travemünde, Berlijn en Savannah.

Hartelijk dank aan:

Autoropa/Ferrari, Stockholm
Bentley, Stockholm
Gunilla Ahnegård Berg, uitgever, Stockholm
Moslem Emami, technicus, Stockholm
Grieks Bureau voor Toerisme, Stockholm
Dag Andersson, commissaris, Nationale Recherche, Stockholm
Björn Rydh, technisch rechercheur, Stockholm
Ulf Töregård, literair agent, Karlshamn
Bo Mattsson, directeur Cint, Stockholm
Ingemar Folke, advocaat, Stockholm
AnneMarie Dahlgren, Zweedse Dienst Justitiële Inrichtingen, Norrköping
Cina Jennehov, uitgever, Stockholm
Robert Grundin, docent forensische geneeskunde en tevens forensisch geneeskundige en klinisch patholoog, Stockholm
Cecilia Lindkvist, erkend psycholoog, Stockholm
Christer Baad, inspecteur van politie, Stockholm
John-Henri Holmberg, uitgever, Viken
Lotta Lundberg, auteur, Berlijn
Personeel van de Commerzbank, Berlijn
Wulf Trepte, Sollentuna
Ritz-Carlton Hotel, Berlijn
J.L. Watson, journalist, Cape Coral, Florida, USA
City of Savannah, Georgia, USA

Sören Sandström, commissaris Nationale Recherche, Stockholm
Savannah Historical Museum, Georgia, USA
Lars Fossto, expert crisisbeheersing Luchtvaartautoriteit, Arlanda
Frank Johansson, leraar aan de Politiehogeschool, Sörentorp, en commissaris, Malmö

Dan Buthler bedankt ook:

zijn gezin – voor alles. Ook Ann, Roger en Adrian zijn een extra vermelding waard.

Dag Öhrlund bedankt ook:

'Dekselse Jan' Dahlqvist voor de inspiratie en omdat je zo veel van Silfverbielkes geest hebt. Carina voor psalmen en liefde. Josephine voor inspirerende blijdschap, tekeningen en nieuwsgierigheid. Isabell omdat ik 'lauw' mocht lenen. Micke omdat je jij bent. Moeder, omdat je me steunt.

Lees ook van Buthler & Öhrlund

Stel dat er zoiets zou zijn als marktplaats voor moord?

Een jong meisje in Zweden wordt bruut doodgeschoten door een Duitse ingenieur die ze nooit heeft ontmoet. Een vriendelijke, 47-jarige moeder uit Australië en een van de kopstukken van de Zweedse financiële sector veranderen van het ene op het andere moment in koelbloedige moordenaars. En wie is de Amerikaanse soldaat die de nek breekt van een ICT-specialist op de veerboot tussen Helsinki en Stockholm?

Overal staan de politiediensten machteloos tegen de golf van onoplosbare moorden die over de wereld gaat. Er zijn geen daders. Geen motieven. Geen verbanden. Intussen zijn talloze bedrijven op internet het slachtoffer van grootscheepse afpersingspraktijken. Rechercheur Jacob Colt is belast met de verschillende zaken in Zweden, en wanneer hij tijdens een politiecongres in contact komt met enkelen van zijn buitenlandse collega's ontdekken ze dat er wellicht verband bestaat tussen de onopgeloste delicten. Het spoor leidt hen naar Rusland, waar een sinistere groepering een wereldwijd netwerk heeft opgezet... voor moord.

'Spectaculaire spanning – stel dat dit waar zou kunnen zijn?' *Västervik Gazette*

'Niet voor mensen met zwakke zenuwen...' *Aftonbladet*

ISBN 978 90 261 2972 8
432 blz.